# LA VIDA
# EXAGERADA
# DE MARTIN
# ROMAÑA

Bibliotheca del Fénice

ALFREDO BRYCE ECHENIQUE

# LA VIDA EXAGERADA DE MARTIN ROMAÑA

EDITORIAL ARGOS VERGARA, S.A.

Primera edición: diciembre de 1981

© Alfredo Bryce Echenique
Edición castellana, propiedad de
Editorial Argos Vergara, S. A.
Aragón, 390 - Barcelona-13 (España)

ISBN: 84-7178-359-2
Depósito Legal: B. 38.302-1981

Impreso en España por Gráficas Instar, S.A.
Constitución, 19 - Barcelona-14

Printed in Spain

*A Sylvie Lafaye de Micheaux, porque es
cierto que uno escribe para que lo quieran
más.*

Love is the general name of the quality of attachment and it is capable of infinite degradation and it is the source of our greatest errors.

Iris Murdoch,
*The Sovereignty of Good*

Si acaso me contradigo
en este confuso error
aquel que tuviere amor
entenderá lo que digo.

Sor Juana Inés de la Cruz,
*Amoroso tormento*

# PUNTO DE PARTIDA DEL CUADERNO DE NAVEGACION EN UN SILLON VOLTAIRE

*Con todo mi camino, a verme solo.*
César Vallejo

Mi nombre es Martín Romaña y esta es la historia de mi crisis positiva. Y la historia también de mi cuaderno azul. Y la historia además de cómo un día necesité de un cuaderno rojo para continuar la historia del cuaderno azul. Todo, en un sillón Voltaire.

En efecto, el día siete de junio de 1978, entré en crisis, como suele decirse por ahí, aunque positiva, en mi caso, pues logré por fin salir de la melancolía *blue blue blue,* como solía llamarla Octavia, que fue primero Octavia de Cádiz a secas, porque durante largo tiempo la conocí sólo en estado o calidad de aparición, sí, lo cual me impedía, como es lógico, bañarla en ternura con miles de apodos que prácticamente no vendrán al caso en el cuaderno azul, pero que en cambio justificarán plenamente la adquisición del cuaderno rojo. Plenamente, Octavia.

Cabe advertir, también, que el parecido con la realidad de la que han sido tomados los hechos no será a menudo una simple coincidencia, y que lo que intento es llevar a cabo, con modestia aparte, mucha ilusión y justicia distributiva, un esforzado ejercicio de interpretación, entendimiento y cariño multidireccional, del tipo *a ver qué ha pasado aquí.*

En realidad, de quien hablaré mucho, a pesar de que las apariciones milagrosas de Octavia de Cádiz pueden por momentos inquietar (a mí, desde luego, me inquietaron muchísimo), es de Inés, que fue primero todo lo contrario de Inés a

13

secas, porque nada ni nadie en el mundo me impedía bañarla en ternura con miles de apodos, aunque durante largo tiempo viví con ella en estado o calidad de inminente desaparición, sí. Por lo demás, altero, cambio, mantengo, los nombres de los personajes. Y también los suprimo del todo. Creo que me entiendo, pero puedo agregar que hay un afán inicial de atenerse a las leyes que convienen a la ficción, y pido confianza.

Volviendo ahora a la crisis positiva en que *entré*, es preciso decir que, de no haber llegado las tres cartas ese mismo 7 de junio de 1978, tal vez hubiese continuado en mi espantosa melancolía, sin Octavia alguna para decir *blue blue blue*, como quien me explica, a ver si de algo me sirve, y sabe Dios por cuánto tiempo más melancolía y sólo melancolía. Como el tren, el cartero silbó tres veces aquel día, por ser las tres cartas certificadas y urgentes, y tres veces también, el suspiro fue enorme, dije *God bless his boots*, pensando en mi profesora particular de idiomas y autores trascendentales, allá en el Perú, hace siglos, pero ella había muerto sin que nos volviéramos a ver jamás, tras haberse pasado años enviándome direcciones útiles para mi vida en París, en preciosas cartas, y sin que yo me hubiese atrevido a decirle nunca, al responderle, nada de eso existe ya, Merceditas, por haber sido probablemente Merceditas la mujer más fina que conocí en mi vida, y porque para qué, pobrecita, si allá en Lima, cuando recibía mis cartas, ella siempre le bendecía las *boots* al cartero, sin imaginar un solo instante que los chimpunes del cholo más que bendición de Dios seguro necesitaban un buen remiendo. Merceditas tocaba, además, la viola d'amore, y a mí me contaron que murió sin mayores sufrimientos, sin duda alguna para evitarme un sufrimiento aún mayor en París.

Estas tres cartas certificadas y urgentes significaron el final de la melancolía en que me había dejado instalado mi último viaje inútil por el sur de Francia, y después fue el sur inútil de la India, porque ya conocía el norte, y después el sur de Marruecos, Túnez y Argelia. Países estos cuyo norte también ya conocía. No regreso más, suspiré melancólico, al entrar a mi departamento parisino, al cual tampoco debí haber llegado nunca. Ni siquiera la primera vez. Y mientras me dejaba caer en el sillón Voltaire, el melancólico eco de mi estado de ánimo se me arrimó en coro: no regreso nunca más. Qué horror. Qué pena. Ojalá alguien me llamara por teléfono. Pero... En el fondo... Para qué, si... No... Voy... A... Responder. Es prueba de respeto... Por sí mismo... El estarse muriendo de ganas de que lo llamen a uno por teléfono y darse el gustazo de no responder, es prueba de respeto por sí mismo...

Seguía dejándome caer en el sillón Voltaire. Y mientras, pensaba: Me ha gustado mucho esta última frase sobre el teléfono, suena perfecto a máxima contemporánea, debería anotarla en el cuaderno azul. El cuaderno azul, cuyas páginas continuaban íntegramente en blanco, había sido obsequio de una muchacha con la que inicié un largo viaje al norte de Europa y en pleno invierno. Nunca pasamos de Bruselas, a tres horas de París.

—Te lo regalo para que lo llenes de mí —dijo ella, al entregármelo. Aunque luego, como quien reflexiona, añadió—: En fin, de mí o de lo que quieras.

La máxima contemporánea habría sido una buena oportunidad para inaugurarlo, pero cómo, si continuaba dejándome caer en el sillón Voltaire y me resultaba totalmente imposible en esas circunstancias ir en busca del cuaderno azul. Lo dejé, pues, yacer, como tantas otras veces, sobre mi mesa de trabajo, en la lejanísima habitación de al lado. Pensé que no olvidaría aquella reflexión telefónica, que mañana o cualquier otro día la anotaría, pero luego recordé que siempre me olvidaba de todo y tuve la seguridad de que esta vez ocurriría exactamente lo mismo. La idea de una nueva pérdida, y la imagen del cuaderno, virgen, yacente, y *blue*, Octavia, no me apenaron en absoluto. Por el contrario, solté un sonoro y derrumbado ¡qué demonios!, y continué cuesta abajo.

Llevaba meses viviendo en este estado, con el cuaderno azul en la habitación de al lado, el sillón Voltaire en mi vida, y mi vida en el sillón Voltaire. Llevaba ya casi un año hundiéndome en él, dejándome literalmente naufragar *blue blue blue*, y las

15

únicas frases que me importaban eran aquellas que anunciaban categóricamente que no volvería jamás al sur de ninguna parte. E incluso que no volvería a ninguna parte y punto. Y el asunto empezaba a extenderse además a la lejanísima habitación de al lado. Más la cocina, que era donde estaba la comida. Al principio, otras horas borraron las del primer día, y otras las de los primeros días y las siguientes semanas, y así continuaron pasando los meses hasta el 7 de junio en que el cartero me silbó tres veces las cartas porque eran certificadas y urgentes.

Fui tentado igual número de veces por la idea de no abrirle, pero luego recordé vagamente que ese respeto por sí mismo se refería más bien al teléfono, e incorporándome desde el fondo de algo, bendije botas, y avancé como pude entre los recuerdos enmarañados de Merceditas.

Eran tres invitaciones, tres. Laura me invitaba a pasar el verano en Niza. Sur de Francia, me dije. Mario me invitaba a Sicilia. Sur de Italia, me dije. Andrés me invitaba a navegar, partiendo de Torremolinos. Sur de España, me dije, y decidí volverme loco un rato, procedimiento este que había logrado perfeccionar tanto, con los años, que ya ni siquiera necesitaba moverme del sillón para volverme loco un rato. Sí. Y en esta oportunidad el mago Charamama era la solución.

Me atendió de inmediato, y con la misma solicitud de siempre. El mago Charamama nunca me había fallado, una tras otra me había anunciado hace siglos, allá en el Perú, todas y cada una de las calamidades que con el tiempo y mis viajes me fueron abatiendo por diversos países y ciudades, aunque claro, yo nunca quise hacerle caso, yo nunca quise tomar en serio la extendida reputación de aquel hombre que, en el longevo ejercicio de su magia, lo había adivinado todo, todo menos que su hija iba a salirle puta. Eternamente entristecido por tan garrafal falla, hablóme Charamama, repitióme en realidad lo mismo de siempre: No andar yéndose siempre, Martín Romaña, no andar pensando tampoco que se trata de norte y sur, Martín Romaña, no andar enmelancolizándose uno todo el tiempo porque nuevamente se está de regreso de tanto, Martín Romaña, no permane-

16

cer tampoco, Martín Romaña, es decir, sobre todo no permanecer sin escribir, la cosa está en escribir y en escribirlo, Martín Romaña, y en ser duro cuando lo exige la ocasión... Por ejemplo, ¿qué le va a responder usted al Andrés ese de Torremolinos? Tenga usted este cuaderno, no es azul pero anote usted, ya después lo pasa en limpio cuando escriba de a verdad, vamos, anote, quiero ver qué le va a responder usted, nada de sí, nada de muchas gracias ni de huidas cuando usted hace años que sabe lo que desea, Martín Romaña, no escaparse, Martín Romaña, nada de eso porque terminará usted yaciendo como su cuaderno azul, entender, en cambio, interpretar, en cambio, enfrentarse, en cambio, escribir, en cambio... Vamos, anote: Para Andrés de Torremolinos. Vamos...

"Cuanto más lejos te quede Torremolinos, mejor."
(Pentadius. s. IV a. de J.C.)

"El camino de Itaca no pasa por Torremolinos."
(Según Konstantino Kavafis)

"—Si vas a Torremolinos, pregunta por la Dolores.
—¿Pero ésa no vivía en Calatayud?
—¡Di que te lo dije yo, mierda!"
(Según el cristal con que se mire)

Hay que ver cómo sonríe el mago Charamama, olvidando un instante el dolor de una hija garrafal, al leer lo que acabo de dejar anotado. Arranca la hoja, me la entrega, me da un último consejo: El cuaderno azul, su cuaderno, inmediatamente, Martín Romaña.

—Sí, Charamama —le digo, desgarrando tres cartas en un sillón.

Nos conmovemos. Charamama y yo nos conmovemos más todavía. Ya suenan los violines y las trompetas del mariachi, ya se escucha aquella canción, el cuaderno azul es la propia Merceditas quien me lo alcanza, tras haberlo inaugurado: No te hice

17

conocer a todos esos autores para que te perdieras en la vida, Martín Romaña. Charamama bendice la unión de una partida y de un regreso, se escuchan más fuerte los violines y las trompetas, el cuaderno azul es la propia Merceditas quien me lo ha alcanzado, ya inaugurado, canta Pedro Vargas: *y volver, volver, vooolveeeer,* como nunca la emoción nos embarga, hasta el sillón Voltaire: como si se sintiera mejor...

Esta es toda esa historia en un cuaderno azul que algún día necesitará de otro más, uno rojo.

## NAVEGANTE MA NON TROPPO

No he nacido para navegante. Qué va. Pero he tenido que navegar. A quién no le ocurre alguna vez tener que navegar sin ser navegante. Y yo cuando navegué descubrí que el asunto se parecía enormemente a mi vida: navegué con enorme dificultad.

Las cosas siempre se anunciaron la mar de fáciles, pero siempre se complicaron a último momento. Tanto que la primera vez ni siquiera llegué a navegar. Quedé herido en tierra mientras esperaba que la embarcación se acercara a la orilla. Este es un recuerdo de infancia, aunque linda en el trauma infantil, más bien. Estaba con mi padre, que era bueno e importante, aunque creo que para explicar bien mi historia debo decir que estaba con mi padre, que era bueno *pero* importante. Estaba también el señor Montero que era buenísimo y no tan importante como mi padre. Quiero decir que en el Banco mi padre tenía más jerarquía, siendo el señor Montero mucho mayor, y siendo además bastante más alto que mi padre. Un hombronazo, en realidad, porque mi padre era un hombre bastante alto. ¿Qué pasó? Habían ido a traer el bote a motor con el que nos íbamos de picnic a las islas guaneras, y mientras tanto, las hijas del señor Montero, que también eran mayores y más altas que yo, pero que actuaban como si fueran menores y más bajas que yo, por el asunto de las jerarquías paternas en el Banco, decidieron arrojar piedras al mar, en competencia, a ver quién ganaba. Al final, la competencia no se definía, por lo de las jerarquías en el Banco, creo, ya que el señor Montero hasta gigante no paraba pero su piedra siempre caía justito detrás de la de mi padre. Total que una de las chicas Montero, que definitivamente no entendía lo complicada que es la vida, se picó porque su papá no ganaba por nada de este mundo. La señora Montero intervino, para pensar que lo mejor era ponerle punto final a la competencia, y mi papá, que era tan bueno como importante, le dio un tiro libre, un tiro fuera de concurso a don Remigio Montero.

Don Remigio avanzó hasta el borde mismo del agua y todos nos colocamos detrás de él para ver cómo llegaba hasta las islas guaneras, si era necesario, para calmar a su hijita. Yo me puse justito detrás de don Remigio, y cuando éste mandó feroz brazote y manota hacia atrás, para lo del gran impulso, con un pedrón impresionante en la mano, el impulso se estrelló en mi frente, me desmayó, me partió la ceja, y le calmó el llanto a la chica Montero. Hubo navegación y picnic, de todos modos, pero yo no fui de la partida.

No volví a ver a la chica Montero hasta mi temprana adolescencia, hasta mi primera fiesta con muchachas, para ser exacto. Siempre antes de sacar a bailar a una muchacha he soñado una vida entera con ella. Adonde la chica Montero, por ejemplo, me acerqué con voz francamente temblorosa. Me respondió que no bailaba con mocosos, cerrando así el ciclo de ese recuerdo de infancia que linda en el trauma infantil, más bien.

Mi adolescencia siguió viento en popa. Nat King Cole, en inglés y en español, acompañó día tras día la ansiedad con que viví mi primer amor. Teresa había aceptado lo de una vida temblorosa y entera con ella, desde nuestro primer baile, pero resulta que ahora a mí el asunto no me parecía suficiente y cada día me interesaba más lo de morir de alguna forma espantosa por ella. Hubo momentos en los que definitivamente me negaba a seguir en vida debido al excedente de amor, y me resultaba bastante insoportable el que Teresa fuera una muchacha tan alegre y tan llena de vida.

Me dejó en la época en que Elvis Presley estaba de moda, y nada menos que un día espantoso de navegación. El organizador fue un australiano, Stewart Murray, que tenía un impresionante yate anclado en el Club Náutico del Callao. Era un gringo mayor, buen amigo, y que gustaba mezclarse con los amigos de su hija. Julia. La hija se llamaba Julia. Vinieron también a navegar esa mañana tres parejas más de amigos. Eramos nueve en total, y Stewart era el que se encargaba de las velas y de todo lo demás. Decían que era medio loco el gringo, pero conmigo se portó muy bien. Es cierto que era el único que entendía de navegación ahí, el único que sabía cuándo el mar se ponía peligroso de verdad, pero en todo caso, de haber sido tan loco como los amigos afirmaban, a lo mejor me deja botado y termino ahogándome en una época en la que francamente Teresa ya había cambiado mucho. Nuestro amor naufragaba, yo no tenía por qué ahogarme en forma tan espantosa precisamente entonces.

Lanzamos el ancla en alta mar y, con el pretexto del almuerzo, empezamos a beber más ginebra de la que era conveniente. Una de las muchachas se puso morada entre las copas y la intranquilidad cada vez mayor del mar. Yo, en cambio, me puse valientísimo y decidí que había llegado el momento de lanzarse al agua. Stewart no lo aconsejaba, Teresa no lo aconsejaba, y yo en el fondo de mí mismo tampoco lo aconsejaba. En realidad, ahí nadie aconsejaba semejante locura, pero yo me lancé.

Qué distinto era estar ahí abajo. Pero mi carácter extrañamente ha optado siempre por la sonrisa en estos casos, y creo que de ahí viene el hecho de que la gente piensa que soy un ser encantador en sociedad. En realidad, lo que pasa es que detesto molestar. El yate se elevaba sobre gigantescas crestas de agua y yo me hundía en oceánicos abismos, pero siempre con una sonrisa lista en los labios, para mi próxima aparición. Aparecía y desaparecía. Aparecía nadando serenamente de regreso al yate, e incluso nadando a veces con una mano porque con la otra les estaba haciendo ese tipo de adiós del que ya llega dentro de un ratito. Desaparecía con lágrimas en los ojos, pero siempre de carácter uniforme para con los demás, siempre preparando la sonrisita para la próxima aparición. Y por más que me decía, ya grita pues huevón, nada. Mi carácter se negaba a asustarlos y a causarles problemas a la hora del almuerzo en el yate. No grité ni siquiera cuando comprobé, definitivamente, que cuanto más trataba de acercarme al yate, más se alejaba el yate; ni siquiera cuando comprendí que tras nuestra conversación previa, nada haría que Teresa perdiera su entusiasmo por Juanacho Gutiérrez, tampoco cuando los imaginé bailando con un disco de Elvis; no grité ni siquiera cuando todos en el yate empezaron a gritar. E incluso, desde abajo, y medio verde, estuve dándoles instrucciones de serenidad mientras se me acercaban y Stewart lanzaba boyas y sogas. Y después, de regreso al Callao, serví ginebras y endurecí todo el carácter que se me iba a ablandar en los años siguientes, no bien Teresa estuvo a punto de tener piedad de mí.

Una vez casi fui navegante. Es cierto que en pequeña escala, pero navegante. Y sin embargo, como siempre hasta ahora, o tal vez debería decir, como desde la primera vez para siempre, nuevamente las cosas se complicaron a último momento. Claro, aprendí mucho, aprendí muchísimo sobre la vida, pero habría preferido mil veces ignorar ciertas cosas y llevar a cabo mis buenos deseos de navegar con Inés.

La que sigue es la historia de un resentimiento, o mejor dicho la historia de lo rarísima que puede ser la vida cuando a uno le toca caer en manos de un resentido. Inés, la flamante muchacha con la que soñaba vivir una vida entera, amaba a Dios sobre todas las cosas, y de todas las cosas que Dios había puesto en este mundo, el mar era lo que más la acercaba a la felicidad. Podía estarse tres horas seguidas en el agua, sin temor ni a las olas ni al calambre. Un paseo en barco era para Inés un placer tan sensual, tan genial, que ese día amanecía realmente trastornada, distinta, con una belleza agudizada, en la que sus senos endurecidos y su sonrisa permanente, como detenida en eterno primer instante, mucho tenían que ver con la fuerza con que de pronto se ponía a oler a mujer.

Decidí endeudarme por amor, comprando una pequeña embarcación a velas, a motor y a todo lo que fuera necesario: me moría por Inés y me era imprescindible mantenerla trastornada en el litoral de Lima. Era inútil pedir dinero prestado en el Banco en que trabajaba mi padre. Su terror al nepotismo, a que se le imaginara nepotista, era tan grande, que por nada en este mundo le habría soltado un centavo a uno de sus hijos. Total que terminé en otro Banco, explicándole al gerente, al inolvidable don Carlos Ayala y Ayala, quién era, de qué se trataba, y por quién venía recomendado. A ese señor lo delataban sus gemelos. Demasiado oro para tratarse de unos gemelos de oro. Lo demás lo había aprendido bastante bien, sin duda, aunque ya desde el comienzo la sonrisita nerviosa con que me recibió delataba algo parecido a lo de los gemelos. Ayala y Ayala se conmovió con la historia del joven estudiante de Derecho que no veía las horas de navegar endeudado con su novia por el litoral de Lima. Y la amabilidad de que hacía gala iba en aumento a medida que me contaba que, también él, a mi misma edad, y siendo estudiante de Derecho como yo, había necesitado de un préstamo. Claro, su situación entonces era otra, su padre acababa de fallecer, él era el único hijo mayor de edad, el sostén de su madre y hermanas. En fin, o se le ayudaba económicamente o tendría que abandonar su carrera y ponerse a trabajar. Acudió donde mi abuelo, que también era banquero.

Yo ya estaba navegando con Inés. Había empezado a navegar desde que Ayala y Ayala me contó que mi abuelo lo había acogido con la misma amabilidad con la que él deseaba acogerme ahora. Estaba ya prácticamente en alta mar y él continuaba con su historia, sentado frente a mi abuelo, uno de esos caballeros que ya no existen, un hombre inolvidable, señor Romaña. Navegando con Inés escuché cómo mi abuelo le había preguntado si era hijo de fulano, nieto de mengano; navegando me enteré de que, por ser hijo de fulano y nieto de mengano, don Carlos Ayala y Ayala no necesitaba presentar garantía alguna para obtener el préstamo, el nombre bastaba, recibiría el dinero y podría continuar sus estudios y ayudar a su madre viuda. Con el tiempo pagaría. Tras contarme que había pagado hasta el último centavo, con el tiempo, y que gracias a mi abuelo estaba donde estaba, don Carlos Ayala y Ayala se bañó por fin en sudor y me negó el préstamo.

Inés estuvo tranquilizándome horas y horas, y jurándome que navegar no era tan importante para ella, mientras yo daba gritos de rabia e impotencia y empezaba a preguntarme por qué a cada rato me tocaba vivir situaciones tan exageradas.

Infancia, adolescencia, Facultad de Derecho: mi vida ha sido como esta dificultad para navegar, mi vida ha sido *esta* dificultad para navegar, diré basándome en las peripecias de aire, mar y tierra con las que podría llenar mil páginas como ésta, en un loco marcelprousteo, sin asma, felizmente, que empieza de nuevo navegando, esta vez en el mar que me llevó a Francia, y que ojalá llegue a su fin en París conmigo sentadito en mi comodísimo sillón Voltaire, porque a los propietarios del departamento en cualquier momento se les ocurre pedírmelo, en vista de que no soy dueño ni de 'mi sentada, en esta vida, por el asunto aquel de la compraventa. Comprar me produce pánico con sudor frío en el cuello, no bien me acerco a la tienda, más una horrible pesadilla esa misma noche. Y venderme es algo que está completamente fuera de mi alcance. Yo quisiera irme de París en mi sillón Voltaire. Yo quisiera que me entierren en mi sillón Voltaire. Me he ido apegando a él, casi soy él, prácticamente me he ido pegando a él, porque sólo cuando estamos juntos lo veo todo claro. Todo, penas, alegrías, sueños, lo que he sido y lo que no he sido. Todo. Todo lo que empezó el día en que, navegando nuevamente, y ya saben cómo navego yo, abandoné las dificultades limeñas para insertarme de cabeza en las de aquel sueño parisino sin dificultades limeñas...


## Y DICE ASI

—*¿Visa or no visa?* —preguntó el capitán.
—No visa, *señor*.
—*I am sorry*.

Y se bajó con todita la marinería, el muy valiente puta, tras haber respetado el asunto ese de que el capitán es el último en abandonar la nave, pero dejándome a mí abandonado en cubierta. Inmediatamente tomé conciencia de un hecho: éste era el primer barco que naufragaba en el Canal de Panamá; por consiguiente, yo, Martín Romaña, era el primer náufrago en la historia del istmo y del tajo histórico-imperialista. Me embargó una pena infinita, al imaginar que no sobreviviría para contar la historia en mi café limeño, y la pena poco a poco se me fue transformando en lágrimas al ver mi rostro reflejado en el espejo de mi soledad y comprobar que no tenía nada, pero lo que se dice nada, de legendario. De cojudo más bien sí, pues desde que el capitán me dijo *I am sorry*, porque era el único no U.S.A. a bordo, porque no tenía visa, y porque ambos lados del canal eran zona sumamente imperialista, sentí la misma derrotada angustia que me acompaña cada vez que tengo que hacer cola en un ministerio, por ejemplo, y que se manifiesta físicamente por una máscara de impotencia e imbecilidad que oculta por largas horas mi verdadero rostro, dejando postergada hasta mucho más tarde mi enorme capacidad de observación y crítica. La que mis amigos me atribuyen, en todo caso.

La peor de todas las veces fue sin duda aquella del Estadio Nacional. Gran match de fútbol, clásico de clásicos: Universitario de Deportes versus Alianza Lima. Llegué a sacar mi entrada y me confundí un poco entre tanta cola tan larga y sabe Dios para qué tribuna. Yo lo único que hice fue tratar de averiguar y pregunté:

—Por favor, ¿para qué es esta cola?

—Pa' sacar entrada.

El amigo que me acompañaba no hizo nada por defenderme de tanto humor negro, ya que fue un negro el que me soltó tan socarrona respuesta. Por el contrario, se vendió al enemigo, y hubo aplausos, baile, y saltos ornamentales, en torno a la impresionante cara de imbécil con la que yo continuaba mirando al pícaro anónimo y respondón que de pronto fue vedette en el aburrimiento de las colas, una cara de la que había desaparecido toda posibilidad de discernimiento, humor, y respuesta agilísimo-criolla. La verdad es que sólo atiné a tocarme los bolsillos, para ver si me habían robado también los documentos. Ahí estaban, felizmente.

Diferente fue en Colón, lugar donde el náufrago del Canal-sin-que-nadie-le-diera-importancia-al-asunto, logró desembarcar de una nave ladeada, por tratarse ya de territorio panameño de Panamá. Vinieron a buscar el barco dos remolcadores, pero el capitán no volvió a aparecer durante la operación. Tal vez por eso no ha terminado de hundirse, pensé, recordando lo que había sido el viaje hasta el Canal, una sola borrachera del capitán y la oficialidad, una tanda de energúmenos que no me había dirigido la palabra durante la travesía, sólo al final, sólo para preguntarme si tenía visa, y sin tomarse siquiera la molestia de explicarme que mi vida no corría peligro, que de una buena ladeada no pasaría el asunto.

Mientras remolcaban el barco, me dediqué a preparar mis maletas, a ordenar mis papeles, a guardar mi dinero en el bolsillo más seguro del saco, y a imaginarme haciendo cola en el Consulado peruano de Colón, para llamar por teléfono a Lima y decirle a mi padre: Mira lo que me ha pasado... No oigo nada... ¿Me oyes?... ¡Te digo que mires lo que me ha pasado! Pero el contenido de la llamada fue alterado en gran parte debido a la aparición, casi esperada, de un negro anónimo que de pronto fue vedette en el atolondramiento caliente de las calles por las que no encontraba el maldito Consulado. La cara del negro, y la que sin lugar a dudas le puse, al entablar el brevísimo diálogo, eran, lo que se dice, noche y día, exactamente lo contrario. Y el negro no sólo no me vendió los siete relojes que me estuvo ofreciendo mientras se me acercaba demasiado, sino que además, previo golpe rotundo y certero, me robó reloj, dinero, y pasaporte. Horas más tarde, ante el Consulado peruano en Colón, prácticamente confesé que lo único que había tratado de hacer desde que salí del Perú, era llegar a Francia con un pasaje gratis en un barco de carga de la Marcona Mining, compañía que operaba en el sur del país, para seguir cursos de perfeccionamiento en literatura francesa clásica y contemporánea, en la Sorbona.

Una semana más tarde había recuperado todo lo perdido, menos el reloj y la calma. Bueno, recuperado no es la palabra. El Consulado me había otorgado un nuevo pasaporte, y mi padre me había enviado dinero para continuar viaje a París, vía Nueva York, y en avión ahora, para asegurarse de que llegara a destino de una vez por todas.

El cambio de avión en Nueva York complicó nuevamente las cosas, y se las complicó también, sin duda, a Angel Saldívar, un colombiano encantador que conocí en el aeropuerto, mientras hacíamos los dos nuestros papeleos ante el mostrador de Air France. Saldívar estaba regresando a Bogotá, al cabo de varios años en París, lo cual dio lugar a larga charla acompañada de mil consejos que yo escuchaba atentamente, mientras continuábamos con los papeleos, y se estaba produciendo sin duda alguna la confusión de documentos y equipajes, confusión de la que sólo me di cuenta cuando mi avión aterrizó, por fin, en París. Putamadreé como loco, en vista de que ahí en castellano no me entendía nadie, pero no tuve más remedio que aceptar el rigor de la legislación francesa y comprender que un peruano llamado Martín Romaña no puede entrar en territorio francés con un pasaporte colombiano expedido a nombre y fotografía de Angel Saldívar, y hasta con su equipaje, según pude comprobar, al comprobar que el mío tenía que habérselo llevado Angel a Bogotá. Dos días después estaba nuevamente en Lima, en la oficina principal de la Marcona Mining, preguntando cuándo salía el próximo barco a Europa, y reclamando derechos adquiridos en el Canal de Panamá.


## MI PRIMER CONTACTO EN FRANCIA


Yaunque los muchachos que entonces vivían en el hotel sin baños, muy de acuerdo con su temperamento e ideas, hayan hecho circular la infame versión según la cual llegué a Francia en primera y en avión y acompañado por mis padres, desgarrados ante la perspectiva de tener que dejar a la niña de sus ojos en una residencia estudiantil, con mucho cura para cuidarme, y aunque aseguren haber visto una fotografía en la que estoy parado en lo alto de la escalinata del avión, cogido de la mano izquierda por mi papá, de la derecha por mi mamá, y llevando puesta una chompita blanca con la inscripción MUY FRAGIL estampada en el pecho, yo desembarqué en Dunkerque. Así les consta a mis amigos Susana y Edgardo Aldana, y Francisco Zárate, que viajaron conmigo esta segunda vez. El barco pertenecía nuevamente a la Marcona Mining Company, y transportaba mineral y estudiantes peruanos, gratis estos últimos, a diferentes partes del globo.

El capitán era norteamericano, de San Francisco, la oficialidad alemana, el radiooperador filipino, la tripulación china, míster Hagen era noruego, los dos jóvenes oficiales que resultaron medio comunistas y se amotinaron justo antes de Dunquerque, también eran alemanes, pero no se hablaban con los otros alemanes, y la bandera era de Liberia.

La Marcona Mining tuvo esta vez la gentileza de obsequiarme un pasaje de ida y vuelta, cosa que no era muy frecuente, pero que puede fácilmente atribuirse a los reclamos que hice ante sus oficinas, tras los acontecimientos que me ladearon en el Canal. Usé la ida, pero después me quedé tal cantidad de años en Francia, que hoy el billete de vuelta al Perú me parece billete de ida, en mis noches de insomnio, aunque es totalmente falsa e infame la historia que anda haciendo circular por todas partes la actual generación de muchachos del hotel sin baños, según la cual he llegado al extremo de festejar la toma de la Bastilla el 28 de julio, día de la independencia del Perú, y viceversa. Yo nunca he gritado ¡Viva el Perú, carajo! un 14 de julio, ni se me ha ocurrido jamás compadecer a María Antonieta por haber encanecido un 28 de julio. Ya les llegará su hora a los eternos muchachos del hotel sin baños.

Por ahora, me interesa más señalar que el problema ha consistido únicamente en un fuerte insomnio, pero un insomnio que se manifiesta también de día y cuando no tengo la menor intención de dormir. Yo me entiendo. Al principio, creí que la solución podría estar en la vía amorosa y en los viajes al norte: luego, en una recatafila de viajes al sur, y ahora lo estoy solucionando mediante un enfrentamiento de amplio espectro, pluralista, libertario, saludable y como siempre de reconstrucción y modernización, con la resaca de todo lo vivido desde que me embarqué por primera y por segunda vez en el puerto de San Juan, al sur de Lima. Algunos años más tarde, el Gobierno Revolucionario de las Fuerzas Armadas (cito), transformó la Marcona Mining Company en Hierro Perú, y le construyó un edificio nuevo. Así como ésta, han pasado muchas cosas en el Perú, durante mi ausencia. Y mi pasaje de vuelta ya no vale. El pasaje de vuelta, que en las horas de insomnio me parece pasaje de ida, ya no vale.

Aquí tengo todavía la verdadera foto de mi desembarco. En Dunquerque. No me salva ni lo borrosa que está. No me salva nada. Y pensar que Francisco Zárate la tomó y por ahí debe tener guardado el negativo. Me tiene en sus manos. ¡Qué cara, Dios mío! Bueno, la que tenía esa tarde, me imagino. Estoy con las manos en los bolsillos, parado en la cubierta del *Allen D. Christensen,* pujando de optimismo, y obviamente posando para la inmortalidad, para el álbum de familia, y para mi novia Inés que se me había quedado en Lima. Agréguesele a todo esto un toque de Cristóbal Colón gritando: ¡Tierra, tierra, yo la vi primero!, mientras un estibador me grita: ¡Ya pues oiga, quítese de en medio que no deja pasar!

—Pero señor, estoy desembarcando en la dulce Francia. Voy rumbo a la Ciudad Luz.

—¡Anda a que te den por el culo, hombre!

No me salva nada. Si los muchachos del hotel sin baños ven esta foto se olvidan de la del aeropuerto, se olvidan de la chompita, se olvidan de todo. Pero yo nunca olvidaré lo que sucedió instantes después. No hay foto de eso, felizmente. Alguien gritó ¡cuidado!, cuando ya era demasiado tarde para gritar cuidado, y yo miré hacia el pesado ploff que estaba sonando en el agua. A mi cara anterior se le borró ipso facto el pujante optimismo, y se le agravó todo lo demás.

—¡Merceditas! —aullé.

—*God bless his boots* —exclamó Merceditas, que era la persona más culta que conocí, al aparecer el cartero con mi primera carta de Francia. En ella le contaba lo que había sido ese pesado ploff en aguas de Dunquerque. O sea que poco a poco se le fue quitando el entusiasmo. Fue atroz. Cinco años de estudios con Merceditas se fueron hundiendo ante mis ojos. Un mes estuvo Merceditas tocando sólo cosas tristes en su viola d'amore. Lo que le conté en mi carta fue realmente atroz. Todos nuestros libros; Merceditas. Los clásicos griegos, los clásicos latinos. Dante, Pirandello, y Manzoni. Integros Molière, Corneille, y

Racine. Mis traducciones de Cicerón, Merceditas. Shakespeare and Company, Merceditas. El pobre Virgilio, siempre tan desterrado de Roma. Pascal y su abismo. Dickens, Mark Twain, y Sherwood Anderson. Nada menos que Victor Hugo y Alfred de Vigny, Merceditas. Hasta mi André de Chénier. Y Michelet y Sainte-Beuve. La documentación sobre Port-Royal, Merceditas. Y debo confesarte que también Hemingway. Ya sé que a ti siempre te pareció bastante violento, pero yo no puedo seguirte ocultando que también a él le debo en gran parte este viaje a París.

En fin, no recuerdo más, pero había mucho más en el baúl. Lo que no había, eso sí, eran escritores latinoamericanos, porque ésos eran unos costumbristas bastante vulgares, a pesar de que Vallejo se había muerto ya en París con aguacero. A Merceditas no le gustaban, y yo sólo me traje a Francia lo que habíamos leído juntos, y a Hemingway. Lo metí todo en el baúl más apropiado. El único en que podía caber tanto libro. Nadie lo podía cargar cuando terminé de llenarlo. Había que andar empujándolo todo el tiempo. Ya me había vuelto loco cuando mi primer paso por el Canal, el paso de la ladeada. Entonces me habían prometido enviármelo en el próximo barco, puesto que era inútil tratar de alzar con él en avión. En el próximo barco pasé yo, nuevamente, para sorpresa del mundo entero, y lo recogí. Pesaba horrores, el condenado, y no sabía por dónde agarrarlo porque era muy alto y cuadrado y tenía un asa que yo siempre encontré un poco frágil, arriba, en medio de la tapa. De ahí lo enganchó la grúa del barco, en Dunquerque, segundos antes del fatídico ploff. Fue atroz. Se hundió con toda mi biblioteca adentro. Se hundió con muchas cosas más adentro. A los Aldana y a Francisco Zárate no se les hundió nada. Desembarcaron tranquilitos. Susana y Edgardo iban a Escocia, y a Francisco lo estaban esperando para llevárselo a París. Yo me quedé contemplando tristemente las aguas que se habían tragado mis cinco años de estudios con Merceditas.

Meses después, por carta de mi madre, me enteré de lo que había pasado. "Martín —me preguntaba—, ¿tú te llevaste la gran sombrerera que usaba tu abuelita en sus viajes en barco a Europa? El otro día estuvimos poniendo orden en el cuarto de las maletas, y había desaparecido. Claro que ya nadie viaja en barco ni con tantos sombreros, pero cuídala mucho de todos modos porque esas cosas son siempre un recuerdo y además ya no existen." Le contesté que sí, que la cuidaría mucho, y que en efecto ya no existen esas cosas. Lo que no le dije es que se la habían comido los pescados de Dunquerque.

Me quedé con la maleta de mi ropa, y empecé a caminar por Dunquerque con un billete de cien dólares, que son como diez billetes de cien dólares al cambio actual. Cinco, porque ahora todo cuesta más caro, y cinco porque ahora me gusta vivir mejor. Necesitaba cambiarlo por francos, pero los bancos ya habían cerrado. Decidí probar suerte en un café. Fue mi primer contacto en Francia. Simpático el tipo del café, efectivo, nada de estarte contando su vida ni metiéndose en la tuya. Gestos breves, directos, como quien va de frente al grano. Nada de estar perdiendo el tiempo como en el Perú. Estamos jodidos los latinoamericanos. Con razón que el mundo entero nos considera unos vagos. Me cambió la plata, y listo, *merci monsieur*. Al día siguiente, en París, Zárate cambió un billete de cien dólares en un Banco y le dieron exactamente el doble que a mí. De ahí nos fuimos a abrir la boca un rato más ante el esplendor de Notre-Dame en el otoño de París. Definitivamente la cultura francesa es universal. Notre-Dame estaba exacta que en Lima, aunque tal vez sí allá en Lima irradiaba un poquito más.

## MI ULTIMO CONTACTO EN LIMA Y MI CONTACTO N.º 2 EN FRANCIA

Un día nevó por primera vez en mi vida, y la Navidad empezó a acercarse. Nunca la había pasado lejos de casa. Me entró una alegría infinita. Siempre he odiado la Navidad, y sobre todo la Navidad en casa. Allá mi familia. Que se las arreglara con el hermano ausente en la cena pascual. Aunque seguro que también ellos estaban felices con mi ausencia. Con excepción de mi padre, todos debían estar felices con mi ausencia. Uno menos que abrazar, debían estarse diciendo los condenados, porque ahí el único que se tomaba las cosas navideñas navideñamente era mi padre. Me dio pena recordarlo. Era lo más bueno que hay. Trabajó siempre hasta hacernos tomarle horror al trabajo. Era una mina de oro. Tenía que serlo, porque había procreado a la más importante colección de psicoanalizables de los últimos tiempos en Lima. Con el tiempo llegué a tomarle cariño, aunque la verdad es que me costó mucho trabajo. No tenía por qué haberme educado más rígidamente que a mis hermanos. Claro, yo era el menor, y en vista de que ya había perdido todas las esperanzas en los demás, decidió que yo fuese la esperanza de la familia, y me daba menos propinas y menos bicicletas y menos automóviles que a los otros. Y nunca me habló porque a un hijo nunca se le habla, sólo se le mira con mucha autoridad. Pobre viejo. Así, a punta de mirarme tanto, se fue convenciendo poco a poco de que yo era el peor de todos. Hasta empezó a comprarme billetes de lotería a ver si me aseguraba el porvenir. Ese gesto me conmovió tanto, en un hombre tan autoritario, que no tuve más remedio que echarme toda una carrera de abogado encima. El día que me gradué ya hacía tiempo que nos queríamos muchísimo. Y fue muy duro decirle después que ahí quedaba el diploma porque yo me iba a Europa.

Estaba muy viejo y enfermo y me arruinó la partida. Yo no quería despedirme sino de Inés, porque ella se iba a venir al año siguiente a París, y porque quería decirle una vez más que la esperaba, que ya vería cómo el tiempo iba a pasar volando. Así y todo fue muy duro desprenderse de la boca de Inés y soportar la tristeza de sus ojos. Esos son los momentos en que hay muchos que se joden y no se van a París. También, claro, los momentos en que muchos insisten en que sí se van a París y se joden también. Mi caso no es ni el primero ni el segundo. Yo soy la tercera vía. Decía que el viejo me arruinó la partida. A Inés, en cambio, la dejé como se deja a una muchacha limeña, católica, de la Universidad Católica, sencilla, muy bien educada en colegio de monjas, en su casa, y en todas partes. La dejé pésimo. Lucho, Yumi y el Gordo me esperaban en la esquina para consolarme. Me conocían. Me llevaron al Superba, donde comí mi último tacu-tacu y bebí cerveza hasta que empezó a salírseme por las orejas. A mi padre lo imaginaba durmiendo hace horas, pero aun así les pedí que se demoraran un poco más y que me llevaran a dar una última vuelta por Lima la horrible. La vi linda y me puse a llorar por Inés. A las cuatro de la mañana regresé a casa.

Mi equipaje estaba ya en los bajos, o sea que me quedé calladito ahí, sintiéndome pésimo, y escuchando roncar a los perros por última vez. Ni de ellos quería despedirme. A las cinco de la mañana debía pasar a recogerme el negro Santa Cruz, en una furgoneta del Banco que llevaba una fortuna para la sucursal de Marcona. Mi padre había dispuesto las cosas así. Total, primero partía rumbo al puerto en una furgoneta cargada de dinero, y después en un barco de carga, rumbo a Francia. Tú siempre serás una carga para alguien, solía decirme mi padre, y no parecía faltarle razón. Ultimamente me estaban fletando gratis a todas partes.

Cinco menos veinte: Mientras pego mi última meada en casa recuerdo eso de que ningún peruano mea solo. Cinco menos cuarto: en punta de pies voy hasta la cocina a prepararme un café. Cinco menos diez: estoy tomando un café, en punta de pies, y se despierta uno de los perros tristísimo. Le digo que no vaya a despertar al otro. Cinco menos cinco: llega la furgoneta del Banco con el negro Santa Cruz al volante y un detective al lado. Cinco menos cuatro: me acerco rápidamente a la puerta principal en busca de mi equipaje, con la seguridad de que lo he logrado, de que en los altos todo el mundo duerme. Cinco menos tres: me doy con mi padre tratando de cargar la sombrerera-biblioteca y prácticamente viniéndose abajo, si no es porque Santa Cruz y el detective acuden en su auxilio. Cinco menos dos: intento partir la carrera despacito en dirección a la furgoneta. Cinco menos uno y medio: quedamos enchufados mi padre y yo en un beso que me lo arruina todo hasta las cinco en punto, porque esos son los horarios del Banco y hay que respetarlos. La furgoneta debe partir. Cinco y cuarto: más sabe el diablo por viejo que por diablo. Tres de la tarde: puerto de San Juan, en Marcona. Libre, Martín Romaña. Cuatro de la tarde del día en que nevó por primera vez en mi vida, en París: confieso que todavía no sé de dónde salió mi padre aquella madrugada.

La Navidad siguió acercándose y yo seguí alejándome de todo aquello, a medida que iba comprendiendo hasta qué punto había odiado esa maldita juerga comercial y triste. Ni los regalos lograban sacarme del silencio cabizbajo en que solía sumirme no bien aparecía el primer arbolito decorado en la ciudad. Bueno, algunos regalos sí. Pero tenían que ser muy buenos para que yo sonriera y agradeciera como una persona normal. Como ven, en el fondo soy una persona normal.

Pero el tipo del primer hotel en que me alojé no pensaba lo mismo. Era un hotelito de la calle Dupuytren, en pleno Barrio Latino, y lo administraba un avaro con cara de alcohólico, cuya esposa era cojita, joven, y hasta bonita, y vivía con un ojo permanentemente negro. No sé por qué le pegaban tanto a la pobre. Yo lo único que la vi hacer siempre fue pasar la aspiradora y matar unas cucarachitas que se paseaban por todas partes. En fin, su esposo debía pensar distinto a mí. Me odiaba el tipo. Odiaba a toda la humanidad, pero yo creo que sobre todo me odiaba a mí. Tardé poco en comprender que el origen del problema era la ducha, pero seguí duchándome de todas maneras. Cada mañana bajaba, le pagaba un franco, y él me entregaba maldiciendo la llave de la ducha. A mí desde chico me habían acostumbrado al baño diario y no era el momento de empezar a oler como el administrador. Un día casi se lo digo, pero apareció la cojita con la aspiradora y con el ojo negro tan negro, que no me atreví. Olían pésimo los dos. Pagué mi franco, y obtuve llave y gruñido. No estaba dispuesto a darle gusto hasta en eso. Ya con lo de la máquina de afeitar era suficiente. Cuando la enchufaba se apagaba la luz, y cuando encendía la luz no había electricidad en el enchufe. Si seguía acostumbrándome a todos estos sistemas no me iban a aceptar en la Sorbona, por sucio. Total, el tipo cada día me odiaba más, sin que yo lograra hacerle más daño que el de andar tan limpio como había llegado.

Una mañana estalló. Yo estaba cerrando la puerta de mi habitación, y su esposa estaba terminando con las cucarachitas, para empezar con la aspiradora, cuando lo oímos subir como una fiera. Venía insultándome a mí, pero dispuesto a matarla a ella. No sé qué diablos habíamos estado haciendo juntos en la ducha. Casi le grito que no fuera imbécil, que su esposa no se duchaba ni cuando hacía el amor, pero todo era demasiado absurdo y además ella ya había bajado a darle al encuentro y a inmolarse ante un puñetazo. La noqueó a gritos, lo cual le dio ánimos para dar un paso más con el puño en alto.

—¡Alto ahí! —le grité, agarrando la aspiradora—. ¡Conmigo no juega usted! ¡Un paso más y le cae en la cabeza!

Dio medio paso, yo sabía que no iba a dar más que medio paso, pero no podía perderme una oportunidad así. Le acerté en el pecho y le grité que además traía pistola. Pero tanta alharaca fue innecesaria, porque el tipo había cambiado totalmente de actitud. Lo único que le importaba ahora era la aspiradora. Ni el golpe que le di, ni las caricias que le hacía su esposa, nada le importaba. La aspiradora los había reconciliado. La acariciaban como a un pollito enfermo, le hablaban, la mimaban. Me miraron como a un monstruo y empezaron a bajar las escaleras unidos para siempre por algo demasiado profundo para mí. Nada de esto estaba previsto en Racine, Merceditas, me dije, pero no era el momento para entrar en considerandos. Tenía que correr a matricularme.

Algo me pesaba sobre los hombros cuando entré por primera vez a la Sorbona. Allí Merceditas había sustentado un doctorado que pasó a la historia de mi familia. Allí Merceditas había conocido a aquel único amor de su vida, del que tanto hablaba mi abuelita. Allí Merceditas lo había visto partir a la guerra. Allí lo había esperado preparando su doctorado. El muchacho francés no regresó nunca del frente, Merceditas sustentó su tesis, allí, y regresó al Perú para darle a mil jóvenes como yo el cariño por la vida y la cultura que no pudo compartir con ese joven cuyo nombre nadie supo nunca en mi familia. Aseguraban, eso sí, que había sido de una gran familia, e incluso, en las historias de mi abuelita, con el tiempo el muchacho iba perteneciendo cada vez a una familia mejor. Estuve contándole todo eso en voz muy baja a unas estatuas cultísimas, y empecé a ser el muchacho que se fue a la guerra y a imaginar a Merceditas caminando por ahí de dieciocho años. Le declaré todo el amor que no me había atrevido nunca a declararle en Lima.

—Sigue leyendo —me dijo—, ya no tarda en llegar el siguiente alumno—. Con todo eso adentro, más un peso tipo lápida sobre los hombros, decidí hundirme en la Sorbona, dejarme aplastar por la Sorbona, como quien se dispone a repetir una historia inmortal. No era iglesia, pero me sentía como quien se santigua. Y avancé. Y avancé más. Y hubiera continuado avanzando el resto de mi vida, pero ahí nadie comprendió lo que yo sentía y, en todo caso, había que hacer cola primero.

Me atendió un mellizo del administrador del hotel, cosa que tampoco estaba prevista en Racine, Merceditas, y me dijo que sin el carnet de residente no tenía derecho a matricularme en ninguna parte, todo mientras comía un sándwich, aunque debo reconocer que sí tuvo la amabilidad de asegurarme que tampoco en la Prefectura de Policía me darían carnet de residente alguno mientras no estuviera matriculado en alguna parte.

—Mirá che —me dijo un argentino providencial—. Lo mejor es que te hagás pescar por la policía, sin documentos. Luego te pasás dos o tres días en la comisaría hasta que llamen a tu embajada. Entonces de tu embajada consultan con la policía de tu país. Y si tu gobierno sí te quiere, la embajada interviene y te ayudan un montón con el carnet. De lo contrario, che, armás un lío de la madona hasta que se entere De Gaulle. Ya verás como al final él te lo arregla todo. El viejo es un tipo excelente para esas cosas, che.

No pude creerle. Aún estaba a tiempo para correr a la Prefectura. Corrí, hice cola, y el argentino tenía razón. No me quedaba más remedio que llamar a mi padre por teléfono. Casi lo mato del susto, pero al final comprendió que sí era yo, que su hijo no se había matado ni nada. Siempre pensaba lo peor, cuando se trataba de mí. En fin, mi padre llamó al embajador del Perú, el embajador me llamó al hotel, y en la Prefectura me trataron como a hijo de presidente africano, cuando me vieron llegar con tan importante personaje. Estuve a punto de ir a depositarle una ofrenda al soldado desconocido cuando me enteré de que había peruanos que llevaban quince años sin papeles, y sin matrícula, claro.

Bueno, ya era sorbonable. Pero era, también, una asquerosa víctima de alguna extraña enfermedad tropical. Me lo anunciaron al llegar una mañana al hotel, donde me esperaba esta vez el dueño, escoltado por el administrador y su esposa cojita y bonita. Creí que iban a acusarme de haber matado a la aspiradora, pero el delito eran mis duchas diarias. Nadie se ducha todos los días si no lleva contraída una grave enfermedad tropical. Confieso que me quedé lelo, que por más que buscaba no encontraba argumento alguno. Pero, qué más prueba en contra que mi nacionalidad. Peruano. De un país caliente. Les dije que ahí el único caliente era yo, pero por lo brutos e ignorantes que eran, y hasta traté de explicarles que la costa del Perú, de tropical, cero: La corriente de Humboldt, señores, enfría sus costas, cambia su vegetación. No hubo nada que hacer. O me bañaba sólo una vez a la semana, hasta que se me quitara la enfermedad tropical, o me largaba en ese mismo instante. Aullé que me largaba en ese mismo instante, y los tres se agacharon como si tuviera la aspiradora en las manos.

Alquilé un pequeño departamento, con su cocinita y su baño, y se me instaló media colonia estudiantil peruana de un hotel sin baños que quedaba en la esquina. Tuve que mandar hacer como mil llaves, porque los muchachos eran de izquierda, y no hay nada más reaccionario en el mundo que un baño propio y no compartido. Y limpio, también, me imagino, porque los muchachos del hotel sin baños venían, ensuciaban, y se iban. Yo limpiaba, ordenaba, y zas, llegaba otro. Pero debo reconocer que para mí significó mucho el que tanta gente se bañara en mi casa. Me hablaban de guerrilleros, me hablaban de Fidel Castro, y me hablaban de mi padre anteponiendo siempre la expresión hijo de puta. Durante un tiempo traté de defenderme alegando haber estudiado en San Marcos, la universidad del pueblo, el pulmón del Perú, pero los muchachos eran tercos y fue difícil transar con ellos. O yo era un reaccionario de mierda, o mi padre era un hijo de puta porque yo tenía un departamento con baño. Opté por lo segundo porque así se vivía más tranquilo.

Todas las mañanas iba a clases a la Sorbona y aplaudía al profesor. Aplaudía fuerte, más fuerte que los demás alumnos, aplaudía por Merceditas y aplaudía por mí. Uno tras otro los profesores abandonaban los anfiteatros aplaudidamente, vestidos de azul marino, y después entraba un viejito que limpiaba la pizarra para que entrara otro señor azul. Debían ser unos sabios esos profesores, porque los anfiteatros estaban siempre repletos, a pesar del calor tropical, repletos hasta el punto de que si uno no llegaba una hora antes de la clase, tenía que quedarse parado toda la hora, y apoyando papel y lápiz sobre la espalda del de adelante, si quería tomar notas. Y ahí todo el mundo quería tomar notas. O sea que unos sentados, sacando manteca, y otros parados, con un lápiz medio incrustado en la espalda, tomábamos y tomábamos notas mientras los profesores hablaban y hablaban y yo no entendía nada, pero, en fin, poco a poco. En todo caso el asunto era tomar bien las notas porque a fin de año el que mejor las memorizaba y las pasaba a la hoja de examen obtenía la mejor nota. Era un mundo circular y perfecto, en el que los profesores recibían lo mismo que daban, y daban lo mismo que pensaban recibir. A mí lo único que me jodía un poco era la calefacción tan fuerte. Los lápices incrustados en la espalda se los ofrecía a Dios, y además con el tiempo fui tomando confianza y hasta aprendí a vengarme discretamente con la espalda de adelante. Nunca le hablé a nadie, y nunca me habló nadie, tampoco. Miré como loco, eso sí, porque había chicas muy bonitas, sobre todo temprano por la mañana. Ya después, con el correr de las horas, el sudor empezaba a ensuciarlo todo y yo miraba cada vez menos y sudaba cada vez más.

Salir era exponerse a una pulmonía, pero había que salir para exponerse a la comida del restaurant universitario. La mitad la llenaban los franceses, que comían callados y resignados. La otra mitad la llenaban los extranjeros, que comían siempre con la esperanza de que mañana tocara pollo, y metían demasiada bulla. Eran miles de grupos, todos de izquierda, me imaginaba entonces, pero probablemente de muy distintas tendencias porque nunca se hablaban entre sí. Predominaban los árabes, que enamoraban a medio mundo, y después venían los latinoamericanos, que se conformaban con lo que dejaban los árabes. Eramos los únicos comunicativos, en todo caso. Yo llegaba siempre a eso de la una, cogía mi bandeja, y dejaba que las Erinias lanzaran la comida en los diferentes compartimentos que la formaban. Cuando se me caía postre sobre los fideos, me largaba a comer a otra parte. Los peruanos me envidiaban esos lujos y no entendían por qué les llamaba las Erinias a esas gordas que arrojaban comida en nuestras bandejas. Porque les debe remorder la conciencia darnos esto para comer, les expliqué, y las Erinias son las diosas del remordimiento. Pero, becados o no becados, ahí todo el mundo comía caliente y a su hora. No había que quejarse.

## EFECTOS HENRY MILLER

Y hasta yo empecé a comer postre con fideos, con el tiempo. Uno se acostumbra a todo, en realidad, y la vida de becario no era tan cruel en esos tiempos. Además, la unión hace la fuerza, y los peruanos andábamos juntos para arriba y para abajo. Eso me jodía un poco, es cierto, pero tuve la suerte de conocer a tres norteamericanos, que hice pasar por ingleses, para evitar que me llamasen reaccionario otra vez, y a un abogado inglés que andaba siempre entre Londres y París por su trabajo, al que hice pasar por estudiante de Derecho para evitar que me llamaran reaccionario otra vez. No era nada fácil ser consecuente con sus ideas en aquellos tiempos, y a menudo había discusiones fuertes y hasta pleitos mortales, pero todo el mundo se volvía a encontrar y hacía las paces el día que pagaban la beca. Era el mejor día del mes. Temblábamos de dicha ante una ventanilla en la que habían puesto un letrerito que decía: NO ALOCARSE, POR FAVOR.

La vida de becario tenía sus ventajas, pero yo no sabía aprovecharlas y terminaba siempre obteniendo el efecto contrario. Los amigos me aconsejaban, me decían que viviera con más serenidad, que ya no estaba en el Perú, pero a mí siempre me ha costado trabajo no seguir siendo el mismo. Un día, por ejemplo, nos avisaron a algunos becarios que por un franco teníamos derecho a una noche en el Crazy Horse. Acudieron todos, como moscas, pero sólo los que llegamos a tiempo logramos que nos dieran el pase. Ya no era época de turismo, y el asunto consistía en llenar los huecos del cabaret, sentaditos con corbata en una mesa, y con una copa de ginger-ale para que los clientes pensaran que era champán. Si, por casualidad, llegaban más clientes de a verdad y solicitaban nuestra mesa, un mozo nos traía elegantemente un papelito que parecía la cuenta, y a casita todo el mundo. Ese era el trato. Terminé sentado en una mesa con un español, con Francisco Zárate y con un colombiano apodado Huevoduro.

Y ahí arrancó el lío, porque a mí de pronto se me paró diferente que en el Perú, y se me paró además mucho antes de que arrancara el show de las famosas calatitas del Crazy Horse. En realidad, se me paró en pleno número de prestidigitación, aunque tampoco el mago tenía nada que ver con el asunto. Más bien parecía ser cosa de Henry Miller, cuyos libros había estado devorando en esos días, a escondidas de la Sorbona y de Merceditas, como quien lleva una doble vida, como un esquizofrénico, aunque nunca se me ocurrió que esas lecturas estuviesen influenciándome tanto y que pudiesen surtir efecto tan inesperadamente. Necesitaba una mujer, necesitaba una mujer para contarle muchas cosas y para estrenar algo con ella. Decidí que la muchacha que estaba en la mesa de al lado con sus padres era lo que yo necesitaba, y empecé a actuar con un desparpajo cuyo centro motor me estaba funcionando indudablemente en el pene. La muchacha sonrió como si también hubiese leído a Miller, y sus padres aceptaron su sonrisa como si yo fuera un turista ricachón divirtiéndose en París como ellos. A mí qué me importaba, yo estaba dispuesto a prometer matrimonio, yo estaba dispuesto a inmolar mi crisis liberadora ante un altar, si era necesario. Porque eso es lo que parecían andar buscando sus padres, daban la impresión de estar paseando a la chica por Europa a ver si conseguía un buen novio. Me dispuse a ser ese buen novio, al menos por una noche, cuando de pronto apareció un mozo explicándonos bajito que habían llegado clientes de verdad para nuestra mesa, y entregándonos el papelito que parecía la cuenta.

—Yo no me muevo de aquí —les dije a mis tres compañeros de mesa, sin entrar en más explicaciones. Y pedí una botella de champán.

—No seas bruto —me dijo Huevoduro—. Se te va a ir media beca.

—Me queda la otra mitad para otra botella —le dije, explicándole al mozo que a sus clientes podía sentarlos en otra mesa, porque yo acababa de convertirme en cliente de verdad.

Cuando pedí la segunda botella, el español me acusó de dármelas de señorito, pero yo estaba demasiado ocupado con la muchacha de al lado, y continuaba sexualizándome íntegro. Por fin, decidí acercarme a su mesa, saludé a los padres, les expliqué lo mejor que pude lo que me estaba ocurriendo, y los espanté. La muchacha bajó los ojos, yo le acaricié una pierna por debajo de la mesa, y su papá gritó que era el embajador de Honduras, qué me había creído yo. Pusieron el grito en el cielo, llamaron a medio mundo, y yo sólo atiné a acariciarle otra vez la pierna a la muchacha, mientras dos tipos me alzaban en peso y me pedían que los acompañara hasta la puerta. Salí prácticamente en hombros y protegiéndome el pene al máximo. Mis compañeros de mesa pagaron la cuenta, y después, afuera, me exigieron reembolso. Me quedó algo para un taxi, o sea que volé a mi departamento, me prendí del teléfono, y estuve llamando a todas las mujeres que conocía en París. No eran muchas, la verdad, y ninguna intentó siquiera comprenderme, con el pretexto de que eran las cuatro de la mañana. Decidí entonces llamar a Inés a Lima, pero seguro que le iba a pegar el gran susto, iba a pensar que me había matado, sabe Dios qué iba a pensar. Inés siempre pensaba lo peor, cuando se trataba de mí.

La Navidad siguió acercándoseme, aunque la verdad es que gracias a ella llegó por fin el tan esperado cheque de mi padre. El viejo tardaba pero cumplía. Siempre me decía que era el último cheque, de ahora en adelante tendrás que arreglártelas con tu beca, Martín, como todo el mundo, y me hacía recordar la tarde en que anuncié mi decisión de partir a Europa.

—De acuerdo —me dijo—, haz lo que te dé la gana. Pero que conste que no pienso ayudarte con un centavo.

Nunca estuve tan seguro de que me ayudaría siempre. Hasta me envió una tarjeta de recomendación para uno de los directores de la Société Générale.

Corrí a visitarlo, en la primera oportunidad, y sin contarle nada a ninguno de los muchachos del hotel sin baños. Simplemente me puse una corbata y fui y pregunté por el enemigo del pueblo ese. Entregué la tarjetita, y me senté a esperar que saliera la versión francesa de mi padre, mientras comprobaba que en los Bancos de París no había porteros negros como en Lima. Una lástima, habría dicho mi abuelita, con lo negros y altos que son, con lo bien que les queda el uniforme. El blanco que no quedaba tan bien como un negro volvió con la tarjetita y me dijo que por favor lo siguiera. Me incorporé, me cagué en el recuerdo de los muchachos del hotel sin baños, y empecé a cruzar reaccionariamente salón alfombrado tras salón alfombrado, hasta que llegué a la oficina de mi padre. Casi lo abrazo, pero los franceses son más bien parcos en estas situaciones, y opté por un fuerte apretón de manos. El tipo me dijo que estaba a mi disposición, y yo le sonreí. Me dijo que ahí estaba él, para lo que yo necesitase, y yo le sonreí. Me preguntó en qué podía servirme, y yo le sonreí. Me invitó a comer a su casa, y yo le sonreí. Por fin él también se sonrió, y yo le estiré la mano sonriente y quedamos para el día siguiente en su casa de Saint-Germain en Laye, a las ocho en punto de la noche.

Fue una deliciosa comida que transcurrió entre sonrisas, pero las comidas con invitados eran más divertidas en mi casa. Siempre había un perro que se tiraba un pedo, o algo, mientras mi padre anunciaba que habían visto al Che Guevara merodeando por *todas* las sucursales del Banco. El día en que le pregunté si merodeaba por todas las sucursales al mismo tiempo, gritó que sólo faltaba un comunista en la familia y se armó la de Troya. Siempre nos olvidábamos de los invitados, al final, y volvíamos a ser la misma familia de siempre, cada cual peor que el otro, según mi padre.

Llegaron, por fin, las vacaciones de Navidad, y decidí irme a Escocia a visitar a los Aldana, para luego regresar a Londres, donde mi amigo abogado me había propuesto reunirnos con otros amigos y pasar el Año Nuevo juntos. Antes de partir tomé la precaución de cambiar la cerradura de mi departamento, para evitar que los muchachos del hotel sin baños lo utilizaran de anexo y organizaran en mi ausencia una orgía para recolectar fondos pro verdadera reforma agraria en el Perú, o algo por el estilo. Definitivamente, vivía desgarrado entre Henry Miller, Merceditas, la Sorbona, TIERRA O MUERTE, y mis relaciones con importantes abogados ingleses. Y, sin saberlo, tenía además delante de mí una larga sesión de desencanto.

## UNA LARGA SESION DE DESENCANTO

Es cierto, tengo por ahí un apellido de origen escocés, y en Edimburgo anduve indagando en busca de posibles parientes, o por lo menos de gente que llevara ese mismo apellido. Eso es cierto. Pero es falsa e infame la versión que de ese viaje hicieron correr los muchachos del hotel sin baños, según la cual tuve una abuela escocesa que se las daba de alteza real, y que mantuvo a medio Lima de rodillas con una foto en la que se le veía sentada delante del castillo familiar, y enseñándole buenos modales a la hora del té a la mismísima reina de Inglaterra. Todo eso lo han inventado ellos, para poder inventar lo que sigue: la foto también es falsa, y mi abuela se la mandó fabricar a un fotógrafo llamado Virgilio Nepeña, especialista en montajes extravagantes, que luego publica en la revista "Caretas", bajo el título de *Increíble pero incierto*. Según ellos, esa foto nunca fue publicada, claro, para evitar que pareciera sólo una broma, y en cambio mi abuela se la guardó, y con el tiempo y el beneplácito de mi abuelo, fue engatusando a media Lima (la otra mitad vive en barriadas, y a mi abuela nunca le ha preocupado socialmente, agregan), hijos y nietos incluidos, hasta que se murió.

Total que no bien mi madre se enteró de que partía a Edimburgo, obligó a mi padre a enviarme otro cheque navideño, destinado a la compra de ropa muy fina, al alquiler de un automóvil en Edimburgo, y a cualquier otra operación que pudiese redundar en beneficio de la alta y distinguida reputación familiar en el nuevo y en el viejo mundo. Afirman también los muchachos del hotel sin baños, y claro, en ello se basaron para romperme las lunas del departamento, que partí a Edimburgo en primera y en avión, y que viajaba con la intención de alojarme en el castillo familiar, en el cual, según propia confesión, iba a alojarse también el príncipe de Edimburgo, porque últimamente anda fallando mucho la calefacción del castillo de Edimburgo, y la reina de Inglaterra prefiere las instalaciones del castillo de mi familia. Todo esto me lo anduvieron atribuyendo ellos por calles y plazas, aprovechándose mientras tanto para entrar a bañarse por las ventanas, y para dejarme el departamento inmundo y lleno de inscripciones tipo TIERRA O MUERTE en las paredes.

Al final, dicen, terminé llorando desconsoladamente en brazos de mi amigo Edgardo Aldana, quien me mandó a seguir llorando en brazos de su esposa, para poder seguir cagándose de risa, tras haber comprobado que no sólo el panadero, el lechero, y el carnicero, llevaban el ilustre apellido de mi abuela, que no sólo en toda Escocia nadie había oído hablar jamás de semejante castillo, sino que además ese apellido llena media lista de teléfonos, y que su traducción exacta al castellano es Pérez.

Mi viaje a Escocia e Inglaterra terminó desastrosamente, es cierto, pero por razones muy diferentes y mucho más graves que las estupideces que cuentan los muchachos del hotel sin baños. Los días en Edimburgo fueron muy gratos, pero algo en mí hizo que los escoceses que conocí, a pesar de su gran amabilidad y de mi famoso apellido, jamás llegaran a confiar demasiado en un tipo que se jactaba de que Henry Miller se le había aparecido una noche en el Crazy Horse. El asunto llegó a su clímax la noche de Navidad, cuando una joven pareja invitó a los Aldana a cenar y les dijo que podían llevarme a mí también.

Nosotros decidimos no ir a misa de gallo, y en cambio nos soplamos un par de botellas de whisky, recordando el Perú, lo cual obviamente nos llevó a una desenfrenada discusión política.

Seguíamos desenfrenados cuando entramos al delicioso *cottage,* en el que todo había sido preparado para que se hablara en voz baja, contemplando caer la nieve, contemplando caer la nieve, y contemplando caer la nieve. Yo resulté ser una especie de huésped de honor, en medio de tanta nieve, por lo que me tocaba sentarme al lado de la dueña de casa, a un extremo a otro de la mesa. Después venía una buena docena de invitados más, todos escoceses y todos provenientes de otros deliciosos *cottages* de la región, y casi al otro extremo de la mesa me habían colocado al huevón de Aldana que seguía acusándome de no entender nada de lo que pasaba en el Perú. Yo estaba convencido de que era él quien no entendía ni jota de lo que ocurría en el Perú, o sea que no me quedó más remedio que empezar a gritárselo de un extremo de la mesa, mientras los escoceses empezaban a encontrarnos altamente divertidos, increíblemente latinos, y la esposa de Aldana hacía lo posible por traducir lo intraducible. Pero a mí ya qué me importaba. La cena transcurrió íntegra en castellano, sin que nadie ahí entendiera ni papa, y conmigo comiendo a un ritmo diferente a los demás, no sólo porque prefería discutir a comer, sino también porque empecé a comer después que todos. En realidad, por discutir, no me di cuenta de que el dueño de casa había tomado la precaución de instalar a su linda esposa al otro extremo de la mesa, y sobre sus rodillas, por temor a las consecuencias de mi proximidad. Era la primera vez que el pobre veía a un latinoamericano que había leído a Henry Miller. En fin, por discutir no me di cuenta de nada y esperé de pie, muy educadamente, que la anfitriona se sentara primero. Esperé hasta el postre.

El verdadero desastre empezó en el tren a Londres. No sé qué tren era. Sólo sé que era un tren al que se le había malogrado la calefacción, y que un joven atleta escocés que viajaba conmigo empezó a llorar de frío. Cerrábamos la puerta del compartimento y nos helábamos. La volvíamos a abrir y nos helábamos. El hacía gimnasia, y lloraba. Yo lo miraba llorar, me ponía a hacer gimnasia, y me helaba de frío. Salíamos a dar una carrerita, por el corredor, pero todo el mundo estaba dando una carrerita por el corredor y regresábamos helados, peor que antes. Cuando llegamos a Londres, el muchacho realmente estaba con una rabieta de frío. Pero al que le dio la pulmonía fue a mí.

Me alojé en el departamento que mi amigo, el poeta inglés Péter Harrison, compartía con dos antiguos compañeros de Oxford. Los tres estaban hasta el perno. Peter, porque había decidido que no era poeta y se había metido a trabajar en un Banco de la City; Tom, porque había decidido ser el millonario más pobre de la tierra y ver cuántas mujeres se podía conquistar a pie, casi descalzo, bastante andrajoso, y cambiándose de apellido. En realidad, el tipo se las conquistaba casi a todas, aunque prácticamente no salía de su cama para nada. Creo que las chicas se pasaban la voz, tanta decadencia debía atraerlas, y mucho, porque lo cierto es que Tom sólo salía de su cama para hacerse la cama. Se pasaba horas en eso, era un verdadero ritual, horas y horas acomodando sábanas y frazadas agujereadas o frotando los barrotes de bronce. Ninguna chica podía entrar hasta que la cama no estuviera lista y, como decía Tom, sólo él sabía cuándo su cama estaba realmente lista. Hablaban en código de noche, creo. El tercero que estaba hasta el perno era Jerry, cuyo ritual consistía en vivir de una buena renta y pasarse horas tocando el saxofón ante un armario entreabierto, en cuyo interior había pegado por todas partes trozos de cuerpos mutilados en horribles accidentes de tránsito, combinados con fotos en colores de chicas calatitas despampanantes. En ese departamento fue donde me dio la pulmonía.

El asunto se declaró definitivamente la víspera de Año Nuevo, en una fiesta a la que me había llevado mi amigo Philip, el abogado que yo hacía pasar en París por estudiante de Derecho. Era una fiesta triste, en la que la gente se esforzaba mucho más por beber que por bailar, pero Philip y yo estábamos particularmente alegres, y además, yo tenía la esperanza de triunfar sobre los escalofríos que me habían empezado a tumbar casi, desde mi primer día en Londres. Me metí un par de tragos y decidí infiltrarme de mirón entre las pocas parejas que bailaban, a ver qué material inglés me gustaba. Pero todo el tiempo me sucedía algo rarísimo. No bien miraba a una pareja que estaba bailando, el muchacho y la muchacha se detenían, me sonreían, me hacían una mueca de impotencia, y se separaban como si no estuviesen bailando. No se hablaban, tampoco, y cuando se separaban cada uno se iba por su lado como si jamás hubiesen estado bailando. Peor todavía, como si el baile no existiese, como si tan sólo hubiesen estado haciendo movimientos sin sentido y sin pareja. Después desaparecían por los rincones. Era gente educada en Oxford, en Cambridge, qué sé yo, lo que se llama la élite, en todo caso. Pero aquello más que una fiesta parecía una larga sesión de desencanto.

Me fui por un rincón, tras una muchacha que me había gustado, pero al llegar la muchacha no estaba, y un escalofrío me dobló, primero, y casi me tumba doblado, después. Decidí ocultarle el problema a Philip, y empecé a buscar una cama donde tirarme un rato. Las puertas de los dormitorios estaban todas abiertas o entreabiertas, pero afuera había gente haciendo cola para entrar. Lo mejor, entonces, era buscarme una chica, ponerme en una de las colas, entrar, cerrar la puerta con llave, y morirme en brazos de la chica. Me pareció una excelente idea y una excelente manera de no molestar a Philip. Detesto molestar.

Con cuatro vodkas quedé listo para la hazaña, pero por el camino me topé con Philip que llevaba mucho más de cuatro tragos, y me invitó a beber. Me enteré de que llevaba por lo menos doce tragos, porque generalmente a partir de esa cifra me pedía que le contara la tragedia del Estadio Nacional de Lima. Pero esta vez, Philip quería que contara la historia en público, y empezó a dar de gritos para que la gente se acercara a escucharme. La prensa inglesa había informado bastante acerca de esa historia tan sudamericana, pero para todos los invitados ésta era la primera oportunidad de escucharla de boca de un nativo, de un auténtico peruano, de un hombre que había estado presente la tarde aquella en que centenares de personas murieron o resultaron heridas en un partido de fútbol, porque a un árbitro se le ocurrió tocar el pito cuando no debía tocar el pito. Así, más o menos, me anunciaba Philip, y los invitados empezaron a rodearme y a mirarme, a mirarme más y a rodearme más mientras yo iba comprendiendo a fondo la cinematográfica soledad de King Kong.

De los dormitorios llegaban tipos abrochándose la bragueta, muchachas con la bragueta desabrochada, con un zapato en una mano y un lápiz de labios en la otra y yo no sabía si empezar o esperar a que se pintaran primero. Pedí más trago y me dieron más trago del que pedí. Qué mejor oportunidad para capturar a la inglesita en cuyos labios deseaba sentirme pésimo tranquilamente. Había gran ambiente, por fin alguien había logrado interesarlos en algo, y hasta sonreían como si estuviesen en una fiesta, yo casi les pregunto si querían que les contara la historia con la puerta de la jaula abierta o cerrada. Pensé que abierta era mejor, por lo de las emociones intensas, y me lancé a los muertos y heridos del fútbol en el Perú, empezando desde la fundación del Imperio Incaico, pasando luego por la captura de Atahualpa, y deteniéndome largo en la partida de ajedrez que el último Inca, el que pensaba que españoles y caballos eran un solo monstruo, le ganó tranquilo al marqués Don Francisco Pizarro que cuidaba puercos en su tierra, que no sabía leer ni escribir, que murió tan analfabeto como llegó, y que qué hubiera sido de él sin la india que le redactó hasta su testamento, chúpense ésa, gringos. Comprendí entonces que podía arruinar mi historia, y mis planes también, si seguía en la onda esa de andar extrañando tanto a los muchachos del hotel sin baños, y cambié contándoles a carcajadas que los peruanos continuábamos confundiendo a los españoles con los caballos. Eso les encantó, porque ahí muchos habían pasado un verano en Ibiza, donde había demasiado alemán de mierda, una lástima.

Ya a la altura de la isla del Gallo, había notado que un par de muchachas podían ser fijas para mis escalofríos. Quise comprobarlo. Desenvainé la espada de Pizarro, tracé varias veces la raya famosa sobre la ingrata arena, y muerto de sed, les grité: ¡Atrás!, ¡A España los que quieran morir pobres!, ¡Al Sur!, ¡Al Dorado los que quieran pasarla en grande! Me ligó. Las dos miradas cruzaron la raya conmigo. Philip pegó un saltito y cruzó la raya también. Nada les había encantado tanto hasta entonces como lo del Inca ajedrecista, que la bestia de Pizarro agarrotó después, poquito a poco, para que le doliese más, en un cuarto lleno de oro. Pero yo quería dejar mejor preparado aún el espanto necesario para trasladarme al Estadio Nacional, y decidí detenerme mucho en el fallido descuartizamiento de Túpac Amaru. Les expliqué que el Imperio Incaico se había acabado hacía mucho tiempo, pero que éste era un Inca rebelde y con el pelo como los Rolling Stones. Acto seguido me tiré al suelo, estiré bien piernas y manos, y me engancharon cuatro caballos que partieron la carrera tirando como locos de mis cuatro extremidades. Gané, y Philip gritó: ¡Pancho Villa, carrajo!, yo le había enseñado a decir carajo. Gané, pero tuvieron que recogerme, y comprendí que debía abreviar mi historia, si deseaba que el número de candidatas, que pasaba ya de las seis o siete, no empezara a disminuir. Pedí un trago y me hizo el efecto de diez.

Era urgente cortar camino, pero no sabía por dónde, y recién andaba en la Independencia del Perú, que además ahí a nadie parecía interesarle. Empecé a perder público. Creo que fue entonces cuando empecé a perder público, aunque la verdad es que ya hacía rato que la gente me estaba reclamando que llegara al episodio del Estadio. Yo nunca había estado esa tarde en el Estadio, y como que no encontraba la puerta para entrarle al asunto. Total que comencé a darles noticias por radio, primero, y por televisión, después, pero ellos no podían conformarse con que a mí nadie me hubiera pisado la cara o algo así, por lo menos un rato. En fin, primero dije que no había estado en el Estadio, y sólo hacia el final logré meterme de a verdad en lo trágico y horrible del asunto, pero entonces el imbécil de Jerry, que no sé de dónde había salido, empezó a acompañarme con su saxofón, impidiéndome continuar tranquilamente con mi catálogo de atrocidades. Cuantas más bombas lacrimógenas lanzaba, cuantos más perros policías le soltaba al público, cuanto más cerraba las puertas del Estadio para que todo el mundo se pisoteara mientras trataba de huir, tanto más me interrumpía el imbécil de Jerry con su saxo tristísimo, y era urgente que yo no siguiera perdiendo tanta concurrencia porque creo que iba a necesitar muchas chicas para la cantidad de escalofríos que me bañaban en sudor desde que sobreviví a lo de Túpac Amaru y los caballos españoles, y sobre todo en la época de la Independencia.

Logré huir del Estadio a eso de las tres de la tarde del día siguiente, y malherido, a juzgar por la cara del médico, que no había asistido a la fiesta, la de Tom y la de Peter, que tampoco habían asistido, y la de Philip, que probablemente me había traído arrastrándome. Los demás se habían ido poco a poco, y el colchón estaba tan empapado como yo. El saxo de Jerry continuaba sonando por alguna parte, pero no me sentía con fuerzas para preguntar si había asistido o no a la fiesta. No quedaba una sola muchacha por ninguna parte, eso sí, y las caras de mis amigos, parados al pie de la cama, continuaban agravándose sobre mis tentativas de decirles que sentía mucho ocasionarles tantas molestias, que sin duda había sido el tren de mierda ese, que no bien me sintiera mejor me iría. Opté por una sonrisa. Cerré los ojos nuevamente, y les dejé la sonrisa puesta mientras trataba de imaginar que lo peor ya había pasado.

Pero recién estaba empezando. Al menos esa parecía ser la opinión del médico, que había diagnosticado pulmonía repleta de vodka y mezclada con otro síntoma, que era y no era síntoma, al mismo tiempo, y que se manifestaba tan sólo en la forma que tenía yo de estar muy grave y de no estarlo, al mismo tiempo, cosa que a él lo intranquilizaba y lo tranquilizaba mucho, al mismo tiempo, y que podía salvarme la vida o causarme la muerte, al mismo tiempo. No sabía cómo explicarlo, y Philip le propuso un trago, pero el médico no aceptó porque estaba en sus horas de servicio. Le dijo que se tomara uno él, si deseaba, Philip le dijo que gracias, que sí deseaba, Peter y Tom también deseaban, y finalmente el médico dijo que bueno, que también él deseaba un traguito, excepcionalmente, porque quería seguir observando el síntoma que era y no era síntoma, al mismo tiempo. Por la noche era Año Nuevo, y todos trataban de sonreírme desde allá arriba, pero yo eso no lo veía cuando abría los ojos, más bien lo veía cuando cerraba los ojos. La melodía del saxo se fue acercando hasta el borde de mi cama y dejó de sonar, pero no era que me hubiese muerto sino que también Jerry había aceptado un trago. Peter, que en el fondo siempre sería un poeta, propuso un brindis, y me invitó a pasar el próximo Año Nuevo con ellos. El hijo de puta del médico fue el único que no brindó.

Se fue a eso de las ocho. Se fue en inglés. A la pobre bestia esa jamás se le ocurrió que un peruano podía entender inglés. Se fue diciendo que lo sentía mucho, pero que no pensaba que yo iba a pasar la noche. Peter le pegó un puñetazo, en mi nombre, y yo sonreí, pensando que en el fondo, por más que le hubiese dado por trabajar en un Banco de la City, siempre sería un poeta. Hasta recordé algunos de sus poemas, y empezaron a encantarme, la vida empezó a encantarme mientras observaba cómo el médico le devolvía el puñetazo a Peter, explicando a gritos que no le quedaba más remedio que irse porque era el médico de todo el barrio y había mucha gente más que se iba a morir esa noche. Philip se acercó a explicarme que en Inglaterra la medicina era socializada, y el médico se le acercó a Philip a pedirle una guinea, lo cual equivaldría a pedir varias esterlinas actualmente, porque siendo yo un turista peruano lo de socializada no valía. Le señalé mi billetera a Philip y a Peter le señalé al médico, para que le metiera otro puñetazo en mi nombre.

Después, cada uno se fue a llorar a su cuarto, me imagino, y yo comencé a durar lo más que podía, entre ceniceros repletos de puchos, vasos vacíos, y frasquitos de antibióticos y vitaminas socializadas. Necesitaba durar, o sea que empecé a contar en plazos de tres minutos, después en plazos de cinco minutos, otros más de cinco minutos, después, y por último me corrí el riesgo de contar quince minutos más, hasta comprender que en efecto estaba durando como Dios manda. Y eso no me lo quitaba nadie, eso no me lo quitaba ni el mismo médico y su pesimismo. Sé que son lujos de bruto, pero yo jamás he querido creer en la mala suerte y hubiese sido realmente mala suerte morirse recién llegado a Europa, ocasionando tantas molestias, además. A las diez en punto de la noche, me agarré con toda mi alma del síntoma que el médico decía que era y no era síntoma, y decidí volverme loco un rato. La fiebre me ayudó mucho aquella vez, pero también sin fiebre he logrado a menudo recurrir a este mismo procedimiento en circunstancias graves de mi vida y con ese mismo tipo de fe que es fe y no es fe al mismo tiempo, yo me entiendo.

Hablé con la vida y la muerte, y transamos en repartir la operación que me tenían preparada para aquella noche en cuotas repartidas a lo largo de toda mi vida. No me quedaba otra solución, estando en Londres y en casa ajena, aunque sabía que el precio podía resultarme excesivo.

Pero, en fin, por esa noche, al menos, valió la pena, porque a las once ya estaba caminando en bata por todo el departamento, y convenciendo a mis amigos de que podían salir con toda tranquilidad a sus fiestas de Año Nuevo, hasta los amenacé con salir yo, si seguían negándose a dejarme solo. No podían creerlo, y recurrí al viejo truco de tirarme al suelo y hacer cincuenta abdominales para demostrarles que estaba en gran forma. Creo que hasta hoy me duelen, pero los convencí, y Tom fue el primero en empezar a prepararse. Sacó de un baúl la ropa más andrajosa que tenía, me mostró optimista una gorrita que sólo podría calificar de gorrita para mendigo británico, y anunció que esa noche estrenaba vestimenta especial, para una muchacha especialmente bella, y por tratarse de una ocasión especial. Jerry sonrió, y se dispuso a limpiar su saxo para alguna fiesta.

La muchacha especialmente bella se llamaba Elisabeth, y llegó a las once y media. Era linda. Linda, y muy amable. Peter la recibió, nos presentó, y le contó el lío pulmonar en que andaba metido, mientras yo trataba de convalecer todo lo posible de los cincuenta abdominales. Pero ella me encontró francamente atractivo, y cuando Tom salió francamente andrajoso, ella tuvo la amable cortesía de encontrarme francamente más atractivo que a Tom. Comprendí lo inmundo que debía estar, y eso que a mí nunca me habían educado en Oxford. Bueno, ya estaban todos listos, y ya eran casi las doce de la noche. De golpe, dudé. Una duda fuerte se apoderó de mí. No sabía si ponerme pésimo otra vez, o si empezar a llorar de rabia e impotencia. Ellos estaban demasiados alegres para notar tanta complicación, y yo continuaba parado como un imbécil, preguntándome de dónde me habría venido esa duda cuando ya todo parecía ir tan bien. Sentí un escalofrío y deseé quedarme con Elisabeth y que Elisabeth fuera Inés y que Inés fuera Elisabeth para que se quedara conmigo. En fin, quería que Elisabeth tuviera algo que ver conmigo, y pensé que era la fiebre otra vez, o que me estaba volviendo loco sin haberlo decidido. Era algo así. Recurrí a una duración de un cuarto de hora. Dentro de un cuarto de hora ya habrían sido las doce, ya habríamos brindado, y ya se habrían largado. Y ya después vería cómo me las arreglaba otra vez.

Me las arreglé gracias a Elisabeth, que antes de irse se me acercó de nuevo y me encajó otro beso tan rico como el que me había encajado a las doce en punto. Elisabeth era una muchacha realmente amable. Total que al Año Nuevo entré inmundo, odiando al médico, y con una necesidad impresionante de estar vivo y de que alguien supiera que estaba vivo. Y Elisabeth, que era la única enterada, había tenido que marcharse. Pensé hacer otra vez abdominales, pero ya hubiera sido exhibicionismo. Pensé pegarme un duchazo y quitarme tanta inmundicia de encima, pero hubiera sido como traicionar a Elisabeth demasiado rápido. Ella me había amado así, inmundo. Pensé llamar a mi departamento de París y quedarme oyendo sonar mi teléfono, pero temí descubrir a los muchachos del hotel sin baños en plena orgía. Pensé en hablar solo, pero siempre he hablado solo y no le encontré demasiada gracia al asunto. Lo mejor era escribir, contarle a alguien todo lo que me estaba ocurriendo. Inés era la persona indicada, podría escribirle, pero una carta como la que estaba pensando escribir la hubiera aterrado. Sólo le contaba cosas así cuando ya hacía tiempo que habían ocurrido. Y aun así la aterraba. Opté por una muchacha a la que siempre llamaba en Lima, cuando me estaban ocurriendo cosas así. Estuve horas escribiéndole, pero no me contestó la desgraciada. En Lima también siempre me colgaba el teléfono cuando la llamaba por cosas así. Recurrí a una duración de cuatro días, para poderme largar a París después. Era mi primer viaje al norte, y duré, bien, al final, porque me era simple y llanamente imposible abandonar tan pronto algunas firmes convicciones.

## *MARTIN ROMAÑA CREIA FIRMEMENTE*

Creía al pie de la letra que una vida en Europa suponía una buena dosis de bohemia, para ser digna y provechosa. O para estar a la altura. Nunca se preguntó a la altura de qué, porque ese tipo de preguntas le era indiferente. Bastaba con creer en algo, y él había salido del Perú creyendo en eso. Todas sus informaciones culturales lo llevaban a creer en eso. Quería aprender muchas cosas, en la Universidad y fuera de ella, y quería vivir con la intensidad bohemia con que muchos otros, antes que él, habían vivido en París. Esta ciudad, en particular, se prestaba para ello, a decir de todo el mundo. Y Martín pensaba que se prestaba para ello hasta el punto de existir sólo para ello. París era una ciudad hecha sólo para gente con sus ideas y convicciones. O sea con muchas ideas y convicciones contradictorias, aunque compatibles en cierto modo. Cada día, cada

55

hora, era una fiesta en potencia, si uno deseaba tomar la vida así. Y desde París, también, se podía largar uno a todas aquellas ciudades españolas, italianas, griegas e inglesas, con el mismo espíritu de fiesta en el organismo. Mucha gente antes que él había vivido así. Otros habían abierto la ruta. El no tenía más que seguir el ejemplo, y saber elegir bien a las personas que lo ayudarían a darle relieve a su vida futura. Hablaba inglés, francés, italiano y alemán, casi tan bien como el castellano. Su posición era, pues, privilegiada. Podría realmente conocer a gente muy distinta y compartir a fondo sus distintas maneras de vivir. Creía firmemente en todo aquello cuando partió a Edimburgo y a Londres por primera vez. Fue corriendo, fue sin saber bien adonde iba, pero fue quemando etapas. Fue como alguien que se siente invulnerable a todo, como alguien que está dispuesto a darlo todo y a vivir una vida en la que había tiempo y fuerzas para todo.

O sea que Londres, a ese nivel, fue un golpe bajo, como un anuncio. Había vivido a la altura de sus ideas, había vivido corriendo, pero de pronto se había tropezado y había caído. De alguna manera muy molesta se había tropezado y había caído en algo que le dejó trabadas las piernas en su carrera. Londres, su primer viaje de muchacho libre, significaba un despliegue de energías sin límites, sin tiempos de descanso ni horarios. Había demasiadas cosas que hacer, demasiada gente que conocer, demasiadas alegrías que compartir. Pero ahora, de regreso de allá, sentado en el avión al lado de Philip, que de rato en rato le preguntaba preocupado cómo se sentía, Martín Romaña continuaba pensando en Martín Romaña. La gente, y la gente eran para él sus primeros amigos en Europa, se habían formado ya una idea de él. Martín Romaña era un tipo vital, exuberante, gracioso, y dotado de energías a toda prueba. Martín Romaña era el primero en empezar una fiesta y el último en acabarla. No había un solo aspecto de la realidad que a Martín Romaña no le interesara. Martín Romaña no tenía prácticamente vida privada, ni horas de trabajo, ni horas de sueño. Era el tipo más disponible del mundo, y a la gente le gustaba eso. Le gustaba que siempre estuviese libre para empezar cualquier cosa. Martín Romaña sintió ganas de llorar en el avión. Supo, por un lado, que la gente le gustaba demasiado, que no podría decirle nunca no a una persona que venía a solicitarlo. Supo que su vida seguiría siendo ese despliegue de unas energías que de pronto no lograba encontrar de nuevo por ninguna parte, tras el tropezón de Londres. Estaba bañado en sudor, otra vez, y supo lo duro que iba a ser para él continuar viviendo como a la gente le gustaba que viviera. Había acostumbrado mal a la gente, pero no podría vivir tampoco sin que esa gente lo viera siempre a la altura de su reputación. Se sintió doblemente herido, y pensó que la vida iba a serle muy dura con la sonrisa y una copa siempre en los labios, y sin poder decir jamás que se sentía muy débil, que se sentía doblemente herido y que detestaba cada copa que bebía. Doblemente herido porque lo de Londres había sido un aviso y él creía en esos avisos, y porque sabía que estaba regresando a París con fiebre y con ganas de ser él mismo, por una vez en la vida, con ganas de tirarse en una cama y de no sonreírle a nadie, pero que nadie le iba a dejar tiempo para sentirse como se sentía y que él le iba a hacer caso a todo el mundo aunque se sintiera así, con un aviso clavado muy hondo.

Media hora después ya estaban en un taxi rumbo a París. Philip le había propuesto que pasara la noche en su departamento, y él había aceptado, aunque hubiera preferido enfrentarse con la llegada a su departamento. Estaba seguro de que los muchachos del hotel sin baños le habían hecho alguna fechoría, y prefería descubrirla de una vez por todas, pero aceptó la propuesta de Philip que sugería un duchazo y un trago para olvidar todo lo de Londres y empezar bien el año en París.

—Ya tienes que estar sano —le dijo Philip—. Ese médico de mierda no sabía lo que decía.

—¿No notas París cambiada? —le preguntó Martín.

—No sé qué le ves de cambiada. Es la misma vieja puta de siempre. Bella y parisina, al mismo tiempo.

—Yo la veo completamente cambiada. No sé. Debe ser la fiebre.

57

—Vamos, hombre. Un duchazo, un trago, y una camisa limpia.

Martín Romaña insistió en que lo veía todo completamente cambiado. Estaba desmayado cuando Philip lo miró para decirle que París era la misma vieja puta de siempre.

Le costó casi dos semanas dejar el departamento listo para que no lo deprimiera demasiado en las horas en que venía a arrojarse a la cama, exhausto. Los muchachos del hotel sin baños ayudaron bastante, es verdad, y mientras colocaban vidrios y limpiaban o pintaban paredes se echaban la culpa unos a otros. A Martín llegó a divertirle el asunto. Además, los muchachos le traían la comida y le habían conseguido a Juancito Velázquez, *Pincel* para sus amigos, un increíble médico peruano que lo llenó de vitaminas y le recomendó mucho reposo y abrigo todo el que tenga, compatriota. Aparte de eso, podía seguir con su vida normal.

Martín Romaña consideró que una vida normal empezaba por sus clases en la Sorbona y regresó al calor insoportable de los anfiteatros. Pero ahora aplaudía menos que antes, entendía también menos que antes, y se aburría un poco más. Y ya no pensaba que la culpa fuese de él, por extranjero o ignorante. No entendía porque no le interesaba entender, y porque en cambio, había descubierto del todo que había muchas cosas lejos de esos anfiteatros que podían interesarlo más y hacerlo feliz y mantenerlo a la altura de lo que había venido a vivir. Realmente le tomó una buena dosis de fuerza de voluntad permanecer ahí hasta que todo terminara y le entregaran algún cartón. Había deseado mucho un diploma, pero de pronto ahora pensaba que el día que se lo entregaran se lo enviaría a su padre de regalo como había hecho antes con el diploma de abogado. Para los otros becarios peruanos continuaba siendo un loco. Pensaron que se había apaciguado un poco, cuando recién regresó de Londres, pero el día que lo vieron llegar al restaurant universitario en taxi, decidieron que jamás cambiaría. Llegó oliendo a licor, y jurando que venía de ver izar la bandera peruana en el hospital Vaugirard, nada menos que en honor a Juancito Veláz-

quez, mi médico de cabecera y *Pincel* para sus amigos, el increíble peruano que lo seguía tratando. No podían creerle. A quién
se le podía ocurrir izar una bandera peruana en honor a Juancito Velázquez.


## *JUANCITO VELAZQUEZ*
## *Y LA BANDERA PERUANA*


Pero era verdad, y era además muchísimo más complicado el
asunto. Resulta que llegué al hospital Vaugirard, esa mañana, para lo de mi chequeo semanal, y a que me dieran más vitaminas, probablemente, y me encontré con Juancito Velázquez
vestido de azul marino, camisa blanca, mucho almidón, corbata
roja, y con el bigotito patrio más dibujado que nunca. Se bañó
en lágrimas, al verme aparecer. Yo seguía sin lograr imaginarme
de qué se trataba pero ya tenía una copa en la mano.

—Si supieran esto en nuestra tierra, Martín. Si supieran esos
mierdas que tanto me basureaban por ser cholo, porque médico
cholo no cura a nadie... Si supieran...

—¿Pero qué es lo que tienen que saber, Juancito?

—Me han dado un premio de excelencia en el pabellón de
cirugía, hermano. ¡Salud, hermano!

—Hay que organizar una fiesta, Juancito.

—*Pincel* para mis amigos, Martín. Y desde hoy, una de los
mejores muñecas de París, hermano, el mejor pulso...

—Voy a buscar peruanos al restaurant universitario, Juancito, esto hay que celebrarlo.

—A esos mierdas qué les importa. Tú eres la excepción, Martín. Los otros vienen aquí cuando necesitan algo gratis. En Lima ni me saludarían si me cruzara con ellos.

—No es para tanto, Juancito. Hay excepciones. Voy a traer a mi amigo inglés, si quieres. Tengo también tres amigos norteamericanos y una birmana, gracias a la Sorbona...

—Ya es muy tarde, Martín, no tarda en empezar la ceremonia.

—¿Va a haber discursos, Juancito?

—¡Mucho más que discursos, compatriota! ¡Van a izar la bandera peruana en mi honor!

No podía creerlo, Juancito *Pincel* Velázquez, y la verdad es que al pobre le faltó un periodista de France Presse o algo por el estilo, eso habría podido blanquearlo en el Perú, lanzarlo en grande, asegurarle un carrerón. Pero el asunto iba a resultar mucho más complicado todavía. Juancito me abrazaba y me decía que se me iban a caer los ojos.

Me abrazaba y se ponía a llorar. Algo parecía preocuparlo, en medio de tanta felicidad, estaba bebiendo demasiado antes de la ceremonia.

—Bueno —le dije, tratando de calmarlo—, ya vas a poder regresar de nuevo al Perú. Y sin que nadie te tire caca esta vez.

—...

—Te van a recibir en hombros, esta vez, Juancito.

—...

—Nadie te va a cholear ni a ponerte trabas para que abras consultorio donde quieras.

—...

—Hermano, vas a poder abrir consultorio hasta en barrio residencial.

Pero Juancito continuaba sin responderme y cada vez lloraba más. No lograba entenderlo. Llevaba semanas curándome, y mientras me recomendaba las mil y una vitaminas que debía seguir tomando, me fue contando que sus estudios de medicina en Francia de poco o nada le habían servido a su regreso al Perú. Era cholo, ese era su problema, cholo de la Victoria, cholo de barrio de negros, además. Y en el Perú lo habían choleado cuando regresó, nadie le había dado crédito. Y los de su barrio en vez de admirarlo lo habían tratado de maricón porque en alguna oportunidad se le escapó una palabrita en francés, con buen acento. Lo habían tratado de maricón en vez de admirarlo. Es nuestro país, Martín Romaña, una buena mierda. Pero luego arrancaba con que aquí también lo trataban como a una buena mierda, que en el hospital había demasiada intriga, que lo dejaban siempre de lado por la pinta de árabe que tenía. Qué sabrán estos cojudos de lo que es un árabe, de lo que es un peruano, Martín, me decía. No saben nada, compatriota, pero a uno lo puentean igual y sigo cobrando como portero. Y eso que mi jefe, uno de los pocos seres humanos y bien de adentro que hay aquí, me ha dicho que yo afilo el cuchillo mejor que nadie, Martín. Pero la vida es una mierda, y sigo cobrando como portero.

Pensé que con la bandera peruana flameando sobre el pabellón de cirugía, las cosas cambiarían para Juancito Velázquez. Pero él seguía bebiendo y empapando a lagrimones la solapa de su concepción azul de la elegancia. Y cuando vinieron a avisarle que todo estaba listo para dar comienzo a la ceremonia, una mueca de dolor se apoderó de su rostro. Juancito Velázquez, *Pincel* para sus amigos, parecía definitivamente desgarrado por algo.

—Mira, hermano —me dijo, cuando llegamos al jardín del pabellón de cirugía.

Y en efecto, era digno de mirarse, porque en efecto, estaban izando la bandera peruana en honor a Juancito Velázquez y entre los acordes del himno nacional del Perú, que venían de alguna parte con sonido de 78 revoluciones en muy mal estado. Sin duda alguien se había conseguido un disco del himno en el mercado de las pulgas, y lo estaba tocando en alguna de las salas del pabellón que daba a nuestro jardincito. Había unos cuatro médicos, unos cuatro estudiantes de Medicina, y unas cuatro enfermeras. Normalmente, estas cosas son emocionantísimas, me dije, y me puse a palmearle el hombro compatriota a Juancito Velázquez, pensando al mismo tiempo que tal vez no había sido lo más indicado dejarle las consecuencias de mi pulmonía londinense a un cirujano del estómago. Pero, en fin, el asunto era gratis, y tanta vitamina tendría que acabar con el cansancio sudoroso que parecía haberse convertido en el síntoma de una eterna convalecencia. Pensaba dejar las cosas así, por el momento, terminar el invierno y el año universitario de cualquier modo, y luego largarme a algún lugar de clima sano para liquidar el asunto. Quería estar muy sano, el próximo otoño. Ese verano tenía que empezar una vida nueva y muy sana para que Inés me encontrara lleno de vitalidad y hasta de gimnasia diaria con mucha disciplina.

Terminaron de izar la bandera y alguien allá adentro empujó el himno nacional del Perú hasta el final del disco, porque ya estaba durando demasiado, en tan mal estado y en castellano. Juancito Velázquez anunció que iba a pronunciar unas brevísimas palabras de agradecimiento, y se arrancó con un discurso que empezaba el día mismo de su nacimiento, en un hogar pobre pero honrado. Lo interrumpieron cuando andaba por quinto de secundaria, siempre en un hogar pobre pero honrado, y ya con una apasionada vocación por la Medicina. Lo hicieron pasar a la sala de enfermeras y ahí le ofrecieron una copa de champagne, mientras un tipo que debía ser su jefe lo abrazaba bastante efusivamente para ser francés, aunque acto seguido el abrazo que le pegó Juancito lo hiciera quedar como el hombre menos efusivo del mundo. Luego me presentó como a otro peruano que honraba a su patria, y se me tiró a llorar a los brazos, mientras los demás asistentes abandonaban la sala sin perder tiempo en pretextos, siquiera. Sentí cierta soledad nacional muy explicable, y le propuse a Juancito irnos a algún café cercano, para brindar tranquilamente por la bandera peruana y por el orgullo de nuestra hermosa tierra del sol / donde el indómito Inca prefiriendo morir / legó a su raza la gran herencia de..., pero Juancito me mandó a la mierda, agregando que deseaba estar solo, que lo dejara solo, que se sentía más solo que nunca, y que deseaba suicidarse.

—¿Y entonces quién me va a curar, hermano? —le pregunté, pensando que Juancito debía de haber estado bebiendo desde la noche anterior, y en su orgullo nacional.

—Que te cure un médico peruano, Martín. Yo no soy más que una mierda.

—Eso nunca —le dije—. Tú eres un médico peruano que ha triunfado en Francia. Qué más prueba quieres que la bandera.

Juancito Velázquez lloró, más *Pincel* que nunca para sus amigos, mientras me iba contando que ayer le acababan de entregar sus documentos de ciudadano francés. ¡Justo ahora, compatriota! ¡Pero que se metan esa bandera al culo en el Perú y que me dejen solo porque estoy más solo que nunca! ¡Y vete a la mismísima mierda, Martín Romaña!

¡Se jodió la Francia!, exclamé, decidiendo llegar aunque sea en taxi al restaurant universitario, para contarle a los amigos las cosas que me tocaba ver en esta vida. Ver y sufrir, porque Juancito no tardaba en meter otra vez las cuatro, pero conmigo.


## LAS CUATRO DE JUANCITO VELAZQUEZ OTRA VEZ


Como sucede a menudo en París, llegó la primavera pero el invierno continuó como si nada. No sé de dónde han sacado tantas canciones sobre la primavera en París. Yo casi no la recuerdo sino en disco. Me dediqué a pensar en el verano, pero todavía faltaban un buen par de meses para que llegara y yo continuaba regresando a casa bañado en sudor todos los días, tras los disminuidos aplausos de la Sorbona. Pero la gente había decidido no creer que yo pudiese sentirme mal, y yo había decidido continuar viviendo entre la gente, y sintiéndome bien, a pesar de los consejos de Juancito Velázquez, a quien regresé a ver no bien supuse que había empezado a acostumbrarse a su nueva nacionalidad y a sus consecuencias un tanto parias. La vida continuaba para todo el mundo en París, y Juancito, *Pincel* para sus amigos, había decidido quedarse entre los vivos. Un día me recibió diciéndome que pensaba irse a pasar unos meses al Perú, pero sólo de turista, para mostrarle a la gente su nueva nacionalidad, le iban a besar los pies cuando se enteraran de que ahora era franchute. Comprendí que se estaba aclimatando. Ahora le tocaba ocuparse un poco más de mí. Me dijo que encantado, pero que yo no podía seguir viviendo sin radiografías. Abrí los ojos bien grandes, y nuevamente me negué a tomarme las radiografías que Juancito venía recomendándome desde tiempo atrás. No podía ser, a qué santos andarle temiendo tanto a los pulmones. Yo quería más vitaminas y que se acabara el año universitario. Necesitaba reposo y sol, eso era todo. Pero Juancito alegaba que esos dolores en la espalda no le gustaban nada e insistía en lo de las radiografías.

Decidí no hacerle caso, una vez más, y le pedí prestada su novia a un amigo norteamericano, todas las tardes de seis a siete, para que me masajeara fuerte la espalda y el cuello. La muchacha era de Berkeley con régimen macrobiótico, y detestaba la medicina occidental. Para ella toda enfermedad estaba en la mente enferma de los enfermos, y en mi caso tanto hablar de los pulmones había terminado por hacerme creer que los tenía llenos de tabaco negro entre negras cavernas, cuando en realidad lo que tenía era una grave contracción mental de los músculos de los hombros y del cuello. El día en que me relajara, me sanarían los pulmones y se acabarían los dolores. Estaba segurísima, y cuanto más me apretaba los músculos de toda esa zona, más segura estaba.

O sea que la tuve cabalgando riquísimo sobre mi espalda durante un mes, y el asunto casi siempre prometía, mientras yo me echaba boca abajo sobre la cama y ella se instalaba sobre mis riñones y se arrancaba a masajear. Pero la verdad es que no bien descabalgaba, todo se contraía de nuevo en mi mente, en el caso de tener ella razón, o era muy necesaria una radiografía, en el caso de tener razón Juancito. Insistí con la muchacha de Berkeley, pero un día peleó con mi amigo norteamericano y el asunto fue tan grave que no quiso ni siquiera continuar ocupándose de mi espalda. Le confesé a Juancito mis andanzas. Me dijo que las mujeres eran lo peor que podía existir para los pulmones, y me metió de cabeza a la sala de radiografías.

Terminamos la sesión radiográfica, como terminábamos toda sesión: tomándonos unos tragos en el café de enfrente. El radiólogo no estaba, y Juancito prefería esperar a que volviera para mayor seguridad, para que todo fuera como debía ser. Pero el tipo no volvía y yo empecé a cansarme. Por fin Juancito dijo que las iba a examinar él mismo, mientras el otro regresaba, y me llevó a una salita del hospital, para que esperara el resultado. Esperé horas. No podía explicarme por qué tardaba tanto. Estaba imaginando que su jefe se lo había llevado a alguna operación, o que lo había pescado nuevamente trabajando gratis para amigos peruanos, y le estaba pegando su café, cuando llegó un tipo y me preguntó si yo era Martín Romaña. Le dije que sí, y me entregó un sobre. Bueno, y por qué no, pensé, al abrirlo, y leer:

> *Hermano, no tengo cara para verte. Nos jodimos, hermanito. Preséntate mañana a primera hora al servicio del profesor Lacour. Nos hemos jodido, hermano.*

Luego pensé que el que se había jodido era yo, y no los dos, y que después de todo Juancito no tenía por qué andar tan avergonzado como para ocultarse, hacía rato que me venía insistiendo en lo de las radiografías. Me dolían más que nunca los pulmones cuando regresé a mi departamento. Necesitaba desahogarme, contarle a alguien lo que me estaba ocurriendo, pero daba ni sé qué presentarse en casa de un amigo con una noticia tan pulmonar. La gente que yo frecuentaba estaba toda muy sana, y venirles con una cosa así era como fregarles un poquito el pastel. Pensé que lo mejor era escribirle a Inés, pero cómo iba a contarle a la pobre Inés algo de ese tamaño con el Atlántico de por medio. La distancia magnifica estas cosas. Iba a ser un golpe tremendo para ella, que además parecía ser la única persona en el mundo que me tomaba en serio. Agarré lápiz y papel y le escribí diciéndole que me había quedado sin plata. Necesitaba compartir mi miseria con alguien y eso fue lo mejor que se me ocurrió escribirle. Además ella estaba segura de que hacía meses que lo de la pulmonía había quedado en el olvido.

Dejé la carta en el correo, y anduve largo rato por las calles del Barrio Latino. Pasé por la Sorbona, le saqué la lengua, y juré no volver a aplaudir nunca más a los profesores de azul marino. Ni yo los entendía a ellos, ni ellos me entendían a mí. Y por algún lado, inculto, sin duda, yo parecía tener razón. En todo caso, estaba jodido, y hasta ahora París sólo me había servido para eso. Bueno, mejor era regresar al departamento y no andar ensombreciéndose tanto, bastaba con el color de mis pulmones.

Me apresuré en las escaleras, porque el teléfono estaba sonando. Era Juancito Velázquez eufórico. Me anunció que llegaba en el término de la distancia, y con botella de pisco. No lograba entender tanta euforia, y le pedí que me dijera de una vez por todas de qué se trataba. Se trataba de que realmente la había cagado. Quería pegarse un tiro, pero la noticia era tan buena que si yo lo perdonaba y le juraba no contarle nunca a nadie lo que había ocurrido, él estaba dispuesto a contarme la verdad aunque a mí me entraran ganas de matarlo. ¡Dame la noticia de una vez por todas!, le grité. Se había equivocado con la radiografía. No, no es que fuera la radiografía de otro. Era la mía, pero lo que él creyó ser una caverna bien seria no era más que una falla técnica. El radiólogo acababa de comprobar hasta el cansancio que se trataba de una falla del aparato. Yo tenía los pulmones más limpios de Francia y sus alrededores. Le grité que se viniera corriendo con la botella de pisco y me tiré a la cama, pensando que era la segunda vez en corto tiempo que decidía que el fallo de un médico no tenía nada que ver con mi vida privada. Era extraño. En el fondo tampoco le había creído a Juancito Velázquez. En el fondo siempre seguí creyendo que el sol de un buen verano y una vida distinta terminarían con el problema. Solté la carcajada y empecé a sentir que los masajes de la muchacha de Berkeley me estaban haciendo un bien increíble, un bien tan grande como las ganas que tenía de salir y festejar.


## NOCHE DE GALA

La carta que le escribí a Inés contándole que me había quedado sin plata resultó profética y muy útil, a la vez, porque el mismo día en que me anunciaron que no me habían renovado la beca, llegó el más generoso de todos los giros que hasta entonces me había enviado mi padre. Imaginé a Inés llorando en mi casa, diciéndole a mi madre que cómo era posible que me dejaran sin un centavo en París. Se lo agradecí profundamente. Además, había un pasaje de regreso al país de origen, pagado por el gobierno francés. Claro, no le daban a uno billete para venir a Francia, porque sabían que uno se moría de ganas de venir. Y con una beca en la mano, más todavía, sabían que uno era capaz de venirse nadando, de ser necesario. Pero después, cuando uno se quedaba sin beca y sin un centavo, ahí sí que tenían la amabilidad de devolverlo a casita, gratis y en Air France, para evitar que algunos ex-becarios entráramos a engrosar las filas de los estudiantes eternos, las de los eternos candidatos a una nueva beca o a un trabajito por horas, o que algún poeta enardecido por el mal vivir se les convirtiera en clochard prematuro, aunque mi teoría ha sido siempre que un latinoamericano jamás se clochardiza: se va de frente a la mierda y punto. Decidí hacer todo lo posible para que me entregaran el dinero de ese pasaje, y me presenté ante la burocracia pertinente, si es que eso existe. Horas estuve jurando que me iba de Francia y mostrando el billete de regreso al Perú que me había obsequiado la Marcona Mining Company. Tuve suerte, al fin, y salí con la billetera llena de francos, tras haber llenado cincuenta mil formularios.

Decidí irme a Italia, y anduve buscando en el mapa una ciudad pequeña, bien situada, no muy calurosa, y que nadie conociera en el Perú. Así descubrí Perugia, y así descubrí también que había miles de peruanos en Perugia. Dónde no. Escribí a la Universidad y me contestaron tratándome de excelentísimo doctor, y ofreciéndome incluso alojamiento. Volví a escribir, tratando a todo el mundo de egregio doctor, y llamé al propietario de mi departamento para anunciarle mi partida.

Dos horas más tarde vino a ver en qué estado se lo iba a dejar, me probó que le había roto hasta lo que estaba entero, ahí, en sus narices, y me anunció que se iba a quedar con todo el dinero de la garantía. Se lo agradecí, lo acompañé amablemente hasta la puerta, y decidí hacer una buena fiesta en honor de los muchachos del hotel sin baños, para que rompieran todo lo que fuera necesario hasta que el propietario tuviese razón. Me largaron antes de lo previsto, pero tuve la suerte de que apareciera Philip, justo cuando estaba a punto de encontrarme en la calle con todas mis maletas.

Philip me ayudó a cargar mi equipaje hasta el departamento de su amiga Beatrice, y en el camino me fue contando nuestros planes para ese viernes por la noche. Beatrice trabajaba en el Ministerio de Relaciones Exteriores. Beatrice tenía cuatro entradas para una gala en la Opera, en honor del presidente de Chile, un tal Frei o algo así. Beatrice tenía una prima muy joven y recién llegada de su pueblo en Normandía o algo así. Beatrice lo había llamado por teléfono, para invitarlo, y le había preguntado si no tenía un amigo muy correcto o algo así. El había pensado en mí, y si yo estaba de acuerdo, la cosa podría resultar bastante bien porque Beatrice era muy simpática y él conocía un restaurant chino que no cerraba nunca, para después de la Opera, y la prima de Normandía seguro que estaba loca por descubrir el mundo en París o algo así. Le dije a Philip que estaba completamente de acuerdo, y me preguntó si tenía smoking.

—Se me hundió en Dunquerque con mi pasado cultural —le dije.

Beatrice podía salvar la situación. Philip recordaba que ella tenía un hermano más o menos de mi estatura, y ése seguro que tenía smoking y me lo podía prestar. Así fue. Pero donde Beatrice no sólo había lo necesario para que yo quedase listo para la función de gala. Había además una enorme botella de whisky. Me llegaba hasta la cintura. Ni Philip ni yo habíamos visto jamás una botella de whisky tan grande. Decidimos que de ese fin de semana no pasaba, pero el problema esta vez era Beatrice, porque al día siguiente tenía que partir al campo y no regresaba hasta el domingo por la noche. Philip me dio un codazo y me guiñó el ojo: esa noche en el restaurant nos encargaríamos de convencerla de lo contrario. Además, nosotros teníamos que volver a ese departamento porque ahí se estaba quedando todo mi equipaje. Partimos confiados en nuestro éxito, más que nada por lo simpática que era Beatrice y porque su prima hasta el momento no había dicho esta boca es mía, pero se notaba que se moría de ganas de vivir.

Entramos a la Opera con muchos honores y salimos igualmente serios entre trompetas que despedían al general De Gaulle y a su huésped tan ilustre. La gente se amontonaba en la calle para admirar a los elegantísimos asistentes al espectáculo, pero desgraciadamente no pude ubicar a ningún peruano para hacerle adiós entre smokings y trajes largos, dejarlo cojudo, y que después fuera a contar en Lima que Martín Romaña se estaba codeando hasta con De Gaulle, en París. Philip y yo nos habíamos ocupado bastante poco del espectáculo, en realidad, y más bien no perdimos una sola oportunidad de correr al bar a animarnos un poco para lo que venía después. Soñábamos con la botellota de whisky. No bien llegamos al restaurant chino, empezamos a preparar nuestra estrategia para invadir el departamento de Beatrice, pero ella insistía en no alterar sus planes para ese fin de semana, y la prima de Normandía parecía obedecerla ciegamente. No era nada fácil el asunto, y ya empezaba a resultar bastante absurdo que bebiéramos tanto whisky esperando alcanzar la botellota aquella. Pero seguimos. Hacia las cuatro de la mañana las muchachas desaparecieron y nosotros empezamos a buscarlas por debajo de las mesas. Los chinos estaban encantados con ese par de locos. A las seis nos botaron.

Optamos por un desayuno, para recuperar fuerzas, pero no bien encontramos un café abierto nos sentimos con suficientes fuerzas como para pedir dos whiskies, mientras decidíamos qué hacer para llegar hasta la botellota. Le sugerí a Philip trasladarnos a la calle en que vivía Beatrice. Me parecía recordar un café frente a la puerta de su casa. Ahí podíamos sentarnos hasta que apareciera, caerle encima acusándola de habernos abandonado en lo mejor de la noche, y exigirle que se quedara en París con su prima y con nosotros. Philip encontró excelente la idea, y salimos disparados en busca de un taxi. Acertamos. Había un café justo enfrente de la casa de Beatrice, pero las horas pasaban, y Beatrice continuaba durmiendo o se había largado ya. Probamos llamar por teléfono, pero nadie respondía. Se había largado ya. Claro, eran las doce del día. Nos largamos a esperar a otra parte.

Veinticuatro horas después seguíamos en smoking y contándole a la gente en Montmartre que era porque anteanoche habíamos asistido a una función de gala en la Opera. Los turistas nos encontraban muy divertidos, muy parisinos, y muy sucios. Hacía un calor de los demonios y llevábamos casi dos días sudando a chorros. Pero era domingo, por fin, y dentro de pocas horas Beatrice habría regresado, aunque ya yo empezaba a preocuparme pensando que a lo mejor ella y su prima decidían quedarse más tiempo fuera de París. Tenía que partir a Italia, al día siguiente, y mi equipaje seguía encerrado en su departamento. A Philip, sin embargo, más parecía preocuparle lo de la botellota de whisky. Corrimos a ver si habían regresado, no bien empezó a anochecer. Nuevamente estuvimos horas instalados en el café de enfrente, hasta que por fin, hacia medianoche, vimos aparecer de lo más campantes a nuestras enemigas. Nos metieron de cabeza a la ducha, y trataron de escondernos la botellota, pero eso sí que fue inútil. Llevábamos dos días bebiendo sólo por esperarla. Nuevamente las chicas desaparecieron a eso de las cuatro de la mañana, pero esta vez ya no nos importaba tanto. Se habían ido a acostar, sin duda alguna, y al cabo de unas horas de sueño regresarían fresquitas y nos encontrarían en perfecto estado para ocuparnos de ellas. Claro, a mí me quedaría poco tiempo ya, porque esa noche partía a empezar una nueva vida en Italia. La prima de Normandía tendría que vivir muy rápido.


## BREVE VIDA NUEVA EN EL SUR


Siempre he vivido buscando un lugar donde empezar una nueva vida, pero en el fondo todos los lugares se parecen, no bien llego yo. Perugia fue, sin duda, la gran excepción. Ahí soñé con la llegada de Inés a Europa y ahí me sentí siempre bien. Una joven pareja peruana que encontré en la Universidad se encargó de pasearme sonriente por Florencia, Asís, Spoleto,

Orvieto, etc. Me gustaban esos paseos en automóvil con dos personas tan tranquilas, tan serias, y tan independientes. Me dejaban hacer lo que me daba la gana, y respetaban enormemente mis deseos de estar solo y de trabajar. Simplemente, cuando decidían hacer una excursión me daban la voz, y si a mí me apetecía partir, me recogían, me instalaban en el asiento posterior del automóvil, y me dejaban vivir mi vida sentado ahí atrás, mirando Italia.

Las cosas habían empezado bien, desde que atravesé la frontera, bastante golpeado todavía como consecuencia de la última juerga parisina con Philip, que terminó conmigo subiendo al tren de cualquier modo y espantando a los pasajeros estivales. Dormí varias horas, y al despertarme pésimo empecé a hacer un rápido balance de mi primer año en París. El resultado fue bastante desfavorable, bastante absurdo, y algo dramático. Sentía haber vivido demasiado rápido, haberme desilusionado de demasiadas cosas que en el Perú me parecían sacrosantas, pero sentía sobre todo que había vivido para la galería, desgarrado entre el afán de trabajar muy seriamente, y el de complacer a todo el mundo con una vitalidad desbordante y exagerada. A la gente le gusta que haya siempre un loco a su alrededor, y me habían escogido a mí para desempeñar ese papel. Y a mí no me gustaba desilusionar a la gente. Total, el desilusionado era yo. Decidí cambiar, y en el momento de atravesar la frontera pedí una cerveza y encendí un cigarrillo. Bebí un sorbo, di una pitada, y arrojé botella y cigarrillo por la ventana.

Por supuesto que inmediatamente saltó un civilizado para granputearme por lo bestia que había sido de arrojar objetos por la ventana. Podía incendiar el bosque con el cigarrillo, podía matar a alguien de un botellazo. Le expliqué muy cortésmente a esa persona que estaba en todo de acuerdo con su manera de pensar, pero que ésta era una excepción en mi vida, por tratarse de un ritual de iniciación. Estaba iniciando una nueva vida, sin tabaco y sin alcohol, y me dirigía a Perugia en peregrinación desintoxicante. El tipo se cambió de compartimento.

Quise comer solo, la primera noche que pasé en Perugia,

pero fue imposible porque no bien entré al restaurant me abordó el inefable peruano universal y cosmopolita, que en este caso era una peruana universal y cosmopolita, a punto de abandonar Perugia para siempre. El amor la había llevado a soportar años en esa ciudad, pero ahora todo había terminado porque su Giancarlo resultó ser un cretino y realmente no valía la pena embarcarlo al Perú, presentarlo a la familia, conseguirle trabajo, y casarse con él no bien diera pruebas de ser un hombre formal y trabajador. La muchacha me contó la desilusión tan grande que se había llevado con Giancarlo, me contó que hay fracasos que lo hacen madurar a uno, y me contó que ahora ya todo estaba superado, que felizmente había dejado de querer al pobre diablo de Giancarlo y que tenía muy pero muy superado el problema. Le dije que me alegraba enormemente por ella, y le pregunté que cuándo pensaba abandonar Perugia. Pensaba partir al día siguiente. Había venido a Roma tan sólo por unos días, para liquidar todo lo de su departamento, y ahora estaba terminando con su equipaje.

—Mañana a estas horas ya estaré lejos de aquí —me dijo—. Lejos, muy lejos, y nunca volveré. Y tampoco creo que recordaré nunca esta ciudad de aburridos provincianos.

Estaba francamente convencida la muchacha, y a juzgar por el buen apetito con que comía, sus problemas amorosos habían quedado definitivamente en el pasado. Hablaba con alegría contagiosa, y no tuve que esforzarme mucho para aceptarle una invitación al cine, a pesar de que había decidido pasar mi primera noche solo, en Perugia. En realidad había decidido pasar todas mis noches y mis días solo, en Perugia. Acepté, sin embargo, su invitación al cine, pero a condición de que me aceptara que le invitase a esa comida. Trato hecho. Sonrió, y empezó a comer con más apetito que nunca, mientras yo la interrogaba sobre la vida y los estudios en esa ciudad, y le pedía algunos consejos prácticos. Me estaba explicando todo con precisión de detalles, cuando de pronto noté que alzaba los brazos con cuchillo y tenedor en las manos, que abría inmensos los ojos, y que se disponía a dar un alarido.

—¡Giancarlo!

Los cubiertos me cayeron a mí.

Hicieron las paces, mientras yo pedía la cuenta, y se besuquearon entre proyectos para el futuro, que sólo interrumpían cuando ella le explicaba, en italiano, que yo no era sino un peruanito sin importancia, que no tenía por qué sentirse celoso de mí, que la perdonara, que nunca me volvería a hablar. Así fue. No sólo no me llevó al cine, sino que además no volvió a llamarme ni a mirarme más. Giancarlo, en cambio, escupía cada vez que yo pasaba por su vera.

Viví tres meses en Perugia. Creo que nunca estudié y trabajé tanto en mi vida. Escribí varios cuentos y avancé mucho en la redacción de una tesis con la que pensaba graduarme algún día, a mi regreso al Perú. Y robé como loco. Me preparé un verdadero ajuar, para recibir a Inés, y a ella también le robé docenas de trajes, blusas, faldas y zapatos. Era como un delirio. Simplemente me resultaba imposible pagar. Robaba y robaba sin tomar precaución alguna y hasta llegué a pensar que la gente en esa ciudad se había vuelto loca y que me dejaba robar con toda tranquilidad. Llené maletas de cosas robadas. O estaba robando o estaba trabajando. En todo caso, era feliz, y contaba los días que faltaban para regresar a París a encontrarme con Inés. Ella tenía programado llegar a fines de octubre, y para entonces yo ya sería un hombre nuevo. Lo único que me interesaba era volver a ver a Inés y que ella me encontrara tranquilo, sano, y sumamente equilibrado. Aquel verano en Perugia se encargaría de que así fuera.

Al final el balance era muy positivo. Maletas repletas de cosas robadas, varios cuentos terminados, y una tesis muy avanzada. Inés iba a estar orgullosa de mí, y yo estaba orgulloso de mi vida en Perugia. Tanto, que hasta me daba miedo irme. Eso lo empecé a notar un día. El verano no tardaba en acabarse, y a mí me entró un extraño temor a irme de ahí. Sentía como si hubiese construido un pequeño mundo muy personal, en esa ciudad, y por momentos hasta me parecía absurdo y peligroso tener que abandonarlo todo. Los amigos que me llevaban de

excursión los fines de semana se habían marchado ya, y nuevamente me había encerrado en una soledad y en un mutismo que
me permitía vivir para mí y no para los demás. Por primera vez
en la vida me pareció que valía la pena encerrarse a trabajar y
aislarse de la gente, y abandonar Perugia era en cierto modo
abandonar algo que esa ciudad me había ayudado a construir.
Pero había quedado con un amigo norteamericano en que vendría a recogerme para ir a Grecia juntos, antes de regresar a
París. Lo vi aparecer una tarde. Yo estaba sentado en un café,
cuando lo vi acercarse sonriente porque ya me había detectado.
Sentí ganas de correr, pero, o ya era demasiado tarde, o no me
atreví. No sé. Lo cierto es que abandoné Perugia con la seguridad de que estaba cometiendo un error. Recuerdo, incluso, que
mientras hacía mi equipaje, encontré una fotografía de Inés.
Sentí que para ella sí había cabida en Perugia. Sólo para ella.
Y sentí que la vida en cualquier otro lugar, con o sin Inés, podría volver a convertirse en un disparate lleno de dificultades.
Pero Inés soñaba con los días que nos esperaban en Grecia.
Eran argumentos de peso. Y yo en ese momento no habría sido
capaz de encontrar argumentos de peso, para explicar lo que me
estaba ocurriendo. Le pedí al norteamericano que me concediera una hora, porque necesitaba escribir una carta urgente.
Acepté. En realidad estuve horas escribiéndome una carta a mí
mismo, contándome mi vida en Perugia. La dirigí a casa de una
amiga en París. Allá me esperaba, a mi regreso, llena de incohe-
rencias, llena de absurdas reflexiones. Pero hasta hoy, cada vez
que la leo, tengo la seguridad de que en Perugia aquella carta me
parecería muy lógica y coherente. En aquella Perugia, claro
está.

# VIAJE AL SUR DE AQUELLA PERUGIA

No hay nada peor que viajar a Grecia con un hombre que sueña con poseer un hotel. Ernie, el muchacho norteamericano que me recogió en Perugia, soñaba con poseer un hotel en alguna isla del Egeo, y de preferencia en Mikonos, porque ahí tenía un amigo con el que años atrás había estudiado hotelería en Nueva York. Venía confiado en su suerte y en su amigo, pero venía confiado sobre todo en el poder de su ambición y en la bohemia falta de ambición que le atribuía a los griegos. Los griegos no saben lo que tienen entre manos, y todo se lo venden a uno por cuatro reales. Esa era su gran idea. Me la fue confiando mientras nos acercábamos a Brindisi, donde embarcamos el hermoso coche sport inglés que le servía de relaciones públicas, y cruzamos hasta Atenas. A mí el asunto no me sonaba tan descabellado, aunque no dejaba de sorprenderme que un muchacho de veinte años soñara tanto con poseer un hotel en Grecia. Ese sueño me arruinó el viaje, y me permitió descubrir a un personaje maquiavélico, muy distinto del risueño gringo recepcionista del Georges V, con el que un par de veces había ido al cine, y que me había sugerido encontrarnos en Italia, para compartir los gastos del viaje, ya que los dos deseábamos ir a Grecia. Nada mejor que un viaje para saber con quién no volveremos a viajar más en la vida. También Ernie debió descubrir que Martín Romaña nada tenía que ver con el alegre peruano que a veces lo acompañaba a mirar chicas guapas en París. Pero otra cosa era tomar el viaje a Grecia como él solía mirar a las chicas guapas. Ernie era un aprovechador nato, un gran vivo, y si exceptuamos el incidente con la bronceada Helena, en su recuerdo Martín Romaña debe haber quedado grabado como el más pasivo cretino de la historia. En efecto, poco a poco descubrimos que jamás nos habíamos conocido, y que lo que estábamos conociendo el uno del otro no nos gustaba nada. Para él yo debía ser el típico soñador de cuento de hadas, me imagino, pero la verdad es que mi único sueño desde que dejé Perugia fue que ese viaje se terminara algún día. Desgraciadamente, me convenía volver con él y tuve que quedarme hasta el fin con Ernie, hasta el regreso a París. Tuve incluso que financiarle gran parte del viaje porque perdió todo su dinero en una excursión amatoria a la playa. Por esos días se nos había agotado hasta el tema de conversación. Fuimos grandes diplomáticos, eso sí. Cada vez que no sabíamos qué decirnos, hablábamos del alojamiento gratis que yo siempre tendría en su hotel en Grecia, y cada vez que ya nos habíamos dicho hasta eso, entonábamos a coro una melodía griega que se le había pegado a todo el mundo ese verano.

En Atenas me pesaron un poquito los hombros, como cuando entré por primera vez a la Sorbona, pero Ernie apenas si me dejó trepar un ratito a la Acrópolis, porque lo único realmente importante en Grecia era Mikonos. Allá lo esperaba el mejor amigo que había tenido en su vida, el amigo que iba a venderle el inmejorable terreno para su hotel en Grecia. Pensé que por más que hiciera, jamás llegaría a ser el mejor amigo que Ernie había tenido en su vida, y empecé a bajar de la Acrópolis muy convencido de que además el Partenón se veía mucho más bonito en las ilustraciones de los libros de historia. Sin embargo, poco después llegué a ser el mejor amigo de Ernie. Sólo durante algunos días, claro.

Todo le salía bien a Ernie. No había muchos carros como el suyo en Atenas, y todo tenía que salirle bien. Dormíamos en el hotel más barato, pero tomábamos el aperitivo en el Hilton, él generalmente con una muchacha que hacía juego con su auto, y yo generalmente con una muchacha que no hacía juego con mi carácter. A todas las aburría a propósito contándoles que mi novia Inés y yo íbamos a vivir algún día en Perugia. ¡Nada de Perugia!, gritaba Ernie, dándome un detestable y eufórico palmazo en la espalda. Para él, la vida empezaba en Mikonos, donde nos esperaba su amigo Alexis, donde nos alojaba gratis Kosta, el cuñado de Alexis dueño de una pensión, donde nos daba de beber gratis Konstantino, el hermano de Alexis dueño de una discoteca, y donde él iba a ser dueño de un hotel en Grecia. Por fin una noche soltó un ¡hurra! porque nos embarcábamos a la mañana siguiente, y yo solté un ¡hurra! porque faltaba exactamente un mes para que Inés llegara a París.

Ernie y Alexis se besaron y se abrazaron en el muelle, mientras yo cargaba las maletas. Después Ernie le lanzó varios besos volados a Mikonos y empezó a ubicar el terreno ideal para su hotel. Los recuerdos de años estudiantiles maravillosos en Nueva York se agotaron en dos minutos y medio, pero los besos y abrazos seguían, y Ernie continuaba poniéndose eufórico. Venía a conquistarlo todo. A mí me pareció que hablaba demasiado para un Maquiavelo, pero poco a poco me fui dando cuenta de que precisamente hablar mucho formaba parte de sus planes. Necesitaba saber pronto si la familia de Alexis estaba a favor o en contra de sus proyectos, pues tenía ya bastante dinero invertido en discotecas y pensiones en la isla, y pensaba construir también un espléndido hotel. Hablar mucho era la única forma de averiguar qué se escondía detrás de tanta hospitalidad.

Tenía razón. El cuñado Kosta fue el primer rival. Nos alojaba gratis pero nos odiaba. Ernie llegó a la conclusión de que nos alojaba sólo para podernos espiar, y optó por suspender toda conversación sobre sus proyectos mientras estuviéramos en la pensión. Nos quedamos sin tener de qué hablar, pero él aseguraba que había espías hasta debajo de las camas. Una noche bebimos dos tragos en la discoteca de Konstantino, donde solíamos consumir gratis, y nos pasaron una cuenta por cuatro tragos. La esposa de Konstantino no nos saludó en la playa, al día siguiente, y la esposa de Kosta ordenó que no nos limpiaran la habitación, al día subsiguiente. Probamos saludar a los padres de Alexis, que tan acogedores habían sido hasta entonces, pero no lograron reconocernos más.

Total que sólo faltaba Alexis para que el odio familiar quedara completo, pero Alexis le tenía mucha confianza al espíritu inversionista norteamericano, y no se decidía a traicionarnos. Sin embargo, Ernie pensaba que la presión familiar terminaría por convertirlo en enemigo. Era preciso actuar por nuestra cuenta. Le dije que eso de actuar por nuestra cuenta iba a ser un poquito difícil, porque ni él ni yo hablábamos una palabra de griego, pero él sonrió y me dijo que ese problema ya lo tenía prácticamente solucionado. Terminó su frase con una miradita dirigida a la izquierda. Miré a la izquierda. No estaba nada mal la cuarentona bronceadísima. Cincuentona, más bien, pero no estaba nada nada mal, y sus miraditas se dirigían constantemente hacia la derecha. Ernie se acomodó el pañuelito de seda que se ponía al cuello, todas las tardes, y me anunció que ya teníamos intérprete.

Fue un romance apasionado. Ernie le besaba la mano, porque decía que Helena era una mujer con mucha clase y con muchas islas en su vida, y Helena desempeñaba perfectamente el papel de aliada, a cambio de mucha esperma porque en septiembre-octubre sopla sobre Mikonos un fuerte viento que enloquece a la gente. De esas cosas ella sabía más que nadie. Ernie la respetaba mucho y se tragaba docenas de huevos crudos antes de cada cita. Un día se amaron tanto en una playa, que no lograron ni siquiera ver a los ladrones. Ernie regresó sin un cobre.

Pero la cosa no era tan grave. Ernie no pensaba que la cosa fuese tan grave. Siempre lo habíamos compartido todo, y ahora lo compartiríamos todo sólo con mi dinero. Alcanzaría, ajustándonos un poco los cinturones, alcanzaría. Y algún día, tirados en mi habitación siempre gratis de su hotel en Grecia, nos mataríamos de risa recordando esos pequeños contratiempos. Empecé a entonar la melodía griega que se le había pegado a todo el mundo ese verano. Ernie se tarareó la canción íntegra. Me la tarareaba cada vez que me veía. Era su manera de levantarme el ánimo, de decirme que tuviera paciencia, de relatarme los progresos que iba haciendo, de ponerme al día de su romance con Helena, de contarme que ella estaba dispuesta a convencer al propietario de un terreno de inmejorable situación, y de pedirme más plata. Era prácticamente el único contacto que tenía con él, porque ya ni siquiera dormía en la pensión. Sólo venía a pegarse un duchazo, a ponerse el pañuelito de seda de las tardes, y a comerse los huevos crudos. Se los comía tarareando y yo le tarareaba también. Estoy seguro de que a Helena le contaba que yo era el mejor amigo que había tenido en su vida, a pesar de que Alexis aún no le había traicionado. Y estoy seguro de que se lo contaba cada vez que me veían pasar frente a la terraza del restaurant en que cenaban mariscos entre botellas de vino blanco. Yo pasaba comiendo mi segundo y último sándwich del día.

Lo que seguía ignorando era de dónde iba a sacar Ernie el dinero para la compra del terreno. Una tarde decidí no tararear y le hice la pregunta. Ernie se mató de risa. Siempre se mataba de risa y fortísimo. Tanta euforia permanente había empezado a molestarme desde Italia, pero con Ernie no había nada que hacer. Ese era el volumen en que vivía. En París tenía unos cuantos dolarcillos ahorrados, y en Nueva York tenía un abuelo que no tardaba en morirse. Además, en vista de que a Alexis era ya prácticamente imposible sacarle un centavo, Helena estaba dispuesta a adelantarle unos cuantos dolarcillos si el abuelo neoyorquino se atrasaba en sus fechas. Por ese lado no debía preocuparme, todo estaba supercalculado. Le pregunté si quería a Helena, y me gané el palmazo más eufórico y detestable de cuantos me había dado desde que empezamos a conocernos de verdad. Me dijo que querer era una cosa muy complicada, muy seria, demasiado importante. Pero me aseguró que Helena le gustaba mucho.

Empecé a odiarlo, y hasta pensé en largarme de improviso y dejarlo sin un cobre, pero la guerra con la familia de Alexis estaba ya declarada, y mi curiosidad por conocer el desenlace me retenía. Lo único que me faltaba era diversión, y a juzgar por mis observaciones en los cafés del puerto, no quedaba otra Helena en toda la isla. ¿Por qué no joder a Ernie? Alguien lo tenía que joder alguna vez en la vida. Un buen golpe de ese tipo lo ayudaría a ir menos confiado por el mundo. Ernie necesitaba un golpe así. Un futuro magnate hotelero necesitaba de un revés afectivo para aplastar mejor a sus futuros rivales. En el fondo le estaba haciendo un gran favor. Además, siempre me quedaba la excusa de los vientos de septiembre-octubre que volvían loco a todo el mundo en Mikonos. Yo no tenía por qué ser la excepción.

Una buena dosis de *ouzo* me convenció de que había llegado el momento, y aparecí en el puerto con un pañuelito de seda en una mano y una bolsa de huevos en la otra. Los amantes estaban en la terraza de siempre. Era la hora en que yo pasaba comiendo mi último sándwich. Me acerqué, coloqué las prendas íntimas de Ernie sobre la mesa, le besé la mano a Helena, y la invité a cenar pero sin la permanente y molesta euforia del futuro magnatillo. Helena soltó la carcajada, cuando anuncié que además venía arrastrado por los famosos vientos. Ernie ya estaba de pie y ya quería trompearse. Le dije que no lo creía tan tonto como para quedarse sin banquero a causa de una mujer que sólo le gustaba mucho.

—Son tus palabras, Ernie —agregué.

Le cayó la bofetada que correspondía a la reputación de la isla en septiembre-octubre. Pobre Ernie, nunca lo vi tan solo, tan abatido. Nunca lo vi con esa cara de no saber qué hacer. Sin duda estaba haciendo cálculos como loco, mientras nos miraba desconcertado, pero por ahora se había quedado solo contra el mundo. Aproveché para darle un palmazo en la espalda y le sugerí vender el auto.

—Aquí en la isla no te sirve para nada —le dije.

Seguía mirándome como si no pudiese entender de dónde provenía mi fuerza. Pero lo sabía mejor que yo. Mucho mejor. Simplemente estaba atravesando por ese minuto fatal por el que debió atravesar Henry Ford cuando empezó de la nada. Le dejé algo de dinero sobre la mesa para que se alimentara esa noche, y me fui explicándole a Helena que no se lo había entregado en la mano porque era demasiado valiente y a lo mejor no lo aceptaba. Al restaurant llegué muy bien acompañado y sintiendo que había pasado a la historia. Helena me observaba como se observa a la revelación del campeonato. Había vivido en todas las islas del Mediterráneo, y sin embargo...

—Yo vengo de un país con islas guaneras— le dije.

Terminé comiendo huevos duros y creyendo en el asunto de los vientos. Lo malo es que me estaba divirtiendo demasido y que los negocios de Ernie no avanzaban. Habíamos hecho las paces, y nuevamente Helena estaba dispuesta a ayudarlo porque el despecho era cosa de novatos. Detestaba a la familia de Alexis, y estaba dispuesta a hacer cualquier cosa por impedir que le ganaran el terreno a Ernie. Decidí que cenáramos los tres juntos una noche, y Helena apareció con el dueño del terreno en el bolsillo y con un cheque y un recibito que Ernie debía firmar, eso sí, para que todo quedara *comme il faut*. Quedaban por firmar un montón de papeles y no estaba de más que se discutieran un poco algunos pormenores esa misma noche. Se discutió con champán, y Ernie volvió a ser Ernie y yo volví a ser yo. También Helena volvió a ser Helena, porque nos dejó a los dos con la cuenta y se fue bronceadísima con su compatriota. Al despedirse nos miró como si fuéramos dos niños infectos que, sin embargo, le inspiraban mucha ternura. Como si nos quedaran muchísimas islas por recorrer.

—¿Dónde crees tú que pasan el invierno estas mujeres? —le pregunté a Ernie.

Me miró tan desconcertado, que comprendí que era el tipo de problema que jamás se planteaba. Ahora nos tocaba regresar a París, pero él ya tenía un terreno para su hotel en Grecia. No pararía hasta construirlo. Con eso contaba Helena. Ernie volvería antes de lo que él mismo se imaginaba. Tarareamos hasta Zagreb, hasta Belgrado, Trieste, Venecia. Hasta París y los besos de Inés.

# LA FUTURA INES DE ROMAÑA

Inés tenía una habitación reservada en una residencia estudiantil del Boulevard Saint-Michel, pero había decidido pasar unos días en el departamento de nuestra amiga Rosario, mientras se iba ambientando a la nueva ciudad. Ahí me esperaba, a mi regreso de Italia y de Grecia, en el carro sport de Ernie. Llegamos casi a medianoche y con varios días de atraso. Ella nunca olvidó eso. Nunca olvidó que yo hubiese podido llegar tarde a nuestro soñado encuentro en París. Traté de explicarle que era culpa de Ernie y de su famoso hotel, pero para ella siguió siendo culpa mía siempre. Hasta hoy debe ser culpa mía. En ese departamento me esperaba también la carta que me había escrito a mí mismo desde Perugia. La leí en brazos de Inés, que se debatía entre la felicidad de volverme a ver, y esos perdones suyos con los que me perdonaba todo el tiempo. En fin, qué le quedaba con un tipo como yo más que andarlo perdonando todo el tiempo.

Esa noche Inés no lograba comprenderme. Le iba leyendo la carta, le iba hablando de Perugia, pero ella simplemente no lograba comprenderme. Yo quería partir con ella, lo más pronto posible, regresar en el acto a la ciudad de mi carta, quería explicarle algo que ni yo mismo entendía. En Perugia sobreviviríamos. En París, no. Mira, le decía, mira lo que es Perugia. Y continuaba leyéndole cosas totalmente incoherentes, escenas de robos extraordinarios, inacabables diálogos en los que los tres, cuatro, y hasta siete interlocutores eran yo, hablando solo, hablando y hablando tantas veces de ella y de mí en Perugia, cuando regresáramos tras haberla rescatado anticipadamente del fracaso que nos esperaba en París. No había un solo argumento lógico en toda la carta. No había nada que dejara claramente explícita la razón para una vida entera en esa ciudad. Inés no lograba entender que yo sentía nuestro afecto amenazado y que pensaba que sólo Perugia lo trataría con gran cuidado, con muchísima ternura.

Esa noche me perdonó también el estar loco, tan loco como en Lima, eternamente inquieto, viéndolo todo siempre antes de que ocurriera, anunciando que pronto se iba a derrumbar un edificio que todavía no se había empezado a construir. Me sentí muy solo, pero al mismo tiempo sabía que Inés era la única compañera que la ciudad de Lima le había otorgado a ese solitario. Intenté un último recurso. Salir al carro de Ernie, que dormía despatarrado en un rincón del departamento, a buscar las maletas para enseñarle a Inés todo lo que traía de Perugia para los dos, aparte de tres meses en esa ciudad sin beber ni fumar. Afuera estaba el carro, pero con la capota cortada. Ernie había dejado sus cosas en la maletera, y a mí me había tocado dejarlas en el interior. Alzaron en masa con todo lo mío. Me robaron aquellos deliciosos robos, mis manuscritos, me robaron Perugia. Corrí a avisarle a Ernie que le habían cortado la capota de su carro, corrí en busca de mi carta, corrí en busca de una comisaría, cosa que resultó tan inútil como si hubiese decidido buscar al ladrón sin ayuda de nadie. Leí mil veces mi carta en la antesala del comisario. Mil veces en los días en que me volvió a citar. Mientras tanto, Inés había escrito su primera carta al Perú. En ella contaba que me había encontrado excesivamente descuidado, excitado, y flaco. En fin, todo lo contrario de lo que le traía preparado de Perugia. Y su primera compra en París fue un par de tirantes porque los mismos pantalones que tan bien lucía en Lima, según ella, ahora se me iban cayendo por todas partes.

Nunca fuimos a Perugia. Para mí ese fue el gran error de nuestra vida. Aunque claro, cómo explicar cosas así. Cómo explicar que la mirada tierna y preocupada de Inés se fue apoderando de mí hasta hacerme sentir que lo de Perugia no era más que un producto de mi imaginación excitándose siempre con cosas que no existían. Me amputó Perugia con sus cuidados. Y lo peor es que yo no tenía ya ni las cosas robadas para probarle que no requería de sus cuidados, como otras veces, como en Lima. Pero Inés era así y yo era así para Inés. Y con el tiempo volvimos a instalarnos en lo que había sido nuestra relación de siempre: la de una madre muy permisiva y un niño muy perdonable. Sí, parece mentira, pero a mí no bien alguien me quiere, me declara niño. Inés fue la mejor prueba de este asunto tan complicado. Se pasó la vida conmigo perdonando a un niño. Así era nuestra relación, aunque detrás de ella, paradójicamente, existió casi siempre un oculto y profundo respeto por el adulto que, al menos cuantitativamente, cada uno había llegado a ser. Más lo otro: el amor increíble que nos teníamos. Casi nos mata, con el tiempo.

París nos esperaba agazapada por todas partes, adentro y afuera, en todo. Mal signo. Pero esas son las cosas que sólo yo capto y también aquella vez sólo yo me di cuenta. Inútil decírselo a Inés, tras la fantasía de Perugia, ciudad en la cual hasta he llegado a dudar si viví o no. Inés era una persona muy fuerte, contra lo que muchos creen. Así es. Y si no me he atrevido a contar más cosas y aventuras sobre mi vida en Perugia, es porque aún hoy me cuesta trabajo acordarme cómo fue, qué pasó exactamente en esa ciudad. Sé que fue delicioso, sé que fui feliz, sé que me sentí adulto y maduro y sano y joven y fuerte, pero el cómo y el por qué me los remitió Inés con sus cuidados a una reencarnación anterior. En ésta, ya lo dije, me tocaba ser niño solamente. Total que nunca me atreví a decirle que París nos esperaba agazapada por todas partes, adentro y afuera, y en todo.

La verdad es que tampoco importó mucho mi omisión. Un día Inés lo descubrió sin mi ayuda. Lo descubrió cuando ya se notaba a gritos, pero en todo caso supo sacarle mucho más provecho que yo a su descubrimiento. Simplemente descubrió y se fue. Y a mí me dejó botado y creyendo que me sabía íntegro el rollo, cuando me faltaba lo más importante, nada menos que el secreto profundo que Inés se llevó al partir y que yo tardé tanto en descubrir. En fin, todo el mundo sabe que todo el mundo ha sido siempre más realista que yo, pero contra lo que muchos creen, Inés fue también mil veces más inteligente y ordenó siempre más que yo a qué volumen se ponía el tocadiscos en casa. Un día lo puso a volumen de partir y partió y yo crecí inmediatamente. Claro, después me han vuelto a reducir hasta la infancia con cuentos de hadas, varias veces. No bien una persona me quiere, veo la mirada de Inés por todas partes y pierdo personalidad adulta y estatura.

Pero es maravillosa esa sensación de que otra persona no lo deje a uno vivir y quiero hablar de eso desde el comienzo, en París, y con Inés, para lo cual hay que retroceder hasta el Perú. Bueno, a llorar joven. Nos adorábamos. Yo la adoraba, en todo caso, y me sentí adorado por ella desde la noche aquella en que aparecí en su casa allá en Lima, qué bestia cómo pasa el tiempo, a las ocho en punto y con el nudo de la corbata caído sobre el pecho. Lindo, fue. Yo a Inés la había visto en un stand de la Feria de Autos, y había procedido inmediatamente a desmayarme, pero detrás del stand, para evitarle problemas, aunque no nos conocíamos ni en pelea de perros. Al recuperarme, regresé a probar otro desmayo pero logré mirarla fijamente veinticinco segundos, antes de vomitar, también detrás del stand, nuevamente para evitarle problemas. Revivo la situación en este momento, y confieso que no logro verme de nuevo viendo a una muchacha tan linda jamás en mi vida. Bueno, tampoco hay que exagerar, estoy reviviendo sólo esa situación, en este momento. La vida es muy original, felizmente. Pero lo cierto es que entonces, al recuperarme por segunda vez, decidí volverme loco un rato y me acerqué diciéndole que por favor desapareciera en el acto. No era justo. Me daba una flojera horrible empezar de nuevo con el calvario de tenerla que conocer, de tenerla que enamorar, de tenerla que perder tras habernos amado tanto. Le conté que ya me había sucedido y que comprendiera mi situación. Llevaba tres años de abandonado de primer amor y todo eso, y ya me creía inmune. Qué no le conté para que desapareciera. Le dije incluso que atrás había un desmayo y un vómito del que habla. Dos pruebas ahí detrás del stand, y sólo por evitarle molestias. Mi frágil bienestar exigía su inmediata desaparición. Me sucedió lo peor que podía sucederme. Inés me miró con sonriente y preocupada ternura, afirmando que estaba loco loquito, me entregó una tarjeta con toda la información sobre los autos que se vendían en su stand de la Feria y me miró con más sonriente ternura, preocupada todavía. Desaparecí. Salí disparado en busca de un fotógrafo, lo encontré, lo traje, me escondí detrás de él, y le ofrecí mucho dinero por una foto de Inés buscándome con la mirada detrás de un fotógrafo. Terminé agotado, pagándole una fortuna al fotógrafo para que no dejara de llevarme la foto a casa. Sería lo único que me quedaría tras la desaparición de Inés. Sería un recuerdo tan grato de esos momentos atroces delante y detrás del stand en que trabajaba y del que tenía que desaparecer. Me alejé del lugar, asegurándole a Inés que volvería al día siguiente para comprobar que ya no estaba ahí, que había accedido a mis ruegos. Esto es lo que realmente sentía, y lo sentía hasta tal punto, que salí corriendo tras el fotógrafo y lo acompañé a su casa y le pagué otra fortuna por revelarme la foto esa misma noche, ante mis ojos. Fue tristísimo ver reaparecer a Inés en la foto del álbum ese que tengo por ahí guardado hace años.

Bueno, ahora viene la parte en que me tomo varios tragos para darme valor, y me presento al día siguiente a la Feria de Autos y al stand de mi futura Inés. En efecto, ha desaparecido, y por consiguiente ni me desmayo ni nada de eso, pero entre el licor y una Inés que no es mi futura Inés, doy vueltas como loco y no me explico qué pasa. Además, trato de volverme loco pero no me sale porque no hay base material de angustia en que apoyarse. Regreso, miro a la muchacha que reemplaza a Inés, la comparo con su fotografía, y ni aunque me hubiera metido los dedos hasta el alma habría vomitado. Me siento bien. Inés ha desaparecido.

Pero entonces la pena empezó a ser horrible y comprendí que me había fregado. Supe que desde esa noche empezaría a buscar a Inés, porque la pena era realmente espantosa, y opté por empezar preguntándole a la muchacha que la reemplazaba. Nada. Se negó a darme cualquier información que no se refiriera estrictamente a la cuota inicial y a las cómodas mensualidades con que podía adquirir uno de los automóviles de su stand. Semanas después, al encontrar a Inés, me explicó que en efecto no había regresado más a la feria a causa de una fuerte bronquitis. La otra Inés era su hermana.

Me tuvo caminando por todo Lima día tras día, preguntándole a cuanto conocido encontraba si conocía a la muchacha de mi fotografía. Descubrí la estupidez de los limeños: no hubo hombre que no la conociera, pero claro, a unos se les había olvidado el nombre, a otros la dirección. Inés fue seguidamente francesa, italiana, peruana, actriz, modelo, ardiente, frígida, inteligente, estúpida, frívola, coqueta, y hasta tuvo varios nombres que algunos recordaban vagamente. En fin, fue una encuesta involuntaria que dejó por los suelos al sexo masculino de Lima. Un día Inés fue Inés, con nombre, apellido y dirección. Un amigo la conocía y me juró que me había dicho la verdad verdadera. Una cierta sensación de náusea me hizo creerlo. Comprendí que el lío había empezado y me dirigí a un bar.

Lo único que conseguí con tomar esos tragos fue llegar a casa de Inés apestando a licor. No encontraba coraje por ninguna parte, sufría como una bestia, temblaba todo, y hacía un detestable calor de noche húmeda de verano. Me había abierto el cuello de la camisa y el nudo de la corbata me colgaba sobre el pecho y yo trataba de mantenerlo al lado derecho porque lo imaginaba dando saltitos sobre los latidos de una taquicardia feroz. No sé quién me traumó ni cuándo pero todo amor en mi caso empieza por esa maldita taquicardia. Prácticamente agonicé sobre el timbre que estuvo sonando horas antes de que alguien abriera. Alguien me gritó que parara ya de tocar, que ya estaba la puerta abierta. Alguien me preguntó qué deseaba y yo grité que deseaba ver a Inés, mientras por ahí al fondo, por detrás de la puerta, veía a muchas Ineses y no entendía nada. Grité que se dieran prisa, traté de explicar que las estaba pasando pésimo y, por fin, entre tanta muchacha que me observaba asombrada, vi aparecer a la que había desaparecido de la Feria de Autos. Después me enteré de que las otras eran sus muchas hermanas y que la habían hecho salir corriendo para que calmara al loco que gritaba afuera.

Inés me reconoció, y empezó a mirarme sonriente y desconcertada. No sabía quién era yo y no solía recibir ni hablar con cualquiera. Llegué a temer hasta que cerrara la puerta y me dejara en la calle, pero como yo no paraba de hablar y de contarle cosas totalmente incoherentes y bastante graciosas, modestia aparte, ella no lograba salir de su asombro para interrumpirme y largarme. Recuerdo que no lograba mirarla. Hablaba y hablaba de cualquier cosa, asociaba cualquier cosa con otra y con otra, improvisaba historias mirando hacia la calle, sin atreverme nunca ni a mirarla ni a parar de hablar por miedo a que me largara no bien le diera una oportunidad. Al final ni siquiera la veía, sabía que estaba a mi derecha pero me era imposible voltear a mirarla. No podía soportar más esa situación, y por fin le dije que me aceptara o me largara de una vez por todas porque me estaba sintiendo pésimo y era una enorme injusticia de su parte tener a un tipo ahí pasándola tan mal por culpa de ella.

Toda la paz y el bienestar del mundo llegaron de pronto. Parece mentira. Estarse sintiendo tan mal y en un instante estarse sintiendo tan bien. Inés se me acercó, me abotonó el cuello de la camisa y me puso el nudo de la corbata en su lugar. Ni mi madre había hecho esas cosas tan bien cuando yo era niño. Casi me muero de ternura y de estabilidad en las manos y en el pecho. En todas partes. No me importó cuando me dijo que tenía que irme porque esa noche esperaba a un amigo. No me importó cuando me dijo que era un muchacho al que ella le gustaba. No me importó cuando insistió en que tenía que irme y en que regresara al día siguiente. Supe con fuerza que en ella había depositado toda la confianza que yo era capaz de dar en el mundo. Después le conté muchas veces que lo del nudo de la corbata y el tufo a licor de esa noche eran un viejo truco que solía usar para ver si despertaba en las mujeres algún instinto redentor. No era verdad. Bien que lo sabía Inés. Tuvo mucho tiempo para enterarse, en todo caso. Lima lo obligaba a uno a andarse inventando trucos y aventuras para ocultar tanto miedo. Lo que sí es verdad es que desde entonces nuestra relación estuvo siempre basada en los defectos míos que Inés corregía siempre, y en los defectos míos que Inés perdonaba, siempre que resultaran incorregibles. Y basada también en esa confianza que se llevó con ella el día que se fue de París harta de corregir defectos que siempre creí necesario multiplicar para guardarla a mi lado. Realmente creía que esa era la fórmula salvadora. Pero, en fin, siempre es demasiado tarde algún día y en el aeropuerto ni cuenta se dio de que yo andaba con el nudo de la corbata y el orgullo por los suelos.

Estrené París con Inés, con los tirantes que me regaló, y con los pantalones en su sitio. Insisto en recordar que éramos felices, que fuimos felices a pesar de los esfuerzos que hizo la ciudad por destruirlo todo desde el comienzo. La verdad es que tardó bastante en lograrlo. Algunos giros de mi padre lograron mantenerme mientras buscaba trabajo. Lo conseguí justo cuando él murió. Había estado gravemente enfermo desde antes de mi partida del Perú, y sabía tan bien como yo que no nos volveríamos a ver. Me lo dijo todo en aquel beso con que me sorprendió mientras trataba de abandonar la casa sin despedirme de nadie. A París sólo me escribió un par de cartas. Había comprendido que yo iba a seguir un camino diferente del que él deseaba para mí, y lo aceptaba. Me lo dijo en una carta muy hermosa, y creo que fue la primera vez que alguien me trató como a una persona mayor.

Siempre he tenido la culpa de que la gente no me trate como a una persona mayor. Cometo demasiadas locuras, parece, y la gente cree que eso es falta de madurez. Simplemente me aburre la madurez, y creo que esto es una suerte. A mí, en todo caso, me ha permitido conocer a muchas personas que viven cometiendo locuras. Siempre son las que realmente me atraen. Creo que nos detectamos. Me detectan a mí, en todo caso. Inés me quería por lo loco que era pero al mismo tiempo no lo soportaba. Y al final fue peor porque mis locuras empezaron a ser de mayor cuantía. Nuestro París tenía la culpa pero ella no lo soportó y se fue además con un secreto muy profundo. Ella siempre me había protegido de los seres que cometen locuras, y cuando se fue sentí que me había quedado expuesto y que no tardaban en detectarme loco tras loco. Y pensándolo bien, debo reconocer que siempre he sentido una fuerte inclinación por seres de ésos que todo el mundo desearía psicoanalizar, inmadurísimos de acuerdo con la legislación vigente. No faltaron incluso graves y hermosas tentativas entre seres que habían cometido muchas locuras e intentaban aquella última de nunca volver a cometer una locura. Se acaba mal. Se acaba pésimo. Se acaba uno alejando de los seres que más ha querido en su vida.

Pero faltaba mucho para que yo aprendiera tantas cosas de la vida, y además aquella carta de mi padre me había hecho sentirme responsable y maduro, a pesar de que las miradas de sonriente ternura con que Inés se preocupaba por mí, me demostraron que debía seguir bajo su absoluta protección. Ese estado me encantaba, lo confieso. Era maravilloso vivir sabiéndose mirado tan tiernamente por Inés. Me amaba, estoy seguro de que me amaba, lo he vivido y puedo sentirlo aún en alguna región de mis recuerdos infiltrada casi materialmente en mis tardes más tristes, aquéllas en que precisamente trato de imaginar qué recuerdos me acompañarán hasta el final, hasta el día en que se acabe por fin el recuerdo de Inés.

Ella me amaba y yo no veía las horas de que se decidiera a casarse conmigo. Había conseguido un trabajo de profesor de castellano en una escuelita infame, soportaba los abusos de la infame directora, ya no había más giros de mi padre, concretaba mi sueño de ser escritor, tecleando en el techo de un edificio, en un cuartucho de noveno piso sin ascensor, en fin, todo parecía indicar que estaba a la altura de un matrimonio con Inés. Pero hubo que esperar. Claro, todos pensarán que yo con mis locuras fui el causante de tanta espera. Yo mismo lo creía. Y me imagino que en parte es cierto, además, aunque a mí nunca se me ocurrió que había que reflexionar tanto. Inés, en cambio, me contó un día, al regresar con su madre de un viaje por España, que se había otorgado un verano entero de reflexión, y que aquel muchacho brasileño que creí su compañero de estudios había estado a punto de ganar la partida. No me importó el descubrimiento. Me importó la verdadera causa de su reflexión: un joven economista brasileño, al que no amaba pero que era la seguridad y madurez por excelencia, y yo, Martín Romaña, un joven escritor inédito al que amaba con toda su alma pero que no cesaba de cometer locuras. Nunca intenté explicarle a Inés que precisamente por ellas me amaba, que cambiar era perderla, y tuve que seguir siendo una verdadera calamidad hasta que se hartó y se fue. Es complicado el asunto, pero es hermoso eso de vivir siempre en su ley hasta que le cae a uno encima, enorme, la espada de Damocles.

Nuestro primer año en París fue el de los grandes amigos. Aparecieron tantos amigos en nuestra vida, que nunca terminaría de enumerarlos. Casi todos se han ido ahora. Yo no he sabido irme, me imagino. A punta de que siempre quedaba o regresaba alguno, opté por la fidelidad al pasado, y poco a poco me he ido convirtiendo en lo que soy ahora: una especie de memoria colectiva, un catálogo de secretos y confesiones; en un hombre hundido en su sillón Voltaire. Pero, en fin, por entonces estaba aún muy lejos de todo esto. Mi primer viaje a España me esperaba. Hemingway no sólo me había enseñado a soñar con ese París tan suyo, también me había hecho sentir que amaba a España desde tiempos inmemoriales.

# HEMINGWAY, DON QUIJOTE, Y EL CHULI

Inés y su madre, que había venido a visitarla, tomaron una mañana el tren rumbo a España, y yo me quedé en París llenecito de unas ronchas que me salían en las muñecas, y que eran algo así como una alergia al cuartucho techero en que vivía desde que murió mi padre y se me acabó la beca. Trataba de escribir nuevamente mis primeros cuentos, los que me robaron a mi regreso de Italia y de Grecia, pero todo era inútil. Cuanto más escribía, más me enronchaba, y ya estábamos en pleno verano. Hacía un calor insoportable en aquel noveno piso pobre y yo no cesaba de admirar a los personajes de Hemingway que tan fácilmente abandonaban un día la Place de la Contrescarpe y terminaban emborrachándose en Pamplona. Mencionaré sólo dos, entre las muchas cosas que me hacían sentirme semejante a esos personajes. Yo también vivía cerca de la Place de la Contrescarpe, y yo también bebía vino en uno de sus cafés. No hay mayor parecido en este parecido, y más bien podría tratarse tan sólo de una coincidencia, pero lo cierto es que también yo un día partí rumbo a Pamplona, con un pañuelito rojo al cuello.

Partí con la absoluta seguridad de que no bien pisara tierra española, desaparecerían mis ronchas, y con la dirección de una señora, pariente de un amigo peruano, en cuya casa podría alojarme al llegar a San Sebastián. La tía Juanita, como la llamé desde el primer día, era una viejita de nariz aguileña y que siempre estaba dispuesta a abrirle a uno una lata de sardinas. Yo tragaba como una bestia, por aquel entonces, y la tía Juanita no cesaba de servirme más sardinas y más copas de vino. Su esposo era un vasco jardinero, que prácticamente no hablaba castellano. Pero aun así me miró con profunda desconfianza cuando le conté que mientras me revisaban el pasaporte, en el lado español de la frontera, mis ronchas habían ido desapareciendo una por una, ante mi vista y paciencia. España lo podía todo por mí. Un viaje así, al sur, le arreglaba a uno la vida, le renovaba las energías y le limpiaba las ronchas de la gran ciudad. Martín Romaña era un hombre nuevo.

Y al hombre nuevo se lo llevó la tía Juanita al pueblo de Oñate, donde vivía el resto de su familia, y donde tendría oportunidad de alternar con los señores amigos del amigo que me había enviado donde ella. Oñate me encantó. Pamplona podía esperar. En todo caso los Sanfermines no empezaban hasta dentro de unos días. La tía Juanita regresó a San Sebastián, dejándome en ese pueblo donde desde la primera noche ya todo el mundo me llamaba el Peruano, con tanto cariño, que lo menos que podía hacer era enamorarme perdidamente de alguien y quedarme a vivir ahí el resto de mi vida.

Me quedé a duras penas un par de días, pero sí hubo enamoramiento. Muy complicado, claro, ya que la vida es igual por todas partes, y si no es igual por todas partes, yo sí soy igual por todas partes. Lo cierto es que aquella vez en Oñate, de enamorado pasé a Quijote, para luego terminar haciendo el indio. La cosa empezó una noche en que los señores del pueblo, que eran dos (uno tenía una fábrica, y el otro también, pero además era el alcalde), me invitaron a subir a uno de esos famosos montes vascos. Me tocó el monte en cuyas alturas estaba el santuario de Nuestra Señora de Aránzazu, y, un poquito más allá, Goiko Venta, donde iba a encontrarme, ya lo vería, con una de las venteras más lindas del mundo. Y subían cantando, los señores del pueblo. Cantando y metiéndole duro al vino y yo soportando con hemingwayana resistencia para estas cosas. Iba feliz, la verdad, y hasta les entoné algunas canciones de las mías, un par de valsecitos, bien peruanos, bien de adentro, para que se enteraran de una vez por todas que yo también sabía enamorar cantando.

En el santuario nos portamos bien, porque los vascos son bien católicos, y porque yo soy, muy a menudo, de los que donde van hacen lo que ven. Respetamos todo lo que vimos, y hasta nos arrodillamos y alabamos en voz baja la belleza del templo, orgullo de la región. Y ahora nos quedaba por ver el otro orgullo de la región, Begoñita, la ventera más bonita. Y, en efecto, Begoñita era la ventera más linda del mundo. Sigue siéndolo, además, porque prefiero recordarla de ventera y no de lo que después supe.

Ningún personaje de Hemingway había estado jamás en una situación como la mía, salvo que a Hemingway jamás le hayan interesado situaciones como la mía, claro. No había descrito ninguna, en todo caso, o sea que la escena era mía, sólo mía. Martín Romaña, busca ahora en tu pasado y en tu buena educación. Busqué hondo, y encontré que no debía poner los codos sobre la mesa, y que debía comer hasta el último bocado porque en el Africa todos los niños se morían de hambre, en cambio en el Perú no, salvo que uno fuera comunista y mi padre lo largaría a gritos de la mesa por preguntón, o por hablar de dinero delante de la servidumbre, habráse visto cosa de peor gusto. A mis acompañantes no creo que los habían educado tan bien, pero en fin, siempre me quedaba la ventaja de la edad. Los dos podían ser el padre de Begoña, mientras que yo podría ser el esposo de Begoña. Le hablaría de Lima, mi ciudad natal, del Perú, de la casa en que había crecido, y en la que si alguien se hubiese casado con una ventera, por no decir sirvienta, habría sido desheredado. Mierda, otra vez mi buena educación, pero precisamente de ahí nació mi amor. Me desheredé ipso facto. El Martín Romaña de la mesa que iba a servir Begoña era ya un tipo desheredado, un joven en franca rebeldía, y muy pobre. A mi derecha, un señor del pueblo; a mi izquierda, otro señor del pueblo que además era el alcalde. Al frente, Begoña, sonriente y alcanzándonos a cada uno un menú. Y recibiendo su menú, Martín Romaña, completamente desheredado. Luis era millonario, pero podía ser el padre de Begoña. Julio, igual, y por más alcalde que fuera. Sólo yo, sólo yo. Y empecé a cantar entre copa y copa. Y mientras Luis cantaba, también entre copa y copa, Julio me dijo que a Begoña la tenía ya contratada para trabajar de empleada en su casa, sus hijos iban creciendo, ya era hora de que invadieran nocturnos dormitorios y aprendieran de la vida.

95

Y así es la vida, pues, aunque yo entonces no podía creerlo aún e insistía, entre copas y más copas, en llevarme a Begoñita de frente a Lima, para evitarme la mirada de arriba abajo que me iba a echar Inés en París, el día en que llegara con la historia de Begoña, porque con Begoña, la Begoña de carne y hueso, la que ya empezaba a reírse de mí, no iba a llegar a ninguna parte. Begoñita, la venterita, ya se tenía bien olida mi autodesheredación. El embrujo de la casona, el encanto del restaurant, la maravilla de la venta, qué mierda le importaba todo eso a Begoña. Ahí yo era el único alucinado que veía tanta cosa en una noche de juerga con dos señores y una ventera, que ni de madame Bovary tenía un poquito siquiera. Puro contante y sonante era Begoñita y yo ahí sin un cobre y por amor.

Aún no sabía cantar la Internacional, o sea que cuando me bajaron borracho a Oñate, observé el estricto y agresivo silencio del que se fue pero volverá. Desperté en un pueblo en el que las voces se habían corrido: el Peruano había andado alborotando el gallinero en Goiko Venta, el Peruano se había peleado con don Luis y con don Julio, el Peruano estaba tramando algo, mejor era que se fuera el Peruano. O me emborrachaba de nuevo, y Begoñita volvía a cagarse en mí, o me largaba tras haber hecho el cojudo como Dios manda. Consulté mentalmente con Inés, que empezó por perdonarme.

Algo que siempre detesté es que Inés empezara siempre por perdonarme, antes de que yo le pidiera perdón. Era su manera de destetarme, creo, pero estoy seguro de que nunca lo habría hecho, de haber sabido lo mal que uno se sentía teniendo que crecer tanto, tan rápido, y todo el tiempo. Inés me dijo que no me fuera del pueblo sin haber hablado con los padres de Begoña. Aunque, claro, también era posible, Inés se las sabía todas desde entonces, también era posible que sus padres fueran unos pastores muy pobres y que estuvieran de acuerdo en negociar a la hija de esa manera. Bueno, en este caso, Inés me aconsejaba escribirle una carta al primer obispo que encontrara en la región. Hallé alivio en el ferviente catolicismo de Inés. Escribí una carta larga, digna, clara, precisa. Di la dirección de la tía

Juanita, en San Sebastián, pero nunca me llegó la respuesta. Y en cambio la vida sí respondió a las expectativas de Begoña. Lo supe en otros viajes. Duró poco en casa de don Julio. Trabajó por aquí, por allá, siempre de acuerdo con sus expectativas, y hasta trabajó en un lugar de cuyo nombre no quiero acordarme.

Me fui a renacer en Pamplona. No podía irme tan mal en mi primer viaje a España. Pamplona era el dato, y a Pamplona llegué ligero de equipaje, sin equipaje, en realidad, porque aparte de una escobilla de dientes en el bolsillo superior del saco, sólo llevaba algo de dinero y esas ganas increíbles de que todo se pareciera a los libros de Hemingway. Bueno, en efecto, el asunto se parecía a los libros de Hemingway, pero entre que se parecía mal y se parecía demasiado. No sé bien cómo explicarlo. ¡Ay, demonios!, las cosas que me toca ver a mí. Recién entradito a la plaza principal y ya me estoy topando con tres Hemingways igualitos al que había muerto de un tiro a la garganta. Tres igualitos y cada uno con su máquina de escribir, o es que yo ya estaba muy borracho. No puedo decir que la historia se repite con caracteres grotescos, porque todavía no había leído a Marx, pero, en fin, digamos que si Marx hubiese entrado a Pamplona en mi lugar, sobre la marcha habría escrito otra vez su frase tan conocida. A la gente no le importa. Es increíble. Tres igualitos y sentados y escribiendo y los turistas encantados con que la agencia de viajes les hubiese puesto en el programa hasta a estos tres igualitos que no estaban en el programa. Escribían los tipos en Coronas portátiles con sus barbas grises y sus botellas de ginebra al lado. Y yo, como un imbécil, metido en Pamplona para contarle a la gente que en Pamplona tal y tal cosa, y tal y tal otra cosa, y chúpense ésa, qué bien vive, qué bien viaja Martín Romaña.

Ahí me agarró la soledad. La tristeza esa tan grande que me agarra a veces cuando por ninguna parte me sale lo gregario imbécil, y én cambio me sale hasta la angustia mi capacidad de no soportar. Bueno, era el momento de emborracharse. Busqué primero una pensión donde dejar mi escobilla de dientes y salir, como los caballeros, a tomarme un trago en la plaza, y caí donde una ancianita que me alquiló una gigantesca cama de muñecas. Blondas y blondas, sábanas de mi abuelita, olor a naftalina, y un edredón inmaculado. Y aquí otra cosa rarísima: pagué una parte por adelantado, pero nunca logré dormir en esa cama. Simplemente nunca logré que la viejita me dejara acostarme en esa cama de Pamplona. Tres noches llegué agotado, desilusionado, harto de beber sin emborracharme como en las películas de Hollywood sobre las novelas de Hemingway, pero nada. Siempre me faltaba ver algo, siempre la viejita diciéndome que un joven como yo no podía acostarse tan temprano en una juerga como los Sanfermines, le falta a usted ver esto, le falta a usted ver aquello. Y no sé cómo, pero de nuevo iba a parar a la calle.

Y para remate apareció un muchacho negro que me conocía de París y que estaba sin un cobre y con una sueca realmente patentada. Se me pegaron, me pegué a ellos, no sé quién necesitaba más de quién ahí, pero lo cierto es que me tuve que soplar las tres trompeaderas, con sus consiguientes derrotas, en las que mi amigo negro se vio envuelto en su afán de que no le arrancaran a su rubia a pedazos. El asunto era a la de a verdad, a quién pega más fuerte, y a mí francamente no me entusiasmaban tanto unas peleas en las que la que mejor se trompeaba era la sueca. Y la sueca sólo defendía a su novio negro. A mí sólo me pedía plata para más trago o para comprar algo con que desinfectarnos las heridas. Todo esto alrededor de los Hemingways que escribían y que seguro no estaban contando nada sobre nosotros. Bueno, qué diablos, lo importante era largarse de ahí lo antes posible. Una buena dormida, un buen baño, y largarse. Pero no. La viejita no quería. Me faltaba ver esto, me faltaba ver aquello. Pasaron los encierros, di de saltos entre las desfilantes masas que abandonaban una corrida, conocí a Orson Welles, pero él no me conoció a mí, o en todo caso se limitó a arrojarme el humo de su puro, cuando yo, periodista peruano, corresponsal del semanario "Oiga" de Lima, señor Welles, "El hilo que une al Perú con el mundo", señor Welles, unas palabras mientras usted filma, señor Welles. Pero el señor Welles se siguió limitando a arrojarme humo hasta que lo perdí de vista.

A la cuarta noche sin dormir, que en realidad era la mañana del quinto día, entré a la pensión dispuesto a tirarme en la cama aunque me faltase ver una aparición de la Virgen de Fátima. No, no me faltaba ver nada. La viejecita me dijo que en cambio sí me faltaba pagar los días que quedaban de Sanfermines. Miré la cama con la convicción profunda de que ahí nunca había dormido nadie, le dije que tenía que partir ya, logré que me devolviera mi escobilla de dientes, y salí al sol de la calle gritando ¡Vieja Begoña!, entre muchos borrachos. Me vengué algo al llegar a la plaza principal. No sé de qué me vengué. Del género humano, tal vez. No es que importe tanto, pero era cojonudo no haber bebido una sola copa la noche anterior y ver a miles de personas que se habían emborrachado anoche, agonizando con unas perseguidoras espantosas, bajo un sol que yo deseaba a cuarenta, a cincuenta grados. Salían de los hoteles, de las casas. No sabían qué pedir, un café, un trago para cortarla, un alka-seltzer, un tranquilizante. El sol les jodía los ojos, sentían que les estallaba el sol en la cabeza, les estallaba la cabeza con el sol, el primer Hemingway del día salía a instalarse en su mesita de escritor. Y yo me iba.

¡Me iba rumbo a Vera del Bidasoa! Y como pasaporte traía nada menos que una carta de presentación de mi tía Marisa Romaña, la que siempre andaba tan distraída. Me había escrito de Lima diciéndome que si iba a España, no podía dejar de visitar Vera del Bidasoa, y yo acababa de descubrir que el asunto no quedaba tan lejos de Pamplona. Un saltito para ver todo el mundo del cual salimos al Nuevo Mundo, los Romaña, vía un Caballero de la Orden de Santiago, nada menos. En Vera del Bidasoa algo me iba a pesar sobre los hombros mucho más que cuando entré por primera vez a la Sorbona. 1966 y yo todavía andaba creyendo en esas cosas. En fin, qué iba a hacer. Vera del Bidasoa, ¡entrañas mías! Como el poema, me lo había dicho mi abuelito, me lo había dicho mi papá. Peor, todavía, a mí me lo dijeron de nacimiento. Una escapadita. Nadie se enteraría. Nadie. Y mucho menos que nadie los muchachos del hotel sin baños. Ya lo digo: me lo dijeron de nacimiento. Fue más o menos así, mientras cortaban el cordón umbilical: "Si los Romaña entramos en la espaciosa iglesia de Vera del Bidasoa, a mano derecha, y casi debajo del púlpito, nos encontramos con una lápida sepulcral que dice: IACE DON FRANCISCO DE ROMAÑA CAVALLERO QUE FUE DEL ORDEN DE SANTIAGO, MURIO EN 1723. En el centro de la lápida está esculpida la cruz santiaguista. El 27 de marzo de 1706 se aprobaron las diligencias de sus pruebas, cuando amenazaba a España la guerra de sucesión, triste secuela de la muerte de Carlos II el Hechizado. Ante esa tumba, hagamos una incursión histórica en la vida de Vera del siglo XVII: en la república de la villa de Vera del Bidasoa, como dice el Libro de Elecciones que entonces existía, antiçipándose a la añoranza de Pío Baroja, al menos en cuanto al nombre."

Aquí puedo hablar de un pequeño atenuante. Hemingway vino desde no sé dónde para cargar el ataúd de Pío Baroja, genial escritor vasco. Tal vez, pues, mis admirados conocimientos de la vida del escritor norteamericano también me estaban llevando a Vera del Bidasoa. Mientes, Martín Romaña. Ibas de incursión histórica por la cuerda floja de un cordón umbilical: "Don Francisco de Romaña, sigue, sigue, Martín Romaña, murió sin ver más a su hijo Martín, Martín Romaña. Este, nuestro primer antepasado en el Perú, vino aquí reclamado por su afán de aventuras y aquel otro, superior, de mejorar las cosas de este mundo, en el nombre de Dios. Aquí en Lima vivió, gozando de gran crédito, pues era virtuoso, buen cristiano, temeroso de Dios en su conciencia. Gran elogio, entonces y ahora, Martín Romaña. Hizo la travesía en el barco de otro vasco, don Juan de Lavaquía, capitán de mar y de guerra, jamás olvidó a sus padres, Martín Romaña. Todos los correos llevaron carta suya a Vera del Bidasoa."

Una escapadita, nadie se enteraría. Pero ya por Elizondo, empecé a preocuparme. El ómnibus que había tomado en Pamplona era menos ómnibus que el que había tomado para llegar a Pamplona, y ahora resulta que para llegar a Vera umbilical había que cambiar en Elizondo y tomar un ómnibus que nadie de mi familia en Lima, ni siquiera yo, había tomado jamás. Era más o menos él ómnibus que yo hubiese tomado con Begoñita, la ventera, cuando el asunto de mi desheredación. Bueno, lo tomé sin Begoñita y extrañando como una bestia a Inés. Me faltaban sus consejos. La sonrisa con que se cagaba de risa del asunto Romaña. Pero, en fin, qué podía yo lejos de ella más que seguir en estado de nacimiento e irme de cabeza a la incursión histórica ante esa tumba. Me iba a hurgar en los testamentos que poseía por aquel entonces el escribano Lorenzo Hualde y que se transcriben en el expediente, me adentraba en la vida y milagros de la estirpe propietaria de las casas de Romaña, Arocena y Agramontea. Integra testó siempre esa estirpe sin dejar deudas, desde los abuelos del caballero, allá por 1643, cuando ardía Europa por los cuatro costados en la terrible guerra llamada de los Treinta Años. Como ellos, Martín Romaña, no dejes jamás deudas. Muérete sin deudas, Martín Romaña. Así, por ejemplo, el Caballero de Santiago escribió en su testamento: "No me acuerdo deber a nadie cosa alguna. Y sin embargo, quiero sea creído y pagado, si alguno pareciere pretendiendo qué haber en mí, hasta dos reales (que por aquel entonces eran mucha plata, Martín Romaña); y de ahí en arriba, mostrando papeles e instrumentos." En cambio a él le adeudaban algunas cantidades, como sucede siempre con los caballeros, Martín Romaña. Y desde entonces, de nacimiento, todos hemos testado señalando muy claramente: "No me acuerdo deber a nadie cosa alguna", Martín Romaña. Hasta tu pobre tío Joaquincito: no bien vio que se le venía encima el tranvía, gritó: "¡No me acuerdo!" No tuvo tiempo para más, pero todo Lima sabe a qué se refería. Y cuando te mueras, Martín Romaña, no olvides otra frase en tu testamento: "Todo lo dejo a mi mujer, por la mucha confianza que tengo en la dicha mujer." Frase que nos viene de Vera del Bidasoa, también, Martín.

Exhibía con orgullo el haber nacido de descendientes de descendientes de esa villa, todo muy a escondidas de los muchachos del hotel sin baños, allá en París, y continuaba en mi ómnibus begoñense, sin la burla de Inés, y ya empezaba a caer la tarde. Vera del Bidasoa fue, desde que nací, y me imagino que también desde que lo contó el famoso Martín de Romaña que se fue al Perú, una de las cinco villas privilegiadas. Nadie me había explicado de qué cinco villas se trataba, ni cómo ni por qué, pero lo cierto es que Vera del Bidasoa no pechaba (mi abuela paterna aún empleaba esta palabra, aunque sospecho que ignoraba ya su significado), ni pagaba servicio ordinario al rey, por ser todos sus hijos hijosdalgos. Y nadie alcanzaba vecindad ni cargos públicos en la villa si no era hijodalgo notorio de sangre por los cuatro costados. Me lo sé de paporreta, lo llevo en el ombligo: "Imbuidos de este culto a la clase y a la raza, los veratarras (habitantes de Vera del Bidasoa) abonaron la hidalguía de la familia Romaña-Tellechea, diciendo que se hallaba sin la menor nota o mala voz de raza infecta y mancha de sangre. Como prueba definitiva, el escribano Hualde acudió al Libro de Elecciones de la República de la Villa de Vera, mamotreto de 2.153 folios conservado entonces y que abarcaba los años 1570-1703. Y los familiares de Don José María, Caballero de la Orden de Santiago, aparecían entre los elegidos para los cargos públicos, desde siempre. Así, en 1619, según fe del escribano Juan de Zicardía, salió electo Juan de Tellechea, padre del abuelo de Don Martín, para el cargo de Almirante añal de la Villa, entre otros tres notables hábiles y suficientes y en quien concurren las partes y calidades de hijosdalgo."

A Vera del Bidasoa llegué completamente heredero. Si Begoña quería terminar fornicando con el obispo aquel al que le escribí la carta, eran cosas de Begoña y del obispo, eran cosas de este tiempo, cosas de fornicadores. Yo pertenecía al tiempo de los Romaña, que testaban así y asá, y que cuando no lograban testar, por culpa de algún tranvía, daban medio alarido mortal y ya todo Lima sabía a qué se referían. Ahora, la lástima fue que la carta de la tía Marisa, la que siempre andaba tan distraída, no precisara suficientemente los datos. En realidad la carta no precisaba nada, y no sé qué había sido del pasado glorioso en las frases incoherentes que me había escrito. La leí nuevamente al bajar del ómnibus, en un pueblo que ni papá ni mi abuelo ni nadie me lo había dicho nunca. Bueno, tal vez era yo el que no entendía bien las cosas, ya los señores del pueblo leerían, entenderían, me aclararían, ya terminaría yo en alguna gran casa solariega e invitado a una gran cacería. Sin Begoñas ni ocho cuartos, esta vez. Señor entre señores.

Pero, por lo pronto, de lo que se trataba ahora, era de conseguir una posada porque empezaba a anochecer y necesitaba recuperar sueño perdido en Pamplona. Pasó una muchacha muy bonita, pero que no podía ser Romaña porque venía conversando con una vaca, y le pregunté por la posada. La posada era ésa. Me lo dijo con una falta de amabilidad... No, definitivamente no era una Romaña. Cualquiera en Lima le contesta a uno mejor. Eso parecía casi París. Bueno, sería una excepción. Pero la excepción continuó en la única posada, porque al peruano descendiente le negaron hospedaje como a bicho raro, casi como a bicho peligroso. Ignorantes, eran gente del pueblo. Felizmente en su carta, tía Marisa, la que siempre andaba tan distraída, me decía que acudiera antes que nada donde el cura del pueblo. Me presenté como un Romaña de Lima, periodista del semanario "Oiga", "El hilo que une al Perú con el mundo", y le entregué como credenciales la carta de mi tía Marisa. Se la leyó, o mejor dicho, me la leyó íntegra, con paciencia de cura viejísimo y aburrido. Estábamos en la sacristía, él con la carta temblándole en las manos y yo mirando con insistencia el diván que podía ser mi salvación.

*Mi querido Martín,*

*Las fotos del álbum donde está la casa de Romaña están demasiado pegadas y no las puedo sacar del álbum. Buscaré por otro lado. He buscado por otro lado, pero no encuentro más fotos. Ya te las mostraré cuando regreses al Perú, pero procura tú sacar algunas también para que tengan tus hermanos y para pegar más en el álbum. José María Romaña. Calle Aragón 316, Barce-*

*lona. A ése no lo puedes buscar en Vera del Bidasoa. Es, eso sí, Consejero del Banco de Bilbao. En San Sebastián, preguntar en la Sucursal del Banco de Bilbao, para ver si siempre sigue en Barcelona. Decía siempre tu abuelito que tomaron una vez una copa en, en (no me acuerdo en dónde) en su viaje a Europa en 1934. Eso sí, no confundir con el otro José María Romaña, que es muy simpático, pero que no es el pariente. La mujer de nuestro pariente se llama Thais Muñoz de Vigo. No recordamos el título.*

*Casa de Romaña, la antigua casa de los Romaña, está en Vera del Bidasoa, pero se encuentra en pleno campo, y hay Romañas enterrados en la iglesia de Errazu y algunos en Vitoria, ciudad cercana. Hay tumbas desde 1507, me parece. Algo así dijo tu abuelito. ¿Te acuerdas que el pobrecito se acordó de toda la historia del Caballero de la Orden de Santiago, hasta mientras se moría el pobrecito? Todos la hemos sabido siempre también porque a mí también me la contó tu abuelito, y él la sabía de su papacito. Bueno, en todo caso, eres un muchacho culto y esas cosas las sabes mejor que yo. Sigo a la vuelta, con los parientes. El de Barcelona, Calle Aragón 316, Barcelona, es el pariente, pero puedes preguntar también por él en la Sucursal del Banco de Bilbao, en San Sebastián. En fin, Martincito, no dejes de ir a Vera del Bidasoa, si vas a España. De ahí vienen nuestros parientes. Y antes que nada pregunta por el padre Romaña.*

Felizmente el padre era tan viejo que lo entendió todo perfectamente. Peruano, claro, me dijo, por aquí ya han pasado bastantes Romañas en busca de los Romañas de aquí. Siempre los encuentran. Vea usted, en este pueblo todos nos llamamos Romaña. Yo también me llamo Romaña. Es casi como llamarse Pérez en Madrid.

—O en Edimburgo —agregué.

Y él me siguió entendiendo todo, sin necesidad de que yo le explicase que también en Escocia todos mis ancestros se llamaban Pérez. El también se llamaba Romaña, y la viejita loca que le limpiaba la iglesia se llamaba Romaña, y el del correo, y el de la posada. ·

—No me quiere dar posada, padre —le dije, mirando con verdadera insistencia el diván.

—Vaya usted de mi parte, y verá como le dan. Y mañana se viene usted por la mañana y lo llevaré a ver tumbas de Romañas. Este pueblo está lleno de tumbas de Romañas. Y cuando pasan los de su país, siempre encuentran algún Romaña pariente. Ya encontrará usted alguna historia para la revista "El Hilo".

Adopté el andar con que mi abuelo era importantísimo en Lima, pero me lo suprimieron alzándome en vilo en el instante en que llegaba verdaderamente un Romaña a la puerta de la posada.

—¡El Chuli! —gritó el mastodonte con boina que me había levantado en peso, cogiéndome por detrás del cuello del saco, de la camisa, y de la camiseta.

—¡Ya lo tengo!

Salieron todos los Romañas del pueblo, con sus esposas, hijos y perros, a contemplarme colgando en Vera del Bidasoa a las ocho de la noche, y justo en el momento en que se desataba una de esas tempestades vascas. Quise decir que era un Romaña del Perú, enviado a la posada por el padre Romaña, pero el mastodonte me elevó bruscamente unos diez centímetros más y volvió a gritar ¡El Chuli! y ¡Ya lo tengo!, mientras yo pensaba que tal vez había llegado para mí el momento de gritar: "¡No me acuerdo deber a nadie cosa alguna!" No grité nada, y en cambio me entró una falta de agresividad tal, que ya lindaba en la depresión pura.

Cuando me pusieron en el suelo, quedé enano, y traté de preguntar. Nada, el tipo no me dejaba abrir la boca, el tipo había capturado por fin al Chuli, al cabo de tantos años. Al menos eso es lo que les estaba contando a gritos a los Romaña de Vera del Bidasoa, mientras yo, reaccionando agresivísimo, extraía de mi billetera una tarjeta de visita de ésas que usaba en Lima, cuando todavía era un Romaña del Perú.

—Mire, señor —le dije—. Esta es la mejor prueba que puedo darle de quién soy:

MARTIN ROMAÑA
AVENIDA JAVIER PRADO 762
SAN ISIDRO
LIMA/PERU

—¡Igual me mando hacer yo mil! —gritó, pidiéndome mi pasaporte.

—Lo dejé con mi equipaje en casa de una tía, en San Sebastián. Iba a los Sanfermines y tenía miedo de que me lo robaran.

—¡Ya lo decía yo, señores! ¡El Chuli!

—Pero, ¿y el acento peruano, señor?. No nota usted que...

—¡Igual me pongo yo a hablar como andaluz, hombre!

—Señor, ¿pero no existe una fotografía del Chuli?

—¡Usted es su retrato mismo! ¡Y además ese hijo de puta jamás se dejó retratar por nadie!

—Señor, pero...

—¡Me lo llevo al puesto, señores! ¡Este es el Chuli! ¡El más grande contrabandista y ladrón en muchos años, señores!

Me llevó al puesto. Cargado. Otra vez en vilo y bajo la lluvia feroz y pensando que no recordaba deberle nada a nadie y en Inés, pobre Inés. Estaba empapado. Ahí todo el mundo estaba empapado, pero la alegría era demasiado grande como para que se dieran cuenta. Alegría y odio. Había caído el famoso Chuli, el contrabandista, el ladrón que los había venido jodiendo durante años.

En el puesto me entró una tembladera de pulmonía mezclada con pavor. En dos papazos me dejaron con el torso tembleque desnudo, y parado ante un escritorio en una habitación sombría y llena de guardias. Afuera, el pueblo, algo así como Fuenteovejuna, todos a una, más los perros ladrando como ladran los perros de noche en los pueblos, el mordisco invisible podía salir de cualquier rincón negro, la primera piedra podía destrozar el vidrio de la ventana, el pueblo deseaba venganza, venganza, esperaba afuera pidiendo venganza, y hasta los niños seguro ya tenían su piedrecita en la mano. Opté por sacar la carta de mi tía Marisa, la que siempre andaba tan distraída, y les rogué que la leyeran con mucha atención. Se la pasaron de mano en mano. Nunca debí habérsela entregado.

—¡Igual me mando hacer yo mil!

—Incurre en todo tipo de contradicciones.

—Este ha andado operando hasta por Vitoria y Barcelona. Ha andado hasta por el Banco de Bilbao… Aquí lo dice la carta.

—Señores, mi tía…

—¡Igual me mando hacer yo mil!

—Conque mi tía Marisa, ¿no?

—¡Espósenlo y enciérrenlo! Mañana me lo llevo a la cárcel de Pamplona.

Me salvó el Jefe. El Jefe era el cura que llegó preguntando qué pasaba, a pesar de que afuera andaban hace horas gritando casi linchamiento. Realmente entró como si ahí no pasara nada, el Jefe. Yo rogaba que le entrara un poco más de energía al viejito, pero pronto comprendí que por esas tierras hasta los policías son bien católicos y que de él dependía mi suerte. Traté de explicarle, traté de decirle que él conocía mi historia, que les explicara, que con ese acento y esa cara y esa carta y esa tarjeta de visitas, yo era peruano, descendiente del Romaña Caballero de la Orden de Santiago, y periodista de "Oiga".

El curita les dijo que había que lavarse las manos, porque si el error era un error, era un gravísimo error. Lo mejor era lavarse las manos. Yo tenía cara de ser peruano, acento de ser peruano, y siendo peruano podía ser Romaña, y siendo Romaña y peruano, nada impedía que fuera periodista de la revista "El Hilo". Mejor era que me devolvieran mi ropa y que me dejaran irme esa misma noche, mejor era lavarse las manos.

—Padre, pero no me puedo ir ahora. El primer ómnibus no sale hasta mañana por la mañana.

—¡Nosotros nos lavamos las manos! —gritó el mastodonte

con boina. Era un policía de paisano, el hijo de puta, y andaba furioso por haber tenido que ceder ante las explicaciones del cura. El pobre seguro que llevaba años buscando al Chuli.

—Padre, dígales que si quieren duermo aquí esta noche. Ellos me pueden vigilar hasta mañana.

—¡Si nosotros nos lavamos las manos, nos las lavamos esta noche, no mañana! —otra vez el mastodonte, y lo peor de todo es que los uniformados estaban de acuerdo con él.

—Romaña, es mejor que se vaya usted esta noche —dijo el cura—. Evíteles problemas a estos señores.

—¡Vamos, termine de vestirse y adiós! —el mastodonte me miraba como si me fuera a seguir por el camino.

Salí a la lluvia torrencial y uno de los uniformados me dijo que me había salvado porque ellos no eran de los duros. Ellos eran carabineros, simples guardias de frontera. Acto seguido me explicó que los duros eran los de la Guardia Civil, y que a ésos me los podía encontrar por el camino. En ese caso, de ser yo el Chuli, en el acto y sin vacilaciones.

—O sea que mejor no vaya usted por la carretera. Váyase por los campos.

Eran doce kilómetros hasta Elizondo, y me fui por los campos, bajo la lluvia torrencial, tras haber escuchado cómo hasta los niños de la turba enfurecida me maldecían, cómo ladraban esos perros que los vecinos de Vera del Bidasoa dejaban bien sueltos, a ver si me ligaba por lo menos un buen mordisco. Cada cierto tiempo me detenía para ver si el mastodonte me seguía con una linterna, botas de caucho, y un fusil al hombro. Ahí venía. Estaba seguro. Pensaba seguirme hasta Elizondo. Luego ahí... Ahí.

O sea que el Chuli que entró horas más tarde embarrado hasta las rodillas, a la primera pensión que encontró abierta en Elizondo, era una especie de Martín Romaña desapellidado, que venía a echarse en una cama, previa botella entera de coñac, y que harto de huir del mastodonte, prefería esperarlo borracho en esa fatídica habitación donde lo esperaba la muerte. Juro que así andaba, entre el barro, los recuerdos de Vera del Bidasoa, y un cuento de Hemingway que con el coñac se me empezó a subir paranoicamente a la cabeza. Pagué la habitación por anticipado, dije que por favor me despertaran a tiempo para tomar el primer ómnibus a San Sebastián, sin creer que llegaría a tomarlo, le di la mano a los señores de la pensión, para que me recordaran como a un hombre bien educado, al menos, pero mi gesto sólo logró espantarlos y ahora seguro que también ellos sospechaban de mí e iban a ayudar al mastodonte. Subí con todo eso a la habitación, destapé la botella de coñac, y me metí desesperanzado en el cuento de Hemingway. El personaje, o sea yo, se llamaba Ole Anderson. Llevaba años huyendo, había roto la ley del hampa, y un día simplemente se estiró sobre una cama y empezó a esperar que terminaran con él de una vez por todas. No valía la pena seguir huyendo. Estaba harto de huir. O sea que seguí bebiendo.

¡Ya!, grité, al escuchar que alguien me tocaba la puerta. Esperé a que abrieran, esperé a que aparecieran el fusil, la boina del mastodonte, la linterna del mastodonte, pero sólo escuché una voz muy amable que me decía que era hora de levantarme porque dentro de una hora partía el ómnibus de San Sebastián. Me avergoncé al ver que no había guardado la misma sangre fría que Ole Anderson: me había meado en la cama, las sábanas estaban en el suelo, al otro extremo de la habitación; en fin, el forcejeo debía haber sido tremendo. Yo no me acordaba ni siquiera de haber soñado con un forcejeo. Bueno, ahora a San Sebastián, a recoger tu equipaje, Martín Romaña, y agradece que todavía no te ha dado una pulmonía como la vez de Edimburgo.

La tía Juanita volvió a abrirme docenas de latas de sardinas y a servirme muchas copas de vino, mientras yo le iba contando lo bien que me había ido, lo mucho que me había divertido, pero su marido, el vasco jardinero, interrumpió tanto diario de viaje, señalando y mencionando, en pésimo castellano, unas ronchas que me habían salido en ambas muñecas.

—No se preocupe —le dije—; ahorita se me quitan. No bien llegue al lado francés de la frontera.

Me miró con la más profunda desconfianza. Lo miré como se mira a un mastodonte. No veía las horas de llegar a mi cuartucho techero.


# UN RINCON CERCA DEL CIELO


Mi cuartito de pobre, porque ahora era pobre, quedaba en el techo de un hermoso edificio burgués, bastante burgués, en realidad, que miraba feliz y muy seguro de sí mismo al hermoso Jardin des Plantes. Lo único malo es que mi cuartito no tenía ventana ni hacia el Jardin des Plantes, ni hacia ninguna parte. Sólo una claraboya para las noches de luna, pero la verdad es que en París, éstas suelen ser las menos, y las más pueden ser noches de esa lluvia dé mierda que a menudo se me filtraba por la maldita claraboya, justito encima de mi almohada. Me goteaba lluvia en la cara, y cuando no llovía en otoño, invierno, o primavera, se metía irremediablemente el aire por los rincones, enfriando la enorme camota que sabe Dios cómo habría llegado hasta ahí. Bueno, desarmadísima, me imagino, porque a mi cuartucho amarillo patito no se llegaba por la escalera de los burgueses, mucho menos por el ascensor de esas damas y caballeros y de sus respectivos perritos de todo tipo, aunque predominando más bien el chiquitito y horroroso, sino por una estrecha escalera de caracol que subía y subía, para que en otros tiempos subieran las empleadas domésticas a sus habitaciones. Ahora subíamos nosotros: estudiantes, obreros, y uno que otro bicho raro. Yo trabajaba en un colejucho infame, dando unas infames clases de castellano. Con eso, con el restaurant universitario, y con los tirantes que me regaló Inés, iba tirando pa'delante, como se dice, sin que se notaran demasiado los efectos de la balanza sobre mi organismo físico, psíquico, y de sistema de valores.

Mi camota era como un cuartito dentro de mi cuartito. Todo lo que había en el cuartito cabía en la camota, que era, además, altísima, y por culpa de la camota, no todo lo que cabía en ella cabía en el cuartito. En todo caso, no bien entraba yo, me atracaba con algo, con lo poco que allí había, una silla medio desfondada, un pequeño armario, una mesita más baja que la camota y que sólo cabía empotrándola contra un espejo que me obligaba a trabajar contemplando la miseria en que vivía, porque en él se reflejaba íntegro el cuartito más feo de París. El propietario me había prohibido sacar el espejo de la pared en que estaba pegadísimo, además, o sea que un día, para evitar verme viendo mi miseria con esa cara de imbécil, puse la silla y la mesita sobre la camota y me instalé para siempre a trabajar ahí.

Había también un aparatito redondo, que era la calefacción eléctrica, útil más que nada para encender cigarrillos, que se mantenía rojito de noche y era buena compañía, pero que definitivamente nunca logró calentarme los dos pies al mismo tiempo. De ahí me ha quedado la costumbre de andar cruzando una y otra pierna todo el tiempo. Ya ven, no es lo que la gente cree. La gente cree que es una manifestación más de mi nerviosismo, pero en realidad es una prueba palpable de que yo también le he hecho frente a la pobreza con frío. Con tanto frío, además, que al llegar la noche lo dejaba todo encima de la camota. Dejaba la silla, la mesa, mi abrigo, la boina, la bufanda, el pantalón. Todo abrigaba, todo acompañaba, y al fondo de la camota, algo lejana, aunque compañera también, la lucecita roja de la calefacción, que no podía ser más de lo que era, porque estallaba el contador de electricidad, luego el cuartito, luego la camota, luego los otros veintitrés cuartitos que había en el techo, y por último, bajando por la escalera de caracol, me imagino, porque todo uso de la otra escalera y del ascensor nos estaba terminantemente prohibido, irían las llamaradas del incendio que habría causado mi expulsión inmediata del edificio.

A este cuartito volvió Inés por su amor, tras un largo viaje por España. Su madre había regresado al Perú, dejándola nuevamente bien instalada en su residencia del Boulevard Saint-Michel, algo así como Versalles en comparación con el cuchitril en que yo vivía. Llegó con su amigo, el economista brasileño. Creo que venían a decirme que el asunto entre ellos podía prosperar, pero Inés era todavía medio Trapero de Emaús y sumamente católica, por aquellos días, y al encontrarme instalado trabajando con mesa y silla encima de la camota, con abrigo, bufanda, y dos boinas puestas porque estaba lloviendo y goteaba, más la calefacción instalada prácticamente sobre el pie izquierdo, se bañó en ternura. Se bañó en esa ternura increíble que su sonrisa reflejaba cada vez que sentía la imperiosa necesidad de protegerme de algo, le puso punto final a los cálculos que había venido realizando con el economista brasileño, y me vio ya convertido en su esposo y beneficiando de su más absoluta protección. Estoy seguro de que así fue, por el miedo que me entró, y porque no volvimos a ver al brasileño. Aunque habría desaparecido de todos modos, creo, pues su doctrina económica era lo más liberal y capitalista que darse pueda, y a nosotros nos esperaba un porvenir socialista, marxista, y sumamente militante.

Bueno, vamos por partes, porque el asunto es bastante complicado, porque aquí el mundo se llena para mí de variantes y matices, porque en estos años hay demasiados acontecimientos y personajes que influyen en la vida de Inés y en la mía, y porque después de todo, a decir de ella, que de golpe abandonó una noche las iglesias de su ferviente catolicismo y se volvió más marxista que el Papa, yo nunca llegué a ser más que un intelectual de medias tintas. No debería ser yo, pues, quien cuenta esta parte de la historia, pero como a Inés todas las partes de esta historia deben importarle un repepino, puesto que se fue de ella, no me queda más remedio que asumir el riesgo de meterme, solita mi alma, en la boca del lobo. Además, no se olviden, soy yo el que está sentado en un sillón Voltaire. Yo soy el hombre del sillón Voltaire.

¿Cómo empezar? Bueno, tal vez lo más fácil sería decir que en ese otoño del 66 aparecieron en París dos personajes sumamente diferentes. Uno, el que más recuerdos me ha dejado, era un español llamado Enrique Alvarez de Manzaneda, al que me pasaré la vida pidiéndole perdón por algo que no le hice, o en todo caso que nunca le quise hacer. El otro fue un viejo aguafiestas llamado Karl Marx, el mismo alemán pesadote y fundamental que redactó *El Capital,* y que ha seguido teniendo una influencia capital en las juventudes de nuestros países. En el caso de Inés, Marx realmente capitalizó todo su interés de la noche a la mañana; sí, de la noche a la mañana, literalmente, porque un domingo por la noche en que andábamos, como todos los domingos, buscando una iglesia para su misa obligatoria, con comunión y conmigo esperándola aburridísimo y fiel en mi banca, sucedió algo que terminó para siempre con su fe. Resulta que en la iglesia a la que entramos no había nadie más que el cura limpiando o arreglando algunas cositas del altar, y la pobre Inés empezó a sentir pánico de que se le hubiera pasado la última misa del día. Le dije que no se preocupara, que iba a averiguar, y me acerqué al curita con ánimos de preguntarle si todavía iba a celebrar una misa más, porque mi novia Inés andaba sufriendo allá atrás entre las bancas con el terror al pecado mortal. El curita se cagó en la noticia, y empezó a meterme mano como Dios manda, nada menos que ante la vista y paciencia de mi novia. Yo, entre que quería sacarle una misa más para Inés, y entre que siempre me he defendido mal de estas cosas, lo dejé entretenerse un ratito con su affaire sentimental, pero de pronto vino Inés, subió las gradas que llevaban al lugar del sacrilegio, y le metió al cura una de esas cachetadas filosóficas y justicieras con las que a veces se pone punto final a toda una etapa de la vida. Yo me sentí protegidísimo, y aproveché el impacto para salir disparado, por temor a que Inés empezara a noquear al cura o algo así. Felizmente le bastó con un golpe.

113

En la calle me deshice prometiéndole más iglesias para su catolicismo en París, pero ella me respondió con una de esas frases muy suyas, con poquísimas palabras para todo lo que estaba diciendo, una de esas frases inolvidablemente suyas en las que toda la procesión iba por dentro.

—Te he comprado un juego de sábanas porque ya no soporto más que vivas en ese cuartucho y que encima de todo duermas en esa especie de costal que te robaste de un albergue de juventud.

Traté de explicarle que era muy feliz en mi cuartito y con mi costal, que en la embajada nadie sabía mi dirección, o sea que si venía algún pariente rico del Perú jamás me ubicaría, que andaba en plena educación sentimental y todo eso, pero a Inés todavía le quedaba bastante procesión por dentro y me interrumpió en mis juegos infantiles, con una de esas breves y rotundas series de frases telegráficas con las que logró batir todos los récords de renovación de beca, sin dar golpe.

—Voy a sacar las sábanas de la residencia. Vamos a tu cuartucho a estrenarlas. Y además quiero que leamos juntos unos capítulos del *Capital*.

Inés era lo más virgen que había en el mundo, y ahora de pronto, así, a bocajarro, sábanas por estrenar y lectura del *Capital*. La semana pasada yo la había despedido con un beso sin Henry Miller, con ella nunca usaba a Henry Miller, tras la misa de ese domingo la había despedido con su besito Bécquer y la había dejado en la puerta de su residencia con su misalote en la mano, bien segura de sí misma, bien doña Inés del alma mía, luz de donde el sol la toma... Y ahora resulta que por segunda vez en pocos minutos alguien me iba a meter mano sin que yo se lo pidiera. Me metí cinco copas de vino en los cinco minutos que ella tardó en ir a buscar las sábanas a su residencia.

Trepamos al techo de los veinticuatro cuartitos, casi rompemos la puerta del mío, nos tropezamos a la camota, y silla y mesa se vinieron abajo con las torpezas que cometimos mientras trepábamos por los veinte años de esa educación Romeo y Julieta que nos habían dado en el Perú. Inés insistía en poner las sábanas bastante finas que había comprado, y yo insistía en que, al menos por una vez, nos revolcáramos en el deshilachado costal en que me enfundaba del frío por las noches. En este gesto, creo, está contenida mi tendencia a lo simbólico, a lo mágico, a lo que si se pregunta por qué, es porque no se llegará a sentir ni a captar nunca jamás. En fin, tonterías, me imagino, y como era lógico e higiénico, muy pronto pasamos a las flamantes sábanas, que ya hoy están en la basura. En cambio no sé qué se hizo de mi costalote plomo, pero pertenece a ese género de objetos estúpidos y mágicos que recuerdo en mi sillón Voltaire.

Lectura del *Capital* entre celestes y flamantes sábanas, ¡cómo te recuerdo! No entendíamos nada, por supuesto, pero estábamos descubriendo el mundo. Y estábamos descubriendo el mundo porque estábamos descubriendo el mundo y porque entre celestes y flamantes sábanas, Karl Marx afirmaba rotundamente que. Lo afirmaba y lo negaba rotundamente todo, y nosotros cómo lo obedecíamos: la dialéctica, la dialéctica, Inés dialéctica, Martín dialéctico, sigue sigue leyendo, Inés, la verdad es que yo no entendía nada, con Inés ahí calatita, porque la estaba aguaitando por entre la dialéctica y lograba verla calatita, ni siquiera desnuda, ca-la-ti-ta por primera vez en mi vida; en fin, entre eso, entre las flamantes sábanas, entre la añoranza de mi costalote que ya habíamos descartado, la tetita derecha de Inés bajo la cual colocaba *El Capital* para seguirme leyendo, sigue sigue, Inés, luz de donde el sol la toma, por fin terminamos de entender esas frases que yo, en todo caso, no entendí, y con el pretexto de darle vuelta a la página porque estaba siguiéndola muy atentamente, mi mano sobre la tetita encima del *Capital*, mi mano quedándose donde la puse, Henry Miller merodeando, Inés viniéndoseme, y así, más que nunca esa noche, esa madrugada, esa mañana, y las mil y una noches que pasamos juntos, Inés logró transformar mi fría y húmeda camota en un paraíso con sábanas celestes. Y con *El Capital*. Y con algunos ratos muy malos.

Porque hasta en el paraíso hay nubarrones en este mundo de mierda. Yo estuve ahí, o sea que puedo dar fe de ello. En fin, como no recuerdo exactamende si fue la quinta, la sexta, o la séptima vez de los dos en la camota, diré simplemente que, como en la canción, amanecí otra vez entre sus brazos. Y que también yo quería decirle no sé qué cosas, y que también Inés calló mi boca. Pero en este caso no fue precisamente con sus besos.[1]

—Tu padre fue un ladrón de plusvalías. Lo dice Marx. Y también lo fueron tu abuelo, tu bisabuelo, y tu tatarabuelo.

Francamente me dolió. Que mi bisabuelo y mi tatarabuelo fueran ladrones de plusvalías, de acuerdo. Nunca los conocí, y aunque hubiesen sido asaltantes de caminos, qué diablos. Pero yo a mi abuelo lo quise muchísimo, y mi padre acababa de morir. No, no era justo. Era, *además,* una falta de elegancia, bueno, para qué decir elegancia, de delicadeza. Ah, ese *además* de mierda. Me ha andado jodiendo mucho por la vida. Y pensar, como pensé yo en ese momento, que Inés en Lima gozaba con mi manera de ser, que no mucho tiempo atrás, cuando llegó a París, lo primero que hizo fue comprarme un par de tirantes para que no se me siguieran cayendo los pantalones de mi nueva vida de futuro escritor. No, no era justo.

1. Incluyo aquí la canción entera, porque a Inés le gustaba, porque añade ambientacho, y porque, como tantas de José Alfredo Jiménez, me la sé de memoria.

Amanecí otra vez
entre tus brazos.
Me desperté llorando
de alegría.
Me cobijé la cara
con tus manos
para seguirte amando
todavía…
Te despertaste tú
y casi dormida
me querías decir
no sé qué cosas,

pero callé tu boca
con mis besos,
y así pasaron muchas
muchas horas…
Cuando llegó la noche,
apareció la luna,
entró por la ventana.
Qué cosa más bonita,
cuando la luz del cielo
iluminó tu cara…
Yo me volví a esconder
entre tus brazos.

—Inés, ya sé que hace cosa de una semana que dejaste de creer en el abate Pierre y en el cielo. Pero te aseguro que si todavía hay cielo, mi padre y mi abuelo se fueron derechito de la cama al cielo, con plusvalía y todo.

Uyuyuy, cómo le falló el humor. Se puso furiosa entre mis brazos recién amanecidos, entre todas las cosas que yo hubiera querido decirle. Porque tampoco yo era muy pelotudo que digamos, y en los labios tenía las palabras para decirle que, después de todo, hasta su llegada al cuartito, yo había andado durmiendo en un costal sin plusvalía alguna, que las sabanitas burguesas esas eran cosas de ella, que yo con mi familia mucho cariño sí, al menos con los que conocí, que qué puede haber de más humano, aunque me hubiesen dejado psicoanalizable para toda la vida, acuérdate de Acapulco, Inés: Honrar padre y madre, y yo los honraba, y en lo restante nada tenía que ver con ellos. ¿Acaso ella no me había encontrado, casi como en el tango, costal abajo en mi rodada, cuando entró con su sospechoso economista brasileño al cuartito donde me había asumido a mí mismo sin un cobre y con frío, tal como lo soñamos cuando nos soñamos juntos en París, en Lima? Pensé todo esto, pero sólo le dije que en la camota también había sitio para Karl Marx.

Inés era una persona muy profunda. Era terca como una mula pero tenía la milagrosa cualidad de oír hasta cuando ensordecía, un poquito a la larga eso sí, pero es cierto que oía a la larga hasta cuando no le convenía. Y era, otra vez, tan profunda, que con ella nunca se sabía cuántas procesiones iban por dentro. En fin, no sé qué aparato se metió para la sordera aquella mañana, pero lo cierto es que aceptó mi propuesta: ella, yo, y Karl Marx en la camota. Lo malo es que con el tiempo este orden se alteró, y yo pasé al tercer lugar, ella al segundo, y Karl al primero. Con tendencia a apropiarse de toda la camota, además. Una mañana, incluso, el muy aguafiestas del alemán me

Tú me querías decir
no sé qué cosas,
pero callé tu boca
con mis besos.
Y así pasaron muchas
muchas horas.

dijo que me dejara ya de hablar tanto de mi costal, que no había nada tan fácil y tan falsamente sobrecogedor como dormir en un costal, cuando se había estado acostumbrado a dormir en sábanas de oro. Mi miseria era falsa, mi miseria me la había inventado yo. Bastaría con que se volviese verdadera un día para que mi mamacita mandase un avión hasta la puerta del cuartito, de las orejas regresaría al redil. Ovejita negra. No merecía ni siquiera el nombre de oveja negra. Ovejita y punto.

—Oye viejo cojudo, ¿y la plusvalía que me están sacando en el colegio donde trabajo? No me declaran al fisco, no me encienden la calefacción, no me puedo enfermar porque no me pagan, no tengo seguridad social, no me dejan ir a pie cuando hay huelga de metro para no pagarme, no me pagan los feriados, no me pagan las vacaciones, casi no queda nada que pagarme a fin de mes y además me lo pagan con retraso y a poquitos.

—Romántico.

—Escritor, y a mucha honra.

—Poeta.

—Narrador, para que sepas. En mi vida logré escribir un buen poema. Ni siquiera para aterrorizar a mi padre, cuando le dio porque fuese abogado. Poeta fuiste tú en tu juventud, Marx. Ya ves que estoy enterado...

—Sigue estudiando, muchacho, sigue estudiando.

Casi le pregunto si la beca con que Inés vivía tan cómodamente, y levantándose entre las diez y las doce de la mañana, traía su plusvalía también. Pero esas preguntas sólo vinieron tiempo después, y no tienen por qué entrar en un capítulo titulado *Un rincón cerca del cielo.* Por más nubarrones que haya en el paraíso.

# UN RINCON CERCA DEL CIELO N.º 2

Inés sólo subía al cuartito para las horas de paraíso. Para el asunto de las comodidades, seguía viviendo en su residencia estudiantil del Boulevard Saint-Michel. Allí tenía todo lo que le faltaba en el cuartito, o sea de todo. Era lógico, pues, que no se abandonara por completo a mi suerte, aunque ello le impidió conocer más sobre ese techo y sus gentes. Había mucho que ver y aprender en esos veinticuatro cuartitos instalados sobre las cuatro alas del edificio, al pie de un corredor que le daba íntegramente la vuelta, con su barandita para que miráramos abajo, con atracción al vacío, el patio interior que se atravesaba para llegar a nuestra escalera de caracol. En realidad, Inés nunca frecuentó lo suficiente a ese otro personaje tan diferente a Karl Marx, según se decidiría luego, que también apareció aquel otoño del 66. Apareció ya sobre el techo, y en su cuartito. Inolvidable Enrique Alvarez de Manzaneda, cuánto te quise, y qué líos los que me trajiste con medio mundo. Y sin embargo, Enrique, me pasaré la vida pidiéndote perdón por algo que nunca te hice, por algo que nunca te quise hacer, en cualquier caso. Y, después, haber llegado tarde a tu muerte... Pero, en fin, recién estoy en el comienzo de muchas cosas, y empecemos por ahí.

Apareció una noche, ya en el techo y ya muy bien instalado sin que nadie lo hubiera visto nunca llegar, y además ya había vivido antes ahí. Esta era la segunda vez. Años atrás había pasado una temporada en París y ahora, por cosas de porteras bien empropinadas, había logrado instalarse nuevamente en la misma dirección. Lo malo es que esta vez la temporada en París podía ser mucho más larga porque lo habían expulsado de España. Bueno, en realidad, no lo habían expulsado sino que él había decidido abandonar España hasta que en los archivos franquistas se empolvara su expediente.

Así empezó la historia de Enrique Alvarez de Manzaneda en un ambiente peruano-marxista, donde todo tenía que ser muy claro, muy categórico. Y a Enrique le daba por no ser ni lo uno ni lo otro. Claridad meridiana, pedía categóricamente el Grupo al que Inés se había acoplado, y yo venía detrás, acoplado a Inés. El Grupo era más o menos, o más que menos, los muchachos del hotel sin baños, pero ahora con seudónimos porque formábamos parte de una de las células parisinas del Partido que iba a tomar el poder en el Perú, en serio. Yo esto del poder lo llegaba a creer pero sólo cuando tomaba demasiados tragos en mis sábados de bohemia. Se me subía el poder a la cabeza. El resto del tiempo leía y leía, y por seguir leyendo y leyendo, a veces hasta postergaba la interminable escritura de mi primer libro de cuentos, que en realidad era el segundo, porque el primero me lo robaron a mi regreso de Italia, como recordarán. Yo iba a ser el escritor del poder tomado. Un día hasta me pidieron que escribiera una novela sobre los sindicatos pesqueros en el Perú. Confesé humildemente que en mi vida había visto un pescador sindicalizado, que ni siquiera había visto un sindicato pesquero en mi vida. La verdad es que sólo había visto uno que otro pescador, y más bien de anzuelo, en mi vida. Seguimos leyendo, con la profunda convicción de que era la mejor manera de que yo llegara a escribir esa novela algún día.

En cambio a Enrique parecían faltarle esas convicciones, parecían faltarle todas las convicciones. Cuando me contó su historia, se la creí. Pero cuando yo le conté su historia al Grupo, no me la creyeron y me mandaron a leer más que nunca. Sólo mis debilidades de intelectual podían permitirme la estupidez de tragarme semejante cuento. Tiempo después, cuando llevaba ya leídas las obras completas de Marx, y parte de las de Lenin, tuve que confesar que seguía creyendo en la historia de Enrique y que, además, allá en los cuartitos del techo, él y yo éramos excelentes amigos. El Grupo decidió venir a ver para creer, y se fue espantado con lo que vio y con lo que no creyó. Al pobre Enrique lo estuvieron interrogando horas y horas, y él insistió en contar su historia igualita como me la había contado a mí.

Ipso facto fue declarado sospechoso. De mi nadie iba a sospechar, porque nadie podía sospechar del compañero de Inés, pero hay que ver la bronca que se armó en la borrachera de esa noche.

—Un tipo que aparece una noche y en un cuartito. Qué coincidencia...

—¿Y yo acaso no aparecí una noche y en un cuartito? Otra coincidencia...

—Sí, pero él apareció sin que nadie lo viera. ¿Tú lo viste, acaso?

—Yo cuando estoy instalado en mi camota escribiendo no veo a nadie.

—No metas tu camota en el asunto; no desvíes el tema.

—Yo sólo...

—Un tipo que primero te dice que ha tenido que salir de España, y después que nunca ha sido antifranquista. No me digas que eso no es sospechoso.

—Debe haber más de un millón de sospechosos españoles trabajando de obreros por Europa.

—No en Europa del Este.

—No desvíes el tema tú, ahora, porque te saco a la tonelada de obreros yugoslavos que hay metidos en medio Europa y te desvío más el tema, todavía.

—Yugoslavia es una mierda.

Increíblemente, los que pelearon a muerte, hasta la próxima reunión del Grupo, no fueron Vladimir (era su seudónimo), ni Víctor Hugo (era el mío), sino Karl y León, por un asunto de mujeres que saltó al tapete cuando se nos instalaron dos francesitas riquísimas en la mesa justito al lado del bochinche que se desviaba.

Me despertó Enrique el Sospechoso, con un alkaseltzer. Lo vi menos sospechoso que nunca, cuando entró trayéndome el sobrecito celeste y el vaso de agua ya listo para mi dolor de cabeza. Le conté que el Grupo no le había creído ni papa. Se sonrió. Le bastaba con que yo le creyera. Después de todo su amigo era yo, ¿no? Y también le importaba que Inés le creyera, claro, por ser mi novia. Lo demás, con una sonrisa lo despachó.

—Mierda, Enrique, ¿pero por qué no eres antifranquista?

—Nunca te he dicho que soy o que no soy antifranquista. Nunca se lo he dicho a nadie. Ustedes distorsionan las cosas. Es lógico, claro, ustedes están luchando por algo, y es lógico que...

—¡Que distorsionemos las cosas!

—No. Mira: yo lo que quiero decir es que no me las voy a venir a dar ahora de antifranquista, aquí en París, cuando en España no metí nunca las narices en política. ¿Me entiendes?

—Pero te han botado por razones políticas.

—Te agradezco el que me quieras convertir en héroe, pero por enésima vez te repito que no fue así. Yo sólo escondí en mi casa a un compañero de facultad que andaba metido en política. Claro, arriesgué un poco, pero era un amigo y era lógico que lo escondiera.

—Repíteme la otra parte para volvérsela a contar a los del Grupo.

—Bueno, otra parte casi no hay.

—Inventa una, pues, para que te paren de joder.

—Invéntala tú, si quieres. Para algo eres escritor.

—Me duele la cabeza y no sé nada de sindicatos pesqueros.

—Entonces di la verdad. Basta y sobra con la verdad.

Volví a decir la verdad, en la próxima reunión de lectura del Grupo. El compañero de estudios de Enrique logró huir, cuando vino a buscarlo la policía. A Enrique lo detuvieron unos días, lo interrogaron, le hicieron un expediente, le prohibieron matricularse el año siguiente en la Facultad. En fin, le jodieron su carrera de Medicina cuando le faltaba sólo un año para terminarla. Pero él pensaba que con pasarse un tiempo en el extranjero, el asunto se iría arreglando.

—¿Y entonces cómo dice él que piensa ir el verano próximo a España?

—Primero: porque nadie lo ha expulsado de España. Segundo: porque tal vez yendo pueda ir arreglando las cosas. Tercero: porque su madre vive sola allá porque es viuda...

—No sabía que los policías tenían madre.

—¡Para tu carro, compadre!

Me puse de pie para repetir, desde el fondo del alma, ¡Para tu carro, compadre! con lo cual interrumpí definitivamente la reunión, y toda posibilidad de continuar la lectura. Hasta el léxico del Grupo quedó interrumpido con mi: ¡Para tu carro, compadre!, porque normalmente un miembro del Grupo era un camarada, camarada hombre y camarada mujer, y la novia de un miembro del Grupo, que también era camarada, era la compañera de ese camarada. Inés era mi compañera camarada, por lo que yo siempre me preguntaba cómo iba a arreglármelas con el Registro Civil, para inscribirla como compañera y no como esposa legítima, el día que nos casáramos. Porque nos íbamos a casar pronto. Porque al concha de su madre que acababa de decir eso sobre la madre de Enrique, ella acababa de responderle:

—No es necesario herir a Martín.

¡Luz de donde el sol la toma!, exclamé, para mis adentros.

Esa noche Inés subió al cuartito. No sé cómo decirlo, pero fue como si hubiera subido más que nunca al cuartito. Porque arriba, como todas las noches, Enrique se andaba paseando, tomando aire, dando sus interminables vueltas por el corredor sobre el que se abrían las veinticuatro puertas. Se besaron como viejos amigos, y Enrique nos invitó a tomar un vaso de leche a su cuarto. Lo sentía mucho, no estaba preparado para recibirnos, sólo tenía una botella de leche, él sólo bebía leche. Hablamos de España, del viaje de Inés con su madre por España. No, no habían llegado a Oviedo, la tierra de Enrique. Algún día tal vez podríamos ir juntos. Claro, por qué no. Enrique pensaba ir el próximo verano. Claro, por qué no. Yo me arranqué con mis proezas en Oñate y Vera del Bidasoa. En fin, nos soplamos la botella de leche como si fuera varias botellas de vino. Y por ninguna parte salió el policía. Estaba empezando, en cambio, una buena amistad entre Inés y Enrique. Bueno, no sé hasta cuándo decir que duró. Hasta que Inés terminó con las obras completas de Marx, Mao, Lenin y Trotsky, me imagino. O hasta que empezó lo nuestro, tal vez. En fin, esas cosas nunca tienen un momento en que empiezan. Se mezclan, se confunden, y cuando nos confunden, es que ya han empezado. Pero esta página está consagrada al comienzo de una época muy anterior, y nuevamente no sé cómo decirlo, pero yo siento que Inés subió más que nunca al cuartito esa noche. Y al abrir mi puerta, tras habernos despedido de Enrique, ella me dijo que tenía el perfil más bello que había visto en su vida.

Enrique, no yo, por supuesto. Pero yo no tenía de qué quejarme porque ella era linda por todas partes. Le dije que eso lo sabía desde que la vi por primera vez en Lima, en la Feria de Autos. Y le dije que tanto o más que eso me gustaba que también fuera linda *en* todas partes. De ahí nos trepamos a la camota. De ahí hicimos el amor. De ahí nos pusimos a recordar qué lejos estaban Lima y la Feria de Autos, ya. Y de ahí, de pronto, a mí se me iluminó el significado de una frase de Lenin que desde hacía tres reuniones se nos había atracado al Grupo entero. Estábamos enormemente desinhibidos cuando volvimos a hacer el amor. Bueno, no *tan* desinhibidos, porque yo andaba buscando otras frases atracadas en el Grupo, para quedarme siempre entre los brazos de Inés. Luz de donde el sol la toma, era la única frase que se me venía. Y se me venía y se me venía y se me venía. Mierda, jamás lograría ser un buen militante.

Pero eso no era tan grave por ahora, porque para ser militante, bueno o malo, se necesitaba abandonar París, regresar al Perú, y una vez allá, empuñar las armas o algo así. Yo vi partir a muchos, con ese fin, pero la verdad es que después, con el tiempo, me fui enterando de que lo único que habían empuñado era un buen puesto en un ministerio. Claro, es el drama de las clases medias, es el drama de Latinoamérica, y no hay que amargarse tanto, todo se explica, hay también otros, los verdaderos. De éstos conocí más de uno en París. Eran de a verdad, eran como heroicos las veinticuatro horas del día, y caminaban por París con la mirada siempre en alto, siempre mirando al frente, como si jamás los fuera a atropellar un auto o algo así. Llegaban jodidos, deportados, recién salidos de la cárcel, muy golpeados,

124

pero no bien bajaban del avión empezaban a organizar cosas y a caminar como si nunca jamás los fuera a atropellar un auto. A veces se acercaban a las reuniones del Grupo y se dirigían a nosotros con un ca-ma-ra-das lento y grave, para que todo fuera dicho siempre con gran claridad, y después se iban al secreto y uno se quedaba tembleque y empezaba a comprender a Marx más que nunca.

O sea, pues, que en París no se podía ser militante. En París se era amigo del Partido y, después de haber sido muy buen amigo del Partido, un tiempo, se podía llegar a simpatizante. Era hermoso, era emocionante, y era dificilísimo para mí, porque yo era un jodido, una ladilla, un preguntón, un observador pesimista, un depresivo, un psicoanalizable. Y todo esto a pesar de que Inés era un cuadrito que prometía, y que a mí nadie me imaginaba más que acoplado a Inés por todas partes. La duda ofendía muchísimo, en el Grupo, y francamente yo creo que no tuve suerte con el que a mí me tocó, porque el Director de Lecturas a cada rato se atracaba con una frase de Lenin o de Marx y, con toda concha, decía sigamos adelante.

—Nones —decía yo—; no se puede seguir adelante sin haber comprendido qué quiere decir esto.

Inmediatamente me detestaba el Director de Lecturas: Yo estaba contra el progreso, yo estaba prácticamente boicoteando la aproximación al poder, yo era un intelectual que dudaba y dudaba. Ni intelectual ni inteligente, siquiera, alegaba yo, porque no logro entender esto y quiero que alguien aquí me lo explique. Eso sucedió muchas veces, y por eso se discutió acaloradamente en más de una oportunidad. Inés se quedaba callada. Yo hubiera querido que Inés hablara, porque después en el cuartito yo iba a andar haciendo el amor con una frase atracada. Pero, en fin, un día decidí evolucionar, en nombre de la armonía del Grupo, y tiré pa' delante como pude y hasta empecé a leer sobre sindicatos pesqueros con la esperanza de que algún día con tanta estadística sobre el asunto a lo mejor se me despertaba la inspiración.

Pero mala suerte, porque en realidad lo que se me despertó

fue otra cosa. Se me despertó una especie de don de anticipación, algo así como una intuición maldita, y al Director de Lecturas le descubrí una tarde unos mocasines excesivamente norteamericanos y recién compraditos, que me lo hicieron sumamente sospechoso de futuro puesto en ministerio, no bien regresara al Perú. A otro lo vi subir demasiado feliz de la vida al carro de una hembrita francesa de maquillaje antimilitante. A otro lo vi comprarse mucha ropa de un tipo que para todo le hubiera servido menos para empuñar la clandestinidad en el Perú. Creí que me estaba volviendo loco, y se lo conté a Inés. Me contestó con la sonrisa más enigmática que le vi en mi vida.

Lo cierto es que con mi bola de adivino empecé a vivir una vida de simpatizante sumamente antipático, pues todo lo atracaba con mis preguntas y con una miradita futurístico-pertinentísima a un par de mocasines, a una esclavita de oro, a una camisita medio alcahuetona comprada sabe Dios cómo en alguna boutique de Saint-Germain-des-Prés.

Mi último esfuerzo consistió en meterme la bola de adivino al culo y en callarme la boca para siempre. Inmediatamente recuperé la confianza del Grupo, la del Director de Lecturas, y la de la mirada de Inés. La vida era más fácil así. Además, yo no tenía ningún derecho para andarme con tanto detalle cuando la izquierda estaba sufriendo tan duros reveses en el Perú. Y en París, la izquierda, la prima hermana de la del Perú, éramos nosotros. Eramos estudiantes, éramos soñadores, bebíamos bastante, había uno que otro deportado de a verdad, uno que otro que no se sabía bien de dónde recibía el dinero, y ahora todos comíamos en el mismo restaurant universitario. Juntos pero no revueltos, eso sí, porque también había peruanos de los otros, los de mierda, los que ni eran amigos ni simpatizaban, los sospechosos, ahí podía haber más de un policía vestido de civil, los niñitos belaundistas que nuestro Belaúnde Presidente había enviado superbecados a París y que mariconeaban ante un manifiesto, que jamás firmaron uno de los mil manifiestos que los grupos de solidaridad con las víctimas de la represión en el Perú hacían circular por todas partes. Hasta Sartre había firmado más de uno. Pero a estos maricones, que torturaran a fulano, que mataran a mengano, que desaparecieran a zutano, qué mierda les importaba. Estos sacaban las mejores notas en alguna Facultad y salían disparados de regreso al Perú para seguir enriqueciéndose con el sudor del pueblo peruano.

O sea pues que dividíamos el restaurant universitario en dos secciones, la de la izquierda y la de esos mierdas. Entre las dos secciones, estudiantes del mundo entero, hembritas bonitas y feas del mundo entero, y, por qué no, a lo mejor también entre las dos secciones estaban los belaundistas españoles, argentinos, o tunecinos, por ejemplo, y su dialéctica respuesta negativa, al otro lado, y todavía entre estos grupos, otro, el de los franceses, que eran todos dialécticos porque ningún belaundista francés comía en el restaurant universitario, ésos comían en casita. Una sola cosa era denominador común entre todos los comensales: la comida. Poca y mala.

Pero había algo que sí era macanudo: las fiestas. Las fiestas, al menos para mí, eran ocasión para una buena tranca, pero no en un café sino en casa de algún simpatizante o amigo del Partido. A éstos yo los dividiría entre los que sí se la pegaban, y entre los que chupaban poco porque había que guardar hígado para la revolución. Por esas épocas, yo pertenecía al grupo que iba a llegar a la revolución con el hígado hecho leña. Pero en el fondo, creo que había encontrado mi tarea revolucionaria: la de animador de clandestinidades, la de animador de guerrillas, porque lo cierto es que sin mí las fiestas tendían más bien al huaynito tristísimo, y más que las risas de los festejantes se escuchaban a veces los alaridos de los bebes. Abundaban los bebes, ya que las compañeras de los camaradas estaban habituadas a parir en el París de la vida dura, y como no tenían con quien dejar a los futuros hijos de la revolución, los que ya crecerían sin ninguno de los traumas burgueses de los que yo parecía ser víctima insalvable, los traían en aditos andinos sobre la espalda y los colocaban en una especie de barriadita que se instalaba en algún rincón de la fiesta. Era enternecedor el asunto: un huaynito, un berrido del huaynito, una compañera acallando el

127

berrido teta en mano en plena fiesta, mientras yo me deshacía
contando chistes y creando situaciones exageradas, un poco por
joder, y un poco porque el vino era pésimo y había que emborracharse rápido para poder seguir bebiendo. A veces, también,
las situaciones exageradas no las creaba yo, sino algún camarada
profundamente enamorado de su francesita también simpatizante, aunque con graves problemas de idioma.

Era el caso del camarada Espartaco, que sí que se las traía
con su francesita con graves problemas de idioma. No entendía
nada, la pobre Pavlovita, y por su culpa tuvimos que vivir un
montón de fiestas enteras, en cámara lenta. Había que tener no
sólo fe revolucionaria sino ciega y sorda, también, para poderse
tragar toda una fiesta en cámara lenta, había que tener paciencia
de santo, en todo caso, porque no se podía cantar una sola canción ni contar un solo chiste al ritmo normal, sino a poquitos, a
poquitos y por partes, una frase, una traducción, otra frase en
castellano, otra frase en francés, y así sucesivamente hasta que
cuando llegábamos al final del chiste sólo la Pavlovita se reía, y
creo que por cortesía o en todo caso porque del Perú lejano y
andino no podía llegar nada que no fuera mejor que en Francia.

Otro problema era los que sufrían. Era peligrosísimo sufrir
en París, por aquel entonces, porque no bien a uno lo dejaba
botado su hembrita, por ejemplo, se le aparecía por ahí un simpatizante, le ponía la mano en el hombro, lo acompañaba en su
dolor, lo acompañaba después hasta su hotel, lo acompañaba
después hasta su cuarto, lo acompañaba después a llorar a la
hembrita, después hasta las mil y quinientas, y por último a leer
un librito que ahí traía de casualidad. Y como cantaba Bienvenido Granda *totáal/si me hubieras querido*, si me hubieras querido no hubiera conocido este mundo mejor que tu amor, no
habría descubierto la solidaridad, no estaría sublime leyendo
aquí en el Grupo, este grupo que es mejor que tú y donde lo
único que me jode es la mirada inquieta de ese huevón de Víctor
Hugo, pero dicen que es el artista del Grupo y que hay que
tener paciencia con él.

Así eran, entraban todavía enamoradísimos al hotel, y a la

mañana siguiente entraban totalmente amnésicos a su primera reunión de lectura. Después los agarraba la solidaridad del restaurant universitario, después empezaban a sospechar de Enrique, después me decían, Víctor Hugo, no estoy de acuerdo con algunas de tus actitudes, y después, por un tiempo muy largo, se convertían en los cuadros más sólidos y menos emborrachables del mundo. De esto último, en todo caso, puedo dar fe, porque yo me negaba a creer que hubieran amnesiado hasta tal punto a la hembrita que los plantó una noche, al borde del Sena, o algo tristísimo así, pero nada, nada, por más que me los llevaba a la Place de la Contrescarpe, por más que les decía que no se preocuparan, yo pago, hermano, por más que pagaba y pagaba otra vuelta y les hablaba de que hasta Dios amó, lo cual, además, es letra de valsecito peruano y podía generarles pena, vía nostalgia criolla, vía valsecito muy popular y que además se llama *El Plebeyo*, nada, no recordaban a nadie por ninguna parte, no se les había perdido nada, no recordaban nada, y no habían sufrido nunca por nadie. Yo a veces regresaba a mi altísima miseria llorando a mares y escuchando una voz de altoparlante que me decía, Martín, no puedes seguir bebiendo así, Marx en *El 18 Brumario* decía, Martín, esto vamos a tener que hablarlo en el Grupo, Martín... Mi abuela materna habría entre suspirado y exclamado: ¡Santo cielo! ¡Felizmente que existe mi techo!

## UN RINCON CERCA DEL CIELO N.º 3

Sí, felizmente existía mi techo. Porque uno podía pasarse días, semanas, meses, descubriendo que el mundo es diverso, complejo, que el mundo está lleno de alegrías y de lágrimas en los ojos, y que la claridad nunca es tan meridiana como lo pretendía mi Director de Lecturas en el mundo del Grupo. En mi techo leía yo aquellas cartas de Marx a su hija, diciéndole que dejara en paz al poeta Heine con sus desvaríos, me enteraba de que Lenin era capaz de todo menos de escucharse una sinfonía de Beethoven, por temor a que le hiciera trizas un alma cuyo tiempo completo estaba consagrado a la revolución. Allí aprendí que también para ellos existía la debilidad y aprendí a admirarlos más por aquellos momentos en que fueron hombres sentados a la mesa con su esposa, quejándose del frío y de un cheque que no llegaba, años y años antes de que mi Director de Lecturas los convirtiera en bustos de mármol con obras de mármol en varios tomos plagados de mandamientos entre divinos, para ángeles muy ordenados, y de mármol. No, la vida no era tan simple. Y, como decía no sé quién, en invierno es mejor un cuento triste. En todo caso, a mí el panadero de la esquina sólo me saludaba cuando en París aparecía un rayo de sol.

Me volvía emotivo en las largas horas que pasaba encerrado trabajando en mi cuartito. Y francamente, solo en ese techo, conocí algo, mucho, de aquella solidaridad internacional que tanto me cautivaba en *L'espoir,* la novela de Malraux sobre la guerra civil española. Claro, me sirvió de mucho en la vida, pero de nada en la literatura, porque un día en que se me estaba filtrando demasiada lluvia por las rendijas de la claraboya, arrojé a la basura el manuscrito del libro de cuentos que estaba escribiendo, y me arranqué con uno sobre los sindicatos pesqueros y sus pescadores sindicalizados. El tono era solemne, sublime, y me imagino que también realsocialista; era, en todo caso, terriblemente bienintencionado. Cito un párrafo, a guisa de ejemplo:

> "*Siendo aún muy niño, y siendo mi padre dueño de enormes flotas pesqueras, solía yo acompañarlo a visitar ese trozo de mar peruano que él creía, por derecho divino, pertenecerle, y que, por ser yo su hijo, debería recibir algún día en herencia, de acuerdo a lo prescrito por el Código Civil Peruano en 1936. Pero algo notable ocurría en mí desde entonces. Yo debía ser un niño de la aurora, esa luz sonrosada que precede inmediatamente la salida del sol. Y, cuando los sindicatos pesqueros se hacían a la mar, nunca vi en ellos ganancia, como solía ver mi padre. Desde muy temprano en mi vida, en ello no vi otra cosa que esa solidaridad de los hombres de la mar adentro.*"

De antología, el parrafito, pero qué iba a hacer, si a menudo mi vida era también de antología allá en mi techo. Estaba yo escribiendo de lo real y de lo socialista, estaba yo escribiendo emotivamente, y de pronto pasaba Carmen la de Ronda, cien kilos a los veinte años, belleza y alegría populares en el rostro todo el día, aun mientras se limpiaba medio edificio burgués a cambio de un rincón, cerca del cielo, un bebe recién nacido porque una mujer que no pare no es mujer, y Paco su esposo, que merece párrafo aparte, todo en un cuartito igual al mío, aunque ella ahí además cocinaba, lavaba, cantaba, y recibía a sus amigos españoles los domingos. Pasaba Carmen y me tocaba la puerta.

—Bajo a comprar pan, Martín. ¿Te subo tabaco?

—Gracias, Carmen, tengo todavía.

—Vale. Hasta ahora.

Se iba como si nada. Y así tocaban y se iban Enrique, Paolo, Nadine, Giuseppe, Francesco, Michèle, Renée, Rolland, Pierre. Hasta Marie, la mudita, la belleza proletaria del marido desconfiado, tocaba y se iba así. Era la parca solidaridad del pueblo de aquel techo. Era hermosa, hermosa y sobre todo sumamente necesaria porque eran nueve pisos de escalera y había que pensarlo muchas veces antes de olvidarse de algo abajo y tener que bajar y subir de nuevo. Total que cada vez que me tocaban, yo le añadía más pescadores sindicalizados al mar de mi padre, y la vida era bella y emotiva en París, y de seguir así, a 'lo mejor lograba ser útil en algo y hasta lograba pasar a la categoría de oveja negra. Marx me había herido mucho con eso de que de ovejita no pasaba. Y yo en ese techo sin ascensor y por la escalera caracol estaba aprendiendo mucho sobre la gente que él defendió.

Para empezar, Enrique el Sospechoso era amigo de todos allá arriba, y a nadie se le hubiera ocurrido preguntarle quién le enviaba el dinero que le enviaba su madre, ni cómo ni por qué le enviaban esa suma mensual que le permitía pasarse la vida sentado ante un vaso de leche, en un café de la Contrescarpe, o merodeando serenísimo por el corredor, sin más tareas en la vida que la de cortarme el pelo un domingo al mes. Me fregaba mi alegre mañanita dominguera, Enrique, inútil tratar de quedarme durmiendo hasta las mil y quinientas mi noche de bohemia del sábado. Casi desde el alba sonaban sus tijeras y sus pasos en el corredor, y no me quedaba más remedio que abrirle la puerta, bajar la silla de la camota, e instalarme con una toalla al cuello ante el espejo de mi miseria, color amarillo patito. Pobre Enrique, era lo único que tenía que hacer en todo el mes, aparte de ir a cobrar su dinero al Banco. Yo a veces lo acompañaba, para convencerme de nuevo de que el cheque no era de la C.I.A. o algo así, y poder odiar más todavía al Director de Lecturas en mis horas de paz y contento sobre el techo. Sin ánimo de ofender, él sí que tenía unos mocasines tipo C.I.A., si es que eso existe, tipo Agente 007, en todo caso. Y ni siquiera eran *the real thing*, como habría dicho mi padre en mi novela sobre el mar sindicalizado. Eran, como solía decir mi padre, de ñangué, palabra ésta que he buscado desde la Real Academia hasta los peruanismos, sin suerte para ustedes, porque a mí me basta con recordar el gesto de mi viejo diciéndola y lo entiendo todo.

El corte de pelo era perfecto y conversado. Duraba horas, duraba casi toda la mañana, pero la verdad es que jamás he vuelto a obtener corte igual en peluquería alguna. Era a puerta abierta, además, y de todos los cuartitos acudían los amigos del techo. Carmen la de Ronda abría su puerta, bañaba el corredor con el olor de su guiso dominical, se acercaba oliendo más fuerte a guiso, y terminaba prácticamente metiendo el guiso a mi cuarto. Yo veía entrar el olor a guiso por el espejo.

Y veía entrar detrás de ella, oliendo también a guiso, aunque endomingado y de regreso de los baños públicos, a Paco. Paco, como en esas peleas muy injustas de los campeonatos interbarrios de box, pesaba unos cincuenta kilos menos que Carmen. Al bebe lo traía en brazos, oliendo también a guiso pero con una fuerte capa protectora de talco infantil y agua colonia, más o menos del precio y calidad que le habrían correspondido a mi cuartito, de haber sido realmente peluquería. Cada tres minutos, la cabeza de Paco aparecía tres veces seguiditas a la derecha de la cabeza del bebe, y la cuarta vez realmente parecía que quería pegarle un cabezazo a alguien que tenía a su derecha. Era un tic nervioso en tres tempos con fuga, y Carmen afirmaba que allá en su pueblo, cuando lo conoció, Paco, de gestos tan raros, nada, eso era la fábrica y la punta de horas que trabajaba en otra parte cuando terminaba su día en la fábrica. Agarraba turno vespertino, limpiando oficinas en otra fábrica, y luego nocturno, limpiando oficinas en otra fábrica más. Regresaba a eso de medianoche, y a veces lo encontraba parado ante la escalera de caracol. Provocaba cargarlo, subirlo cargado hasta la cama donde al pobre todavía lo esperaba Carmen. Pero claro, después el Director de Lecturas me habría acusado de paternalismo. Pelotudo. La verdad es que yo nunca habría acusado a nadie de paternalismo por haberme subido cargadito una de esas noches en que también llegué borracho, pero de vino, y estuve horas pensando y ahora cómo hago para llegar hasta allá arriba. Otras noches me encontraba con Paolo, Giuseppe, y Francesco, los tres sicilianos que trabajaban juntos, ahorraban juntos, se estaban construyendo una casita en las afueras de París juntos, y que juntos parecían más bien estar regresando a pie desde Sicilia, y no en metro de la fábrica. Bueno, en este caso no era la fábrica, porque eran albañiles, pero daba lo mismo; llegaban como si llegaran a pie de Sicilia. Giuseppe era el más viejo y el más cordial, tal vez porque era el que más había ahorrado. Con los primeros ahorros, fue la casita en Sicilia, y con los segundos ahorros, iba a ser la casita con Francesco y Paolo. A mí, cuando recién lo conocí, me preocupó un poco el que siempre me saludara diciéndome *bellezza*, pero después me fui dando cuenta de que así se decía allá en su pueblo siciliano y que hasta un *capo di maffia* podía decirte *bellezza* si le caías bien y le parecías un hombre a carta cabal. Y nunca les conté que a las tres bellezas que eran ellos las había yo convertido en pescadores sindicalizados en el mar de mi país, antes de la revolución. No me atreví, la verdad, porque con el tiempo fui comprendiendo que para ellos la revolución empezó el glorioso día en que abrieron, por primera vez, una cuenta de ahorros en Francia y en francés.

Paco, Carmen, y el bebe también abrieron una cuenta de ahorros, gracias a mi paternalismo (fíjense si no era pelotudo el Director de Lecturas), porque a duras penas sabían firmar y yo tenía que ayudarlos en todo. Una vez al mes les llegaban los avisos del Banco, y me invitaban a comer para que les aclarara el asunto, al compás de un guiso tipo dominical, que era mi terror, porque en él metían todo lo que no les habían aceptado en la cuenta de ahorros. Ese era el lado malo de la solidaridad en el techo, y por más que yo le rogaba a Carmen que se limitara a una sencilla tortilla española, que además me encantaba, ella insistía en tratarme dominicalmente y no bien terminaba con sus tareas de limpieza, se arrancaba a mezclar todos los ingredientes que me iban a caer pésimo esa noche. Fueron los peores cólicos de mi vida, pero no había nada que hacer y, una vez al mes, tras haberles explicado que pronto podrían empezar a construirse la casita soñada en su pueblo andaluz, y tras haber observado cómo aumentaba el tic de Paco en frecuencia e intensidad, a medida que sus hombros perdían intensidad y pulmones, abandonaba su cuartito rumbo al mío, a la señal de los primeros retortijones. Media hora después, ya estaba hasta las patas, correteando de dolor, dándome toda la vuelta al corredor para no pasar por su puerta, para que no me oyeran diez veces en mi carrera por culpa del guiso hacia el wáter del techo, un rincón con un hueco en el piso, una luz que se encendía sólo al echar bien el pestillo, en fin, todos los elementos para perder varias veces el equilibrio sobre el wáter en una noche de diarrea. Pero yo insistía en aumentar el sufrimiento usando siempre el camino más largo, insistía en que jamás sospecharan lo mal que me caían sus ahorros, insistía en no quejarme nunca, en taparme la boca a cada grito, insistía en apelar a lo que la gente llama mi educación británica, y que no es otra cosa que una timidez de la puta madre. Total, una real cagadera sindicalizada, la mía, emotiva, pescadora, profundamente solidaria y nocturna, y era también como conocer la soledad adolorida de aquellos hombres rudos y simples que deseaba retratar, con derechos adquiridos, en mi libro importante. Triunfaban siempre mis buenos modales, mis mejores sentimientos, y tras numerosas evacuaciones y carreras que contribuían a que el cansancio al fin me venciera, lograba dormirme con o sin dolor, y al día siguiente amanecía sano y con una impresionante cara de estoico bien educado.

Pero había también otros modos de ahorrar entre los habitantes del techo solidario. Michèle, por ejemplo, que era bajita y gordita, trompudita y simpatiquísima, y que era gran amiga de las bromas nocturnas, pijamas anudados cuando uno menos se lo esperaba, paraguas cosidos primorosamente para que no se abrieran por nada de este mundo, justo cuando se arrancaba la lluvia, en fin, todo tipo de travesuras para hacerle a uno la vida imposible en un momento dado, y ponerle a prueba el buen humor. Michèle era nuestra gran especialista en esos menesteres, y abría su puerta para una copa de vino o una taza de café a cualquier hora del día o de la noche, pero únicamente de lunes a viernes. El sábado por la mañana llegaba a verla un novio que iba a ser importante en algo no muy importante, y Enrique y yo nos encontrábamos con una Michèle totalmente cambiada, seria, demasiado interesada en sus estudios de química, y totalmente de acuerdo con las razones por las que su novio había adherido a un partido político por razones personales. El novio, un día, recibiría un departamento de funcionario en la Casa de la Cultura de su distrito suburbano, luego se casarían, luego empezarían una carrera político-personal a pequeña escala, porque hay que aceptar la sociedad tal cual es aunque el partido se oponga a ella, y terminarían un día con una medalla y una casa propia que enseñar, y muchísimos servicios prestados al mejoramiento del nivel de vida en un distrito dentro del cual se encontraban ellos, por supuesto.

Enrique y yo éramos la juventud de Michèle, las diversiones propias de su edad, las alegrías de su época estudiantil, íntegra su capacidad de cosmopolitismo, su curiosidad por mundos tan excéntricos como España y el Perú. Todo esto, de lunes a viernes. El sábado llegaba el novio y Michèle se transformaba en una mujer sin pasado y sin presente, sólo con futuro. Preparaba pastelitos para las reuniones en la Casa de la Cultura donde algún día le otorgarían su departamento, y así como ahora sabía perfectamente lo que estaba haciendo y por qué lo estaba haciendo, así también sabía ya lo que iba a estar haciendo dentro de cinco años, y después, dentro de diez, de veinte, y de treinta. Nos invitó a su matrimonio, a Enrique y a mí, porque el día que nos conoció ya sabía que lo iba a hacer. Y en plenos festejos nos hizo a cada uno una broma que también ya sabía que nos iba a hacer, mientras nosotros admirábamos el departamento en la Casa de la Cultura, ya perfectamente decorado en su mente desde las épocas en que llegaba con los pastelitos preparados para la ocasión. Enrique y yo sentimos no saber nada de la vida adulta todavía, y al final nos retiramos cortésmente y Michèle y su flamante esposo nos miraron como se mira a unos seres totalmente inexplicables y absurdos. De la fiesta se iban el español y el peruano que Michèle conoció una vez allá en...

Así era Michèle y por eso no comprendía a Rolland. Nada más opuesto a Michèle que Rolland. Ese no calculaba, no aho-

136

rraba nada, pero en cambio sí planeaba unos golpes con los cuales se iba a tirar los ahorros de medio Francia. Era mi vecino de cuartito, o mejor dicho, el gallo de mi vecina de cuartito, una mujer fea, sola, y sin edad, llamada Renée, a la que lo único que le interesaba en la vida era tener un hombre con ella al acabar el día. Primero trató de ganarme a mí, pero una mirada de Inés bastó para meterla de nuevo sola a su cama, esa noche. Enseguida fue Enrique. No bien apareció en el techo, lo invitó a comer con varias botellas abiertas de vino, pero más pudieron los ecuánimes vasos de leche con que Enrique asistía incluso a este tipo de velada. Fracasó. Tras Enrique, y me imagino que en una noche de desesperación, le tocó su turno al marido desconfiado de Marie, la belleza mudita y proletaria. Se armó la gorda esa noche, porque en plena cena con varias botellas abiertas de vino apareció la belleza con el habla totalmente recuperada. Ahí fue que nos enteramos que todo no era más que instrucciones celosas del marido desconfiado, a ser cumplidas estrictamente mientras él se hallara en su centro de trabajo. Habló la mudita y ¡cómo! La puso K.O. a Renée de un botellazo en la cabeza, al marido lo recuperó de los pelos, y todavía al irse amenazó a Renée con volver al día siguiente para hacerle añicos la verdosa dentadura superior sobresaliente inmensa, por la que todos en el techo la llamábamos El terror de los choclos.

Pero al día siguiente la mudita amaneció otra vez mudita, y en cambio el que sí apareció en el cuartito de Renée, pero ya adentro, fue Rolland. Debió llegar de noche, tal vez huyendo de algo. Un formidable y sonriente eructo anunció su primera presencia matinal en el corredor. Salimos Enrique, Michèle, Nadine, y yo, y nos encontramos con una especie de levantador de pesas engordado y rosado, sonriente y rozagante, y dispuesto a ser amigo de todo el mundo, ahora que iba a vivir con Renée. Renée le tocaba los bíceps, se pegaba contra sus muslos, y anunciaba, olvidando completamente el incidente de anoche, que Rolland era sobrino del Ministro de Agricultura de Bélgica. Una oveja negra de a verdad, me dije, para mis adentros, y lo mismo debían estar pensando todos los demás, pero en ese instante oí la voz de mi Director de Grupo, que felizmente no estaba, explicando que se trataba de un buen ejemplar de lumpen. A mala hora dijo nada, el pelotudo, porque yo ipso facto empecé a sentir una gran simpatía por el primer *voyou* que me había tocado de vecino en la vida. Nunca me defraudó mi techo.

Rolland no cesaba de entretenerme con sus proyectos. Yo quería ponerlo de rompesindicatos en mi libro importante, pero el tipo era tan simpático que, por más que hacía, no lograba redondear a mi personaje malvado. Rolland fue indudablemente uno de los más graves problemas técnicos que me planteó ese libro. La vida es así. No sé qué habría pensado Marx al respecto, pero ahí tienen el caso del modelo perfecto que a mí, sin embargo, no lograba servirme de modelo por nada de este mundo. Desde el enorme eructo sonriente con que diariamente amanecía en el corredor, Rolland no cesaba de contar a voz en cuello sus planes de rápido, rapidísimo enriquecimiento, luego la vida de rey que se iba a dar con Renée en un hotel con ruleta en Río de Janeiro, porque así lo había visto en una de Belmondo, y luego las increíbles inversiones que iba a realizar con su tío Ministro de Agricultura de Bélgica. Esta era la única parte de la historia que no sonaba a ilícita, pero que en cambio, desgraciadamente, sonaba a mentira. Pobre Rolland, no se daba cuenta de nada. Hablaba de oro, oro, esa era la palabra que lo obsesionaba en la vida, oro, y al mencionarla se le llenaban los ojos y la sonrisa de una credulidad feliz y total.

Aparecía y desaparecía, y ahí nadie ignoraba que algún día no volvería más al techo. Aparecía cargado de relojes de oro que trataba de vendernos y terminaba regalándonos. No era suficiente oro, bah, esa cantidad de oro no podía llamarse oro. Aparecía otra vez con otro automóvil más grande que el de la semana pasada, bah, ese automóvil no era el que iba a tener cuando el oro se le cayera de entre las manos. Aparecía con mimos y latas de conserva para Renée, para la futura madre de su hijo, y tocaba con orgullo el vientre en el que, según él, se estaba gestando ya un futuro magnate. Faltaban seis meses aún para que naciera, había tiempo, mucho tiempo para lograr que ese niño naciera en cuna de oro.

Un domingo eructó fortísimo, y cuando salimos a ver, nos encontramos con que había sacado la cama al corredor. Nos invitaba a almorzar, había caviar, había salmón ahumado, había champán, había *confit de canard*, había pavo, qué no había. El ya se había comido la mitad en el desayuno, pero aún quedaba muchísimo para el almuerzo y estábamos invitados. Michèle no pudo venir, porque era día de novio, pero en cambio sí podíamos asistir Nadine, Carmen, Paco, el bebe, Enrique, los tres italianos, todos podíamos asistir. Al marido desconfiado lo trajo desconfiadísimo, y a la mudita, mudísima, pero ahí nunca había pasado nada entre nadie y el día en que él tuviera su oro ya veríamos nosotros, Río de Janeiro. El único que faltó fue el viejo portugués que nadie sabía dónde trabajaba, ni por qué, si era tan viejo, y que cuando no estaba trabajando estaba encerrado en su cuarto con la radio al máximo. Jamás abrió su puerta. Jamás se supo si era o no sordo. Miraba como sordo, eso sí, y jamás contestó un saludo ni tocó puertas porque bajaba, ni le hizo bien ni mal a nadie, y según la portera, que nos cobraba cinco francos al mes por no perdernos el correo, eso venía durando ya veinte años y sin correo, porque nunca le había llegado correo, y porque nunca le había dado una propina. Nos lo advertía.

Pusieron la mesa en el lugar de la cama, mientras yo corría a llamar por teléfono a Inés. No podía perderse un almuerzo así, toda esa mezcolanza de platos deliciosos y en cantidades industriales, además. A Rolland le gustaban las cosas a lo grande, a lo Río de Janeiro, y aunque esto no era más que una pobre anticipación de lo que iba a ser su vida, al nivel culinario, por lo menos, valía la pena que Inés conociera este aspecto extravagante de mi techo. Corrí hasta el teléfono público. Uyuyuy, cómo le falló el humor a Inés cuando le dije que la invitaba a un almuerzo de pescadores sindicalizados.

Llegó con atraso de limeña, o sea tardísimo, pero aún quedaban toneladas de cosas para comer. Lo malo es que todo andaba ya medio revuelto sobre la mesa y que ya nadie le hizo demasiado caso cuando llegó. Sólo Enrique y yo nos incorporamos para saludarla. Rolland, Paco, y los italianos, sudaban en camiseta, y todos teníamos manchas de vino y de malos modales en la ropa. Un poco fuerte el asunto para Inés, me imagino, pero que tampoco exagerara la nota, estábamos felices, estábamos unidos, y sabe Dios hasta cuándo no íbamos a tener otra oportunidad de comer así.

Pero Inés quedaba demasiado bonita ante los dientes de Renée, ante la gordura descomunal de Carmen, ante la belleza proletaria de Marie, ya ni siquiera un eructo de Rolland sonaba sincero con Inés sentada entre nosotros. Yo empecé a beber un poquito más de la cuenta para no ver tanta realidad, pero la verdad es que todos estaban bebiendo un poquito más de la cuenta y la realidad crecía y era imposible no verla, crecía en voz alta, además, crecía a voz en cuello, a gritos de pásame más pavo, a carcajadas de pásame otra botella de vino, a eructos de Rolland se lo está tragando todo, ¡cojones!, ése era Paco, que luego se mandaba el tic nervioso con fuga, andaba de mal en peor el tic nervioso con fuga.

Rolland regresó de vomitar a las ocho de la noche. Regresó palidísimo, como si se hubiese estado metiendo el dedo hasta el alma durante horas, para ayudarse y quedar liberado y poder seguir tragando. Pero no, lo de pálido era por otra razón. Tenía un par de dientes de oro, y los tenía en su sitio cuando fue corriendo al wáter. Y ahora resulta que ya no los tenía y que en el wáter la lucecita de mierda prácticamente no iluminaba los contornos del agujero en el suelo. Rolland no bromeaba, con eso sí que no jugaba, eran sus dientes de oro, eran oro, oro, quién tenía una linterna o algo. Nadie. Nadie tenía más que fósforos. Pero eso sí, buena voluntad teníamos todos, porque Rolland con sus dientes de oro no jugaba y ya le estábamos viendo las lágrimas en las mejillas, eso no era sudor. Corrimos con nuestras cajitas de fósforos, y cada uno encendía el suyo por turno y se entregaba a la búsqueda entre el vómito, no brillaba nada, se apagaba el fósforo de mierda, era de noche, tal vez mañana por la mañana. Ni hablar, ahora, a seguir excavando con los cubiertos, con los dedos, hasta que encontráramos algo, algo tenía que brillar ahí entre... Por fin, Paco se metió prácticamente de cabeza al wáter, y en eso se estuvo con paciencia y sabiduría de buscador, calma, calma, Rolland, le decía, porque el otro también quería meterse de cabeza y no había sitio, ya vamos a encontrar algo. Y encontró. Casi seguidos brillaron los trocitos de oro entre el vómito.

Inés había empezado a llorar hacía rato. La pobre nunca logró acercarse al lugar del accidente, pero la gente del pueblo es muy generosa y ahí todos tomaron a bien su llanto; para ellos, Inés se había identificado más que nadie con el problema de Rolland. Tanto, que ahora Rolland festejaba a carcajadas y ella continuaba con su llantina. No podía ser, no pasaba nada, Inés, aquí están los dientes, Inés, mira. Pero ella dale y dale con llorar y yo ahí siendo el único que sabía por qué lloraba, bueno, probablemente Nadine y Enrique también. En fin, lo importante era que Rolland y los otros no captaran nada y que pudiera seguir comiendo ahora que ya todo había pasado. Pero dos horas más tarde Rolland continuaba contándole Río de Janeiro al llanto de Inés, y hacia las dos de la mañana me mandó a traer los extensores que ella me había regalado porque quería verme fuerte y musculoso a pesar de la comida del restaurant universitario.

Me pareció excelente la idea de mostrarle a Inés los progresos realizados con el aparato ese, pero Rolland se apoderó de él, no bien regresé, le puso todos los resortes que yo le había sacado para poderlo abrir un poco siquiera, se bebió media botella de vino para digerir mejor los quesos que acababa de tragarse, se puso de pie, eructó desde el fondo del alma, y empezó a abrir y cerrar gimnasia sobre nuestras cabezas. Llevaba más o menos media hora abriendo y cerrando cuando logró que Inés se sonriera. Yo aproveché para llevármela corriendo a mi camota. Estuvimos abrazados bien fuerte no sé cuántas horas.

—Tienes que salir de aquí, Martín —me dijo—. No puedes seguir viviendo así. Algo te está pasando, algo como si entre toda esta gente te estuvieras volviendo loco. Cada día entiendes menos la realidad, Martín.

Pero yo entonces no podía escucharla, yo entonces entendía íntegra la realidad en mi techo. Y esa noche, en todo caso, ella estaba también ahí en mi techo. Recuerdo que le dije si pudieras quedarte, Inés. Claro, era imposible, pero yo ese domingo había llegado a querer enormemente a Rolland. Rolland me había parecido, como nunca, una manifestación exageradísima de la vida, una de esas manifestaciones que a mí me tocaba andar viendo y viviendo a cada rato. Y hubiera querido que Inés llegara a quererlo también. No hubo tiempo, desgraciadamente.

De todo se entera uno por las porteras. Rolland se había fugado ese mismo lunes, muy temprano. Los trescientos mil francos del atraco los tenía ya en la maletera del auto, cuando llegó con los víveres para el almuerzote. Alguien vino a avisarle por la madrugada. Lo mataron en un tiroteo con la policía cerca de la frontera belga. Claro, la versión de Renée, que quedaba encinta y que ahora tendría que buscarse otro hombre, nos hubiera encantado poderla creer: su tío, el Ministro de Agricultura de Bélgica, lo había mandado llamar urgentemente de Bruselas, por un asunto de negocios. El mismo se lo había dicho, al despedirse de ella. Y también que regresaba dentro de un par de días. El accidente fue fatal. No había dormido casi nada la noche anterior y no pudo evitar el camión que se le cruzó... Pero las porteras oyen radio y ven televisión todo el día y uno se entera de todo por ellas, la verdad la iríamos conociendo uno por uno, con lujo de detalles, al pasar por la portería.

Y ese monstruo aprovecharía una vez más para decirnos que ahí el único que no se iba a enterar de nada era el viejo portugués, que era sordo, que se hacía el sordo, que miraba como sordo, que seguro allá arriba nos jodía el sueño con su radio, que por qué no nos quejábamos, que por no dar cinco francos hacía veinte años que prefería no enterarse si le había llegado carta o no, a ver cuando se muera, quién se va a ocupar de él, cinco francos, nos lo advertía... Lo curioso es que nadie vino nunca a preguntar por Rolland. Como si nunca hubiera vivido entre nosotros. Y hasta hoy sigo preguntándome por qué diablos sufrió tanto aquella noche por sus dientes de oro, si ya tenía los trescientos mil francos en su poder. Terminado el tiroteo la policía recuperó hasta el último centavo. Rolland... Murió como había vivido: pobre, pero eructando a pavo.

No bien me enteré subí a tocarle la puerta a Enrique. Inés había tenido que marcharse. Necesitaba la compañía de Enrique, necesitaba que me acompañara a estar un rato con Renée, aunque Renée parecía ser la más tranquila de todos. Sólo le interesaba contar automáticamente su versión, pero sin importarle en realidad que le creyeran o no, sin importarle mucho menos que no coincidiera en nada con la de la portera. Era simplemente como un desenlace personal a una historia personal, que ahora tendría que empezar otra vez con otro hombre, y con un bebe, dentro de unos meses. Pero, en fin, yo quería estar con ella un rato y quería que Enrique viniera también. Toqué nuevamente. Toqué con insistencia, pensando que se había quedado dormido. Volví a insistir, y de pronto se abrió la puerta del cuartito de Nadine. Salieron muy de la manita. Nadine parecía feliz, y Enrique parecía no estar convencido de nada. Sólo entonces recordé que la noche anterior Enrique había bebido vino por primera vez en la vida. Recordé también que era Nadine quien se lo servía. Y capté que Nadine venía deseando el amor de Enrique hacía tiempo.

## LA SOSPECHOSA HISTORIA DE AMOR
## DE ENRIQUE EL SOSPECHOSO

Enrique me fue contando la evolución de aquel extraño romance en sus ratos libres. Antes, sus ratos libres eran todos, menos cuando me cortaba el pelo y cuando iba a cobrar su cheque al banco. Ahora, sus ratos libres eran aquellos en que Nadine le soltaba la mano porque tenía que asistir a sus cursos en la Facultad de Ciencias. El resto del tiempo, Nadine se paseaba por nuestro techo, por París, y por la vida, llevando de la mano a un Enrique menos convencido que nunca de nada y más sospechoso de todo que nunca, esto último a decir de los camaradas del Grupo. Incluso a mí me costaba trabajo aceptar la falta de vitalidad y de entusiasmo con la que se había lanzado a aquella aventura amorosa: era más bien Nadine la que se le había lanzado encima tras haberle servido una copa de vino y muchas más, de servirle de una vez pa' todo el año en aquel almuerzote con el que Rolland se despidió de nuestro techo y de la vida. Bueno, yo había sido testigo de eso, es cierto, pero en mi opinión él ya estaba demasiado grandecito como para andarse dejando engatusar tan fácilmente. No, él no se había dejado engatusar por nadie, él había bebido porque todos bebíamos y porque Rolland jamás hubiese aceptado que en su banquete se bebiera leche. Y, por último, había bebido porque le provocó beber como a cualquier mortal humano.

Y también, humano muy humano, aceptó la secreta invitación que le hizo Nadine para tomarse la del estribo en su cuarto, escuchando un poco de música, conversando un rato, y mirando la luna llena de lluvia por la claraboya. Y en eso estaban, copa, música, claraboya, y en invierno es mejor un cuento triste, cuando lo tomaron de la manita como a cualquier hijo de vecino. Enrique aclaró que él no asumía responsabilidad alguna

144

en esta vida, por razones que prefería ocultar, y Nadine le dijo que ella asumía todas las responsabilidades que él no quería asumir, por razones que no podía seguir ocultándole. Después se le lanzó encima musitando palabras de amor y llorando con su voz bien ronca y resultó que era virgen.

—La verdad —le dije a Enrique, recordando mi primera noche con Inés—, este techo no parece estar en París: está plagado de vírgenes.

—Estaba —me corrigió él.

—¿Y ahora qué vas a hacer? Perdona mi curiosidad, pero Nadine anda hablando de matrimonio. No cesa de decir que te va a encontrar un trabajo, que te va a presentar a sus padres, que...

—Bueno, no voy a herirla. Eso es lo más importante. Ya verás: que pasé un poco de agua bajo los puentes del Sena, poco a poco se irá desilusionando.

Pensé que iba a tener que pasar íntegra el agua del Sena, bajo los puentes, al ver llegar a Nadine de la Facultad. Radiante, estaba radiante como se estaba radiante antes de la crisis actual del capitalismo, y traía una de esas caras de estar tan enamorada que, a mi entender, desaparecieron de Francia cuando en 1968 la juventud mandó a gritos a la mierda todo lo burgués, por imbécil, todo lo radiante, por sublime, todo lo sublime, por ridículo, y al general De Gaulle, que se había formado siempre una cierta idea de Francia.

Pero entonces recién nos estábamos acercando a aquellos acontecimientos, que también hoy han envejecido un montón, según parece, dejándome de vez en cuando decrépito en mi sillón Voltaire. Volvamos, pues, a Nadine, que aún podía permitirse el hoy antediluviano lujo de tener una de esas caras de estar *tan* enamorada. Pobrecita, realmente parecía que el amor la había agarrado de lleno por la cara, y en cambio a Enrique con seguridad no lo había agarrado de ninguna manera por ninguna parte, y por razones que prefería ocultar, además. Qué tal raza, así cualquiera. Pero yo quería saber cuáles eran esas razones y se lo pregunté un día. Nada, él prefería ocultarlas. Definitivamente, Enrique había optado por ser el hombre más sospechoso de París. Mi Director de Lecturas no tardaría en declararlo gigoló, además de policía.

Pero Nadine estaba dispuesta a casarse hasta con las razones ocultas de Enrique. Me lo confesó una tarde en que él había ido al banco. Me lo confesó con tanto optimismo, tanta alegría, tanta voz ronca, tanta respiración jadeante, con tanta radiantería, que yo ipso facto me trasladé enamoradísimo a los brazos de Inés, todo mentalmente, pero era fácil, logrando así ponerme a la altura de la situación, para responderle igualmente jadeante y con una cara que fuera el vivo espejo de la suya, que las razones ocultas de Enrique eran pura dignidad española, purita capa y espada de la que ya casi no existe por culpa del turismo.

—Al no tener trabajo, Enrique no desea comprometerse. Pero ya verás el día en que se consiga un trabajo.

Terminé mi frase prácticamente haciendo el amor con Inés, para comunicarle un canto de vida y esperanza a Nadine. Y logré comunicarle tanto lo que ella deseaba que le comunicaran tanto, que al final su cara terminó siendo el vivo espejo de la mía, que a su vez seguía siendo vivo espejo de la suya, y ahí al final nadie sabía para quién trabajaba. Eramos, definitivamente, grandes defensores de esas caras de estar *tan* enamorado que hoy ya no se usan en Europa. E incluso creo que pudimos haber caído en brazos uno del otro, pero claro, ahí sí que se hubieran hecho añicos todos los espejos porque ella a quien quería era a Enrique y yo a quien quería era a Inés. Estando ambos ausentes, opté por guardar prudentemente el juego de espejos y decidí limitarme a una comunicación exclusivamente racional y oral. Henry Miller no tenía por qué invadir los territorios del amor infinito, que esperara hasta mayo del 68, si deseaba también invadir estos casos.

De la manita, Nadine pensaba llevar a Enrique a casa de sus padres, pequeños burgueses medio ruralotes pero buena gente en el fondo y nada xenófobos, además. Ah ya, le decía yo. De la manita, con su papá al lado, Nadine pensaba llevar a Enrique donde un tío, pequeñísimo burgués y bastante racista, éste sí,

146

pero más que nada era falta de mundo, y que trabajaba en un laboratorio de productos farmacéuticos. Ah ya, le decía yo. Ahí, de la manita, Enrique podría trabajar en algo que, después de todo, no estaba tan lejos de la Medicina que había tenido que abandonar. Ah ya, le estaba diciendo yo, pero en esas llegó Enrique estirando la mano derecha para que Nadine se la transformara en manita, y con una tonelada de pequeñísimos blocs de papel blanco en un bolsón que traía en la izquierda. Me alejé prudentemente. Ya él vendría a contarme el siguiente episodio en uno de sus ratos libres.

Pero pasó una semana y Enrique no venía a interrumpirme, cosa que permitía que mi novela sobre los sindicatos pesqueros avanzara hasta alarmarme, porque escribiendo tanto cada día era posible que de pronto me quedara sin tema, y yo en el fondo deseaba que fuera una enorme novela por entregas, para no tener que entregarla nunca. Temía que me causara problemas con el Grupo, y con Inés dentro y fuera del Grupo, si metía las cuatro burguesamente, por ejemplo, y por ello deseaba escribirla el resto de mi vida, la verdad es que deseaba casarme escribiéndola, tener hijos escribiéndola, ser abuelo escribiéndola. Y algún lejano día, al enviudar, aunque la verdad es que nunca he creído en viudos, escribiría aquel otro libro que había empezado en Perugia, que me robaron mágica y simbólicamente el día en que me reuní con Inés en París, que volví a empezar y boté, y que ya muy viejo, tal vez se convirtiese en la obra de mi juventud. Como verán, siempre he recurrido a los más elaborados mecanismos de consuelo. Y hasta sin creer en viudos.

Tres golpecitos en la puerta interrumpieron por fin una larga y difícil navegación de mis sindicatos. Corrí a abrir. Enrique. Enrique con la mano llena de papelitos blancos. Bajaba a comprar más goma y quería saber si necesitaba cigarrillos o algo.

—¿Más goma para qué? —le pregunté.

—Para pegar estas hojas. Estoy empapelando mi cuarto de blanco.

No ignoraba que Enrique se buscaba siempre los métodos más elaborados para matar el tiempo, pero vivíamos épocas de

Nadine y no era el momento de andar empapelando una habitación con un millón de hojitas de bloc. Había enormes rollos de papel especial para estos menesteres. Le dije que no podía ser, que estaba loco, se iba a pasar días enteros pegando hojitas, cuando eso se podía hacer en una tarde. Sonrió sin comentario alguno, y me volvió a preguntar si necesitaba cigarrillos o algo. Le confesé que lo único que necesitaba era no seguir escribiendo, y nos fuimos juntos a buscar más goma y a tomar un vaso de leche con vino para mí.

De más está decir que terminé pegando papelitos con Enrique. Era una tarea que requería bastante pericia, porque él había decidido que cada hojita debía quedar montada sobre la otra, un centímetro exactamente. En realidad era un trabajo aburridísimo, pero entre eso y mi novela no me resultó nada difícil elegir. Además, así podía hablar tranquilamente con Enrique, mientras Nadine estaba en la Facultad, y averiguar cómo se las estaba arreglando para irla decepcionando sin llegarla a herir. Me enteré de que había optado por una suave decepción permanente y duradera, algo que casi no se notara, que fuera muy poco a poco, un trabajo tan paciente como el de andar pegando hojitas chiquititas. Simplemente algún día Nadine se iba a encontrar con que la mano que tanto le gustaba estrechar por calles y plazas era una mano sin voluntad, casi inerte, un peso blando y muerto que de pronto iba a empezar a causarle cierta repulsión, algo que ni besos ni orgasmos lograban ya hacer desaparecer. Y entonces, un buen día, con cualquier pretexto, lo iba a largar a patadas de su cuarto. Enrique abandonaría la habitación sonriente, sereno, inexplicable. Nadine tomaría eso como una prueba más del cinismo que su ceguera le había impedido descubrir hasta entonces, y así, de esta manera, su odio sería también permanente y duradero, permitiéndole al mismo tiempo echarle el ojo a algún compañero de estudios, porque al lado de Enrique quién no saldría ganando con la comparación. Y todo esto por las razones ocultas, pensaba yo, pero Enrique andaba tan concentrado en lo de pegar perfecto cada papelito, montándolo exactamente un centímetro sobre el de arriba, que yo nunca encontraba el momento preciso para preguntarle rotundo en qué demonios consistían esas famosas razones...

...Inolvidable Enrique Alvarez de Manzaneda. No, en el fondo, nunca dudé de ti. Nunca te defendí como era debido, es cierto, pero también yo tenía mis problemas, y entre ellos aquél tan gordo de andar salvando constantemente mi matrimonio con Inés. Con ella podía llevarme de maravilla, eso era muy posible, pero casarme con ella en muchas formas fue casarme con todo el Grupo, invadían tu vida privada, decidían quién eras y con quién te juntabas, y ya lo he escrito por ahí antes: Karl Marx terminó apoderándose de la camota, terminó apoderándose también de la otra cama, la del departamento al que me mudé con ella, y hasta me expulsó de ahí algunas veces. Bueno, Enrique, esas cosas tú las comprendías mejor que yo, y algún día, pero qué tal día, también yo me enteré de que siempre me habías considerado tu gran amigo, de que nunca dudaste de mi cariño. Pero aquello estaba lejano aún, y además habría sido mejor que no llegara nunca, sí, habría sido mejor seguir dudando toda la vida, porque aquella vez me tocó vivir una de las situaciones más exageradas del mundo.

Ahora lo entiendo todo. Hace años ya que lo entendí todo. A Nadine no le ibas a contar lo del bultito, jamás te habrías rebajado a despertar la piedad de una muchacha llena de virtudes, llena de amor por ti. Pegabas papelitos sonriente mientras tanto. ¡Qué bárbaro! ¡Cuántas cosas más inventaste para que pasara aquel tiempo indefinido que te quedaba! ¡Qué astucias las que empleaste para que a Nadine se le fuera el amor, así, solito! Sin herirla, solías decir. Y me consta que no la heriste. Y por ahí la seguí viendo pasar bien agarradita de la mano de un rubio con aspiraciones a dandy, que llevaba una gran capa, negra por fuera, roja por dentro. Yo ya no vivía en nuestro techo pero a veces la cruzaba, me saludaba como se saluda a un mal recuerdo. Un día me sentí tentado a acercármele. Ya tú habías desaparecido "misteriosamente", en fin, ya te habías regresado a España. Quise acercármele, quise contarle la verdad, pero sabía que eso sólo habías querido contármelo a mí, y en su debido momento. Seguí de largo. Ah... recuerdo la cantidad de veces que te insinué que me hablaras de aquellas razones ocultas. Y tú que siempre supiste que me lo ibas a contar algún día, cuando ya no te quedara la menor duda, cuando llegara el momento oportuno, porque yo fui el único amigo que tuviste en París, amigo del policía, amigo del gigoló, amigo del donjuán que tan bien supo engatusar a la bella Nadine.

Cuesta trabajo a veces volver desde el sillón Voltaire hasta aquellos episodios, pero qué se le va a hacer, y ahí estamos Inés, Nadine, Enrique y yo, tratando de celebrar con una botella de leche las flamantes paredes blancas del cuartito de Enrique. Por fin habíamos terminado, o mejor dicho, por fin había terminado Enrique, porque yo casi desde el comienzo me limité a quedarme tirado en su cama, fumando y merodeando en torno a sus razones ocultas. No saqué nada en claro, y en cambio me gané un buen sermón de parte de Inés. Un buen sermón laico, por supuesto, pero aclaro de todos modos, por respeto a la objetividad, es decir, a la Inés de entonces, una mujer clara, materialista, y atea. Arrancó acusándome de holgazanería. Normalmente, un peruano acusa a otro de andar flojeando, pero Inés deseaba que también Enrique acusara el golpe y prefirió hablar de holgazanería, palabra esta que me llenó de una flojera espantosa y me quitó por completo las ganas de seguirla oyendo. Propuse un brindis con blanca leche por las blancas paredes, con lo cual no sólo fui holgazán sino además niño. Y con lo cual habíamos llegado por fin al nivel y al tono en que se daban nuestras discusiones. Inés, maternal y permisiva, dijo lo que tenía que decir, y acto seguido empezó a perdonarme. Yo, despojado de mi edad adulta, la escuché comodísimo, sonriente, y en estado de franca erección.

Mi vida sexual, por aquel entonces, era así: Sigmund Freud, a menudo, Henry Miller, también a menudo, desde que lo descubrí, y Gustavo Adolfo Bécquer, leído por un adolescente niño bien, que además ha visto en el cine una de Romeo y Julieta, muy a menudo los domingos por la tarde, esto último de nacimiento. Con Inés me funcionaban las tres cosas, al mismo tiempo, lo cual para mí era la mayor prueba de que estaba enamorado, no sé si decir hasta las patas, de cuerpo entero, o hasta el fondo del alma. Pero, en fin, como a ella el que más le gustaba era el producto freudiano, en mi afán de conservarla, nunca le di cara con más de diez años de edad. Enrique tenía sus astucias para no herir a Nadine, y yo las mías para que Inés no me hiriera a mí. Pero ya he contado antes que precisamente por serle fiel a esa imagen, lo cual quería decir ser siempre como a Inés le gustaba que fuera, aun en los peores momentos, Inés se largó un día. Moraleja: fue Inés la que cambió. Lo decía Italo Svevo: "La vida no es ni fea ni hermosa; es original". Moraleja: hay que andar cambiando todo el tiempo para poder seguir el ritmo tan original de la vida. Conclusión: soy, o bruto, o terco, o fiel a no sé qué, o soy muy poco original.

No bien terminó Inés de perdonarme, Nadine empezó a castigar a Enrique: Bueno, claro, cualquiera desea vivir en un cuarto con paredes blancas y limpias, pero mira tú a Martín, trabaja todas las horas que puede en ese colegio de mala muerte, y por las tardes se encierra a escribir; bueno, es cierto que últimamente ha fallado un poco, pero casi siempre se encierra a escribir su novela sobre los sindicatos pesqueros (casi me meto debajo de la cama, de vergüenza). Martín tiene ideales, va a llegar a ser el escritor que desea ser (otra vez casi me meto bajo la cama), y mientras tanto trabaja donde puede, *pero* trabaja... Por supuesto, Enrique, comprendo que cualquiera desee vivir en un cuarto con paredes limpias, pero ahora que has terminado, *por fin*, es preciso que empieces a buscar trabajo. Hace semanas que trato de llevarte a casa de mis padres; ya te he dicho cuáles son mis proyectos, ya te he hablado del laboratorio, ¿qué piensas tú, Inés?

Inés pensó, con voz definitiva, que sus proyectos calzaban perfectamente con la finalización blanca del empapelamiento de Enrique. Yo casi digo "Calzados El Diamante, calzan al pie como un guante", pero me aguanté en los diez años en que me había dejado Inés, por consideración a un inquieto tac tac tac tac que Enrique había iniciado con los dedos, en la mesita sobre la que estaba sentado. Lo que no pude fue aguantarme la risa que me dio haber asociado la frase de Inés con el comercial de los zapatos El Diamante, allá en el Perú, con lo cual quedé de diez años también para Nadine, que acababa de terminar con su sermón particular. Bueno, ahora le tocaba responder a Enrique. Sonriente, sereno, firme: suave decepción permanente y duradera, muy poco a poco. Tendió la mano derecha, para que Nadine se la convirtiera en manita, pero lo que tomó impaciente Nadine fue sólo una mano. Increíble lo rápido que pasa agua bajo los puentes en algunos amores.

Suave decepción permanente y duradera: Enrique aceptó someterse a las visitas a los padres de Nadine, al tío de Nadine, y al laboratorio donde trabajaba el tío de Nadine. Lo llevaron y lo trajeron de la manita. Lo primero, porque fue sonriente a las tres visitas, y hasta logró abrirle un breve paréntesis al racismo del tío de Nadine, y lo segundo, porque había un puesto libre en el laboratorio. Un puesto, a decir de Nadine, desde el cual se podía empezar una carrera chiquita en el mundo de la farmacología chiquita, porque el laboratorio era chiquito, pero algo es algo y sobre todo tratándose de un español, porque normalmente los españoles son obreros, claro que no es el caso de Enrique, pero el caso de Enrique es aún más difícil por tratarse de un español que no es obrero, de un antifranquista que no es exiliado, de un exiliado que no es antifranquista, y de un tipo al que más de uno, entre los amigos de Inés, ha acusado de ser en realidad un policía español. Empecé a rascarme la cabeza y a mirar a Enrique que también se estaba rascando la cabeza y que también me estaba mirando. ¡Cojones!, debía estar a punto de exclamar él, porque yo, siendo peruano, estaba a punto de exclamar: ¡La cagada, compadre!

O es que la gente se vuelve realista muy rápido, o es que yo llego tarde a todas las edades de la vida. Lo cierto es que escuchando a Nadine, sentí que nunca había tenido diez años tanto en mi vida. Y hasta pensé que era Enrique el que debía estarse decepcionando, dura y rápidamente. La mujercita que le había tocado. Pensar que hacía tan poco tiempo era linda *tan* enamorada con su voz ronca y jadeante. Ahora también lo era, qué duda cabía, era bella, estaba muy enamorada, conservaba su voz ronca y acababa de estarnos hablando jadeantemente. No sé cómo explicarlo, un cambio de linda a bella no era toda la diferencia, tampoco un cambio de *tan* a muy enamorada. No sé, digamos simplemente que de pronto algo no resistió el análisis. Y sin duda alguna era por eso que Enrique se estaba rascando la cabeza también.

Pero yo opté por no adivinar los pensamientos de Enrique, entonces, y seguí insistiendo en que no iba a ser fácil terminar de decepcionar a Nadine sin llegarla a herir. Su nueva táctica, por ejemplo, me parecía francamente descarada, me parecía burda, grosera, fácil de desenmascarar. Enrique había rechazado sorpresivamente el puesto que le ofrecieron en el laboratorio, alegando que no le convenía, que él de química no sabía gran cosa, y que prefería escribir a las diversas empresas que ofrecían algún trabajo en los periódicos. Nadine enfureció al comienzo, pero luego, ante la perspectiva de que Enrique consiguiera un puesto desde el cual se pudiese empezar una carrera no tan chiquita, fue cediendo poco a poco, y terminó trayéndole día tras día todos los periódicos. Enrique escribía, esperaba respuesta, y cuando ésta era positiva y lo llamaban para una entrevista, echaba el papel a la basura y escribía otra carta. Casi siempre encontraba una buena razón para tranquilizar a Nadine, y cuando no lograba hacerlo, acudía a la cita y regresaba diciendo que todo era un embuste, que el puesto lo habían pintado color de rosas en el periódico, pero que la entrevista le había probado que la realidad era otra.

Hasta yo empecé a enervarme. Nuevamente las razones ocultas de Enrique empezaron a irritarme; no, Nadine podía tener un sentido práctico horripilante, pero eso era otro problema, Enrique no tenía derecho alguno para mantenerla en ese estado de angustia y de inútil espera. Recuerdo haberme impacientado un día, mientras trataba de consolar a Nadine. Me tocaron la puerta en plena novela y yo abrí feliz, pero en vez de ser Inés o algún buen amigo, era Nadine llorando a mares y con toda la razón del mundo. Lo de Enrique empezaba a resultarle insoportable, ella lo amaba pero simplemente ya no podía soportar esa situación, no había derecho para que un hombre rechazara trabajo tras trabajo cuando no tenía trabajo alguno, comprende, Martín, no hay derecho, ¿qué piensas tú?

Pensé que si mi madre me hubiese enviado todos los meses un cheque, jamás habría aceptado trabajo alguno, tampoco, y hasta estuve a punto de sonreír evocando los buenos tiempos en que mi padre me enviaba cheque tras cheque. Pero luego pensé que por Inés yo habría trabajado en cualquier parte, hasta de guerrillero, tal vez, y eso me hizo sentirme profundamente mayor de edad y rotundamente maduro, casi corro a llamar a Inés para que me viera. En fin, más urgente era aplicarle mi súbita madurez al problema que tenía sollozando entre mis brazos. Pobre Nadine, fue lo primero que dije, con voz muy grave, muy triste, tan triste que a mí mismo me entró una pena infinita, tanta pena que no me atreví a repetir lo de pobre Nadine, por temor a terminar sollozando también. Definitivamente, cada cara a cara con el amor de Nadine terminaba conmigo convertido en el vivo espejo del vivo espejo. Lo sé, nunca he podido soportar las penas de amor. Empezando por las mías. Ese ha sido siempre el lado más flaco de mi sensibilidad hiper, qué hacer, no tiene remedio, me lo dijo un médico al que acudí una vez porque me habían dicho que curaba todo lo del alma. Si vieran cómo le encontré. Lo acababa de abandonar su esposa a los sesenta años. Comprendí que en el mundo moderno se abandona aun a los sesenta años, comprendí que estaba frito.

También Nadine estaba frita, sollozaba frita. Claro, con ese sentido práctico, seguro que pronto iba a reaccionar, pero mi madurez no estaba ante un caso futuro sino ante un caso presente. No pudiendo repetir lo de pobre Nadine, por temor a mis lágrimas, prometí una cita de hombre a hombre con Enrique, situación esta que siempre he preferido vivir con una mujer, y enseguida puse a prueba una serie de diatribas contra ese vago, contra ese irresponsable, contra ese individuo incapaz de asumir responsabilidad alguna. Aquí recordé que Enrique le había dicho a Nadine, la noche en que ya no quedaron más vírgenes en el techo, y justito antes de que ella se le lanzara encima, que no estaba dispuesto a asumir responsabilidad alguna. Abandoné, pues, este punto, para no calumniar a un amigo, y volví a las diatribas e insultos de todo tipo. Llegué, sin convicción alguna, hasta cobarde.

—¡Cobarde será tu Inés! —saltó Nadine, dejándome turulato— ¡Por qué no se atreve a decirle cara a cara a Enrique que es policía! ¡¿Acaso no lo anda diciendo por todas partes con sus comunistas?!

Portazo.

Lo poco psicólogo que soy a veces. Yo que creía haber estado obteniendo el efecto contrario, yo que hasta pensé haber estado preparando a Nadine para una ruptura definitiva con Enrique, seguida incluso por una buena acompañada roja hasta su cuarto, seguida luego por una buena charla sobre mi novela y los sindicatos pesqueros, seguida a su vez por un préstamo de un librito facilongo de Lenin, y seguida finalmente por nuevas, ocultas, y personales charlas con ella, sobre todo y sobre nada, sobre todo y sobre el proletariado, sobre el proletariado y sobre los crímenes del capitalismo... Yo que creía haber estado ayudando a medio mundo, ayudando a Nadine, porque iba a desviar su sufrimiento hacia una causa superior, ayudando a Enrique, porque le iba a desviar a Nadine de su camino, ayudándome a mí mismo, porque por primera vez iba a llegar a una reunión del Grupo con un nuevo cuadro político y ya nadie me iba a poder acusar de andar desviándome del tema en debate, y ayudando finalmente al Grupo, porque un poco de sentido práctico, un poco de ese sentido de la realidad que a Nadine le sobraba, al Grupo le hacía falta a gritos. Me miré en el espejo: ¡Bravo, Martín Romaña! Casi abro la puerta para tirarme otro portazo yo mismo.

¿Qué hacer?... La frase era de Lenin y me dio una rabia espantosa, motivo por el cual me repetí bien claro: ¿Y ahora qué hago?, y salí disparado hacia la habitación de Enrique. No necesité llegar: ahí estaban los mismos sollozos que acababan de abandonar mi habitación. Me detuve, y otra vez me salió un automático: ¿Qué hacer? Ah, si los muchachos del Grupo me oyeran pensar en voz alta... Me inundarían con su confianza los camaradowskis. Repetí furioso: ¿Y ahora qué hago?, pensando, al mismo tiempo, si Nadine recuerda todo lo que le he dicho, si Nadine le cuenta a Enrique todo lo que recuerda, y si Enrique le cree una décima parte de lo que yo he dicho y ella ha recordado, estoy jodido. ¡Mierda, qué hago! Me acerqué hasta la puerta y pegué la oreja. Todo, lo estaba recordando y diciendo todo. Y agregó, además, la muy hija de puta, que en el fondo yo también pensaba (sollozo, aquí) que él (sollozo enorme, aquí) era (¡Qué tal hija de puta!) un (sollozo de rabia e impotencia, mío) policía es-es-es-es-pañol. Psicólogo, maduro, y con mi juego de espejos metido en el culo, esperé mi turno para entrar a sollozar en brazos de Enrique.

Y aquí me imagino que empieza el desenlace de la historia de amor de Nadine y Enrique. El otro, el nuestro, el de Enrique Alvarez de Manzaneda y Martín Romaña, quedó para mucho más tarde. Tuve que esperar hasta mi primera gran crisis matrimonial para enterarme de aquel otro desenlace. En cambio, lo de Nadine y Enrique empezó aquella misma tarde de los sollozos en la que él nos consoló a ambos y nos hizo amistar. Primero se ocupó de Nadine, mostrándole una serie de direcciones de laboratorios en las Antillas, esa misma noche iba a escribir solicitando trabajo. Las cartas tardarían en llegar, tardarían también en ser leídas, y tardarían también, claro, en ser respondidas. Pero eso, a cambio de las soleadas Antillas, donde él incluso podría arreglárselas para terminar el año de Medicina que le faltaba. ¿Valía o no valía la pena? Nadine quedó como quien está a punto de enviar una tarjeta postal diciendo que es próspera y feliz en las Antillas. Yo me quedé con la boca abierta, hasta que un sonriente y sereno guiño de ojos de Enrique me hizo comprender que a Nadine no le había creído ni papa, que no había tomado para nada el asunto en serio, y que ya hablaríamos más tarde de las cosas de siempre.

Pero no nos quedó mucho tiempo para hablar de las cosas

de siempre. La vida nos lo impidió, aunque hoy más bien diría que fue la muerte. Lo recuerdo muy bien. Nadine acababa de partir hacia su Facultad, tras comprobar que el correo de esa mañana tampoco había traído respuesta de las Antillas. Yo regresé furioso del colegio porque la directora, alegando que los alumnos no habían asistido, se negó a pagarme un día de huelga de transportes públicos en que fui a trabajar caminando. El colegio quedaba bastante cerca, y también los alumnos vivían cerca. Claro, ellos se aprovecharon de la huelga, pero yo no podía no ir porque de eso vivía. Fui, además, porque de haber faltado me hubiese amenazado con bajarme el sueldo o con expulsarme. Jamás lo iba a hacer, porque yo era un tonto útil, pero esos eran los pretextos que luego utilizaba para no pagarme la tarifa oficial. Total que regresé furioso y toqué la puerta del cuarto de Enrique para entrar a desahogarme un poco con él. Increíble: Enrique se había comprado dos enormes pliegos de papel rojo y estaba recortando pacientemente unas redondelitas. Ya había un buen centenar de redondelitas rojas sobre la mesa.

—¿Y eso para qué es? —le pregunté.

—Para alegrar las paredes de la habitación. Las voy a pegar al centro de las hojitas blancas.

—Tu cuarto va a parecer un burdelito.

—Bah, son tan horribles estos cuartos que cualquier cosa los alegra.

—Pero Nadine se va a volver loca si empiezas otra vez con esas cosas.

—Bah, mientras llega alguna respuesta de las Antillas.

—Enrique, ¿de qué respuestas estás hablando? La única que espera respuestas en esta historia es Nadine.

—No creas. Cada día las espera menos. Anoche salió al cine con un amigo que se ha conseguido por ahí.

—¿Y ya vio las redondelitas?

—Vio que no había correo. Con eso se contentó.

Enrique me miró con cara de que los hombres también lloran, con los ojos bañados en lágrimas, en realidad, y yo empecé a no entender nada, pero por si acaso empecé también a perder edad madura. No quisiera que tomaran esto a cobardía de mi parte. No sé cómo explicarlo, pero el principio que rige mi conducta sería más o menos el siguiente: cuando lloran los valientes, yo me voy echando atrás en edad, para que se sigan sintiendo valientes. No sé cómo explicarlo, realmente, pero digamos que puedo retroceder hasta la infancia para que un hombre pueda llorar cómodamente. Tal vez sea que los hombres son tan tontos que piensan que llorando pierden hombría, y entonces, yo, o trato de que se sientan siempre más grandes y fuertes, o trato de comunicarles un poco de infancia para que se desahoguen de una vez por todas. Las dos cosas a la vez, también, tal vez, ya digo que no sé bien cómo explicarlo.

Enrique llorando, por ejemplo. Porque ya estaba llorando como Dios manda. Yo me había reducido a mi mínima expresión pero al mismo tiempo era ojos y oídos del mundo para todo lo que quisiera comunicarme. Qué le pasaba a Enrique, qué te pasa, Enrique, soy tu amigo, Enrique, para eso están los amigos, Enrique, llora llora corazón, Enrique, llora si tienes por qué, mírame, Enrique, aquí estoy, inferiorísimo a ti, aceptando la enorme superioridad de tus lágrimas, mira cómo tiemblo, Enrique. Claro, nada de esto se dice, no hay que ser tan burro, tan sólo se comunica, y hondo, pero es uno de los logros a los que se llega con mis principios. Lo único que dijo Enrique, a lo largo de aquel llanto, fue Nadine. Dijo Nadine una sola vez y ya casi al final, porque después tuvo que empezar a ocuparse de mi llanto. De más está decir que yo lloraba como un niño.

Terminamos cortando redondelitas y absorbiendo magdalénicos mocos, hasta que llegó a ser una forma de decirnos un montón de cosas ese sonido de los mocos en el silencio del cuartucho. Después vinieron tardes en que anduvimos pegando redondelitas como locos. La verdad, era él el que las pegaba, porque yo tras lo ocurrido me había quedado tembleque para el resto de la vida o algo así, y nunca lograba pegarlas justo al centro de las hojitas blancas, como él deseaba. Tal vez debí esforzarme más, es cierto, pero entonces aún no había captado que Enrique combatía el desamparo a punta de minuciosidad.

Y además, mi tembladera era abdominal, la peor de todas, porque desde ahí irradiaba por todo el cuerpo, acentuándose en los momentos en que volvía a clavárseme en la boca del estómago aquel Nadine pronunciado por Enrique, el Nadine de los valientes, el de las historias con personajes silenciosos y enigmáticos, en las que el malo es más bueno que el bueno porque resulta que era buenísimo al final, y porque toda su bondad estaba concentrada en unas razones ocultas que lo condenaban al silencio y al enigma.

Enrique se había colocado, solito, entre la espada y la pared. Y yo no sé si esto quiere decir algo, pero yo me sentía colocado entre Enrique, la espada, y la pared. En fin, yo me entiendo. Son las situaciones a las que lo expone a uno la solidaridad humana y también aquellos momentos a los que suelo recurrir, que consisten en volverme loco un rato, aunque en aquel caso el asunto fue más bien del tipo permanente y duradero. Todo empezó cuando Enrique, entre dos redondelitas, me contó íntegro el contenido de sus razones ocultas. Por qué creía yo que él seguía pegando redondelitas, ¿para terminar de decepcionar a Nadine?... Yo debía ser muy poco observador si aún no me había dado cuenta de que Nadine cada noche iba más al cine con el nuevo amigo de la Facultad, ¿no me había fijado?, pero si ya casi ni pasaba a preguntar por las respuestas de las Antillas. En fin, ya se había logrado el objetivo (y también ya se ha llorado por Nadine, pensé yo, pero no me atreví a interrumpirlo), y ahora lo que se esperaba era otra cosa, un resultado, un nuevo resultado, mejor dicho, porque el primer análisis dio positivo, el segundo también dio positivo, el tercero era pura fórmula, y además él no había estudiado Medicina para nada. El bultito a un lado del cuello, justo debajo de la mandíbula, era un tumor maligno. Lo empezó a molestar por la época de Rolland, él lo había sospechado desde el comienzo, semanas antes de que Nadine lo invitara a tomar aquella copa en su habitación, inútil justificarse, inútil tratar de explicar por qué aceptó aquella invitación, y además ya me lo había explicado: humano, muy humano.

Lo siguiente en estos casos es tocar el bultito para creer. Y tratándose de mí, lo siguiente en estos casos es tocar el bultito y encontrarse immediatamente después uno exacto, cosa a la cual procedí desde el fondo del alma con un dedo aterrado que fue a dar de entrada donde no estaba el bultito de Enrique, apunté pésimo, obligándolo al pobre a recoger mi mano con santa serenidad, a desagarrotar el índice porque la mano se me acababa de convertir en puño, y a colocarlo en el lugar donde yo también iba a tener un bultito igual. La verdad es que tuve suerte porque resultó que luego yo tenía varios bultitos iguales, una verdadera colección de bultitos incluso mejores que el suyo, que mi solidaridad le ofrecía con la más profunda convicción, en un desesperado esfuerzo por convertir aquello en el juego de los bultitos y nada más.

—Mira, Enrique, toca tú ahora.

Enrique me miraba desconcertado, lo había sorprendido. Y en efecto, es sorprendente cómo a veces, buscando al niño que tanto me sirve y no me sirve haber mantenido y cultivado, encuentro al hombre maduro capaz de ofrecer solidaridad, protección, y compañía, capaz de comprender hasta meterse en el pellejo del otro para sentir o pensar lo mismo, capaz incluso de pedir aumento en el trabajo, en fin, capaz de un montón de cosas a la hora de la verdad. Permítanme que me eche esta flor: soy, lo que se dice, un tipo que se crece ante la adversidad. Bueno, siempre y cuando considere que la adversidad vale la pena.

Pasado ese gran momento, vuelvo a la normalidad. Es decir, a aquellos altibajos por los que Inés me consideraba un perfecto ejemplar de insoportabilidad, un estrangulable y un perdonable, todo al mismo tiempo. Pobre Inés, con lo claras que le gustaban las cosas, conmigo debió haber vivido siempre presa de mil contradicciones. Pero a mí no me cabe la menor duda: con un poco de humor habría podido seguir perfectamente el ritmo de mi ondulación permanente. Aunque claro, pensándolo aún mejor, cómo habría aceptado que *yo* le perdonara la perfecta formación marxista con la cual criticaba siempre todo lo que *yo* hacía, para poder perdonarme después, y que en la vida práctica tan sólo le sirvió para acumular vida sin mí. Jamás lo habría aceptado. Pobre. Todavía a veces me provoca mandarle como obsequio la biografía de Henry Ford o algo así. Lo haría, lo haría si supiera que, por fin, se me va a sonreír.

Perdónenme estas caídas-recaídas en mi sillón Voltaire, pero creo que resultan bastante comprensibles. Se entrega uno de lleno al recuerdo de esas épocas, y al mismo tiempo no logra sacarles una frase que vaya con el orden de los acontecimientos. Tal vez sea también un rechazo a seguir hablando de lo de Enrique. Sí. Porque cartas de las Antillas no llegaron jamás y hubo simplemente aquel día en que Nadine ya no pasó a preguntar si habían llegado cartas de las Antillas y luego aquella noche en que después del cine subió a su cuarto con el nuevo amigo de la Facultad. En el techo todo el mundo bajó la cabeza, porque todo el mundo quería a Enrique, pero nadie estaba dispuesto a compadecerlo ni a encontrarle atenuante alguno a su comportamiento con Nadine. Y si le dolía, pues bien merecido que se lo tenía. Por más buena persona que fuera, opinaba, por ejemplo, Carmen la de Ronda, con *la* Nadine se había portado muy extrañamente y estaba muy bien que ella se hubiese conseguido a ese joven estudioso, sonriente, y trabaja*dó*.

—Claro, Carmen —le dije.

Eso fue cuando Enrique me había mostrado el resultado del tercer análisis. Cosas de amigos, de que todo quedara claro para mí hasta el fin. Y silencio ahora, ahora a seguir viviendo en el cuartucho que parecía un burdelito con las paredes de hojitas blancas y redondelitas coloradas. Iba al Banco a cobrar su cheque, me cortaba el pelo, tomaba leche en la Place de la Contrescarpe, y merodeaba por los corredores en las horas en que Nadine asistía a la Facultad. Nunca los vi cruzarse.

En cambio el Grupo sí que volvió a cruzarse en nuestra amistad. La culpa fue mía. De esta bestia que recuerda. Yo había faltado a varias reuniones por quedarme en el techo, como quien acompaña a Enrique, y un día, al volver, me acusaron de andar perdiendo un tiempo que era de oro para todos, por culpa de un tipo cuya influencia negativa sobre mí ya estaba más que probada. Yo no ofrecía, por consiguiente, ninguna seguridad. Pasaba tarde tras tarde con un policía, y ahora, además, andaba cabizbajo porque el policía-gigoló acababa de perder a su niña. No miré a Inés, por temor a que empezara a bizquear. Ya en dos oportunidades la había visto bizquear al surgir algún problema entre el Grupo y yo.

No puedo decir que esos golpes bajos me agarraron desprevenido. En realidad, los estaba esperando. Me di cuenta de ello porque respondí utilizando el grave estilo que se empleaba cuando se tocaban temas de fondo. ¡Cómo gozaban con los temas de fondo en el Grupo! Respiraban hondo y profundo, cerraban los libros o documentos que estábamos discutiendo, adoptaban actitudes de alerta en sus asientos, encendían cigarrillos, en fin, no sé qué sentían los muy huevones, pero se me hace que muchos se sentían instalados en un foco guerrillero y con el ejército enemigo avanzando entre la maleza y a punto de caer en la emboscada. Y así se me pusieron ese día, hasta el punto de que yo, tras echarle una buena miradota a los mocasines pequeño burgueses del Director de Lecturas, casi le digo que aprovechara la oportunidad que estaba viviendo, porque en otra acción guerrillera no lo veía ni de a vainas con esos zapatitos tan poco heroicos. ¡Mierda!, por qué no escribía yo sobre esas cosas entonces, en vez de andar robándole materiales a Marx y a personajes de mi techo para una novela sobre sindicatos pesqueros. Por cobarde, me imagino, o por miedo a perder a Inés. O las dos cosas combinadas con la dosis de juventud y los ideales y los tipos que siempre estuvieron a la altura de los ideales. Porque también existían esos tipos. Y además, en el mundo en que vivía todo el mundo pensaba así, ese era el pensamiento de todo el mundo en aquel París aquel. Sólo un tipo como Enrique tenía los cojones de no creer tanto en nada.

Bueno, pero el acusado se defiende. Me defendí pésimo porque soité todita la verdad, tanta verdad que hasta le quité gravedad a la grave sesión de aquella tarde. De sus actitudes de alerta, los camaradas pasaron a la actitud de ¿y eso cómo se come, compadre? Pobre camarada Víctor Hugo (pensé en mi novela, y le pedí perdón a Víctor Hugo por andar usándole el nombre), al camarada nos lo han engañado como a cholito, se nos va a quedar sin su amigo policía, Víctor Hugo, ¿un gigoló con cáncer?, eso todavía no se ha visto, camarada. Me trompeé contra el Grupo entero, pero debo decir, en honor a la verdad, que nadie me dio un golpe malintencionado. Por temor a Inés, claro.

El día 10 de mayo de 1967, por acuerdo tomado en reunión del Grupo (a la que no asistí), éste, por unanimidad, decidió enviar al camarada Vladimir II, ex-estudiante de Medicina, a sostener larga conversación sobre este tema, a manera de sondeo y con disimulo, con Enrique Alvarez de Manzaneda. Objetivo: averiguar si en realidad el amigo de Víctor Hugo sabe algo de Medicina, ya que a todos les hace creer que sus estudios estaban a punto de concluir cuando tuvo que abandonar España, y en eso se puede estar basando ahora para engañar nuevamente a nuestro camarada.

Ni que decir de que Enrique pasó unas horas de lo más divertidas. El mismo me lo contó, en su afán de que entre nosotros todo quedara siempre contado. Se las olió desde que Vladimir II le tocó la puerta, a qué santos iba a venir a visitarlo un tipo con el cual apenas había cruzado un par de esquivas palabras. Le dio mucha risa, y además, todo era buen pretexto para matar el tiempo, mientras el tiempo... Bueno, lo cierto es que, tras haberle probado a Vladimir II, que de ex-estudiante de Medicina sólo tenía un año de Medicina, que de Medicina no sabía prácticamente nada, con lo cual lo dejó como a gallito de pelea, incurrió voluntariamente en todo tipo de contradicciones, muerto de risa, con lo cual dejó al gallito de pelea convencido de que Enrique Alvarez de Manzaneda de Medicina no sabía absolutamente nada.

—Y ahora arréglatelas como puedas —me dijo, sonriendo—. Pero que a mí no me vengan a joder más.

Me encerré en mi cuarto pensando en todo lo que me esperaba en la próxima reunión del Grupo. Inés insistía en que yo asistiera. Pensaba además en Enrique, pensaba con orgullo en ese amigo que me había perdonado una indiscreción tan grande, y que estando desahuciado se daba tiempo para aceptar tamañas cojudeces y además les sacaba partido convirtiéndolas en risas, bromas y burlas. Pero pensaba también en otra cosa: en mis propios bultitos. Yo había decidido volverme loco un rato cuando Enrique me contó lo de su bultito. Lo logré fácilmente, y logré tocarme hasta cinco bultitos. Ganglios, nada más que ganglios un poquito inflamados, le había dicho para tranquilizarlo (perdonen la palabra). Pero habían transcurrido semanas y los bultitos seguían ahí. Me los estaba controlando nerviosamente cuando apareció Inés.

—Inés, toca; empiezan a no dejarme dormir. Hay que pedir cita con un médico.

—Martín, por favor...

Inútil explicarle que habían empezado como un asunto de solidaridad con el bultito de Enrique. Más inútil todavía pedirle un poco de solidaridad conmigo, ahora, y que por favor jamás le fuera a decir a Enrique que a qué santos se le había ocurrido mostrarle su bultito a un hipocondriaco como yo. Ahí me tenía con cinco bultitos y sin poder dormir, yo no era más que un patético caso de hipocondriaco solidario.

Inés conoció todo mi cuerpo menos aquellos cinco bultitos mágicos y simbólicos que aquí tengo todavía. Y años después, cuando nuestro cariño ya no era más que retazos de todo esto que voy contando, una muchacha bastante miope me señaló los cinco bultitos desde una prudente distancia. Le pregunté su nombre. Octavia, me dijo. Me enamoré imprudentemente de Octavia, mientras le contaba la historia de Enrique con su otro desenlace, el nuestro, el de cómo llegué tarde donde el amigo que tanto me había esperado. Pero era imposible contar esa historia sin que se mezclara con la de mi matrimonio. Y era imposible también no contarle a Octavia la historia de aquel matrimonio.

# OCTAVIA
# ME ESCUCHABA
# ATENTAMENTE

## HABIA DESEADO TANTO ESE MATRIMONIO, OCTAVIA

Lo que le conté era ya un recuerdo. Y ahora, como en aquel recuerdo, creo siempre que todo debe empezar aquella tarde veraniega del 67. Las tensiones en el Grupo continuaban, pero yo siempre me las arreglaba para terminar de una manera u otra en el techo, un lugar en el que Inés y yo olvidábamos a menudo el mundo en el que andábamos metidos. Nos metíamos a la cama, eso era todo.

O mejor dicho, casi todo. De eso me enteré una calurosa tarde de julio, en que unos amigos españoles, recién casados, nos habían invitado a tomar una copa en su departamento del Barrio Latino. Fue la primera vez que vi mi sillón Voltaire, y prácticamente no le hice caso alguno, quién iba a imaginar que algún día esa pareja iba a retornar a España y que yo iba a terminar instalado en el departamento que dejaban, con sillón Voltaire y todo, cómo imaginar entonces lo que aquel sillón habría de representar algún día en mi vida. Sin él, por ejemplo, no estaría contando esta historia. Y en él, también, se la fui contando a Octavia, que me escuchaba tan atentamente.

Llegamos Inés y yo muy contentos. Nos encantaba conocer

gente de otras nacionalidades, y Carmen y Alberto eran la gente más indicada para enseñarnos mil cosas sobre la España de Franco, de la que todo el mundo maldecía y a la que todo el mundo se iba a pasar sus vacaciones. En todo caso, Carmen y Alberto maldecían mejor que nadie, y con conocimiento de causa, a Franco y al turismo, y eso a Inés y a mí nos resultaba más provechoso que las historias que se contaban por ahí.

Pero aquella tarde no salimos nada contentos. Culpa de esta bestia que recuerda, por supuesto, que no entendió a tiempo que la conversación tan en broma que entablamos era, en realidad, una conversación tan en serio. Como todos los recién casados que observan a una pareja aún soltera, Carmen y Alberto nos soltaron la pregunta a bocajarro: ¿Y ustedes, cuándo? Una sonrisa es la respuesta más conocida a esta pregunta, agregándose también muy a menudo, un "pronto", que deja a todo el mundo satisfecho.

—Pronto —dije yo, que soñaba con casarme con Inés.

—De acuerdo con que pronto, pero ¿cuándo? —intervino Inés, inesperadamente.

—Claro, Martín: ¿cuándo? —intervino, a su vez, Alberto, muy inesperadamente.

—¿Cuándo, Martín? —remató Carmen, más inesperadamente todavía.

En el Perú se solía responder: Cuando me den naranjas sin pepas Huando. Pero no crean que yo dije eso, no, tan en broma no me lo tomé, aunque parece que lo que dije fue mucho peor que lo de las naranjas Huando. Dije, simple y llanamente, que mi educación y mi respeto por Inés y por mí mismo me impedían casarme antes de tener una refrigeradora y un perro fino, uno como los que había en casa de mis padres. Creo que el sillón Voltaire me debía estar observando, ya entonces. Y creo también que hasta debía estar comprendiéndome y dándome toda la razón. Mi asunto era bastante simbólico, significaba muchas cosas, en todo caso, significaba por ejemplo que yo deseaba darle a Inés algo mejor que un lugar permanente en un cuartucho destartalado. Y qué demonios, aunque sólo significara que deseaba una refrigeradora para ella, y un perro para mí, no creo que haya nada de malo en eso. Y tampoco creí entonces que ellos lo hubieran tomado tan a mal. Se habían reído con mi respuesta, seguían riéndose, incluso.

Mas al cabo de un ratito, sólo Carmen y Alberto seguían riéndose. Es cierto, yo debí haberme fijado en que Inés no se estaba riendo ya, pero la verdad es que no me di cuenta de nada y me arranqué con una larga descripción de la enorme refrigeradora de casa de mis padres y de lo alegre que era tener un perro que se lanzara del trampolín de la piscina, como en casa de mis padres. Yo quería uno igualito, para sacarlo tres veces al día a cagar en la vereda, delante del edificio, en venganza por la cantidad de veces que un distraído como yo anda pisando caca de perro en París. Yo le daría de comer, yo lo sacaría a pasear, yo lo bañaría todos los sábados (pensé que Enrique podría ayudarme, pero francamente no me atreví a mencionarlo en esa conversación), yo lo abrigaría en los días más fríos del invierno, en París venden unas capitas escocesas que les quedan de lo más graciosas, si el perro es marrón podríamos comprarle una capita a cuadritos verde y...

—¡Vete a la mierda, Martín! —me interrumpió Inés, llorando.

Volteé a mirar la risa de Carmen y Alberto, pero parece que hacía horas que se habían hartado de mi estúpida visión del mundo. Me sentí pésimo, pésimo por Inés y pésimo por mí: no teníamos tanta confianza con aquellos amigos como para soltarles nuestros dramas preconyugales en una de las primeras visitas que les hacíamos. No me quedaba más remedio que arreglar la situación inmediatamente. Renuncio a la refrigeradora, dije, pensando con ternura en el perro.

—¡Vete a la mierda, Martín! —Inés, otra vez.

Renuncié también al perro, en menos de lo que canta un gallo, y con profunda convicción me entregué al tipo de matrimonio que Inés deseara, casi saco lápiz y papel para anotar fecha, hora y lugar. ¡Ah, mi sillón Voltaire! Pensar que desde aquella tarde estuvo allí, pensar que yo ni siquiera me senté en él (Inés se pasó todita la tarde sentada en él), él debería contar estas cosas, aunque también es cierto que me ayuda tanto a contarlas hoy. En fin, la actitud de quien va a sacar lápiz y papel ayudó bastante. Inés paró de llorar, ahora sólo sollozaba, dejando cierta distancia entre un sollozo y otro, aunque a juzgar por las miraditas que me estaban cayendo, el score continuaba 3 a 1. Decidido a alterar tan desfavorable estado de cosas, me arranqué a introducir todo tipo de promesas muy prometedoras, muy factibles, muy maduras, y conducentes todas a distanciar más y más los sollozos de Inés, hasta que uno de ellos fuera por fin el último y pudiéramos pasar a lo de la lista de los invitados o algo así. Francamente, al final se podía obtener cualquier cosa de mí, yo lo deseaba, lo deseaba realmente.

Y se obtuvo cualquier cosa de mí, de un mí feliz, además, porque qué lejos sentía ahora a Inés del espíritu del Grupo, del economista brasileño por el que tiempo atrás se había otorgado un verano de reflexión prematrimonial, qué cerca de mí la sentía, cada sollozo había sido una declaración tal de amor, que ahora era yo el que se moría de ganas de arrancarse a sollozar, necesitaba estar a la altura, acababa de encontrar completita a mi Doña Inés del alma mía, luz de donde el sol la toma, tenía que estar a la altura, en qué más podía ceder, me preguntaba, ¿qué tipo de matrimonio quieres, Inés?, yo por mi parte quisiera un tipo de matrimonio única y exclusivamente entre tú y yo, sin Grupo, podríamos transar en que sea sin el Grupo y sólo con Carmen y Alberto de testigos, eso a cambio de que yo no vuelva a hablar de refrigeradora, de perros, eso a cambio de lo que quieras, casi le prometo no volver a hablar ni siquiera de mí en la vida, un tipo tan bruto, no valía la pena tomarlo en serio, sólo para amar, sólo para amarte siempre, Inés.

Carmen y Alberto decidieron que había llegado el momento de volver a empezar a reírse, de servir por fin una copa y brindar, cómo se ve que no conocían a Inés. Ella se lo había tomado todito en serio, hasta lo del lápiz y papel que yo no había sacado, pero que ahora...

—Saca lápiz y papel, Martín.

El primer invitado fue el Grupo entero. Lógico. Aun antes que Carmen y Alberto que estaban ahí con nosotros. El último fue Enrique, con la condición de que no hablara de su bultito. Enrique hablando de su bultito, pensé yo, cuándo se ha visto eso, cuándo en la vida se va a ver eso. Pero no pude protestar, aunque hubiese querido protestar no hubiese podido: desde que Inés habló de Enrique yo ya tenía cinco dedos obsesionados sobre mis cinco bultitos.

—Inés, ¿tú no crees que antes del matrimonio deberíamos consultar con un médico? Yo pienso que estoy moralmente obligado...

—Martín, *por favor.*

Carmen y Alberto se estaban matando de risa del matrimonio que se iba a armar entre Inés y yo. El asunto, para ellos, me lo dijo un día Alberto, era una especie de boda entre el Gatopardo y la Pasionaria, algo extraordinariamente divertido, salvo que resulte todo lo contrario, claro. Bueno, pero seguíamos con el lápiz y el papel, y las copas que Alberto había servido para brindar continuaban calentándose. Por supuesto, aclaró Inés, nada de matrimonio religioso entre dos marxistas.

—Vas a matar a tu mamá de un disgusto, Inés. Es lo más católico que hay en la tierra. Se entera y se muere.

—La tuya también es católica.

—La mía, con tal de que el matrimonio no sea en Lima y de no tener que hacer partes e invitaciones, feliz; aunque nos case Fidel Castro.

—Matrimonio civil, Martín, y punto.

—Pero nos vamos a quedar sin regalos de la familia; piensa que son los mejores casi siempre, Inés.

—No me digas que vas a empezar otra vez con lo del perro y la refrigeradora.

Casi le digo que no, que por supuesto que no, casi le digo que habría abdicado a un trono por su amor, pero entre que ya me estaba acostumbrando a guardarme el humor para el círculo de mis amistades, como dicen en Lima, y entre que lo del matrimonio civil o religioso me daba exactamente lo mismo, sobre todo ahora que ya habíamos pasado sobre el cadáver de nuestras respectivas madres, opté por renunciar a todo lo que tuviera que ver con la religión y con la familia, lo cual para mí significaba ante todo perderme muy buenos regalos. Y así fue, en efecto, con los siguientes efectos: la madre de Inés casi muere, acompañada por lo menos por la mitad de su familia. Mi madre, en cambio, dijo: Hacen bien, porque a Dios no se le engaña, aliviadísima de pensar que no iba a tener que ocuparse de nada, y según me cuentan, se sirvió otro whisky. Un tío, que yo creí menos bruto siempre, dijo que Martincito no tenía un pelo de tonto, que sin duda había embarazado a Inés, ya ustedes saben lo que es París, y que se casaba sólo civilmente, para luego, cuando lo deseara, sacársela de encima, en vista de que Inés era hija de inmigrantes, y casarse con la muchacha que le corresponde, no tiene un pelo de tonto Martincito. Fue la única vez en mi vida que soñé con ser guerrillero, realmente quise integrarme a fondo al Grupo, integrarme hasta llegar a ser Director de Lecturas o algo así, pero no lo logré. Y es que a veces los del Grupo resultaban ser más brutos que mi tío (gatopardo, me decía Alberto, matándose de risa). Dos últimos efectos que recuerdo: Una carta de un hermano cura de Inés, dirigida a "la prostituta de Occidente". El único atenuante de Inés era el de haber sido muy probablemente corrompida por uno de esos tipos que, llamándose escritor, camuflan a un comunista, a un ateo, y a un pecador. Inés le respondió como es debido, entre mis brazos, y sin soltar una sola lágrima. Del alma mía.

El último efecto, ahora: un gran regalo de mi madre, un fabuloso juego de té comprado en Viena por mi bisabuelo, plata de la que ya no hay, precio de lo que no tiene precio. Me lo regalaba con toda el alma, con la condición de que jamás fuera a vender esa joya familiar, y no me lo enviaba porque sabía muy bien que yo era muy capaz de vender esa joya familiar. Mejor, me dije, pensando que Inés me habría criticado por andar poseyendo podridas antigüedades, como si no me bastara con pertenecer a una familia podrida, y porque en efecto lo habría vendido y me habría gastado la plata en juergas en España o algo por el estilo, era mejor evitarle esa pena a mi madre. Lo poco que conoce uno siempre a su madre, y lo mucho que conocen las madres a sus hijos. La mía, en todo caso, me había conocido siempre una gran generosidad. Por lo menos así lo afirmaba en la carta en que me contó que había vendido mi juego de té porque cada día está más cara la vida en Lima, Martín, el precio del whisky y del champán está realmente por las nubes, hijito. Y te beso con todo mi amor.

Por fin brindamos por la flamante pareja que será, y por fin sonrió Inés. Inés no solía sonreír cuando yo hacía una broma, más bien solía sonreír cuando yo estaba muy serio. Y durante el brindis lo estuve, un poco por emoción, pero también porque sólo Carmen y Alberto iban a ser nuestros testigos, lo cual en resumidas cuentas quiere decir que yo había cedido en que Enrique no podía serlo. Fui muy compungido a explicárselo, mi afecto por él y la situación en que se hallaba me obligaban a entrar nuevamente en esos tristes detalles. Enrique me escuchó con una sonrisa bastante irónica, comprendía, comprendía, no tenía por qué preocuparme. Lo que me dio una rabia terrible fue que me hablara todo el tiempo con la cara pegada a su espejito, tocando y mirándose su bultito. No me dejaba sitio para que yo me mirara mis cinco bultitos.

Durante el examen médico que tuvimos que pasar, entre los trámites previos a la boda, aproveché para hablarle al médico de ese problema para mí tan importante. Son cinco bultitos, le dije, delante de Inés, que con un buen guiño de ojos al médico, me redujo en edad y estatura. El médico pactó con Inés, pero no tuvo más remedio que comprobar que sí existían, aunque añadiendo que no eran más que unos ganglios ligerísimamente inflamados, nada de cuidado, señora. ¡Existen!, grité yo, feliz, mientras una mirada de Inés reducía al médico a su época de colegial. Pero eso a mí qué diablos me importó. Existían, existían, casi vuelvo a gritar que existían, pero preferí callarme porque a veces callándome lograba recuperar solito mi edad y mi estatura.

La pareja que será fue muy feliz en los días que precedieron

173

a la boda. Una pareja amiga nos iba a ceder un departamento en un lugar privilegiado, bastaba con tener un poquito de cuidado con la dueña porque era un poco rara, bueno, bastante rara, pero con no hacer ruidos latinoamericanos todo iría bien. La pareja que será iba al cine y al teatro todos los días, se amaba en mi techo, reía y se amaba por las calles del Barrio Latino, frecuentaba amigos, asistía a fiestas, la pareja que será se amaba, la pareja que se amaba se amaba, Inés se había convertido en algo así como la mejor mamá que tuve en mi vida, yo en el hijo más travieso y delicioso del mundo, un niñito con algo del Julius de la novela que tiempo después escribiría Alfredo Bryce Echenique. Y por calles y plazas, yo, que siempre había soñado con casarme con Inés, la observaba por el rabillo del ojo, la observaba preguntándome cómo podía uno casarse con un sueño, ¿no era ésta, acaso, otra de esas situaciones exageradas que a mí me tocaba vivir?

## EXAGERANDO UN POQUITO SE PODRIA DECIR QUE EL DIA DE LA BODA DURO HASTA EL DIA EN QUE SE ROMPIO EL MATRIMONIO

Y el haber durado así, de esa manera, fue tal vez lo más alegre y hermoso que tuvo aquella relación destinada a un triste fracaso. Aunque claro, eso, todo eso, sólo lo supe al final y aun después del final. Para mí hay una prueba de tipo medio simbólico, medio mágico, de la importancia que le di a ese paso tan importante en la vida de un hombre, para decirlo de alguna manera. En vez de comprarme un terno nuevo, pensé inmediatamente en un viejo terno color plomo, con el que me había enfrentado a otros pasos importantes en la vida de un hombre. Lo había usado en Lima cuando me gradué en Letras y cuando me gradué de abogado. Las dos veces salí airoso y las dos veces sentí que el terno había tenido muchísimo que ver en el asunto. En la graduación de abogado, en todo caso, creo que me salvó la vida, porque la verdad es que yo de Derecho sabía lo que puede saber un terno plomo de Derecho, más o menos. No podía fallarme en esta nueva ocasión, por tercera vez me traería suerte.

Pero no fue así, y examinando las cosas, años más tarde, comprendí dónde estuvo mi error. Una graduación dura algunas horas, es cosa de un día. Mi matrimonio en cambio era para toda la vida, y por consiguiente, si yo deseaba que la suerte durara y durara, habría tenido que usar ese terno siempre, habría tenido que asistir de color plomo y bien encorbatado hasta a las reuniones del Grupo, por ejemplo. Y el pobre andaba bastante viejo ya, no contenía muchas jornadas más de buena suerte. En fin, habría que buscarle alguna explicación a las cosas por ese lado, no sé.

Lo que sí podría jurar es que no me toqué los bultitos a lo largo de toda la ceremonia, y a lo largo de toda nuestra luna de miel en España. Y juro también no haberlos ni siquiera mencionado y haber emprendido una verdadera cura de olvido con respecto a ellos, por cariño a Inés, que realmente me ayudaba mucho porque nuestras noches de amor eran buenas y tiernas y me dejaban lo suficientemente cansado como para quedarme dormido hasta cuando me ponía a pensar en los bultitos en los que no debería pensar jamás. También el hecho de su existencia real, médicamente comprobada, y el de su no gravedad, ayudaron a que poco a poco se fueran convirtiendo en algo tan mío y tan normal como cualquier otra parte de mi cuerpo. Es cierto que yo hubiera deseado que Inés aceptara su existencia, y sobre todo su origen, por ser parte de mi personalidad compleja y profundamente solidaria, pero tampoco se le podía exigir a la pobre cosas que escapaban por completo a su visión nada hiper del mundo y del destino del hombre de carne y hueso. Inútil. Inés le llamaba pan al pan, vino al vino, y a mis cinco bultitos les llamaba cojudeces de Martín Romaña.

Yo traté de casarme lo más en serio que pude, pero desgraciadamente el asunto tuvo mucho de absurdo desde el comienzo. No me reía por respeto a Inés, que había aparecido bellísima con un traje de novia civil, morado y bordado en plata como para procesión del Señor de los Milagros, en Lima, y minifáldico *avant la lettre* hasta el extremo de que algunos de los novios que esperaban turno con nosotros soltaron un dudosísimo *sí*, cuando les llegó el momento. A mí se me paró ipsofacto, por culpa de Henry Miller. Permanecí lo más civil que darse pueda, a lo largo de toda la ceremonia, pero repito, era difícil no reírse. El alcalde, o quien fuera que nos casó bien de azul marino y con su banda a lo presidencial, o era loco, o estaba borracho, o estaba chocho. Lo cierto es que el viejo se arrancó con un discurso interminable, realmente interminable, era un orador frustrado el viejito, y como con un solo discurso tenía que casar a varias parejas, se soltó uno que durara como varios discursos seguidos. Y dale con lo de la larga marcha, la larga marcha por aquí y la larga marcha por allá, teníamos que comprender, estábamos a punto de emprender una larga marcha ¿sabíamos acaso lo que representaba?, ¿sabíamos acaso lo que era una larga marcha?

Los del Grupo empezaron a impacientarse porque ese viejo de mierda representaba a un gobierno capitalista, y la larga marcha era propiedad privada de Mao Tse-tung, la de Mao sí que había sido una larga marcha, viejo cojudo. Pero el viejo seguía, a él qué le importaba que la gente anduviese pensando que ya era hora de casarnos a todos, de dejar que cada pareja y sus invitados se largasen a su casa a festejar. Pero el tipo siguió y siguió y hasta se detuvo un rato en una pareja que a los setenta y tres años había decidido casarse. Bueno, les dijo, para ustedes la marcha no será tan larga, tal vez sea corta, incluso, pero de todas maneras será una marcha... Qué tal viejo de mierda, por Dios.

Y hablando de Dios, debo decir que nunca he visto nada más religioso que un matrimonio civil en Francia. Para empezar, el sermón: igualito que en la iglesia le pegan a uno un susto de la madona, lo llenan a uno de consejos. A mí siempre me han gustado los consejos, pero entre amigos, de uno en uno, y en voz bajita. No sé, un consejo es algo fácil de seguir, pero si me sueltan toda una recatafila de consejos creo que termino por cerrar los oídos y hacerme el loco, imposible cumplir con tanto buen propósito a la vez, no se puede dejar de fumar y de beber al mismo tiempo, por ejemplo. Otra cosa: el local. No digo que fuera iglesia, pero sí lo que más se le parece. No era iglesia, era templo: ahí está, ya di, era un verdadero templo, con su altar, su oficiante, sus bancas, su colecta para las obras de la alcaldía, en vez de la parroquia, en fin, una ceremonia religiosa en la que sólo Dios brillaba por su ausencia y eso sólo porque la república burguesa modelo 1789, como tantas otras que la imitaron, se pasó de la iglesia al templo el día en que a Dios se lo cargaron unos cuantos filósofos, conservando de Él tan sólo sus aspectos más prácticos, y el día en que al pobre Luis XVI también se lo cargaron, por haber andado gobernando por derecho divino y cosas así, aunque conservando también la república esa diversos aspectos prácticos de sus prácticas, más algunos refinadísimos sobrevivientes que hablan un francés delicioso y que se gastan unos apellidos tan largos que a menudo a los extranjeros nos resulta imposible retenerlos.

Pero a Inés no le hice notar nada de eso, para que gozara con el más civil de los matrimonios posibles, de acuerdo con sus más profundas convicciones. Tampoco lo notaron los muchachos del Grupo ni la mayor parte de los invitados, aunque Carmen y Alberto me lo comentaron en más de una ocasión. Recuerdo incluso que en una oportunidad pensé enviarle a la madre de Inés una foto de nosotros en el templo, explicándole, para tranquilizarla, que a último momento Inés había cedido y había optado por una iglesia. Pero el temor a intranquilizar a

Inés fue mucho más fuerte que mi deseo de tranquilizar a mi lejana y dolida suegra. Ese era el tipo de bromas y/o mentiras piadosas que Inés no soportaba, a ella le gustaba la pura y terca verdad.

Salimos del templo seguidos por nuestros numerosos invitados, juntos pero no revueltos. Carmen y Alberto nos rodeaban con permiso del Grupo, porque éste tenía sobre ellos la noble sospecha de que pertenecieran a un Grupo equivalente español. Los amigos sospechosos de indiferencia política, de idioma imperialista, o de haber sido invitados por mí y no por Inés y yo, formaban un pequeño grupo algo periférico, detrás del cual se escuchaba a gritos la voz de Carmen la de Ronda entre la comitiva del techo, a la que hasta Nadine se había unido. Fue la primera vez que la vi con el tipo de la capa negra por fuera y roja por dentro. Permanecían también algo en la periferia y, más allá, sereno y sonriente como si tuviese su vaso de leche en la mano, Enrique se paseaba por los extramuros. Había llegado la hora de irse a brindar a alguna parte, juntos pero no revueltos, ya que nuestro tren a España partía recién en la noche. La gran fiesta quedaba para el regreso y, además, sólo iba a poder ser de a poquitos.

Increíble pero cierto, la fiesta tenía que ser de a poquitos. Así lo había decidido, porque en París uno decide muy pocas cosas, la propietaria del departamento en el que íbamos a vivir. Cuando le contamos que lo alquilábamos porque nos íbamos a casar, lo primero que nos preguntó es que si pensábamos hacer algún tipo de fiesta. Claro, le dijimos, explicándole que pensábamos venirnos de la alcaldía a casa con todos nuestros invitados. Nones, dijo, la futura malvada, este departamento queda en noveno piso y se puede hundir con tanta gente. Inés trató de aplicarle una de sus miradas empequeñecedoras, pero la futura malvada, aparte de que ya era bastante enana, sólo me miraba a mí, que ya me estaba deshaciendo en concesiones a cambio de una vida pacífica en nuestro futuro nido de amor. La verdad es que la arpía nos sorprendió aquella vez, a mí porque jamás habría podido imaginarme una organización tan increíble para una fiesta de bodas, y a Inés por la misma razón y porque la malvada era tan mala que ni capacidad tenía siquiera para captar la serenidad de bulldózer con que Inés miraba a los seres infectos. Esa fue mi desgracia, porque desde aquel día la vieja sólo me maltrató a mí, y porque Inés decidió nunca más hacerle caso, ni siquiera con una mirada, al abominable mundo de la futura malvada. Madame Labru decidió, pues, que nones, que todo el matrimonio que quisiéramos, en la alcaldía, pero que luego sólo dos parejas cada sábado, en la fiesta a poquitos, porque con más gente se le hundía su casa. Decidió que dividiéramos a nuestros invitados en grupos de a cuatro, que los invitáramos con la condición de que se quedaran sólo hasta las nueve de la noche, y que cuando termináramos con la celebración partiéramos donde nos diera la gana en viaje de bodas, avisándole eso sí, porque ella no estaba dispuesta a permitir que nos escapáramos sin pagarle el último mes. Sí, de último mes se trataba, porque dividiendo a los invitados teníamos matrimonio para varios meses. Ya decía que el día de mi boda duró casi tanto como el matrimonio en sí. Haciendo un gran esfuerzo, destinado más que nada a probarle a Inés que sólo ella me reducía en edad y estatura, transé con la vieja en que primero haríamos nuestro viaje de luna de miel, y después, *sólo después*, recalqué valientísimo, al ver que iba aceptando, *sólo después* haremos nuestra fiesta, señora, y siempre con mucho cuidado de expulsar a los cuatro invitados a las diez de la noche, a las nueve, me corrigió el monstruo, a las nueve, me corregí yo, y ya obedientísimo le aseguré que vería la manera de reforzar el piso para que no se le vaya a hundir el edificio, señora. Inés me sacó de las orejas.

Nos quedamos pues sin fiesta el día de la boda, pero la verdad es que cualquier café podía resultar apropiado y alegre para tomarnos unos tragos, comer unos sándwichs, y para que la boda pareciera fiesta. Así opinaban todos. Pero a mí de pronto se me quitó el buen humor. Todavía lo recuerdo. No era odio por la vieja malvada ni nada de eso, porque bien contentos que íbamos a estar esa noche rumbo a España. Era otra cosa, algo que sin duda tenía que ver con mi perro fino, en fin, con mi educación privilegiada, algo que nadie ahí comprendía porque en eso consiste el haber sido educado en colegios de niños bien, cuando se tiende más bien a ser un niño mal. Consiste en darse cuenta de cosas que nadie ve, cosas como la pobre Inés ahí tan linda, con su traje que realmente le quedaba tan lindo, pobre, pobrecita, porque debajo de sus ideas, de su terquedad, de sus miradas, de su indiferencia por los placeres burgueses de la vida, debajo de todo eso era una muchacha emocionada, tiernamente sonriente, graciosamente peinada, que había deseado contraer matrimonio con Martín Romaña. Y Martín Romaña la estaba mirando sin que nadie se diera cuenta, la observaba, la adoraba, la veía consciente del día que estaba celebrando con él, consciente del paso que estaba dando con él, segura de su boda, caminando hacia un café cualquiera con ese traje que no era para un café cualquiera y ese sueño cumplido que ni era un sueño cualquiera ni era tampoco para un café cualquiera. Martín Romaña siempre recuerda que Inés parecía más alta, más delgada, más delicada, recuerda que estaba más bonita que nunca, realmente radiante, y que avanzaba hacia un café cualquiera con cara de estar *tan* enamorada. Martín Romaña hubiese querido regalarle un perro muy fino, la hubiese cagado, claro, llevarla con sus amigos al mejor restaurant de París, no le bastaba con verla avanzar rodeada de amigos, con su bouquet en la mano, buscándolo con la mirada, sonriéndole, llamándolo con ojos que no amenazaban una de esas bizqueritas con las que en las reuniones del Grupo había empezado a mirarlo cuando él se ponía insoportablemente preguntón, llamándolo con miradas sonrientes, miradas para ti, Martín, entre toda esta gente que a veces nos separa tanto, toda esta gente entre la que hoy estamos tan unidos, Martín, acércate, acércate, avancemos juntos hacia cualquier café.

Pero yo, las huevas, no me quería acercar. Lo que quería era que me diera una rabieta o algo así, y no cesaba de repetirme que era un tipo cualquiera porque a esa chica que avanza feliz ahí no soy capaz de llevarla más que a un café cualquiera, por qué no me educaron en un colegio cualquiera, carajo. Claro, el pelotudo de Hemingway se lo trae a uno de las narices a París con francesitas tipo *éramos tan pobres y tan felices,* gringo cojudo, cómo no se te ocurre poner una nota a pie de página destinada a los latinoamericanos, a los peruanos en todo caso, una cosa es ser pobre en París con dólares y otra cosa es serlo con soles peruanos, es casi como la diferencia esa que dicen que hay entre un desnudo griego y un peruano calato, qué pobres ni qué felices ni qué ocho cuartos, mira a esa muchacha que avanza ahí hacia un café cualquiera, ella está feliz, sí, eso es cierto, ella está feliz pero yo sólo estoy pobre. Ya se me estaban viniendo las lágrimas a los ojos y todo eso, pero no podía evitarlo, seguía pensando en Hemingway y en su *París era una fiesta.* No era la primera vez que me ocurría, cuántas veces había tenido ya esa misma sensación al leer esas páginas tan hermosas sobre París, vinos blancos y ostras que traen el sabor del mar mientras una muchacha entra a un café en el que uno está escribiendo un libro genial, cargado de ternura, cargado de pasión, y la muchacha pura sonrisa que a mí nunca nadie me ha sonreído cuando me he ido de Hemingway con mis sindicatos pesqueros, por ahí, a cualquier café, o al mismo café de Hemingway allá por la Place Saint-Michel, íntegras se me venían a la cabeza las páginas con el barbudo gris escribiendo palabras como guijarros frescos recién sacados del arroyo, palabras frescas como el vino y el mar que golpea exquisito nuestro paladar desde unas ostras, mientras la muchacha se sienta y el amor por ella pasa del lápiz al papel y después van a conversar o algo así o ella va a ser correcta y sonriente porque él es un caballero y sabe que ella espera a otro, y entonces alguno de los dos, él porque ya se tragó sus ostras y escribió su página, o ella porque ya llegó el amigo que esperaba, o los dos porque parten al mismo tiempo, llaman al mozo que se llama Ferdinand o Pierrot y el mozo se les acerca y los trata a cada uno por su nombre, caballero amable que conoce a sus parroquianos, pero lo cierto es que yo, Martín Romaña, el cualquiera que está entrando a un café cualquiera con Inés, que alguien se atreva a llamarla una chica cualquiera y lo mato varias veces, yo me he pasado años sentado en un mismo

181

café y jamás supe cómo se llamaba el mozo ni el mozo supo ni le importó un comino cómo me llamaba yo ni me dejó siquiera una noche tomarme unita más, la del estribo, *monsieur*, porque me era tan necesario quedarme un rato más en algún lugar como ésos, limpios y bien iluminados, de que hablaba también Hemingway, con la diferencia de que éste no estaba limpio, siquiera, con la diferencia de que yo nunca logré quedarme ni beberme unita más, con la diferencia de que me dijeron cerramos y punto, ni siquiera cerramos, señor, me dijeron... Mierda, por qué no escribo sobre estas cosas, por qué sigo siempre atado a mis sindicatos pesqueros, por qué mierda no escribo una novela que empiece con un tipo que vive en París, que está sentado en un café de París, leyendo un libro de Hemingway sobre París, y que de pronto siente un profundo deseo de irse algún día a vivir a París con su novia Inés o algo así...

Vi que ya habían entrado a un café cualquiera, me sentí más que nunca un tipo cualquiera, sentí que París era una ciudad cualquiera, y en fin, que todo ahí era algo cualquiera, menos Doña Inés del alma mía, luz de donde el sol la toma. Muchachos, dije, al entrar, no voy a pronunciar un discurso porque sería un discurso cualquiera. Nadie me entendió. Muchachos, dije, acercándome al mostrador, no toquen a Inés con esas manos cualquieras, ya sé que se dice cualesquiera, pero yo hoy hablo como un tipo cualquiera, no la toquen porque se les van a caer los dedos. Nadie me entendió. Y nadie me entendió tampoco cuando en vez de aceptar ese vino cualquiera que me estaban sirviendo, grité:

—¡A mí que me den del más barato! ¡Inés y yo somos muy pobres y muy felices!

Se lo tomaron como una broma cualquiera.

## DE NUESTRO VIAJE DE BODAS, DEL UNICO CUENTO QUE ESCRIBI EN MI VIDA, DE COMO CON MUCHA SUERTE SE SALVO PORQUE EN EL SE HABLA PRECISAMENTE DE ESE VIAJE, DE BIZQUERITAS EN ESPAÑA, Y DE COMO Y POR QUE, TRAS HABER SENTIDO QUE ME ESTABA VOLVIENDO LOCO, DECIDI URGENTEMENTE VOLVERME LOCO UN RATO EN CADIZ

Inés dormía apaciblemente en su litera de segunda clase, mientras yo despertaba muy poco apaciblemente en la mía. Fue cosa de abrir los ojos, de volverlos a cerrar arrepentidísimo, de sentir implacables ganas de orinar, de tambalearme entre caóticos recuerdos que me impactaban como verdaderas imágenes, de hundirme entre desordenados fragmentos de imágenes que me obligaban a regresar irremediablemente a la noche anterior, todo al mismo tiempo. La borrachera había sido grande, mi borrachera, quiero decir, y había llegado a su punto culminante conmigo literalmente arrastrando a Inés hacia la estación de Lyon, de donde partiríamos a instalarnos para siempre en Perugia, y con Inés logrando llevarme ayudada por los invitados hasta la estación de Austerlitz, de donde salía nuestro tren a España, metiéndome luego cargado y con todo tipo de promesas de un futuro viaje a Italia, a una litera inferior. Sí, inferior, porque aun cuando pierdo totalmente los estribos mantengo incólume mi deseo de no molestar a nadie y escojo siempre la litera inferior, entre otras cosas porque no hay que andar pisándole la cara a nadie a medianoche si uno desea bajarse para ir a pegar una meada, por ejemplo. Que me pisen a mí la cara, en la madrugada, o que el tren pegue un salto y se me clave un golpe

183

de rueda o un amortiguador en los riñones, ya es otro problema. Yo, en todo caso, no he molestado a nadie.

O sea que ahí andaba sintiéndome a la muerte, aunque algo más tranquilo ya, por hallarme en una litera inferior, y contemplando a Inés dormir el sueño de los que se acuestan con fe de carbonero. Lo bien que dormía hasta en un tren. Nunca la amé y la odié tanto al mismo tiempo, y nunca me odié tanto al mismo tiempo, también, esto último por todo lo que había hecho antes de nuestra partida, el día mismo de nuestra boda, qué bárbaro, qué bestia. Y sin embargo, no sé, ahí medio muerto lograba incluso cierta serenidad, a pesar de las ganas espantosas de orinar, pensando que en el fondo ella habría comprendido el oculto mensaje que portaba mi borrachera a gritos, algo tenía que haber captado, por más mágico y simbólico y parapsicológico que hubiese sido mi rechazo a partir con ella a España, algo tenía que haber comprendido. Ojalá. Me fui a mear sin molestar a nadie y pensando que no me quedaba más remedio que esperar que Inés se despertara para conocer con exactitud sus reacciones. Lo único que me iba a costar trabajo explicarle, si me lo preguntaba, era lo del taxi...

Uyuyuy, recién se me vino a la memoria lo del taxi, un asunto rarísimo. Me había escapado del café en el que andábamos celebrando la boda, le había pedido a un taxista que me llevara al aeropuerto, a medio camino le había dicho que me regresara a París porque prefería viajar en tren, y cuando se negó a gritos, diciéndome que si estaba loco o qué, prácticamente lo asalté. Me quité la corbata, se la pasé por el cuello, reteniendo cada extremo con una mano y presionando con el pie en el espaldar del asiento. Yo recordaba haberle dicho que me llevara a la estación de Lyon, pero lo cierto es que para mi asombro y el de medio mundo, reaparecí con un taxista, poco ahorcado, es verdad, pero francamente aterrorizado, ante la puerta del mismo café. Horas duraron las explicaciones de los invitados destinadas a calmar al taxista que, por fin, terminó bebiendo con los recién casados y brindando por el más grande loco que había conocido en sus años de chofer. Todo quedó aclarado para los del Grupo: Yo era el de siempre, unas cuantas copas bastaban para que me arrancara con todo tipo de extravagancias en cuyo fondo se podía ver muy nítidamente las frustraciones de un niño bien que se negaba a renunciar a su pasado: me habría gustado llevarme a Inés de luna de miel al paraíso, en avión, y en primera. Pero nada quedó aclarado para mí: ¿Cómo diablos había aparecido en el café nuevamente, si en mis recuerdos me veía clarito dirigiendo al taxista constantemente hacia la estación de Lyon? Otros se llevan secretos a la tumba, yo me llevaré este misterio.

Oriné pensando en lo extraña que puede ser la vida, a veces, y regresé al compartimento soñando con que Inés estuviese ya despierta para contarle que magia y misterio nos unirían para siempre, y porque aliviado tras la meada me sentía con ganas de ponerme a quererla como loco en su litera. Nada. Dormía con un sueño que tenía cara de seguir igualito hasta la frontera. Iba a ser horrible tener que esperar hasta España para que me perdonara todas las fechorías con que había estado a punto de arruinar los festejos de una boda tan seria, tan llena de principios, sin claudicaciones, una boda a la que ella había llegado feliz, preciosa con aquel traje morado, sonriente, tierna, alcanzando algo que hay que alcanzar en la vida, excitadilla, emocionada, *tan* enamorada de esa bestia que era yo. Ahora dormían aquellas emociones, reposaban aquellas sensaciones, respiraba tranquilo aquel lado realmente bonito de nuestra vida. Inés dormía mientras yo no lograba ni siquiera volver a cerrar los ojos, sin que se me ocurriera nada bueno, ninguna idea positiva. Busqué y busqué y la miré mucho dormir y me alegró tanto quererla y que fuera tan joven y tan bonita y que hubiera llegado tan sonriente y alegre a la alcaldía. Pensé que aquellos momentos eran ya irrepetibles, pensé que era un reverendo imbécil en andar con cosas así en la cabeza mientras ella seguía unida por el reposo a aquellos momentos, tranquila, segura. Sentí que sobraba en ese vagón y que sólo me quedaba una cosa digna por hacer: no molestar. O sea que me fui a fumar mi cigarrillo afuera, esperando por la ventana del pasillo que se acercara España.

Fue otro viaje al sur, otro viaje difícil al sur, y ahora, evocándolo, he recordado el cuento que una vez escribí sobre él. No sé cómo se libró del basurero al que fueron a dar tantas otras tentativas... Mientes, Martín Romaña: aquel cuento fue lo único que escribiste después de la enorme novela sobre los sindicatos pesqueros. Lo escribiste gracias a Octavia de Cádiz: vivías asombrado con ella, acababas de conocerla, fue ella también la que te impidió romperlo. Recuerda bien y anota la verdad. Aquella porquería de novela te convenció de que te habías traicionado, de que ya no podías escribir, de que un hombre que se traiciona a sí mismo ya no se vuelve a encontrar. Anota también que guardaste la novela y que aún la conservas porque releyéndola solías acercarte de nuevo a los personajes de tu techo, a gente que habías dejado de ver por completo. Poco a poco se habían ido marchando todos, cambiando de barrio, de vida, de país, y a veces, cuando subías en busca de algo que no sabías bien qué era, algún obrero, estudiante, o algún bicho raro, abría su puerta y te preguntaba si buscabas a alguien.

Entonces regresabas a tu departamento y sacabas el manuscrito sobre los sindicatos pesqueros y en él redescubrías a los seres que tanto te marcaron cuando vivías en aquel techo ya poblado por nuevos estudiantes, por otros obreros, por alguno que otro vietnamita. Recuerda incluso cómo uno de los camaradas del Grupo se interesó por aquellos vietnamitas y subió lleno de esperanzas en algún tipo de internacionalidad militante. Te matabas de risa oyéndolo hablar desconcertado con unos tipos que sí eran de Hanoi, que sí comprendían su interés por aquella guerra inmunda, que sí pensaban regresar a su patria algún día, pero que entonces simplemente eran estudiantes de Química a los que todo lo que no fuera Química les importaba un repepino. Te cagaste de risa al comprobar que el camarada no lograba entender por nada de este mundo que también los pueblos heroicos necesitan de algunos no héroes para cuando empiece todo de nuevo, después de la guerra.

Y aquel cuento titulado *Bizquerita de Inés y locura de Martín en Cádiz* lo escribiste porque a menudo, mientras te escuchaba hablarle de tu matrimonio, mientras te escuchaba contar tu misma historia, Octavia te suplicaba que algún día hicieras nuevamente la tentativa de escribir. Escribir no te costaba trabajo, a ella le habías escrito cartas muy lindas, pero para ti un hombre que se había prestado a escribir un libro prácticamente por encargo, por más atenuantes que le encontraras, por más que Inés y·que el Grupo y que lo que quieras, un hombre que había hecho eso no había sido ni sería jamás un escritor. Y mírate ahora, sentado en tu Voltaire, con el cuaderno azul llenándose de frases, tomando conciencia de lo caro que pagaste aquel pecadillo de amor y juventud, soñando con mostrarle algún día este cuaderno azul, ya ni siquiera a un editor, que eso ya se acabó, sólo a algún buen amigo escritor, tienes varios amigos escritores en París, Bensoussan, Ribeyro, Saint-Lu... Podrías acudir también donde Bryce Echenique, que vive cerca, aunque mejor con ése no te metas, entre tu incapacidad de molestar y la facilidad con que él se molesta... Increíble, hay quienes piensan que ese tipo es un humorista, pero lo cierto es que vive permanentemente furioso y gritando que anda siempre muy ocupado, cuando en realidad lo que está es siempre muy preocupado...

Sí, ese cuento lo escribiste por darle gusto a Octavia y fue también ella quien lo salvó del basurero. Y ahora sácalo, reléelo, y sufre pensando que a lo mejor también ella te ha perdonado siempre todo, recuerda cómo al leerle el cuento te decía que le encantaba, ¿no sería, a lo mejor, pura coquetería por aquel personaje que llevaba su nombre, y que era, para tu asombro, ella? Vamos, relee.

## BIZQUERITA DE INES Y LOCURA DE MARTIN EN CADIZ

Como Hemingway, Martín Romaña había amado y recorrido con pasión España e Italia, y aunque en este país también se sintió particularmente atraído por la belleza herida de Venecia, con su destino de hundimiento y lo que sobre ello se decía y escribía, aquellas otras ciudades, que a menudo habían sido repúblicas, lo vieron llegar en más de una oportunidad con Inés, o rodeado de amigos, explicando por qué se sentía tan entusiasta, y por qué, con excepción de Mantegna, todas le gustaban tanto. Pero sus primeros vagabundeos habían sido españoles, y con Inés casi siempre a su lado. Normalmente se alojaban en pensiones muy baratas y hacían el amor sobre colchones muy incómodos, pero aquellos eran todavía los tiempos en que el calor de sus cuerpos era más fuerte que el calor del verano en aquellas habitaciones, y por la fuerza con que se amaban les era tan agradable dormirse abrazados después.

Durante su viaje de luna de miel, se permitieron el lujo de jugar cara o sello una moneda al mejor o peor hotel de cada ciudad. Y cuando perdían, lo cual quería decir una semana entera ahorrando al máximo en la comida, la recompensa era una habitación con baño y aire acondicionado y esas interminables noches de amor en las mejores condiciones higiénicas y climatológicas. Cáceres y Ronda eran sus ciudades favoritas, pero Martín recordaba muy especialmente Algeciras, por el boleto que compraron para cruzar al Africa, y que luego, en el momento de embarcarse, arrojaron al mar, porque para qué iban a meterse en continentes o países nuevos si la estaban pasando tan bien en España. Minutos más tarde, Martín le propuso a Inés, saltando y abrazándola como loco, quedarse a vivir para siempre en España, jurándole que se había olvidado por completo de

Perugia. Pero ella le respondió que por nada de este mundo pensaba quedarse a vivir en un país que gobernaba un tipo como Franco. Tras media hora de caminata silenciosa por el puerto donde habían arrojado los billetes al mar, Inés le sugirió visitar Cádiz.

No hicieron el amor en Cádiz. Al llegar, Martín había sugerido cara o sello para lo del hotel más caro o más barato, pero Inés prefirió escoger esta vez un hotel de tipo medio, un sitio no muy caro pero donde pudiera tener una mesa y un ventilador porque quería trabajar un poco. No quiso ir a la playa, no quiso comer los chipirones del Hotel San Francisco, y no quiso leer las novelas de Pío Baroja que un amigo vasco le había regalado cuando pasaron por San Sebastián. Cuatro días después, seguía concentrada en las obras escogidas de Marx que se había traído de París.

—Podrías traerte uno de los dos tomos y leerlo en la playa, Inés.

—No se puede leer a Marx en la playa. No me preguntes por qué, pero no se puede. Agarra los Barojas y llévatelos a la playa, si quieres.

Martín le notó la bizquerita. Le quedaba tan linda que hasta parecía asunto de coquetería. Pero en España esa bizquerita no debió existir nunca; era más bien un asunto ligado a París y a absurdos problemas surgidos allá con los miembros del grupo político en el que militaban. Habían decidido que Enrique, un gran amigo español de Martín, era muy probablemente un policía de civil, y últimamente gigoló, además. Martín agarró cualquier libro de Baroja y se largó a la playa.

Y en esa bendita o maldita playa se vio envuelto en una situación extraña, realmente extraña, una situación que él sólo pudo calificar de exagerada. No había traído los Barojas porque quería tirarse ciego en la arena y pensar en lo de Enrique, estaban a punto de pedirle que se definiera, que eligiera entre ellos y Enrique, y el súbito cambio de Inés, en plena luna de miel, en el mejor momento de Algeciras, lo obligaba a pensar en algo, a tratar de hallarle una solución a un problema que él nunca había querido asumir completamente, que él se negaba a tomar en serio por lo estúpido que le parecía. Pero otra cosa era que también Inés empezara a compartir el punto de vista de sus compañeros de Grupo. Lo de Cádiz, como lo de San Sebastián, días atrás, era una recaída, una recaída del lío de aquella noche en que Martín había preferido, así dictaminó el Tribunal Popular conformado por sus amigos, previa autoelección del Grupo entero que vino a tocarle la puerta a las cuatro de la mañana, Martín había preferido (éstas eran las aclarantes repeticiones que se le fueron pegando a Inés junto con la bizquerita), Martín había preferido pasar la noche de lectura de Marx, el revolucionario, conversando en un café con Enrique, el sospechoso de ser policía. Repitieron tantas veces y con tanto regusto lo de policía, que Martín los largó burguesamente de su cuartucho, aclarando a gritos, y también burguesamente, según dictamen posterior del Tribunal, de tan reciente autoelección, que su amistad por Enrique estaba por encima de toda sospecha. La rabia le impidió preguntarles, mientras se dirigían hacia la escalera de caracol, si su relación con Inés era también burguesa o no.

Por la bizquerita se enteró de que sí lo era. Y, por primera vez, desde que empezó a visitarlo por las noches, Inés sintió sinceros deseos de dormir en una cama sin Martín, lo cual le produjo tal certidumbre de deber cumplido, que le permitió acostarse a su lado y quedarse profundamente dormida en medio minuto. Y cuando unas tres horas más tarde, en pleno insomnio de Martín, se le metió entre los brazos, como siempre, éste se dijo que sin duda alguna Inés acababa de soñar que se había largado para siempre con sus camaradas, tras la expulsión burguesa. Martín esperó que empezara a despertarse, para despertarla a beşos.

Aquella mañana todo estaba a su favor, además. En efecto, de acuerdo con la repartición marxista de las tareas caseras establecida por Inés, para que Martín llegara acostumbrado al matrimonio, a él le tocaba el desayuno, la limpieza del cuartucho, el arreglo de la enorme cama, y la compra de cigarrillos y de lo que hiciera falta para el día. Lo malo es que le tocaba ir a trabajar, también, pero ése era un tema de discusión que él no estaba dispuesto a sacar a luz en un día así. Primero, porque Inés acababa de despertar entre sus brazos, y hasta le había sonreído como diciéndole te quiero porque hoy me puedo quedar leyendo en tu camota todo el día, si quiero, lo cual era sentido del humor en Inés, cosa muy poco frecuente y que a él le encantaba. Segundo, porque la culpa de eso la tenía él, por ser hombre, y por haber contribuido en alguna forma a la creación de una sociedad machista en la que sólo los hombres encuentran trabajo. Y tercero, porque a un profesor de Inés se le caía una baba intelectual burguesa por ella, y año tras año recomendaba la renovación de su beca, y este año se la habían vuelto a renovar, lo cual les permitiría tal vez casarse y partir a España en luna de miel, sin que Inés hubiese dado más golpe que el marxista en todo el año de estudios.

El sol de la playa lo obligó a cerrar los ojos, tirado panza arriba, y ahí anduvo largo rato Martín entre dormitando y pensando en todas esas cosas, y en cómo Inés ya no sólo se negaba a leer a Faulkner o a Hemingway, a los gringos, en fin, sino también ahora a Baroja. Baroja era para la playa, en todo caso. ¿Y si el defecto de Marx, o de Mao, o de Lenin fuera precisamente el de no ser también para la playa? ¿Por qué siempre de noche, y con reserva, y con sospechas y con increíbles acusaciones? En París, en todo caso, resultaba absurdo. Ellos eran peruanos, y a los guerrilleros peruanos los habían matado allá, en el Perú, no en París. Un par de deportados no podían significar tanta reverencia, tanto recelo, tanta inútil gravedad, y ese andar desconfiando del primer tipo que no era o no pensaba exactamente igual a ellos. Que los deportados desconfiaran, de acuerdo, pero por qué empezar a desconfiar de un hombre como Enrique o de cada peruano nuevo que llegaba con su beca. Casi todos los del Grupo eran becados, al fin y al cabo, y casi todos andaban deseando y solicitando más becas. Nadie le pide al gobierno francés una beca para irse de guerrillero al Perú...

Dudas, preguntas, o afirmaciones de ese estilo, expresadas en el Grupo con que leía a Marx y a los demás, hicieron que a

Martín lo rebajaran de simpatizante (categoría a la que había llegado tan sólo porque vivía acoplado a Inés, cuadro político de total confianza) a amigo, y de ahí a amigo depresivo, más la bizquerita de Inés, de pronto, en una reunión. Y sólo su matrimonio y la oportuna llegada del verano habían impedido que lo rebajaran también a sospechoso. Con cosas como ésas tendría que enfrentarse a su regreso a París. Bueno, en el fondo tal vez no había nacido para revolucionario, ni para simpatizante, ni para nada. Ahí, tirado en la playa, lo estaba sintiendo, porque lo único que le importaba de todo era su relación con Inés. Había sido perfecta cuando ella recién llegó a París y lo arrastraba de iglesia a iglesia, porque la misa del domingo, la del feriado que él ignoraba, porque la comunión del primer viernes, en fin, porque cualquier cosa. Y él que era lo menos creyente que hay en esta tierra. Por qué no podían llevarse bien también ahora, ya ninguno de los dos iba a misa, era un paso adelante, ¿no?

—No —se respondió Martín.

No, porque Inés estaba perdiendo algo que él había deseado que no perdiera nunca. En San Sebastián, días atrás, un viejo campesino vasco le había regalado los libros de Baroja, y ella lo había besado con ternura y se los había agradecido mucho. Después el viejo les había hablado de los problemas vascos y de su ferviente nacionalismo. Lo hizo, sin duda, llevado por la alegría que le produjo el beso de Inés, por quedar como amigo, por dejarles otro recuerdo, algo además de los libros. Pero Inés encontró todo eso viejo, romántico, y nada marxista. Tratar de cambiar al viejo era como tratar de cambiar al diablo, ese hombre más sabía por viejo vasco que por diablo o por lo que sea. Pero ella no dejó lugar ni para el brindis, ella dijo lo que tenía que decir, clavándole a Martín la primera bizquerita de España, cuando trató de interrumpirla, ocultando apenas su enorme ternura. Y lo dijo todo con palabras que sólo debieron ser dichas de haber servido para cambiar el mundo en ese instante. Jamás ante tres copas de vino ofrecidas por un viejo, por ese viejo vasco. Y ahora Baroja era lectura para la playa, pero ella ni siquiera quería ir a la playa en Cádiz.

Martín decidió darse un remojón para alejar tantas ideas, y porque sus lágrimas, depresivas y burguesas, se le estaban llenando de granitos de arena que empezaban a joderle aún más su andar tan triste en esa playa tan bonita. Una muchacha alta, delgada, y morena estaba en la playa en el momento en que él se incorporó limpiándose los ojos, limpiándose muy cuidadosamente los ojos ahora para poderla ver mejor. El pelo era largo y castaño y muy lacio, el traje de baño marrón y clásico, las piernas largas y delgadas y torneadas y graciosas; sí, graciosas. Pero lo que más le dolió a Martín fue la ternura apenas oculta de la sonrisa que acompañaba el gesto de sus manos señalándole y señalándole las obras completas de Hemingway extendidas sobre la arena. La rodeaban las obras completas de Hemingway, la rodeaban como protegiéndola de una eventual bizquerita.

—Cuando termine con Hemingway, empezaré con Baroja —le dijo la muchacha.

—Sí, claro —dijo Martín—; es muy bueno para la vista.

—Ahora tienes que regresar al hotel, Martín Romaña.

—¿Cómo lo sabes? ¿Cómo sabes mi nombre?

—Yo no sé nada. Tú sí lo sabes, Martín Romaña. Y a mí eso me basta, a título de información.

Octavia de Cádiz, dijo Martín, dándole la espalda, para no ver el resto. Y hasta hoy continúa preguntándose por qué inmediatamente la bautizó con el nombre de Octavia de Cádiz.

No bien llegó al hotel, Martín hizo todo lo posible por comunicarse con Inés, tenía que ser esa misma tarde, tenía que ser a fondo y lo antes posible. Decidió urgentemente volverse loco un rato, y a eso de las tres de la tarde se dirigió a la habitación en que ella estudiaba concentradísima, tras haber comprobado que ya empezaban a hacerle algún efecto los calmantes que se había tomado mientras trataba de comprender qué tipo de locura, no decidida por él, lo había llevado a encontrarse en una playa con Octavia de Cádiz, en una escena que no había existido y que al mismo tiempo sí había existido porque él estuvo presente en ella y porque ahora, de golpe, acababa de sentir otra vez el espanto y el dolor de que además todo fuese cierto. No, no lo era, porque por más que él regresara, por más que él buscara, ninguna Octavia volvería a aparecer en ninguna playa, en ninguna parte. Lo aseguraban los prospectos de los calmantes, pero en cambio los calmantes en sí no terminaban de hacerle efecto nunca, y total que el Martín Romaña que irrumpió en la habitación estaba loco dos veces, una decidida y la otra independiente, totalmente independiente de su voluntad. Inés continuaba concentradísima, ni siquiera había notado su vehemente ingreso. Un portazo la hizo mirar, por fin.

—¡Inés de París y de Cádiz!, aunque no logro arrodillarme ya, gracias a los calmantes que tomé hace un rato, necesito explicarte millones de cosas... Aleja tus ojos de la mesa de trabajo, aleja tus ojos de ese texto y acércalos a este contexto. Y posterga un rato la bizquerita, por favor. Yo te juro que si me escuchas soy capaz hasta de besar la bizquerita, pero más tarde, eso sí. Déjame explicarte, deja que por una vez en la vida sea yo el que explica, Inés... Hemos descendido al sur de España, hemos vislumbrado las costas excesivamente calurosas del Africa, y hace sólo tres días que decidimos no cruzar de este calor al calor de allá, *because... because,* Inés. Y aunque no me he arrodillado, Inés, aquí me tienes en busca de luz de donde el sol la toma, en plena luz del día. Necesito tu comprensión, TUCOMPRENSIÓN, ¿me entiendes? Escúchame, por favor. Bajo la mala influencia del Africa, de mis instintos burgueses, tan proclives a que ciertas cosas me partan el alma, dejándomela bizca, porque yo también voy a terminar bizqueando, Inés, también yo voy a terminar sin saber hacia dónde mirar, y bajo la influencia de tantas cosas que conoces tan bien como yo, acabo de convertirme en el depositario de la historia más triste jamás contada. Necesito e imploro tu comprensión protectora para lo que estoy sintiendo con esta historia adentro. Mira, Inés, esta mañana, cuando me mandaste a la playa con Pío Baroja, dime de pronto en pleno *mezzo del cammin di nostra vita* y en pleno huyendo del mundanal ruido parisino, dime, dime con quién andas y te diré qué hora es, dime conmigo mismo sobre un camello en medio del desierto que tenemos por delante, de se-

194

guir esto así. Resumo y anticipo, Inés, para decirte que crucé solito al Africa y de allá me tienes ahora de regreso con la imagen de Octavia de Cádiz sentada como un espejismo en medio de mi historia... ¿Entiendes, Inés? Ni jota, me imagino, pero insisto en que es supernecesario contarte lo ocurrido y quiero que tú le ofrezcas TODATUCOMPRENSIÓN a mi historia. Yo soy mi historia en este momento y quiero que estemos tú y yo echados en esta cama toda la tarde y que tú me acaricies mientras yo te cuento de qué estuve hablando con Octavia y por qué estoy seguro de que me sentiré mucho mejor después de haber llorado horas y horas entre tus brazos apretándome muy fuerte y los míos también a ti, que bien que lo necesitas, como todo el mundo, Inés, aunque te juro que no hay nada de personal en esta acotación. Yo, por mi parte, prometo desde ahora acatar la edad y estatura que quieras darme, si es que lo consideras conveniente. En fin, te prometo portarme muy bien del tamaño que tú quieras. Todo, cualquier cosa por tu comprensión, Inés. *To sense or not to sense, that is the humour*, Inés, lo decía Máximo, y yo he cumplido con el penosísimo deber de contarte esta historia de la forma más divertida que he podido, o que me ha sido posible, más bien. No sé, tal vez te parezca cosa de locos, pero...

Inés le sonrió al niño depresivo y problemático que quedó tras el discurso, lo amenazó con regresar inmediatamente a París si volvía a hacérsele el loco, en un estúpido afán de sublimar sus deseos de tirarse a la primera española guapa que había encontrado en la playa, y continuó con su lectura. No hay peor gestión que la que no se hace, se dijo Martín, pensando que además, en la escena de la playa, Octavia de Cádiz no tenía nacionalidad definida. Después se murió el resto de la tarde sobre la cama, con ayuda de los calmantes para la locura de los prospectos.

Enrique había sido declarado definitivamente policía, cuando regresaron a París. Nadie había podido encontrar otra explicación para un tipo que andaba merodeando sin tener nada que hacer por las facultades, por los restaurants universitarios, por todo el Barrio Latino, en fin, por todos los lugares por los que el Tribunal del Pueblo merodeaba teniendo Algo Que Hacer. No se podía vivir sin tener nada que hacer y recibiendo mensualmente un cheque de su mamá en la oficina del Banco de Bilbao, con el pretexto de haber estudiado medicina varios años, y de tener un bultito peligroso en la garganta. No era profranquista, no era antifranquista, no buscaba trabajo, no era ni siquiera capaz de enamorarse cuando una muchacha se portaba bien con él, cobraba un dinero más que sospechoso en el Banco de Bilbao, y al pelotudo de Martín Romaña se lo tenía comprado con lo del bultito peligroso en la garganta. Era, además, una amistad demasiado extraña; Martín vivía en permanente propensión al psicoanálisis y era gran amante del vino, mientras que Enrique poseía la serenidad de un espía y sólo tomaba leche. A elegir, pues, Martín.

Inés se había marchado a una reunión del Grupo, la noche en que Martín decidió sentarse horas frente a su bizquerita, y no abrió la puerta cuando llegó Enrique a la hora convenida. Con repetir la historia tres veces, bastaría. Tres citas, tres plantones. Enrique era lo suficientemente orgulloso y además no tenía un pelo de tonto. Hacía tiempo que se venía oliendo algo. Martín lo sabía, y su única esperanza era que Enrique también hubiese comprendido la verdadera causa de su elección.

Y así empezó a caerle tiempo encima al viaje de bodas a España, a todo, menos a lo de Enrique y a la cara de ausencia que a menudo ponía Martín cuando se mataba interrogándose por el asunto de Octavia de Cádiz, por el nombre mismo de Octavia, Octavia de Cádiz, por qué, por qué, qué había querido decir todo aquello. El asunto se agravó hasta el punto de que el Tribunal del Pueblo, tan abierto siempre a las ideas de nuestro tiempo, se trasladó íntegro a una silla junto a un diván, y lo declaró más propenso que nunca al psicoanálisis. Y también aumentó la bizquerita de Inés, pero aumentó rarísimo, porque aumentó cualitativamente, y tanto, tanto, que un día al mirarlo no lo vio ya para nada y se fue por ese camino vacío. Se fue tal vez sin notarlo, o sin quererlo, resbalándose por una larguísima separación, como absorbida por algo, dividiendo el tiempo en futuro y en la época anterior, olvidando siempre el presente. Fue sin duda por eso que no se encontraron al buscarse y al llamarse tantas veces. Pero fue, sobre todo, porque era un camino increíblemente desconocido.

## UN CAMINO INCREIBLEMENTE DESCONOCIDO

Diría que así fueron las cosas, en efecto, si ahora, al recordar de nuevo, no tuviera ganas y posibilidades de recordar mucho más, ganas de ser un poquito más categórico en algunos puntos. Es curioso, normalmente el tiempo recorta el tamaño de los recuerdos y los hace menos impresionantes en su alegría o en su tristeza. Es lo que se llama el olvido, me imagino, pero sucede también que a veces el olvido nos permite recordar mejor. Sí. Esta tarde, por ejemplo, en que ando superderrumbado en mi sillón Voltaire, tras haber leído un cuento en el que se habla de Inés, de mi adorada Inés del cuento, de mi inolvidable Enrique Alvarez de Manzaneda, de un viaje de luna de miel que de pronto empezó a convertirse en una experiencia difícil, de un homenaje a la Octavia que algún día tendría que aparecer ante mis cinco bultitos, para que yo descansara, para siempre, entregándome a la agotadora tarea de amarla para siempre. *And last but not least,* como se suele decir, cuando se ha estudiado en colegio inglés, del inolvidable Grupo que, no sé por qué, esta tarde me ha hecho sonreír con franco cariño. Estoy recordando mejor. Estoy recordando, por ejemplo, a los muchachos del Grupo uno por uno, con los nombres y apellidos que trajeron del Perú, no con los seudónimos de amistaderías, simpatizaduras, o militancias que terminaron, en buena parte, en calvicie barrigona tras escritorio ministerial. Los estoy recordando con cariño, deseando que lleguen a tomar una copa, para recordar juntos, con bromas, burlas, chistes, verdades, lo que ellos quieran. Pero claro, el teléfono no sonará porque esa gente no vive ya en París, y además, aunque sonara, yo no respondería porque no hay nada que me cause cada día más placer que dejar que mi teléfono suene y suene cuando estoy muerto de ganas de que alguien me llame por favor. No respondo. Insisto en navegar en un mare mágnum de recuerdos, y esta tarde me está resultando muchísimo más fácil que años atrás, cuando escribí aquel único cuento, entrar por la puerta ya ni triste ni alegre de aquel camino increíblemente desconocido y recorrerlo a fondo, sin temor a sacarme el alma de nuevo contra una tonelada de piedras del camino, que le dicen a uno es tu destino, rodar, rodar y rodar. Me alegraré con lo alegre y me entristeceré con lo triste, desde luego, pero al derrumbado del sillón Voltaire todo le llega ya descafeinado. Menos tú, Octavia, claro. Aunque, lo malo, lo peor, y lo pésimo es que tú ni siquiera llegas, Cafeínita pura.[1,2,3] Concluyo, prometiendo todo el orden posible en mis recuerdos, ahora que puedo recordar mejor

1. Como esto podría publicarse algún día (uno es también ilusiones), no deseo que puedan pensar que Octavia es un ser ingrato, o algo así, en vista de que aún no la conocen. Ella también tiene sus problemas. Y, además, es posible que la pobre me esté llamando por teléfono como loca, y que yo no esté respondiendo a causa de este orgulloso goce tristísimo que me he impuesto mientras navego.

2. La honestidad que también me he impuesto me obliga a informarles que, a lo mejor, no es Octavia la que llama a cada rato, y que la nota 1 no es más que uno de los extraños y numerosos mecanismos de consuelo a los que suelo recurrir.

3. Ambas cosas son posibles porque, tratándose de Martín Romaña, todo es posible, según afirmación de mi padre, mi madre, Inés, mis hermanos, mis amigos, yo, etc...

que en aquel cuento y decir que, si bien en él hay mucho, muchísimo de todo aquello, lo que falta es mucho pero mucho más.

Nuestro matrimonio regresó de su luna de miel en septiembre del 67 y se instaló *in love forever,* cual *Extraños en la noche,* en el departamento de la futura malvada de madame Labru(ja), cuya maldad empezó inmediatamente a cobrar enorme actualidad. Para empezar, no nos había cambiado el somier destartalado que, según contrato e inventario, debía tener listo para nuestra llegada. Inés me mandó inmediatamente a hablar con ella, ya que además de todo era nuestra vecina y por una puerta de su cocina se daba a los bajos de nuestra escalera, ya que nuestro departamento era una mezzanine de su departamento, ya que ella en realidad nos subalquilaba esa mezzanine, ya que ella por el todo le pagaba al verdadero dueño 400 francos trimestrales y por la parte nuestra nos cobraba 500 mensuales, ya que *Paris canaille tra la la la...*

Y ya que estoy con lo de París canalla, terminaré de una vez con el asunto del contrato: sólo lo alquilaba a estudiantes extranjeros porque a ésos se les expulsa más fácil, sin devolvérseles el depósito de garantía ni nada, salvo que uno se meta en un lío legal con abogados y todo, y postergue el regreso a su país unos seis o siete años, más o menos. Bueno, estaba en que Inés me mandó inmediatamente a hablar con ella, en que yo volví inmediatamente de hablar con ella, y en que Inés me mandó inmediatamente al cabo por mi falta de pantalones. Yo, por esa época, me llamaba a mí mismo el Mandado.

Pero habíamos llegado cansados de España y no nos quedaba más remedio que dormir en ese colchón que, por culpa del somier, presentaba una profunda hondonada al medio. Uno se echaba al lado derecho o izquierdo de la cama, y no bien se descuidaba iba a dar al fondo de todo aquel desvencijamiento. Increíble, pero aquella maldad de madame Labru(ja) fue el mejor favor que nos hizo en la vida, el único, también, creo. Nos hizo felices con la hundidita aquella, cada noche, tan felices que aun en plenos problemas político-conyugales, Inés y yo regresábamos siempre al departamento en busca de nuestra profunda hondonada.

Fue realmente el territorio libre de nuestro amor. Ahí al fondo me ponía yo de todas las edades y ella de todas las maternidades, algo que hasta ahora recomiendo como superior a todos los manuales aquellos sobre las 220 posturas, etc., etc... Incluso Inés se me abebaba a veces y nos encontrábamos haciendo el amor a los cinco años con terror al pecado, y a los quince con terror a que nos encontrara su mamá, y a los veinte y pico con terror a que nos encontrara el Grupo mientras nos inventábamos apodos en diminutivísimos y nos acariciábamos con perversión burguesa e indiscretos encantos, olvidando a cada rato que Marx podría sufrir un ataque de celos o que ella no había tomado su pastilla anticonceptiva, cosa muy importante esta última, porque nos corríamos el riesgo de tener un hijo que ella no deseaba porque era un estorbo un niño en una guerrilla y porque, aunque yo también podía ser un estorbo en una guerrilla, y de hecho lo era en todas las reuniones del Grupo, al menos tenía pasaporte propio con mayoría de edad establecida por la ley. Yo tampoco deseaba un hijo, pero por otras razones: porque cobraba muy poco en el colegio, porque ahí en nuestra hondonada me portaba como hombre y como niño, satisfaciendo de esa manera ambos instintos en Inés, y gozando a la vez con ambos, y porque jamás hubiera querido tener un hijo sin un perro que se tirara a la piscina del trampolín y cayera dentro de la inmensa refrigeradora de casa de mis padres.

Algo así. Creo que me dejo entender, y que en todo caso no se me acuse de andar deseando cojudeces. Quién no desea, al cabo de tres copas, que su hijo nazca en cuna de oro. Todos deseamos lo mismo, hasta el célebre matón Rakovich deseaba lo mismo. Rakovich era lo más malo que había al norte de Lima, allá por Chancay, Huacho y Huaral. Quemaba billetes gordos en los burdeles y todo eso, pero yo una noche me lo crucé en plena carretera, en pleno desierto. Un carro se me venía encima haciéndome todo tipo de señales con los faros, parecía una emergencia y tuve que detenerme. Fue inmenso mi terror en ese descampado al ver que Rakovich bajaba de su auto y se me acercaba con los brazos abiertos entre la neblina, qué quería, qué le pasaba, iba a matarme o qué. No, nada de eso. Resulta que al pobre lo había agarrado el amor paterno en pleno desierto y a gritos andaba necesitando comunicarlo. Lo tuve abrazado horas y horas contándome su problema. Iba a tener un hijo y le era absolutamente imprescindible que naciera en cuna de oro. Jamás volvería a quemar un billete en un burdel, en ninguna parte. Siempre pensaba en Rakovich al comprobar que en mi departamento de recién casado no había sitio ni para la cuna de la muñeca del bebe nacido en cuna de oro. Y pensaba también en el odio tan enorme que Inés sentía por los perros, odiaba hasta a los perros chinos sin posibilidad alguna de trampolín.

El poder delicioso y acaparador de nuestra hondonada realmente hizo durar nuestro matrimonio. Debimos quedarnos metidos ahí para siempre. Ahí conocí a Inés, a la verdadera Inés, a la que yo había intuido una lejana noche limeña en una feria de automóviles. No bien caía en la hondonada, cambiaba por completo, volvía a ser la misma, me amaba, me amaba, me amaba tras haberme perdonado todo lo del día, claro, pero me amaba olvidándose de que me había perdonado. Era el verdadero encuentro, el deseado, yo realmente fui un cojudo de no ser más loco y llevar conmigo esa cama hasta a las reuniones del Grupo. Yo que decido tantas veces volverme loco, debí decidirlo en aquellas oportunidades y no lo hice, una falla, fue culpa mía, qué me costaba llevar enamoradísimo mi colchón y mi somier por todas partes, creo que para ello habría podido contar incluso con el precario sentido del humor de Inés. Debí captarlo desde la primera noche, desde que ella me mandó donde la vieja, que me mandó a la mierda por venir a molestarla de noche, rebotando yo donde Inés, que me mandó también a la mierda por no tener pantalones. Lo recuerdo clarito: estábamos cansados del viaje pero se notaba que en medio del pleito y de todo, nos estábamos deseando. Con un poco de suerte lograríamos intimar aquella noche en ese somier de miércoles. Tomé la iniciativa, y procedí a quitarme los pantalones que tanta falta me estaban haciendo. Inés, que casi siempre usaba pantalones, y que era quien los llevaba en la familia, a decir del Grupo y de mí mismo, cosa que era comodísima y bella además, porque los lucía muchísimo mejor que yo, siguió mi ejemplo, y terminó calatita en menos de lo que cantaba un gallo. Se echó como se echaba, lo cual quiere decir que se echaba siempre más rico que la vez anterior, más la ayuda de la lenta hundida, aquella noche, que la hizo quedar mejor que todas las veces anteriores juntas, obligándome a la alegría, a la felicidad, y a dar de brincos en torno a la cama, anunciándole que no tardaba en llegar del tamaño que ella quisiera, que tan sólo me concediera un instante para volverme a poner los pantalones que no llevaba puestos, deseo estar a la altura, Inés.

—Ya, Martín, ven y no hagas tanta locura. Esa vieja de mierda no te ha quitado ningún pantalón. Aquí la única que te puede quitar los pantalones soy yo, y con todo respeto.

Terminado tan lindo discurso, soltó un diminutivísimo increíble, uno jamás oído de sus labios, haciéndome comprender que había descubierto algún secreto en aquel colchón, algo que abría maravillosas posibilidades de encuentros dormidos y despiertos. Me hundí lo más pronto que pude, muerto de amor, que es como siempre empiezo a revivir. Y así empezó la búsqueda colmada de hallazgos de las mil y una posibilidades de nuestra hondonada. Fue como vivir, trabajar y luchar en París cada día, y luego, al llegar la noche, como irse a descansar, a amarse y a dormir en Perugia, aunque a estas alturas creo que ya es tiempo de decir que, si tipos como Hemingway me inventaron París, yo le debo estar inventando Perugia a algún otro pobre pelotudo. En fin, que cada uno escoja su feria. O que se la invente, según como le vaya en ella.

Fue macanudo lograr por fin, gracias a Perugia, ser pobres y felices en París. Resulta un poquito absurdo el asunto, pero de ninguna manera se podía dejar pasar una oportunidad de ese tamaño. Estaba consciente, muy consciente de ello, consciente también de todo el partido que se le podía sacar a ese somier que tanto nos unía por las noches, dejándonos listos para mañanas, para tardes y días enteros que podrían marchar bien si continuábamos conservando durante ellos lo obtenido a lo largo de cada noche. Nuestro ritmo se había convertido en una delicia, en una calurosa maravilla que empezaba cuando empezábamos a resbalar en la hondonada, único lugar en el mundo en el que nuestro matrimonio era entre Inés y yo. Se inquietaba uno de noche con el deseo de darse media vuelta y el otro cuerpo sentía el anuncio de cambios en el sueño, buscaba las diferencias, las hallaba, e imitando al otro cuerpo encontraba una nueva postura que reordenaba la noche en la hondonada. Un cuerpo seguía al otro, lo perseguía, casi, y lo encontraba siempre, cayendo ambos cuerpos en una nueva posibilidad de caricias y de ternura. Y aun eso mejoró con el tiempo, pues dormidos Inés y yo fuimos tomando conciencia de las posibilidades de diálogo en el sueño, y a menudo acompañábamos nuestras vueltas en la hondonada de palabras sin sentido con las que manifestábamos un total acuerdo, un estar ahí total, mientras enlazábamos nuestras piernas o una mano suya encontraba la mía y se la llevaba a tientas hacia aquel seno que al encontrar su reposo la iba a llenar a su vez de calor y perfecto reposo.

Esa vieja malvada no sabía el bien que nos había hecho. Jamás Inés me había vuelto a hablar del prometido somier nuevo, jamás había bizqueado un amanecer, tampoco una mañana, y ya por la tarde yo era capaz de cualquier cosa con tal de evitar aquella bizquerita, sólo recordarla me causaba pavor. Y de ahí, de todo eso, saqué las fuerzas para quedarme sentado y no abrir la puerta las tres veces que Enrique vino de visita. Sería inútil ponerme ahora a considerar cómo el mal puede ser resultado directo del bien y cómo a veces dos afectos se tornan incompatibles por elementos totalmente extraños al afecto en sí. Baste con decir que yo me quedé sentado las tres veces que Enrique vino a visitarme, a la hora convenida. Y baste con decir también que no soporté mucho con esa determinación adentro. Dos semanas más tarde subí corriendo a nuestro antiguo techo. Toqué y toqué y toqué, antes de bajar profundamente entristecido. Uno se

entera de todo por las porteras: Enrique había desaparecido
misteriosamente, no se había despedido de nadie, no le había
indicado a qué dirección le podía reexpedir su correo. Se había
largado sin avisar, a pocos, además, pues fue sacando sus cosas
una tras otra, a lo largo de varios días, cada noche se llevaba una
maletita más, ella creía que se había conseguido algún trabajo
nocturno o algo así, pero justo cuando se disponía a preguntarle
por aquellas andadas, a pedirle una explicación por tanto sube y
baja nocturno, el señor Alvarez de Manzaneda desapareció, ya
usted sabe, señor Romaña, este techo está plagado de gentuza,
imposible controlarla, por más que uno trate de cumplir con su
deber, que ni se sueñe el señor Alvarez de Manzaneda que le
voy a guardar su correo, yo no estoy aquí para trabajarle gratis
a nadie, y ya va a ver el portugués sordo ese, algún día tendrá
que dejar de hacerse el sordo, algún día le llegará algún envío
importante y ya va usted a ver qué bien oye y qué bien paga sus
cinco francos... Le estuve diciendo sí, sí, sí, todo el tiempo,
para poder seguir pensando en otra cosa mientras ella hablaba.

—El Grupo —me dije, mientras emprendía el retorno hacia
el departamento—, el pobre Grupo se ha quedado sin su policía.

Y así fueron las cosas, en efecto. Los pobres camaradas se
pegaron la desconcertada padre cuando esa noche entré yo disciplinadísimo a la reunión y les anuncié que Enrique Alvarez de
Manzaneda había desaparecido de París. Se miraban sin saber
qué hacer, no lo podían creer, se les había roto un juguete nuevecito, no, no era verdad, ya no tardaría en reaparecer ese hijo
de puta. Pero yo les dije, siempre disciplinadísimo, y además
muy bien informado en nombre de nuestra causa común, que
era tan verdad que la portera me había dicho que su cuarto lo
estaban alquilando, cobraba cien francos por lo bajo la mierda
esa a quien quisiera el cuarto, el propietario le había dicho que
pasara la voz. Un poco por seguir jodiendo, pregunté si nadie lo
deseaba, señalando que estaba bien situado y que era muy barato.

—No hay que olvidar —agregué—, que Enrique ha dejado

las paredes inmaculadamente empapeladas, y que el cuartucho rojiblanco hasta alegre no para. En fin, si alguien lo quiere, puede ir de mi parte donde la portera. Basta con preguntar por la habitación que acaba de abandonar el señor Enrique Alvarez de Manzaneda.

Se plagó la reunión de juguetes nuevecitos y rotos. Pobres camaradas, la falta que les iba a hacer Enrique, quién se iba a encargar del peligro, ahora, quién de las tensiones y de las dudas, quién iba a poner en peligro la seguridad del Grupo captándose la confianza del vulnerable camarada Víctor Hugo. Mierda, sí que daban pena los muchachos mirándose los unos a los otros entre juguetes hechos trizas. Pero hubo algo ahí que me causó muchísima más pena: a Inés no se le había roto nada, la bizquerita con la que no sé si me vio o no me vio fue suficiente para saberlo, fue la primera desde España y la peor hasta entonces, eso era lo peor. Terca de mierda, te diría que eres bruta si no supiera que eres una mula de terca, llevábamos la mejor temporada del mundo últimamente. Tuve ganas de soltarle todo eso, pero preferí seguir disciplinadísimo y esperar a que la reunión terminara, ya por aquella época empezaba yo a agarrarles una fe increíble a los milagros y podía imaginar el resto.

O sea que podía vernos caminando silenciosos de regreso a nuestro departamento, tomando un café y fumando un cigarrillo juntos, más silenciosos todavía, y yéndonos de a poquitos, como quien no quiere la cosa, como quien además de todo es orgulloso, rumbo a la amplia cama matrimonial. Inés se acostaba al lado derecho, yo al izquierdo, leíamos un rato para prolongar el silencio, cada uno tenía su lamparita a su lado. Y en silencio nos mirábamos y eso quería decir que ya íbamos a apagar las lamparitas y a jugar en la oscuridad a cuál de los dos se quedaba más rato en su lado derecho o izquierdo de la cama, después hacía frío y entre la soledad y Enrique y Marx y el Grupo nos iban empujando hacia la hondonada donde sólo cabíamos ella y yo. Se había ido el día y se había ido todo lo del día y nuestra hondonada siempre nos volvía a funcionar, pero Inés no se daba cuenta de que estábamos dependiendo mucho de algo que habíamos encontrado por casualidad, de algo que el sueño y nuestros cuerpos habían ido perfeccionando hasta la más profunda compañía. Y la más tierna. E Inés no se daba cuenta de que yo a veces, al seguirla a lo largo de la noche, a lo largo de su sueño y de sus cambios de posturas, estaba despierto, fingía dormir pero continuaba despierto imitando la comunicación y el movimiento de las noches perfectas, las noches en que ambos dormíamos, las noches en las que no tenía que preguntarme qué secreto, aparte de la terquedad, le había impedido ver un juguete roto. Y así, a menudo, me tocaba quedarme despierto, para cuidarle su secreto. Habíamos hecho el amor, se había quedado dormida, y yo ahí, atento a su secreto, lo protegía y lo protegía pensando en lo difícil que iba a ser que de pronto fuese yo el encargado de la madurez, de la edad adulta, de perdonarle tonterías. De noche era posible, la prueba eran las caricias con que la acompañaba a dormir profundamente, haciéndole creer, sentir, que también yo dormía. Pero de día iba a ser muy difícil, prácticamente imposible, y por eso sólo me quedaba insistir en ser el Martín Romaña que ella había definido ya. Fue duro comprobar nuevamente que iba a tener que seguir siendo el mismo personaje insoportable que ella amaba tanto. Durar así era aferrarse a la hondonada, depender enteramente de algo que habíamos encontrado de casualidad. Y gracias a una vieja malvada, además.

206

# UNA VIEJA MALVADA, ADEMAS

Hubo muchos ademases en nuestra vida matrimonial, pero creo que lo más indicado es empezar por madame Labru(ja), por todo lo que ella significó en nuestra vida, en la mía sobre todo, y por lo mucho que a través de ella aprendimos de París. Nadie nos ha cantado a los latinoamericanos a madame Labru, no conozco una sola canción que lleve su nombre o que al menos aluda vagamente a ella. Y no sé cómo será este asunto en el resto del mundo, pero en todo caso a ciudades como Lima llegaron las voces de la Piaf, de Maurice Chevalier, de Yves Montand, de Juliette Greco, y de tantas otras glorias que jamás se ocuparon de las glorias de madame Labru. El mismo Jean-Paul Sartre era buenísimo para los limeños, y a lo más que llegaba era a pasearse por Saint-Germain-des-Prés con un pullóver hasta las rodillas, que probablemente Juliette Greco le prestó a Simone de Beauvoir, y que el sabio, de puro distraído, se colocó existencialistamente para salir a redactar un libro importantísimo en un café, mientras saboreaba su express con veintisiete cigarrillos. Y desde la eterna primavera parisina, que la Metro Goldwyn Mayer se encargó también de eternizar, el general De Gaulle, cual sonriente arcangelote, bendecía este mundo *made in France* que llegaba hasta nosotros en paquetitos enviados a las Alianzas Francesas, conteniendo películas, diapositivas, profesores bien pintones, y alguna que otra alusión a la libertad de todos los pueblos, porque De Gaulle no sólo era el general más narigón, era bastante bocón además, y con ello creaba pasajera confusión entre las damas asistentes a la Alianza, que lo habían convertido en líder espiritual de todo lo que fuese espiritual y ensoñador y condensadamente proustiano, porque siete tomos de búsqueda del tiempo perdido es mucho para nosotras, y con ello también creaba una profunda ilusión entre nuestras izquierdas, que lo habían convertido en líder espiritual de todo lo que fuera de izquierda en América latina.

Yo, por ejemplo, conocía tan bien París a través de los documentales sobre Nôtre-Dame, Tour Eiffel, l'Opérá (me obligaban a pronunciar así), Maurice Chevalier, Le Louvre, etc., vistos boquiabierto y por toneladas durante mi adolescencia de limeño cinemero, que una vez que en un cine de bulevar parisino nos encajaron un corto de esos que ningún francés soporta, por falso y por cojudo, casi me mata la nostalgia que me agarró de Lima. Francia era puro espíritu para nosotros los latinoamericanos, tan amantes del espíritu puro francés. Así se lo hicieron saber incluso al pobre general De Gaulle, cuando visitó Lima hace tantos años. Me contaron la anécdota cuando yo vivía ya en París, y andaba por calles y plazas repitiendo que a la Ciudad Luz se le habían quemado los plomos. "Excelentísimo Señor Presidente de la República de Francia, le soltó el discurseante nativo, el Perú es un país que ha vivido eternamente desgarrado por dos amores: uno, espiritual, por Francia y otro, material, por los Estados Unidos de Norteamérica." De Gaulle en Lima, y yo en París, desde luego no sé cuál de los dos andaba dándose peores tropezones con la realidad.

Y nada más real que madame Labru, era malísima la vieja. Yo al principio no podía creerlo porque ella misma me había dicho que era pintora y medalla de plata de la Municipalidad de París, además, cómo demonios no iba a tener alguna bondad reservada para mí, para un muchacho que empezaba su carrera de escritor realsocialista a pesar suyo. Pero no, no tenía ni una pizca de bondad para mí, ni para su perro, ni para sus vecinos, ni para la portera, ni para nadie en este mundo. En el edificio la acusaban de haber matado a su marido a punta de maldades. Yo, en todo caso, la vi cometer un crimen tan increíble como perfecto. La vi matar a poquitos a unos viejos bastante friolentos que vivían frente a ella. Mi historia es verdadera y dura un año entero. Respetando lo presente, no la llamaré *La ciudad y los perros,* aunque contiene gente, ciudad y perros, pero la contaré de todas maneras.

Empieza en un último y noveno piso (en París, durante largo tiempo, estuve condenado a los últimos y novenos pisos), con tres puertas que daban al pasillo en el que estaban la escalera y el ascensor. La puerta del fondo, a la izquierda, era la de Inés y mía. A ella se llegaba tras haber trepado unos escalones que llevaban a lo alto de una gran caja, una especie de montículo que cubría el motor del ascensor, y bajando luego por el otro lado de la caja. A cada nueva visita había que explicarle por qué había que subir y bajar esa increíble montañita para llegar a nuestra puerta. Nuestra puerta daba a otra puerta, la de la cocina de madame Labru, en la que el monstruo había abierto un agujero para controlar a nuestras visitas, calcularles edad, peso, raza, tendencia política, posibilidad de posar desnudo para ella, etc. El agujero lo tapaba con un corcho cuando se llenaba de confianza en nosotros, es decir cuando partía de fin de semana al campo y me dejaba encargado de que le diera de comer a Bibí, primer perro de mi historia. Lo destapaba cuando, tras haberle pegado sus diarias palizas a Bibí (eran tres, una antes de cada comida —comían juntos, luego—), deseaba continuar introduciendo maldad, mezquindad e inmundicia en la vida de todo ser que tocara nuestra puerta. Le servía también para decirle a Inés que me había visto meter a otra mujer a la casa, en su ausencia, y viceversa. Inés la soportó siempre mejor que yo, por la simple y llana razón de que al cabo de tres días de llegados al departamento, dejó de verla para siempre, con lo cual se ganó una enorme paz interior, dejándome a mí todo lo que tuviera que ver con ella, con lo cual viví casi permanentemente sin los pantalones en su lugar, en mi afán de lograr alguna paz en el interior del departamento. No era por el precio, o por la situación, o por la inmensa terraza tan disfrutable con los amigos cuando ella estaba ausente; era, aunque nadie me lo crea, por la hondonada, yo luchaba contra toda esa inmundicia por conservar aquella hondonada nuestra.

Terminemos con lo de las puertas. Entre nuestra puerta y la de la cocina del monstruo, nacía una escalerita que llevaba a otra puerta que, esta vez, sí era la de nuestro departamento. O sea que nuestro departamento tenía dos puertas antes de ser nuestro *ma non troppo*, debido a las divisiones establecidas por madame Labru, en su afán de alquilar el mínimo y conservar el máximo, con acceso a todo.

No faltará quien piense que estoy describiendo pésimo un dúplex, con entrada independiente a la mezzanine que ocupábamos Inés y yo. No. Lo que estoy haciendo es describir lo mejor que puedo a madame Labru. La terraza, por ejemplo, estaba allá arriba, y la puerta de la terraza, que yo subalquilaba, frente a lo que era nuestro *ma non troppo*, como la terraza también. Me explico: en los días felices, o sea cuando el monstruo Labru se largaba de París, aquel espacioso lugar nos servía para invitar amigos, por ejemplo, y en los días normales le servía a ella para sacar a Bibí, primer perro de mi historia, todavía, a cagar, y a nosotros para lo mismo, puesto que ahí estaba el water de hueco en el suelo (otra situación a la que parecía estar condenado en París, aunque creo que en este caso debería hablar más bien de posición), y cagándonos de frío, a menudo, porque nuestro water quedaba en una casetita de madera a la que se le filtraba muchísima intemperie por todas partes.

La puerta de su departamento, la única que debió haber usado, de haber sido lo que yo imaginaba que era, una pintora con medalla de plata de la Municipalidad de París, era el segundo punto de mira de madame Labru. Ahí se pasaba horas con el ojo malvado prácticamente incrustado dentro del ojo mágico, llamado también Judas, controlando todo movimiento en el noveno piso. Y controlando sobre todo la última puerta de mi historia, justo enfrente de la suya. Perdónenme por favor tanta puerta, yo mismo me pierdo, pero les juro que ésta sí que tiene que ver directamente con el crimen perfecto.

Porque detrás de ella vivían pacíficamente un viejo profesor retirado y permanentemente muy abrigado, su esposa, segunda pintora de mi historia, que llevaba bohemiamente ladeada una boina azul como sus ojos de viejita linda, que tuvo que ser muy hermosa de joven, un gran pañuelo también bohemio al cuello, un gran chal de lana roja, y muchas cosas más de las que sí existían en las canciones de Edith Piaf y en el Proust condensado de la Alianza Francesa. Vivía también con ellos Betty, cuyo nombre se pronunciaba Bettí, y que era una perrita puddle, negra, llena de crespos, bien abrigadita en invierno, tranquila, inofensiva, y también retirada. Los tres nos saludaban, comentaban el clima con nosotros, siempre hacía un frío espantoso para los pobres, y yo a menudo le decía a Inés que comprendía que odiara tanto a los perros, que estaba de acuerdo en que se hiciera a un lado, no te procupes por eso, Inés, yo me encargo de los mimos y caricias, pero por favor saluda un poquito más a los señores, parecen ser lo único bueno que queda en el edificio.

Con la descripción de Bibí, chiquito, peludo, blanquito, de hocico rosado y puntiagudo, nervioso y ladrador empedernido de ladridito insoportablemente agudo, termina prácticamente la descripción de los contendientes y está a punto de empezar el crimen, en los días en que Inés y yo acabábamos de instalarnos y no podíamos creerle a la portera la historia que nos había contado sobre la hija de madame Labru. Una historia breve, y que puede resumirse así: La portera la quería mucho porque la había visto nacer, crecer maltratada y viendo maltratar a su padre, hacerse una señorita maltratada y viendo maltratar a su padre, luchar luego entre maltratos para salvar a su padre de tanto maltrato, y verlo morir, por fin, de lo que madame Labru llamó un cáncer al recto, largo y doloroso, pero que no fueron más que maltratos. Merecía mejor muerte quien había vivido tan espantosa vida, opinaba la portera. La señorita Labru llegó muy maltratada a la mayoría de edad, y no bien pudo se consiguió un novio y se largó con él a Suiza. Cada tres meses, por cosas de trabajo, venía a París y aprovechaba para visitar a su madre, que no era madame Labru sino la portera. A ésta, que era su verdadera madre, porque la había mimado y cuidado de niña y de grande, le preguntaba por su madre verdadera, limitándose, eso sí, a lo estrictamente necesario: ¿Todavía no se ha muerto? Porque, de haber muerto ya, habría llegado el momento de empezar a buscar en diferentes Bancos de París, en diferentes casas y en muchísimos colchones de las diferentes casas, todo el dinero que escondía. Comprendí lo de diferentes casas y lo de muchísimos colchones, pero no comprendía por qué madame Labru tenía cuentas en diferentes Bancos, si todos eran Bancos de París. También eso me lo explicó la portera: para que ni los empleados de los Bancos supieran cuánta plata tenía en el Banco.

He dicho antes que el crimen perfecto tardó un año entero en consumarse. Agrego que se necesitaba haber vivido varios años en París para poder detectarlo: si no, se le escapa hasta al mejor Sherlock Holmes. Por eso creo que este crimen dice también mucho de mí y de mis relaciones con París. No sé quién afirmaba que el ser más avaro y egoísta del mundo, puede esconder tesoros de ternura para con su gato. O para con su perro, por qué no, también. No sé quién dijo eso, pero aunque sin duda era alguien que conocía bastante bien el mundo de los solitarios parisinos, no llegaba a conocerlo tan a fondo como para imaginar que hay seres, madame Labru, por ejemplo, que no guardan una pizca de tesoro de ternura ni siquiera para su Bibí. Aquel detestable bicho, porque en París perros y gatos llegan a tener en común el irse convirtiendo poco a poco en bichos, en bichos castrados u operados, además, era tan sólo su interlocutor, y por eso se explica tan fácilmente que recibiera tres pateaduras al día, una antes de cada comida.

Madame Labru era mala como son espantosamente malos tantos solitarios parisinos. Alcoholismo, perrito, o gatito, son sus vicios más conocidos, a los que hay que agregar, más como perversión del alma que como enfermedad, una buena dosis de locura totalmente desprovista de sufrimiento, salvo que sea por su bichito, una buena dosis de locura sin demencia, con buen sueño, y en la que cada hora del día es aprovechada para concebir alguna maldad aplicable al vecino más débil. El origen histórico de este fenómeno pudo ser el miedo, el temor en la soledad, y su consiguiente necesidad de defensa, pero todo ello se mezcla luego en el alma hasta llegar a convertirse en ataque puro, en agresiva y envenenada costumbre cuyo origen se ha olvidado, pero que suele ser hereditaria. Así, por ejemplo, se repiten exactamente iguales, con un nuevo vecino que aún no ha dado prueba de nada, las mismas atrocidades que se le aplicaron al vecino anterior, que a lo mejor, acaba de abandonar su departamento porque no pudo soportar unas maldades que le resultaban inexplicables. Creo que eso hizo madame Labru con nosotros, o en todo caso conmigo, pues ya he dicho que a partir del tercer día Inés dejó de verla para siempre. Mi táctica fue siempre la de ponerle la otra mejilla, un poco por mi carácter experimentador, otro poco porque me gusta saber hasta dónde puede llegar la maldad humana, y también, es verdad, porque creía que siendo buenísimo lograría desarmarla algún día. Me destrozó la mejilla cristiana.

Me gusta París, a quién no, pero sé que hay algo que terminará expulsándome de esta ciudad en la que he sido pobre, joven y feliz, algo más rico y algo menos joven, realmente feliz y profundamente infeliz. Todo esto es normal, no me quejo, en ninguna ciudad del mundo habría sido diferente, tampoco, puesto que ya no me cabe la menor duda de que mi carácter ha tenido mucho más que ver en mi destino que los astros, las cartas, o el *I Ching*. Y por ello mismo me he negado, desde hace algún tiempo, a tener un perro o un gato en una ciudad en que perros y gatos se convierten a menudo en lazarillos de malvados de galopante maldad. Con excepción del perro de Octavia (pero hablar de Octavia y de su perro es hablar de un mundo que sólo conocí años más tarde), y de alguno que otro perro con costumbres y espacios vitales extranjeros, no creo que haya un solo perro en todo París capaz de tirarse del trampolín de la piscina y caer entre la refrigeradora de casa de mis padres. En fin, el que me entienda que me siga. Pero quien al imaginar su tercera edad, como le llaman aquí a la vejez, se ve a sí mismo solo en un departamento con un perro, va de culo camino a la maldad. Se comprenderá, pues, por qué tras mi separación de Inés, opté por una soledad sin perros. Se comprenderá, también, por qué cada nueva mujer que se me acercó, para nuestro bien o para nuestro mal, volvió a despertar en mí el deseo de tener un perro al estilo mío. Y se comprenderá, por último, por qué en esta actualidad que puede durar para siempre, Dios no lo quiera, sólo recibo perros en las horas en que normalmente recibo a mis visitas. Concluyo ahora con una última intuición: no hay nada que pueda y deba causarle más pánico a un joven en París, que un perrito o gatito de viejo. Guerra avisada no mata gente.

Salvo en el caso de madame Labru que avisó guerra y mató a los dos viejos pacíficos que vivían con la perrita retirada, con una estrategia que mis años en París me permitieron ir descubriendo, paso a paso. El asunto empezó como un pleito entre artistas y el objeto en disputa era el espacio destinado a sus respectivas exposiciones anuales. En efecto, cada año, madame Delvaux y madame Labru les exponían el resultado de un año entero de trabajo, a sus amistades. Madame Labru se mandaba fabricar tantas medallas de plata de la Municipalidad de París cuantos cuadros exponía, y las colgaba luego en lo alto y a la derecha de cada nueva monstruosidad. Sus cuadros eran, en efecto, tan horribles como ella, y a menudo enormes y con el mismo tema: desnudos femeninos y masculinos agigantados y de colores francamente desagradables y tenebrosos. En cambio del departamento de madame Delvaux salían decenas de ramilletes de flores de muchos colores alegres y alguna que otra palomita mensajera de una paz que, en realidad, nunca había existido entre las dos vecinas. Bastaba haber visto un cuadro de madame Labru, para saber que envidiaba a madame Delvaux, que la odiaba porque sus cuadros eran más alegres, porque era su vecina, y por tantas otras cosas que debían remontarse a épocas en las que no sólo no soñaba yo aún con venir a París, sino que además la cigüeña tampoco soñaba aún con llevarme a mí de París a Lima. Odio viejo y podrido de viejos vecinos y punto.

Las exposiciones se realizaban cada otoño, y la sala de exposiciones era nada menos que el pasillo al que llegaban la escalera y el ascensor. En el caso de madame Labru, además, la sala se prolongaba (fue una de las condiciones del contrato de subarrendamiento) por la escalera que subía a nuestra mezzanine, por nuestra terraza, e incluso por las paredes laterales y la puerta de la casetita en que estaba nuestro wáter *ma non troppo*, para qué decir más, ya. Nunca les pregunté a ninguna de las dos por qué no exponían en una galería o algo así, pero era evidente que por más medallas de plata que tuviera la una, y por más colorido alegremente ramillete de la paz que tuviera la otra, por esas pinturas nadie daba un real. Nos tocó pasar en medio de ambas exposiciones y en medio de los concurrentes, de los bocaditos y los coctelitos, a las pocas semanas de haber llegado al departamento. Tanto madame Labru como madame Delvaux les explicaban sonrientes a sus invitados que no había por qué preocuparse, éramos dos nuevos inquilinos extranjeros que entrábamos o salíamos de nuestro departamento.

Pero el día de la exposición Labru, no pudo faltar uno de esos contratiempos que me obligaron a salir mandado por Inés en busca del monstruo, con la mejilla cristiana lista para cualquier sobresalto. En efecto, al llegar a nuestra escalera, nos dimos con que no sólo allí había invitados y coctelitos, los había también en nuestro departamento. El monstruo había abierto la puerta con toda concha y les había dicho a sus invitados que podían sentarse en nuestros sillones sin problema alguno. Nos dimos con una buena docena de personas instaladas hasta sobre la cama.

—No te das cuenta de que lo hace para que no le ensucien su casa —me dijo Inés, mientras con la mirada mandaba a todo el mundo a la mierda y a mí en busca de la vieja.

Bajé veloz y feroz como un rayo, qué significaba eso, qué tal concha, y después a nosotros sólo nos dejaba invitar a una o dos parejas por semana, por qué con los doce o quince invitados suyos que se nos habían metido no se iba a hundir el piso también. Dicho todo esto, puse la mejilla cristiana, y terminé con una jarra de sangría y doce vasitos de cartón sobre una fuente, por si acaso los invitados de arriba tuvieran sed, mi esposa y yo también podíamos servirnos un poquito, si deseábamos. Mi esposa no deseó volverme a ver más en la vida, y yo no tuve más remedio que continuar de mozo por la escalera, la terraza, e incluso esperando que una especie de espantapájaros terminara de mear en nuestra caseta, guárdeme una copita, por favor, señor, me dijo al entrar, qué me quedaba en la vida más que bajar por más sangría y seguir fuente en mano mientras a Inés se le fuera metiendo en la cabeza la posibilidad de volverme a acoger en su seno, en su regazo, en sus brazos, o en su mirada preperdonadora. Tres días más tarde le tocó a madame Delvaux su exposición. Me ausenté del barrio hasta la noche, para evitarme contratiempos con Inés.

Y al regresar, me enteré de que el verdadero contratiempo había surgido entre las dos pintoras. Por su ojo mágico, llamado también Judas, y que era además oído, madame Labru había escuchado que su vecina estaba invitando a la misma gente para el año entrante, día 15 de octubre. Salió furiosa, con Bibí ladrando furioso, y conmigo parado en medio de todo, sin saber a cuál de las dos saludar primero, porque madame Delvaux era buena y pacífica, pero el monstruo era el arrendatario de quien yo dependía. ¿Por qué demonios a Inés nunca le tocaban estas cosas?, hasta ahora me lo pregunto. Porque son mi especialidad, es la única respuesta que he encontrado hasta ahora. Bueno, lo cierto es que yo seguía parado entre los invitados de madame Delvaux y entre los gritos de madame Labru, quien afirmaba que también ella había invitado a su gente para el año entrante, el 15 de octubre. Sugerí que una exposición podría ser por la mañana y la otra por la tarde, y casi me doblan el alquiler. Pedí permiso para seguir mi camino hacia los brazos de Inés, pero se me anunció que Inés estaba con otro hombre entre los brazos. ¡También de eso tendremos que hablar muy pronto!, me gritó el monstruo.

Y aquí nace el crimen perfecto. Pobrecitos los Delvaux, si hubieran sabido lo que les esperaba, si en vez de ser un matrimonio viejo, pacífico, tranquilo, y hasta sonriente, hubiesen sido como se debe ser cuando se es viejo y sólo se tiene un perro. Pero ya he hablado de Betty (se pronunciaba Bettí), que también era buena y tranquila y retirada. El frío iba a acompañar la desolación con que esos viejos se irían acercando al día del crimen, el 15 de octubre del año entrante no tuvieron fuerzas para preparar su exposición, tras la muerte de Bettí. Y sólo cuando la vieron mordida, por primera vez, empezaron a comprender hasta qué punto, sin aquella perrita, la vida no podía seguir adelante. Trataron, sin duda, pero no pudieron contra lo que comprendieron. Así pasa con los perros y la gente en la soledad oscura de los viejos edificios en tantos barrios de París.

Lo único que gritó madame Delvaux fue que era una injusticia escoger precisamente la misma fecha que ella, para la exposición, quince años sin cambiar de fecha, ya sus invitados estaban acostumbrados al 15 de octubre, había que tener consideración por la gente de la tercera edad, un cambio de costumbres puede ser fatal, se van a equivocar de fechas, se van a enfriar por gusto, van a gastar un ticket de metro por gusto, van a desplazarse por gusto, están acostumbrados, por más que les dijera yo que el 16 en vez del 15, se equivocarían, se confundirían, se perderían por calles frías e inhóspitas, llenas de los jóvenes de hoy, qué horror. Y los invitados de madame Delvaux, que tenían todos ojos azules y boinas bohemias, asentían, no podía ser, mire usted, ya lo tenemos anotado en nuestras libretas, mire la prueba, aquí está anotado, ¡Dios mío, mi libreta!, se me cayó mi libreta, no, ésta es la suya, no, ésta es la de ella, ¿dónde está mi libretita?

Empecé a recoger libreta tras libreta hasta que Bibí, pateado por su dueña, me cayó encima ladrando. Comprendí que el monstruo iba a volver a gritar. Frankenstein decía que era malo porque era desgraciado, vamos a ver qué dice esta desgraciada de mierda. Dijo, o mejor dicho, anunció a gritos que el 15 de octubre del año entrante nadie vería más cuadros que los suyos en todo el edificio. Y terminó con una patada destinada a que Bibí cayera peligrosamente cerca de la pobre Bettí. Felizmente, monsieur Delvaux se interpuso y la perrita retirada, por esta vez, salió ilesa.

No sé si fue en ese preciso momento, pero en todo caso tardé poco en comprender que ya estaban listos todos los ingredientes del crimen en la mente del monstruo. Estaban listos, no me cabe la menor duda. Tan sólo la manera en que de pronto se quedó tranquila y pensativa permitía suponer que alguna idea bastante agradable acababa de metérsele en la cabeza. Me sentí increíblemente Sherlock Holmes, sentí haber descubierto pistas, huellas, ideas, premeditaciones, todo un terreno criminal que por el momento descansaba pensativo en la mente asesina de madame Labru, el monstruo del noveno piso. Corrí completamente Sherlock Holmes donde Inés, pero Inés no me hizo el menor caso, o mejor dicho, me dijo que mejor empleara tanta imaginación para avanzar en mi novela, qué había del capítulo sobre la huelga de pescadores, por ejemplo, me había quedado estancado en plena huelga, por qué no me ocupaba de eso, más bien.

—Sigue la huelga —le dije—; no ceden ni el patronato ni el sindicato. Todo está detenido, la novela también.

Inútil decir cómo me miró y a dónde me mandó con la forma en que me miró. Era masoquista, no cabía la menor duda, y a lo mejor hasta sádico también, pero lo cierto es que me encantaba provocar estas situaciones con Inés. La quería, quería hacerla reír, la quería y sabía que iba a lograr el efecto contrario, yendo a parar a la mierda, además. Pero ahora pienso, más bien, que esto es lo que se llama relaciones normales entre una pareja formada por un hombre al que le gusta hacer reír y por una mujer a la que no le gusta que ese hombre la haga reír. No, tras esta breve reflexión, no creo ser ni sádico ni masoquista. Me incorporé del sucio lugar en el que me había dejado la cristalina mirada de Inés, y me preparé para asistir terriblemente Sherlock Holmes a la reunión del Grupo.

Les conté todo.

—Miren —les dije—, soy una especie de Sherlock Holmes parisino, y creo haber descubierto inenarrables y pérfidas intenciones en la mente de mi arrendataria. Creo que esa vieja de mierda está cocinando un crimen que puede resultarle perfecto. Yo les ruego que dediquemos la reunión de hoy a la realidad que nos circunda...

—Que te circunda, querrás decir —me interrumpieron.

—De acuerdo —dije, contemporizador—, pero creo que

debemos tener en cuenta que la realidad no es todo el tiempo latinoamericana y política y guerrillera o clandestina...

Iba a decir también que estábamos en París y que eso había que tomarlo en cuenta, pero ya todo el mundo me estaba volviendo a interrumpir con la mirada, el Grupo íntegro se estaba copiando la mirada de Inés. No les salía, bien hecho. Del alma mía tenía la única mirada que me causaba pavor en este mundo. Continué, a pesar de que ya nadie me hacía caso, y les dije que por no hacerme caso era muy posible que dos seres totalmente inofensivos, más una perrita retirada, hubiesen muerto dentro de un año. Gracias a Dios, el Grupo optó por tomarse mis palabras en broma y nada más, y como la reunión aún no había empezado realmente, no faltó incluso alguien para decirme, sin una gota de mala intención, y como quien trata de desdramatizar las cosas, que sin duda se me habían pegado algunos hábitos policiales de mi tan querido y misteriosamente desaparecido amigo poli. Hubo risa general, y debí alegrarme con eso, pero la verdad es que era tan misteriosa la desaparición de Enrique, que de pronto sentí terror ante la perspectiva de encontrármelo algún día dirigiendo el tráfico o algo así... Perdón, Enrique, aquello fue sólo un ácido y helado alfiler en una mente angustiada, medio segundo después ya estaba apostándole en silencio al Grupo y a la vida que la razón y la bondad eran tuyas. Llevaba mucho tiempo ganando esa apuesta cuando te vi muerto. Después seguí ganando siempre solo. Gracias, Enrique...

En fin, nadie me dejó ser un Sherlock Holmes parisino y nadie quiso ser ni Watson ídem. Con algunas bromas más terminó el asunto, y acto seguido se me interrogó acerca de la novela. Inés estaba presente, o sea que me metí al culo todos los argumentos sindicales y patronales que me obligaban a tenerlo todo paralizado. Dije, en cambio, que la calidad estratégica, cada día más evidente, de la obra de Lenin, me permitiría sacar a mis sindicatos adelante, que ya se estaba formando ahí un núcleo sólidamente politizado, que pronto podría leerles capítulos esperanzadores y, sobre todo, edificantes en grado sumo para el pueblo peruano. Lo que no me atreví a decirles fue que Carmen la de Ronda, sin el acento andaluz, por cierto, estaba preparando la toma de una fábrica, con la vitalidad y la energía que le daban sus cien sanísimos kilos de juventud rosada. A Paco, su esposo, lo había puesto en la retaguardia, tras suprimirle también el acento andaluz, porque me era imposible imaginármelo de otra cosa que de obrero agotado y verdoso de fábrica de París. Esto último no me lo confesaba ni a mí mismo, claro, y más bien pensaba dejarlo en una posición poco combatiente, debido a la agudización cada vez mayor de su tic nervioso en tres tempos con fuga. Siempre me había preocupado el estado de salud del pobre Paco, y ello tenía que reflejarse de alguna manera en el realismo sensible y socialista de mi novela, era lo justo. Giuseppe, Francesco y Paolo, los tres albañiles italianos de mi abandonado techo, llamados para las necesidades del caso, Pepe, Pancho y Pablín, y convertidos también en pescadores sindicalizados, apoyaban fervientemente las resoluciones de la joven y apasionada Carmen la de Chimbote, más conocida por sus amigos, y desgraciadamente también por un policía infiltrado que en nada se parecía a Enrique, como la Chimbotazo. En fin, es indudable que mi sinceridad en la redacción de la novela era total, me estaba basando en los únicos modelos reales que había conocido en mi vida.

Sin embargo, era prudente no hablar de eso y era mejor también no hacer la pregunta que se me ocurrió en aquel instante. En efecto, había notado a los muchachos tan contentos con mi exposición, que preferí quedarme con la duda hasta hoy, en que ni la duda ni el problema se me plantean ya, y en que se ha quedado para siempre en el cajón de los malos recuerdos mi vocación de novelista. O sea que la pregunta quedará para las vocaciones venideras. No digo las generaciones venideras, porque eso me resulta ya demasiado optimista. Pero si alguien lee este cuaderno, es decir, si alguien además de Octavia o de algún amigo acepta leerlo, comprenderá que un hombre que navega en un sillón Voltaire es una persona cuya capacidad de entusiasmo es estrictamente nula. En fin, la pregunta era más o menos la siguiente, y voy a tratar de imaginar qué habría sucedido si efectivamente la hubiese planteado en aquella lejana reunión del Grupo.

—Camaradas, tengo una duda. Ya sé que es una duda más la que tengo, otra más entre millones de dudas, ya sé que me pongo pesado con tanta duda, pero...

Interrupción aquí.

—¡Déjenlo hablar! —habría gritado Inés, que, hay que ser justo, consideraba que la solidaridad internacional me comprendía a mí también. La hondonada era cosa aparte en estos casos, *cosa nostra, cosy nostro* y diminutivísimos, éramos ella y yo sin el Grupo problemeante o con alguno que otro amigo del Grupo invitado a nuestra fiesta de boda a poquitos. Sí, Inés creía que la hondonada era una vida separada de ésta. —¡Déjenlo hablar!— habría vuelto a gritar, porque a la primera nunca funcionaba y normalmente el asunto requería de una de sus miradas, además.

—Camaradas, mi pregunta era, mi pregunta es, mi pregunta era...

—Martín, *por favor* —bizquerita.

—Sí, Inés. Mi pregunta es la siguiente: Esta novela está destinada a un pueblo mayoritariamente analfabeto... un pueblo que sólo sabrá leer y escribir después de la revolución... En fin, digámoslo claramente, mi novela está destinada a colaborar con gente que no la puede leer. Si está destinada a colaborar en la lucha de un pueblo que sólo podrá leerla después de la revolución, ¿para qué sirve mi libro ahora y para qué servirá después?

Inés habría bizqueado y el Director de Lecturas habría sugerido pasar al siguiente punto de la orden del día, que siempre era mucho más importante y urgente que una de las típicas dudas mías. Hoy, que proso, y que los húmeros a la mala se me han puesto, ese hijo de puta está trabajando gordísimo en una dependencia pública, en Lima, y yo sigo hecho un pelotudo pensando en estas cosas en mi sillón Voltaire. Bueno, queda un consuelo: Carmen la de Ronda y Paco son propietarios de una pensión en su pueblo andaluz y el tic de Paco ha perdido la fuga, el tercer tempo y el segundo ya casi ni se notan. En fin, uno que sobrevivió. Le fue mucho mejor que a los Delvaux y que a Bettí.

Y sin embargo nadie sabe la pena que siento al repetirme esta cojuda pregunta que entonces no hice porque la coyuntura, no la política sino la otra, me indicaba que lo mejor era el silencio. Sí, mis relaciones con el Grupo habían mejorado poco a poco tras la desaparición de Enrique, y ello había influido lógicamente en mis relaciones con Inés, era indudable que habían mejorado. Yo no separaba las dos cosas como ella, y pensaba que en la hondonada se podía alcanzar más fácilmente la perfección si se estaba bien fuera de ella también. Y hablando de los seres y de las cosas que estaban fuera de la hondonada, y contra las cuales luchaba en mi afán de protegerla, el monstruo ya era suficiente problema.

## UNA VIEJA MALVADA, ADEMAS N.º 2

Me había mandado llamar para hablar del hombre en cuyos brazos estaba Inés el día del bochinche con madame Delvaux. El hombre era nada menos que nuestro gran amigo Daniel Céspedes, segundo o tercer amante que había tenido Inés en las horas en que yo iba a trabajar, no recuerdo bien, pero en todo caso yo llevaba alguna ventaja porque en ausencia de Inés, el monstruo me había mirado cinco amantes por el agujero descorchado. Nada de esto era problema alguno para Inés o para mí, la verdad estaba ahí, paseándose por cada rincón del departamento y estaba también ahí, profundamente, cada vez que nos amábamos en la hondonada. El problema era más bien Daniel Céspedes, que no tenía beca, que no encontraba trabajo por ninguna parte, y que no se encontraba nada bien de los nervios. Daniel era un muchacho solitario, tímido, introvertido, y excesivamente honesto para el mundo que le había tocado vivir en Lima. Había abandonado un brillante porvenir de arquitecto porque consideraba que allá, o se construía para ricos, haciendo todo tipo de concesiones, o se construía para pobres, lo cual con el tiempo y el desempleo terminaba obligándolo a uno a construir para ricos. Había abandonado Lima porque sentía cada vez más agudamente la agresividad del medio y la agresividad que el medio despertaba en él. El Grupo trató de acercársele muchas veces, pero Daniel, entre que jamás decía un sí, sin estar convencido de que era un sí definitivo, y entre que tampoco era hombre de grupo, jamás había mordido ninguno de los anzuelos que le lanzaron. Prefería simplemente caminar solo. Y digo caminar porque se pasaba media vida caminando solo por París, como buscando enterarse de algo que escapaba por completo a mi control, algo que él buscaba con una mirada que alcanzaba alturas totalmente inaccesibles para mí. Daniel medía casi dos metros y calzaba zapatos que no se encuentran en el mercado común de los hombres. Era muy pintón, y con ese tamañazo le resultaba muy fácil mantener siempre la mirada por encima de todos los perritos y gatitos de París, lo cual le daba a su andar tan solo una dignidad tan elegante como misteriosa, ya que nunca se fijó dónde pisaba y sin embargo jamás pisó caquita de bicho.

Inés y yo éramos de las pocas personas ante las cuales Daniel detenía sus interminables caminatas. Unas veces nos visitaba, y otras venía a buscarme para ir a nadar a la piscina del Boulevard Saint-Michel. A los dos nos habían recomendado la natación como descarga bastante efectiva para el sistema nervioso y los problemas del alma, y dos veces a la semana cumplíamos con nuestra obligación de hacer algo por sentirnos bien y por dominar el insomnio. Nadábamos casi hasta ahogarnos de cansancio, cuando teníamos algún problema, y después nos sentábamos al borde de la piscina para contemplar el panorama. Pero, en realidad, en aquella piscina, el panorama por contemplar resultaba siendo Daniel. Lo alto que era, lo fornido que era, lo moreno que era, lo rizado que tenía el pelo, y su gran barba negra, hacían de él un personaje bastante fuera de lo común en París. Por lo menos así pensaban las muchachas que lo veían pasar caminando por las calles, mulato y fornido y realmente hermoso, y así lo decidían las muchachas que se le acercaban una tras otra en la piscina a preguntarle si tenía fuego para su cigarrillo, por favor, y de qué país vienes.

Unas veces Daniel respondía, conversaba sonriente, y lo que ocurría después no es nada que me incumba, y otras simplemente no escuchaba, no escuchaba porque no podía escuchar. Estaba con el zumbidito en el oído. Yo esos días ni me le acercaba siquiera, porque sabía que se estaba sintiendo pésimo. Esos días no venía a buscarme para ir juntos a nadar, sino que llegaba solo a la piscina y entraba con la barriga enorme. Era el zumbidito. A mí ya me lo había contado: no bien le arrancaba el zumbidito empezaba a inflársele la barriga y se sentía pésimo porque la vida no tenía mucha razón de ser, y en ese caso prefería que lo dejaran resolver sus problemas completamente solo. O sea que no bien lo veía entrar barrigoncísimo a la piscina, me lanzaba al agua por el otro extremo y lo dejaba con su calvario y con la soledad de su calvario. Las mujeres no entendían eso, sólo veían al Daniel de siempre, al hermoso, gigantesco y prometedor moreno peruano. Ignoraban por completo que Daniel era una especie de Harlem Globe Trotter hipersensible.

También lo ignoró por completo madame Labru, a lo largo de todo el año que se pasó pintándolo. Daniel posó porque necesitaba ganar dinero de cualquier forma, porque le interesaba aquel sórdido aspecto de la vida parisina del que yo le había hablado, y por ayudarme a conservar mi departamento con el asunto tan tierno e importante de la hondonada. Consciente o inconscientemente, Daniel me ayudaba a alargar mi matrimonio. Empezó a posar el día mismo en que el monstruo me llamó para decirme que si no le prestaba de modelo al amante de Inés,

224

nos expulsaba a los tres del departamento por inmoralidad. El asunto nos convino a todos, porque posando encontró Daniel algún dinero para sobrevivir, un lugar donde reposar tras sus largas y solitarias caminatas, y yo obtuve la suficiente tranquilidad como para continuar con mi novela, para gozar del departamento con Inés, y para observar cómo se iba desarrollando, poquito a poco, el crimen perfecto.

Y de hecho, al cumplirse el plazo, o sea el 15 de octubre siguiente, todo estaba consumado. Hubo funeral por la mañana y exposición por la tarde. El monstruo había llevado a cabo su plan con matemática crueldad. Una vez al mes, mientras Bettí hacía su caquita en la vereda de nuestra calle, Bibí, hábil y puntualmente excitado, primero, y pateado, después, iba a parar sobre Bettí. La mordió en noviembre, en diciembre, en enero, etc... Todo casual, además, porque los Delvaux con el frío que hacía andaban siempre muy despistados, ni cuenta se daban de lo que les estaba ocurriendo. Hasta se disculpaba la hija de puta del monstruo.

Pero Bettí iba soportando muy mal los mordiscos, y el de febrero fue casi fatal. Le sacaron un buen bocado de un muslo, y ya nunca pudo caminar bien. Se negaba a caminar, además, y el mordisco de abril en el mismo muslo la tumbó para siempre. Detrás de la puerta de los Delvaux se había instalado el desconsuelo, la desolación, cuántas veces escribiendo mi novela me detenía a imaginar aquel interior lleno de cuadros de flores y palomitas de la paz, entre bolsudos edredones, enormes y pesadas cortinas de terciopelo azul, o verde, o guinda, alfombras desgastadas, y pesados muebles que los años y un mínimo de arreglo habían ido entre colocando y acumulando ahí. En un rincón, Bettí, muy abrigadita. En dos sillas, los Delvaux muy abrigados, observándola totalmente abrumados, perdiendo fuerzas mientras contemplaban hora tras hora cómo Bettí perdía fuerzas, cómo cada mañana les sonreía y les hablaba menos con la mirada, al despertar.

Madame Labru había pedido mil perdones por carta (comprendí pronto que dejar pruebas escritas de su falta de responsabilidad en aquellos desafortunados accidentes, como les llamaba ella, era parte de su proyecto criminal a largo plazo), e incluso había ofrecido la terraza de nuestro departamento para que Bettí hiciera su caquita y no tuviera que realizar el penoso esfuerzo de bajar hasta la calle y volver a subir después. Eso me lo contó Daniel, a quien ella le leía las cartas cuando llegaba a posar, para dejar más pruebas todavía, y juntos adivinamos lo que el monstruo ocultaba bajo tan buenas intenciones. Había que hacer algo, si Bettí subía a mi terraza, si los Delvaux caían en esa nueva trampa, Bibí iba a terminar rematando a la pobre perrita negra. Decidimos ir a la comisaría y denunciar el hecho, qué diablos que yo perdiera el departamento y Daniel su trabajo de modelo, qué mierda, había que detener eso, era increíble cómo los Delvaux continuaban creyendo en la buena fe del monstruo, en lo puramente accidental del asunto. Y ahora estaban a punto de caer en una nueva trampa, al aceptar que Bettí subiera a hacer caquita en mi terraza.

Pero en la comisaría nos tomaron por dos locos extranjeros. Esto último era cierto, claro, pero no por ser extranjero está uno descalificado para denunciar un crimen, por más a largo plazo que sea. Pero nos descalificaron e incluso exigieron que mostráramos nuestros documentos y nos insinuaron que nos dejáramos de estupideces calumniosas y extravagantes, porque eso podía repercutir fatalmente sobre dos bichos raros extranjeros. Bueno, la verdad es que el comisario no logró captar nada, y que a lo mejor no todo fue culpa suya. Entre que yo me presenté como artista y que Daniel andaba en pleno zumbidito, con la barriga inmensa y completamente sordo, entre que yo le decía Daniel, por favor, haz un esfuerzo, y que él no lograba escucharme y se metía un dedo inmenso a la oreja, en enconada lucha contra el zumbidito, entre que uno era un artista bastante excitado y con teorías demasiado perversas y extrañas sobre un crimen perfecto, que había empezado en octubre del 67 y que sólo terminaría en octubre del 68, y entre que el otro era el modelo y no escuchaba bien y no lograba responder claramente cómo demonios podía ser modelo de un artista que se había presentado como escritor... En fin, para qué decir más, nos recomendaron que hiciéramos mucho deporte para calmarnos un poco, y la verdad es que esa noche Daniel y yo terminamos en la piscina. El, barrigoncísimo en un rincón y rodeado de mujeres que no entendían nada, y yo, con tan rabiosos nervios de impotencia, que si algún estilo tenía al nadar, era el de un náufrago que ha divisado una boya al otro extremo de su capacidad de resistencia.

El mordisco de mayo fue fatal. Era pleno mayo del 68 y todo el mundo andaba excitadísimo, y tanto los Delvaux como madame Labru afirmaban que el mundo se les venía abajo y en contra, además, lo cual había despertado entre ellos incluso cierta solidaridad. Los jóvenes de hoy estaban rompiéndolo todo, ellos no eran momias, ellos no entendían nada pero no por eso tenían que sentirse como momias; en fin, se hablaban, intercambiaban pánicos, escuchaban los mismos comunicados en la radio, y no bien éstos terminaban, salían corriendo al pasillo a comunicarse lo que habían dicho los comunicados. Yo pasaba entre ellos y me miraban como a agente cubano infiltrado en una sacrosanta república. Me subieron el alquiler, a Daniel le pagaron menos por posar, nada nos importaba, también nosotros teníamos nuestros problemas con mayo del 68, y de esos viejos espantados sólo nos preocupaba el último mordisco de Bibí, cuyo escenario fue efectivamente mi terraza.

Estaba fuera de París cuando Bettí recibió los mordiscos que terminaron con ella, a principios de septiembre. Lo demás fue cosa de semanas. Los Delvaux se apagaban, habían empezado a declinar lentamente, sin darse cuenta casi, desde que Bettí empezó a abandonarlos, tras el mordisco de febrero. Era su última perrita, la que habían calculado hasta la muerte. Al comprarle su capita invernal escocesa, habían pensado, sin atreverse a decirlo, que ésa era la última capita que compraban, de la misma manera en que la boina bohemia de ella y el pesado abrigo de él habían sido, algún tiempo atrás, su última batalla contra el frío en la tercera edad. Así lo sintieron, sin atreverse a decirlo tampoco entonces, pero ahí estaba todo en sus miradas. Los vi aparecer muy pocas veces, después de la muerte de Bettí. No sé qué comían, porque no los vi bajar más. Esa gente siempre tiene mucho té o café guardado, le decía yo a Daniel, cuando comentábamos el asunto. Y él me contaba que madame Labru había escrito más cartas disculpándose, y que las últimas las había enviado certificadas. El monstruo había pensado hasta en el último detalle. Y fue increíble cómo precisamente el día 15 de octubre, por la mañana, tuvo lugar el funeral, mientras la hija de puta de madame Labru se disculpaba ante los asistentes.

—Y pensar que hoy teníamos que asistir a la exposición de la pobrecita —lloraban los viejos, entre los cuales más de uno había venido al entierro con su perrito o con su gatito—. No están acostumbrados —explicaban, lamentándose, lloriqueando—, nuestros perritos, nuestros gatitos no están acostumbrados a quedarse solos por la mañana.

Sí, el monstruo se disculpaba ante los asistentes, pero su exposición estaba prevista para esa tarde, tenía que empezar a colgar sus cuadros ya, no le quedaba más remedio, lo sentía tanto, pero. Total que los dos ataúdes pasaron delante de varios gigantescos Danieles de colores tenebrosos y sexos descomunales, algunos muy barrigones y otros como en los días en que Daniel sí me escuchaba en la piscina.

# Y MIENTRAS TRANSCURRIA AQUEL AÑO DEL CRIMEN

Muchas cosas ocurrieron a lo largo de aquel año definitivo e imborrable. Muchísimas cosas. Empezaré anotando que *logré*, por fin, que la Chimbotazo, al frente del sólido núcleo político con el que la había dejado abandonada en el vigésimo capítulo de mi novela, saliera airosa de una huelga que se había ido prolongando y hasta pudriendo por culpa de mi falta de iniciativa y de ideas. Se obtuvo todo lo deseado, al nivel de aumentos salariales, reposición de despedidos, y pago de los días en que las fábricas permanecieron cerradas y amenazadoramente custodiadas por las fuerzas del orden. Y en lo que se refiere al policía infiltrado, tras una larga y seria conversación con Inés, hice que fuera descubierto, expulsado sin maltratos ni venganzas, aunque sí cubierto de oprobio y de escupitajos. Inés puso particular atención en todo lo referente a este punto álgido de mi novela, la pobre creo que le tenía terror a la pena que me había causado la misteriosa desaparición de Enrique, se podía filtrar algo de eso, se podía notar una cierta debilidad en el tratamiento del tema. No pasó nada, felizmente, pues fue ella misma quien redactó casi todo el capítulo, otorgándome luego plena libertad y confianza para continuar con mi trabajo creativo, dentro de un ambiente de franca y deliciosa armonía conyugal.

Pero la curiosidad en torno a mi libro había ido creciendo entre los amigos, y ahora lo que se me pedía era que lo fuera leyendo a trozos, cada vez que nos reuníamos. Nuestra fiesta de boda a poquitos fue la gran oportunidad. Cada sábado leía uno o dos capítulos, y después, entre copas y demasiadas copas, arrancaban los comentarios, las discusiones, los pros y los contras. A veces se armaba realmente la de San Quintín.

No había problema alguno en discutir o matarse a gritos

hasta las mil y quinientas, cuando el monstruo se había ido de fin de semana al campo, pero otra cosa era cuando se quedaba en París acechando a nuestros invitados. Pasaba las de Caín tratando de calmar contrincantes, por temor a que se nos metiera al departamento, en plena comida, y expulsara a medio mundo. Sucedió tres o cuatro veces, y en vez de matarla o algo así, la acogí como si fuera mi madre o mi hermana que llegaba sorpresivamente del Perú, puse enorme y tierna mejilla cristiana para un beso de familiar lejano y querido, le ofrecí vino, un plato típico peruano, por favor, madame. No funcionó, por supuesto, y ni hablar de las miradas que le echó Inés a lo mal que su esposo llevaba los pantalones, era horrible, por ningún lado me entendían, Martín Romaña, pensaba yo, Martín Romaña, el mártir de la hondonada. Espero me perdonen esta pequeña autoconmiseración, pero es que resulta tan fácil caer en la tentación de hacerse justicia algún día. En fin, sigamos.

La conducción de la huelga fue motivo de una sensacional bronca verbal entre nuestros invitados, un sábado en que el monstruo se había largado al campo, felizmente. Hasta Inés, flor de tranquilidad y silencio, enfureció en aquella oportunidad. Claro, se trataba justo del capítulo en el que ella había actuado de consejero político-literario, aunque el error inicial estaba más bien en la gente que habíamos invitado. La mezclamos mal, muy mal, estuvimos francamente desatinados en invitar a un miembro del Grupo con su compañera-camarada, y a un extravagante peruano que usaba, hasta para dormir, según decían las peores lenguas, un impecable príncipe de Gales, y que afirmaba que lo único que le interesaba del marxismo, puesto que él era actor de teatro y no soldado revolucionario, era que cada día hubiese más chinitos comunistas en el mundo. La cosa iba muy bien, según él, y de nada servía que nosotros metiésemos nuestras narices en lo que no nos correspondía. Esa era la opinión de José Antonio Salas Caballero, más conocido entre nuestros amigos de París como El último dandy.

La opinión de Mauricio Martínez no podía ser más opuesta. Según él, y su compañera-camarada asentía y asentía, todo el egoísmo burgués del último dandy estaba ya reflejado en su vestimenta, pero ese huevón se daba, además, el lujo de andar pregonando entre la juventud su escepticismo sobre las posibilidades reales que un intelectual tiene de colaborar con la causa de nuestros pueblos, hijo de puta. Si a esto le agregamos que tanto Mauricio como José Antonio habían sido actores de teatro en Lima, que lo seguían siendo en París, que allá se habían odiado por celos profesionales, y que acá continuaban odiándose porque ninguno de los dos encontraba un trabajo en las tablas, para joderlo al otro, para que en Lima todo el mundo se enterara por los periódicos de que había triunfado en París, mientras que el otro imbécil había vuelto a dar pruebas de su ya reconocida falta de talento, tendremos una idea algo más precisa de la metida de pata de Inés y mía, al invitar a esa gente junta.

Y sin embargo, en mi recuerdo, aquella fatídica invitación se ha ido convirtiendo en una de las reuniones más divertidas que organizamos, cumpliendo el programa de nuestra fiesta de boda a poquitos. Y es que tanto Mauricio como José Antonio eran, antes que nada, dos grandes actores de la vida cotidiana, dos personas que adornaban su presencia entre la gente con geniales extravagancias, con contagiosa alegría, y sobre todo con una desbordante vitalidad que el vino acrecentaba hasta el delirio. Eran, realmente, dos personajes. Ambos pertenecen a los grandes recuerdos que tengo de París. Sí, pensando en Mauricio y Rosi, su compañera-camarada, y pensando en El último dandy y en las mil aventuras que le tocó vivir antes de su regreso al Perú, puedo decir que sí, que a veces logré ser joven y pobre y muy feliz en esta ciudad de la que todos nos quejamos tanto. No sé quién dijo que, desde la derrota de Napoleón en Waterloo, los franceses no han hecho más que lloriquear. Eso, como lo de los perritos y gatitos, puede ser contagioso. En todo caso, París es la ciudad de la cual uno siempre está deseando irse a Roma, y Roma es la ciudad desde la cual uno siempre está deseando regresar a París.

Y hablando de Roma pienso en espaguetis, y pienso también inmediatamente en los espaguetis a la carbonara de Mauricio

Martínez. Eran su orgullo, su pasión, nadie los preparaba mejor que él y nadie sufría tanto tampoco mientras los preparaba. Le tomaba horas el asunto, y él se tomaba copa tras copa durante todas las horas en que nos iba anunciando que esta vez le iban a quedar mejor que nunca. Había que decirle que sí, que sí y que sí, porque de lo contrario le entraban la neura y la depre y se iba poniendo realmente insoportable entre tanta tensión y tanto vino. Pero valía la pena, porque Mauricio Martínez preparaba realmente los mejores carbonara que he comido en mi vida. Ni en Italia. En ninguna parte de Italia.

Esa mañana llegó temprano con Rosi, su compañera-camarada, y con dos grandes bolsas de plástico que contenían los ingredientes. De entrada se bebió una botella de tinto para ponerse en forma y que le viniera la inspiración y todo eso. Quería quedar bien, mejor que nunca, porque estos carbonara eran su manera de mostrarnos su afecto y, al mismo tiempo, su mejor regalo y homenaje de boda. Lo acompañé a secar la primera botella, hablando de política, y del estado de cosas allá en el Perú, pero de pronto noté que iba perdiendo interés por la conversación y que empezaba a mirar hacia el techo con cierta angustia. Era la inspiración con neura, ya le estaba llegando, Mauricio no tardaba en convertirse en un ser problemático, compulsivo, irascible, y con una terrible cara de dolores de parto. Abrí una segunda botella para ver si la compartíamos, pero ni cuenta se dio de mis intenciones, ya estaba en trance, Mauricio, dejó de verme, dejó de importarle la presencia de otras personas en el departamento, agarró la botella y salió disparado hacia la cocina, como quien parte rumbo a la gloria. Lo sabíamos: cada cierto tiempo volvería a aparecer con una copa en la mano, para anunciarnos angustiadísimo que le estaban quedando mejor que nunca.

Mientras tanto llegó El último dandy, más dandy que nunca, y con sus eternos problemas con las muchachitas en flor. Traía impecable su príncipe de Gales, pero en cambio la luna del anteojo la traía partida por la mitad. Llegó jadeante pero con una sonrisa reposada en medio de tanto cansancio, algo acababa de ocurrirle, indudablemente, pero él se tomaba las cosas con mucha calma y apenas si nos había saludado, ya hablaría, por el momento estaba revisando con gran cuidado el estado de sus anteojos, y dándose golpecitos con un pañuelo perfumado sobre un arañón nada despreciable en la mejilla derecha. Por fin, se sentó, y empezó a tomar en cuenta que existíamos y que lo habíamos invitado a gozar con los carbonaras de Mauricio.

—Vengo de tratar de violar a una niña de quince años —dijo, con su voz ronca y su tono de cuarentón melancólico, algo jadeante siempre.

A Inés no le gustó nada el asunto, pero quién se metía en la vida de José Antonio cuando le daba por hablar de sus muchachitas en flor.

—Quince años —repitió suspirante—, quince años, y deliciosa. No hay otra palabra: de-li-cio-sa. —Miraba hacia algún lugar indefinido en el que parecía continuar batallando feliz con la muchachita.— Es curioso —añadió, hablándonos desde aquel lugar indefinido—, a veces el fracaso no deja insatisfacción, pero sí falta de entendimiento... Porque se habla tanto del mundo moderno y de lo locas que andan las cosas, pero las chiquillas, salvo maravillosas excepciones, continúan impidiendo que uno se las tire... Cosa rara, cosa por lo demás muy rara...

Repitió una vez más "deliciosa", pero esta vez se detuvo horas en cada sílaba, como si lo delicioso estuviese en la palabra misma. No sabíamos qué hacer, porque Mauricio no tardaba en salir de la cocina para anunciarnos lo deliciosos que estaban quedando sus carbonara, eso iba a ser un lío de deliciosos, un implacable choque de temperamentos, Mauricio Martínez se nos iba a morir de depre y de neura si José Antonio lo ignoraba por completo. Traté de sacarlo del mundo feliz por el que vagabundeaba perdido entre sus sílabas, pero sólo logré despertar en él mayores deseos de explayarse sobre el tema de las muchachitas en flor.

—Aaaaaaahhhhhh —dijo, de pronto, como volviendo a tomarnos en cuenta, y en el preciso instante en que Mauricio salía desesperado de la cocina, copa en mano llegaba a anunciarnos corriendo cómo andaba el asunto por allá adentro, venía prácticamente en busca de una ovación general. Pero José Antonio ni lo vio. Continuaba con su aaaaahhhhh...

—Nunca olvidaré a la *ragazzina* más de-li-cio-sa que he visto en mi vida: inmóvil, absolutamente yacente, y qué cabellos de oro... Fue en Florencia... Se dejaba acariciar el pelo, se dejaba tocar las tetitas, pequeñas naranjas, se dejaba acariciar la nuca, y yo, para acariciarla más dulcemente, le cogía los cabellos de oro y con ellos le acariciaba así la nuca, ¡qué piel, Dios mío!, *boccato di cardinale*, era como una tercera perfecta axila, más todavía... aaaaaaaaaahhhhhhhhhh... Tenía trece años pero representaba nueve... aaaahhhh...

Mauricio Martínez mandó a la mierda a la concurrencia por hacerle caso a ese huevón. Jódanse si quieren, nos dijo, pero mis carbonara están saliendo mejor que nunca. Al cabo de un rato volvió por más vino, y le dijo a Inés que lo acompañara a la cocina, que se diera el lujo de contemplar cómo iban quedando sus espaguetis, son mi prueba de afecto, Inés, mi muestra de total solidaridad con ustedes, ahí está el *quid* de la cosa, Inés, me están saliendo mejor que nunca porque en estos espaguetis hay algo de solidaridad, algo muy nuestro, algo como una rosa que yo les traigo de sorpresa, algo muy hondo, Inés...

—... Y dicho sea de paso, anda preparando los platos hondos. Esto se come mejor en platos hondos. Sácalos, por favor, y empieza a calentarlos porque los carbonara no quedan tan bien si los platos están fríos.

Me tocaba a mí hacer todo eso, según la repartición marxista de las tareas caseras, o sea que Inés volvió a la sala-dormitorio, que era casi todo el departamento, para anunciarme lo que tenía que hacer en vez de andarme emborrachando y escuchando las sandeces en que se había perdido José Antonio. A las dos de la tarde todo estaba listo y los tres hombres bastante borrachos. Le rogué al Ultimo dandy que se concentrara un poquito en los carbonara de Mauricio. ¡Deliciosos!, exclamó, trasladándose con la mirada hacia el lugar donde normalmente violaba a sus muchachitas, ¡deliciosos! Miré a Inés, miré a Rosi, pero las dos estaban mirando a un Mauricio Martínez cuyos ojos trataban de introducirse compulsivos en el edén de del Ultimo dandy, a qué se había referido esta vez con la palabra delicioso, la había empleado en masculino y en plural, había dicho de-li-cio-sos, ¿hablaba de sus recuerdos eróticos?, ¿se refería a los carbonara?

—Están francamente de-li-cio...

No logró terminar su frase, porque Mauricio Martínez se le vino encima con un gracias, mi hermano, te lo había dicho, hermanón, a ti también te lo había dicho, Inés, éstos son especiales, son como una rosa traída muy de mañana, sorpresivamente, sí, en la exacta amistad, una rosa sorpresiva, qué maravilla, ¿no?, ¿tú qué opinas, Rosi? Rosi era realmente una compañera, una camarada ideal, una mujercita perfecta, sólida, entera. Era todo eso, y mucho más, porque comía carbonaras seis o siete veces a la semana y acababa de opinar, como siempre, que estaban como nunca, vidita.

—Y ahora cállense y coman —ordenó Mauricio—; coman, porque si se enfrían se van a la mierda.

Nos comimos todos tres platos al hilo, porque estaban deliciosos, y porque el ego de Mauricio no podía contentarse con menos de tres platos por persona, en absoluto silencio homenajeante, y con una rapidez que no dejara lugar a dudas, los carbonara de Mauricio Martínez son los mejores del mundo. Cualquier vacilación, cualquier muestra de lentitud entre un bocado y otro, cualquier intento de demorarse al tomar un sorbo de vino, la menor tentativa de abrir la boca para algo que no fuera meterse otro bocado, podía arrojar violentamente al angustiado y compulsivo Mauricio a los territorios de la depre y de la neura. Tanta humanidad en un miembro del Grupo me resultaba excepcionalmente simpática. Y Mauricio era, además, uno de los pocos miembros que le metía al trago, no bien se presentaba la ocasión.

Terminamos como quien llega de un maratón. Vino, necesitábamos vino, y Mauricio necesitaba, entre copa y copa sus ojos angustiados así nos lo pedían, que le siguiéramos alabando largo rato sus inolvidables carbonara. Cumplimos con nuestra misión de irlo tranquilizando, hasta que por fin su espíritu quedó lo suficientemente liberado como para considerar que existían otras cosas en la vida. En otras palabras, era mi turno, había llegado el momento de leer mi capítulo sobre la huelga y el policía infiltrado, y de someterme a las críticas de los oyentes. No fue nada fácil, porque José Antonio trató de interrumpirme siete veces y las siete Mauricio lo mandó a la mierda y a callarse.

La esperada bronca no estalló, pues, hasta el final. Mauricio estaba de acuerdo con todo, menos con el final, mientras que El último dandy consideraba que todo, menos el final, tal vez, era una reverenda cagada. Yo miré a Inés como pidiéndole por favor que sacara la cara por mí, al fin y al cabo ella era la autora intelectual de lo que José Antonio no tardaba en llamar un delito de lesa literatura. Inés estaba, en efecto, furiosa, pero ello no significaba que estuviese necesariamente dispuesta a discutir con borrachos. Ah, si por lo menos se hubiese emborrachado alguna vez en la vida, si en vez de mirar al mundo y a sus gentes, siempre desde arriba, hubiese puesto alguna vez sus cartas sobre la mesa, hubiese vomitado un poco de alma como solíamos hacer los demás, a cada rato. Inútil. Inútil hasta el punto de que el asunto llegó a convertirse en una obsesión para nuestros amigos. Querían verla borracha alguna vez, y más que borracha, realmente alegre y comunicativa, un poco menos de mármol ante nuestras virtudes y nuestros defectos. Fueron vanos todos los intentos. A Inés le gustaba beber y, de hecho, podía beber y muchísimo. Pero no le pasaba nada, seguía igualita, no lograba abrirse ni soltarse ni meter la pata o algo así. Qué no hicieron nuestros amigos por verla algún día soltar la lengua alegremente durante unas horas. Fue inútil. Recuerdo incluso que en el matrimonio de Daniel Céspedes, ya bastante curado del zumbidito, diecinueve latinoamericanos la retaron botella en mano. Inés aceptó sonriente y marmórea, y al mismo tiempo, como alguien que acepta simplemente porque no desea estorbar el curso de las cosas. Recuerdo que por aquella época yo sentía la necesidad de descubrir qué secreto se ocultaba en su poco hablar y en sus miradas cada vez más impersonales. Me senté, y a lo largo de toda la noche estuve contemplando el interminable desafío. Uno por uno vio salir Inés del departamento a los amigos que hubo que llevarse cargados, a los que maldecían y granputeaban eufóricos y sintiéndose pésimo, al mismo tiempo, al que se rodó las escaleras, al que gimió que su hijo nacería en cuna de oro, al que salió gritándole a su compañera que se casaba con ella porque amaba profundamente a otra mujer, a los que intentaron pegársele bailando, al que trató de besarla desconsoladamente. Al final, sólo quedaba el propio Daniel, a quien su flamante esposa recuperó en el water sobre el que se había quedado profundamente dormido. Me parece estar viendo el enorme desbarajuste que Inés causó sin haberlo deseado, y que observaba con una sonrisa sorprendida, como si le hubiesen propuesto un juego, algo muy inocente, algo cuyas nefastas consecuencias ella era absolutamente incapaz de comprender. Ahí la sigo viendo, parada en un rincón, con la última botella en la mano, y vuelvo a pensar en las mismas cosas de aquella vez: en mi incapacidad total para ponerla en comunicación natural con la gente, en su silencio que aquella noche me aterrorizó, porque en gran parte consistía en no alegrarse cuando los demás se alegraban y en mirar así, como estaba mirando, impersonalmente sonriente, con el cuello tan largo, la tambaleante tristeza ebria de los demás.

Una mirada de Inés me hizo comprender que tendría que batirme con Mauricio y José Antonio, lo cual en el fondo no me resultaba tan difícil por estar el monstruo ausente de París. Podían gritar todo lo que quisieran y hasta la hora que les diera la gana. Además, las críticas o alabanzas a mi texto iban en realidad dirigidas a Inés, porque era ella quien me lo había dictado prácticamente entero. Claro, ellos ignoraban eso, los muy maricones no habrían gritado tanto de saber quién era verdaderamente responsable de ese mamarracho, como acababa de llamarlo José Antonio. Pero yo no lo ignoraba y eso me bastaba, y hasta me producía cierto placer porque Inés bien que sabía cuál era su responsabilidad en el asunto. Podía darme incluso el lujo de una que otra miradita irónica, aunque mejor no, porque ello podía ser causa de bizqueritas y era preferible dejarle a un invitado el peso de una interrupción en nuestra armonía conyugal.

Ya lo he dicho: El último dandy pensaba que mi texto era simple y llanamente un mamarracho. El final le había parecido que no estaba tan mal, pero ahora, pensándolo un poco, también el final le parecía una buena mierda. Ahí había algo, no, algo no, mucho, más bien, de aquello que en inglés se llama *wishful thinking*.

—¡Pro imperialista! —le gritó Mauricio Martínez, dando la exacta medida del estado de su borrachera.

—¡Envidia, pura envidia por no saber inglés! —gritó El último dandy, dando también la exacta medida de su borrachera.

—Voy a traducir —dije yo, conciliador, y aguantándome la exacta medida de mi borrachera, porque Inés me tenía aún bajo el estricto control de su cuello tan largo—. *Wishful thinking* es algo así como lo que uno, con el pensamiento, desearía que fuese cierto... Pensamiento deseoso, sería la traducción más literal.

—Eso —dijo José Antonio—, tu texto es literalmente una cagada porque corresponde a deseos que no tienen absolutamente nada que ver con la realidad.

—Con un reaccionario como tú no se puede hablar, ¡precisamente porque los deseos de un tipo que vive corriendo atrás de cada chiquilla que encuentra no pueden en nada corresponder a la realidad de un pensamiento sindical!...

—Pero Mauricillo, ¿qué pensamiento sindical puede haber ahí? Ahí lo único que le puede gustar a un lector imparcial de literatura, y repito, *de literatura*, es la gorda esa llamada Chimbotazo; algo también su marido, el de los tics. Ahí parece haber algo vivido, en todo caso, los personajes parecen más sentidos. Encuentro incluso que hay algo de nostalgia en la manera en que están enfocados. Deben ser los mayordomos y las cocineras de casa de Martín, en Lima, por qué no.

Para qué intervenir, para qué intentar aclarar las cosas. Llevaba años comiendo en un restaurant universitario, pero hasta El último dandy continuaba viéndome rodeado de mayordomos y cocineras. Esa era mi imagen, y por ella me criticaban siempre todos. Con esa imagen me había amado Inés en Lima, y por ella me criticaba ahora en París. Son los asuntos complicadísimos de la vida, en este mundo que es blanco, o es negro. La Chimbotazo y su esposo... já... Nadie sabía nada de mí. Yo tampoco, y lo mejor en estos casos es seguir bebiendo mientras los demás gritan.

—¡O sea que tú, José Antonio, no crees que un mayordomo o una cocinera puedan tener conciencia social!

—¡Dejen hablar a Martín! —gritó Rosi—, ¡después de todo es él quien está escribiendo la novela y tiene que tener alguna opinión al respecto!

—Bueno —dije, evitando mirar a Inés—, yo siempre he confesado que de pescadores y de sindicatos no sé mayor cosa...

—Ahí tienes, pues, Mauricio —me interrumpió El último dandy, muerto de risa.

—¡Huevón!, el no saber no quiere decir que no se pueda aprender.

—En París, sobre todo —se cagó de risa El último dandy—. *Wishful thinking, caro amico.*

—¡Oigan, este cojudo qué se ha creído! ¡Este cojudo se cree que ha venido aquí a darnos clases de idiomas, o qué!

—En eso tienes razón —dijo Rosi, disciplinadamente.

—Mauricio sólo tiene razón cuando cocina —comentó el Ultimo dandy, atorándose de risa.

—Gracias, hermano —dijo Mauricio, desarmadísimo—. Pero volvamos al texto. Dejemos mis carbonara de lado, por el momento. Ya sé que han estado como nunca, pero ahora se trata del texto de Martín.

—Creo que ya lo he dicho todo: ¡Es una buena mierda!

—¡Excelente opinión de un tipo que vive corriendo detrás de cada chiquilla!

—Otra vez envidioso; Mauricio Martínez simplemente no sabe la cantidad de posibilidades que hay en ese maravilloso sector de la vida.

—¡No te metas con mi compañero! —intervino Rosi—. Creo que es un hombre sano y que más bien eres tú el que tiene el alma enferma.

—¡Ojalá fuera sólo el alma, Rosi! Mírale la ropa. ¡Está podrido de pies a cabeza!

—Volvamos al texto —ordenó Inés.

—Lo siento, pero sólo puedo volver al texto para volver a decir que es una reverendísima porquería... Los obreros perdonando al policía infiltrado, ja, ja. Una buena patada en los huevos, por lo menos. Pero estos obreros ideales escupen como las llamas.

—¡Racista!

—¡Conchetumadre, Martínez!

—¡Hijo de puta!

—Por favor —yo.

—¡Cállense, cojudos! —Rosi.

—¡Eso de cojudos lo vamos a arreglar tú y yo en privado, Rosi!

—¡Cuando quieras, cojudo!

—¡Espérate no más que acabe con El último dandy, o-ño-ñóy!

—¡Tu padre fue el que se tiró la plata de la colecta para la asociación de actores, Martínez!

—¡Fue el tuyo, conchetumadre, para gastársela en trago y en putas!

Como verán, nos habíamos alejado bastante del tema de mi novela, lo cual no me impedía comprender que era bastante indefendible. Curiosamente, Inés como que no existía esa tarde, y sólo logró sonreír cuando José Antonio y Mauricio empezaron a actuar y a accionar como lo que realmente eran: dos actores. Uno se había subido a un sillón, y el otro a la cama, para poder gritar e insultarse mejor. Se calmaban, de vez en cuando, para pedir que les alcanzáramos más vino, pero no bien se refresca-

ban la garganta, arrancaban nuevamente a insultarse como locos. Las palabras, en sí, no tenían ya mayor significación, prácticamente habían perdido importancia, la cosa era seguir ahí
arriba bañados en sudor y ver hasta dónde podían llegar en el
uso e invención de frases atrozmente insultantes. ¡Hijo de men-
digos intelectuales!, acababa de llamarle José Antonio a su rival,
quedando momentáneamente satisfecho, sonriente, y a la espera del turno de Mauricio.

—¡Y tú! ¡Y tú! —exclamó Mauricio, jadeante y sudoroso,
como preparándose para su última carga—: ¡Tú, así como en tu
añorado Country Club de Lima, para Navidad, se preparan pa-
vos con dos pechugas... así, tú, José Antonio Salas Caballero,
eres un hijo de *dos* putas!

—¡Fácil asociación, pobre diablo! ¡Apenas sabes que careces
de inteligencia! ¡E ignoras por completo que sin Rosi no serías
nadie! ¡Pero ignoras además, Martínez, ignoras *además* que he
comido mejores espaguetis que los tuyos!

—Mi-se-ra-ble —logró pronunciar apenas Mauricio, dejándose prácticamente caer del sillón en el que andaba trepado. Le
habían dado el golpe más bajo e imprevisto de su vida—. Mi-se-
ra-ble —logró repetir, con la mirada hundida en la alfombra, en
un estado de soledad espantosa. Reaccionó, recogió rápidamente su abrigo y su bufanda, y desapareció sin despedirse ni mirar
a nadie.

—Mauricio tiene razón —dijo Rosi, valiente y solidaria—.
Eres un miserable, José Antonio; no tenías por qué meter sus
espaguetis en una discusión literaria.

Luego nos pidió a Inés y a mí que la disculpáramos, pero
ella tenía que seguir a su compañero, no era justo que le hubieran dicho una cosa así en un momento así, ustedes ignoran el
inmenso cariño, la solidaridad, la amistad con que ha venido a
prepararnos esos espaguetis.

—Lo cual no impide que te esté esperando abajo —le dijo
José Antonio, extremadamente jadeante y pálido—. Va a exi-
girte que le aclares aquel "cojudos" que nos soltaste a los dos.
Anda, Rosi, pégale un buen par de cachetadas. Una de parte

mía, créeme que no le van a caer nada mal. Y dile que lo abraza con sinceridad su amigo José Antonio. Lo digo en serio, amiga.

El último dandy casi no podía tenerse en pie, algo le estaba ocurriendo, sudaba a chorros y parecía que se iba a desplomar en cualquier momento.

Mauricio se nos apareció tempranísimo, al día siguiente. Estábamos aún medio dormidos cuando invadió el departamento, rosa roja para Inés en mano, y deshaciéndose en disculpas: se le habían trepado los tragos, José Antonio le había jugado sucio, eso no se hace, pues, eso no se dice, pero en fin, reconocía, se había comportado como un niño, toma la rosa, Inés, es la prueba de mi cariño, de mi amistad, de mi afecto por ustedes dos, de que todo continúa exacto entre nosotros. Le dije mil veces que no había pasado nada, pero sólo la sonrisa (por fin) de Inés logró tranquilizarlo. Traía un buen par de arañones en la frente, y bastó con que lo miráramos para que estallara en carcajadas. Rosi lo había agarrado a carterazos no bien salió del departamento y lo encontró esperándola en la calle, para exigirle cuentas por el "cojudos" que les había soltado a José Antonio y a él. No sólo cojudo, ¡socojudo!, sino huevón y pobre diablo y vago y borrachín, yo me mato limpiando oficinas desde la madrugada para que tú te gastes toda la plata emborrachándote.

—¡Se acabó, Mauricio, o vuelves a trabajar, o nos separamos! ¡He perdido cinco kilos por romperme el alma desde que empezaste a hacerte el loco para no trabajar tú también!

El había tratado de calmarla, pero todo resultó inútil. Rosi le seguía dando carterazos, arañándolo, soltándole cachetada tras cachetada hasta que llegaron al Boulevard Saint-Michel y él ya no aguantó más. Se armó una verdadera gresca entre los dos, ahí, qué tal concha, le gritaba él, defendiéndose y atacando también ya, ella misma le había pedido que dejara ese asqueroso trabajo de limpiar espejos en mil oficinas, casi se había vuelto loco, era para volverse loco y no pensaba volverlo a hacer nunca más. Mauricio nos ponía de testigos a nosotros, necesitaba nuestra anuencia, la del cuello de Inés sobre todo, él no podía seguir con lo de los espejos, él era un artista, un neurótico, un paranoico, cinco días limpiando espejos fueron suficientes para que empezara a enloquecer, la misma Rosi se lo había prohibido desde que lo descubrió limpiando por tercera vez seguida el espejo de su cuarto, en el hotel, no podía contenerse. Qué tal concha, Rosi misma me lo prohíbe y ahora quiere que vuelva a empezar. Total que en ésas andaba la pelea en pleno Boulevard Saint-Michel, volaban carterazos, cachetadas, empujones, hasta patadas, cuando vieron que un automóvil se detenía y cinco fortachones acudían a la carrera, en auxilio de Rosi.

—¡Abrázame, chola, que me matan —gritó él—, bésame en el acto, por favor!

Y su Rosi no le había fallado. Eso era una compañera, una camarada, una amiga, su chola lo abrazó con toda el alma y a los tipos les gritó: ¡Y a ustedes qué les pasa! ¡Qué demonios quieren ustedes! ¡Déjenme tranquila con el hombre que adoro! Los tipos se quedaron cojudos, hasta les pidieron disculpas, habían creído que un hijo de puta le estaba pegando a una muchacha, desaparecieron como quien no entiende nada. Y no bien partió el auto con los cinco, ellos arrancaron nuevamente a sacarse el alma a gritos, no pararon hasta llegar al hotel, así era su chola, toda una mujer, sólida, generosa, comprensiva, perfecta, y allá estaba ahora durmiendo y recuperando fuerzas porque mañana le tocaba limpiar oficinas casi de madrugada.

—¿Y tú, cuándo? —le preguntó Inés, parquísima.

—Mañana mismo empiezo a buscar otro trabajo, te lo juro, Inés.

—¿De ésos que no se encuentran?

—No, pues, Inesita, no seas así; por lo menos no en un domingo y cuando te acabo de traer una rosa, a pesar de la perseguidora horrible que tengo. Hay que cortarla, Martín, un vinito no nos caería nada mal. ¿Quedó de ayer?

Le dije que sí, pero que no podía acompañarlo. Y le conté que tras su partida, José Antonio, a quien ya habíamos notado extremadamente pálido y jadeante, se nos vino de bruces al suelo. Tuvimos que llamar una ambulancia y todo. Lo habían hospitalizado en el Saint Antoine y la cosa parecía seria. El último dandy, según nos enteramos después, llevaba semanas sintiéndose muy débil, y paseándose de casa en casa con una extraña fiebre que por las noches se le convertía en fiebrón.

## TRIBULACIONES Y ELEGANCIAS DE UN DANDY GRAVEMENTE ENFERMO

Lo visitamos desde su primera tarde en el hospital Saint Antoine. El propio Mauricio se había manifestado dispuesto a olvidar, a perdonar, mejor dicho, el golpe bajo de los espaguetis, iría no bien su chola pudiera acompañarlo con una fragante rosa para el enfermo. Mientras tanto, se ocuparía de avisarles a los demás amigos del Ultimo dandy. Pero José Antonio andaba resentido con medio mundo. Ah, nos decía, si supieran ustedes cómo me ha fallado alguna gente... No, ustedes no saben lo duro que puede ser enfermarse en París cuando se está sin trabajo, sin seguridad social, con poco dinero... Ah, si supieran ustedes lo duro que es para un artista extranjero enfermarse en esta ciudad, no olvidemos a César Vallejo, enorme precedente genial... ¿Y los amigos? Los amigos fallan, van fallando uno tras otro, no bien se dan cuenta de que estás hasta las patas empiezan a darte por muerto para que no estorbes... Inés y yo conocíamos bastante poco a José Antonio, era mayor que nosotros, y sólo lo habíamos invitado porque desde la primera vez nos pareció un tipo sumamente divertido y generoso, pero la verdad es que parados ahí, junto a su cama de enfermo, ignorando tantas cosas de él, y conociendo apenas a la mayor parte

244

de sus amigos, no sabíamos muy bien qué actitud adoptar ante tanta queja.

Y es que, además, cuanto más se quejaba, más se sonreía, y más iba como perdiéndose en evocaciones realmente nostálgicas de maravillosos amigos a los que parecía estar imaginando en escena, en alguna obra de teatro cuyo protagonista central era él mismo. Poco a poco, Inés y yo nos fuimos dando cuenta de que incluso arreglaba sus historias para que resultaran más conmovedoras. ¡Ah!, exclamaba, esos bastardos le piden dinero prestado a uno y no le pagan. ¿Por qué? ¿Saben ustedes por qué? Pues porque piensan que uno no tarda en morirse y a un muerto para qué pagarle nada. Igual cuando organizan una fiesta: hablan de la fiesta, hablan de las invitaciones para el próximo sábado, y uno está tirado ahí, muerto de sudor y de fiebre, y ni lo mencionan siquiera en la lista de invitados. ¿Por qué? Pues porque probablemente ya uno no estará vivo el sábado próximo, imagínense ustedes eso, yo ahí sentado con mi fiebrón entre gente que está pensando que del miércoles o jueves no paso. ¡Qué falta de todo, la de esos monstruos de ingratitud! Y ahora… ahora estaba jodido en un vetusto cuarto de hospital. Bueno, decía, por lo menos los amigos ya no me humillarán más. Sin embargo, no bien llegaba alguna de las personas de las que acababa de estar hablando pestes, el Ultimo dandy abría feliz los brazos y derramaba incluso alguna lágrima de ternura y de emoción.

Pero no le iban a faltar nuevas tribulaciones al pobre José Antonio. Los primeros días había estado solo en una habitación de dos camas, pero de pronto, una mañana, y justo cuando empezaba a conquistarse a las enfermeritas más jóvenes, apareció ese fenómeno de la naturaleza, con una enfermedad que despertaba mayor interés y curiosidad que la suya. Era un joven, atlético, y descomunal negro, que sufría de priapismo, un tipo con una enorme pinga en erección permanente, un hombre joven y algo deprimido que acababa de ser hospitalizado porque ese sexo erecto noche y día se lo estaba llevando simple y llanamente a la ruina. Se quejaba José Antonio, ya ni sus propias

245

visitas le hacían caso, todos andaban mirando de reojo al negro que seguía tirado ahí con cara de estar muy triste, muy preocupado, pero al que a cada rato le volvían a traer a su esposa, una mulatita for-mi-da-ble, para que hicieran el amor ante su vista y paciencia. Se alborotaban las enfermeras, se alborotaban las visitas, y cada día llegaban más médicos mujeres también, se había alborotado hasta la vieja de la seguridad social, que nuevamente vino a joderlo con el asunto del pago. Esa vieja lo tuvo loco al Ultimo dandy, hasta que un día él la recibió con una pieza de un franco encima de la mesa de noche.

—Madame —le dijo—, yo siempre pago mis deudas, y he decidido que nuestro problema puede quedar totalmente resuelto, si tiene usted la elegancia de recibir ese franco simbólico que le entrega un artista peruano enfermo en París. Lo demás, si hay más, señora, reclámeselo usted a algún sindicato de actores. Estoy seguro de que existe más de uno, en Francia, dispuesto a acogerme entre sus miembros honorarios.

Poco tiempo después, José Antonio nos informó que, en efecto, una asociación de actores había tenido a bien ocuparse de su caso, y que hasta era probable que lo enviaran a una clínica especializada de la Costa Azul. En todo caso, la vieja no volvería a molestarlo con los gastos que le ocasionaba ese extraño fiebrón, hasta entonces sin diagnóstico preciso. En fin, eso decían los médicos, pero él ya conocía el diagnóstico: cáncer en París, cáncer en una ciudad a la que no debió llegar nunca y de la que debió haberse marchado hacía años, sí, de París debió haberse largado el día mismo de su absurda llegada. Claro, un amigo, primero, otro, después, alguna jovencita, muchas cosas le habían impedido darse cuenta de la gravedad de su error. Pero ahora sentía que sólo era cosa de recuperar un poco las fuerzas, ahora sabía que aún estaba a tiempo, ahora tenía la certidumbre de que no bien le fuera posible escaparse al Perú, o a la adorada Madrid de sus tres amores, que jamás debió abandonar, todo volvería a empezar desde cero, y de que en su vida aquella estúpida enfermedad, tan común, tan poco elegante, encima de todo, jamás habría de existir.

Al negro le llenaban la pinga de sanguijuelas cada mañana, y cada noche, cuando las visitas se habían marchado y ya habían recogido las enfermeras, entre sonrisitas y gemidillos exclamativos, a los inoperantes bichos, engordados de tanto chupar sangre, le daban permiso para que recibiera en la cama a su formidable mulatilla, como la llamaba José Antonio. Había hecho buenas migas con su compañero de cuarto, pero esta hora le resultaba insoportable, hasta el corredor se escuchaban los gritos pidiendo que sacaran un rato del cuarto a ese superhombre enfermo, a ese superenfermo que lo llenaba de ideas, de deseos de escaparse del hospital, la vida estaba afuera, la vida estaba en la calle, y la vida estaba sobre todo en Madrid, si es que uno de sus tres amores lo había esperado siempre. Si no, qué demonios, regresaría al Perú y allá empezaría de nuevo, aun antes que en Madrid.

Bueno, eso lo decidiría la suerte, porque él, en todo caso, tenía que empezar por escribirle a las tres mujeres que había amado mil años atrás en Madrid, en plena juventud, cuando también él era un superhombre, y justo antes de cometer aquel absurdo error que lo plantó en París. No, no es que en París lo hubiese pasado mal, cosas buenas y malas las había habido como en todas partes, no, no era eso, era simplemente que a París había llegado debido a un estúpido error, un estupidísimo error que cualquiera de esas tres mujeres, la que no hubiese esperado (y a lo mejor me han esperado las tres, añadía sonriente), podía ayudarlo a corregir, haciendo que el tiempo retrocediera hasta el día mismo de su partida de Madrid, de tal manera que no sólo todo quedaría corregido, quedaría además absolutamente borrado, borrado hasta el punto de no haber existido jamás. ¡Ah!, sus tres muchachitas, por qué las había abandonado. Bueno, tal vez por eso, porque eran precisamente tres, dos no habría estado mal, pero los líos en que se andaba metiendo...

Yo más bien pensaba en los líos en que se iba a meter, porque entre el fiebrón de cada noche, y las extravagancias de las que siempre había sido gran amigo, José Antonio acababa de escribir tres cartas a Madrid. No se las había dirigido a las

247

muchachas mismas, sino a sus tres mejores amigas. Lo contrario, afirmaba sonriente, bien podría despertar en aquellas muchachas piedad por mí, al saberme tan enfermo. No, él no deseaba eso, él no deseaba la conmiseración de nadie, y menos aún la de aquellas tres mujeres, él sólo quería saber si continuaban solteras y si lo amaban todavía. No bien recibiera una respuesta afirmativa, mandaría al demonio hospitales, médicos y enfermeras, y emprendería el camino del retorno, el del único verdadero y posible restablecimiento en esta vida.

Pasaron varios días sin respuesta alguna, pero José Antonio seguía tan confiado que hasta parecía estarse recuperando. Una tarde, sin embargo, lo encontramos bañado en lágrimas, sentado, inmóvil, con los brazos colgándole por ambos lados de la cama, las piernas estiradas y abiertas, el tronco abandonado sobre los almohadones, la cabeza caída hacia un lado, la boca abierta, jadeando y con la mirada extraviada por el cielo raso. Tardó en darse cuenta de que Inés y yo habíamos llegado, y tuve la impresión de que estaba tardando también en reconocernos. Nos asustamos mucho, pero el negro priápico nos tranquilizó con una sonrisa y tres golpecitos de índice en la sien, estaba más loco que enfermo, nuestro amigo. De golpe, José Antonio levantó alegremente los brazos para recibirnos; recién entonces nos dimos cuenta de que tenía un libro abierto, en la mano derecha.

—¡No hay nada comparable! —exclamó, mientras le volvían a resbalar lágrimas por las mejillas—. ¡Nada comparable! ¡Tienen que leer este párrafo! ¡Ternura infinita! ¡Proust acaba de terminar de tomar té con unas muchachillas maravillosas! ¡Ma-ra-vi-llo-sas! Martín, tienes que leer a Proust y dejarte de sindicatos pesqueros y demás babosadas. Siempre habrá gente de valor para ocuparse de esas cosas, pero tú, Martín, déjate de bobaliconadas. Perdón, Inés, pero también tú tienes que leer a Marcel.

Respiramos: El último dandy sólo había estado llorando de emoción, a causa de Marcel.

Una semana más tarde, José Antonio había recibido dos respuestas de Madrid. Enmudeció. Desde que leyó el contenido de ambas cartas, no quería comer, se negaba a tomar los remedios que las enfermeras le traían, ni miraba al médico, nadie sabía lo que decían las cartas, y su compañero de cuarto se tocaba la sien con el índice por toda explicación. Llegaron Rosi y Mauricio, llegó Julio Ramón Ribeyro, más tarde llegó Alfredo Bryce Echenique con otros amigos, pero aunque Ribeyro y Bryce eran dos escritores peruanos que yo deseaba conocer, ni siquiera se hicieron las presentaciones porque todos estábamos muy preocupados, y antes que hablar preferíamos continuar observando atentamente al mudo, estático, y abatidísimo Ultimo dandy. Transcurrió una interminable media hora antes de que dijera, con voz muy suave y asombrada: Absurdo. Y tras otra interminable media hora de silencio, José Antonio nos sorprendió con la mirada y volvió a repetir: Absurdo.

Sólo cuando llegó la tercera carta de Madrid nos enteramos del porqué de tanto absurdo y de tanto silencio, y nos enteramos también de que ahora ya nada era absurdo, al contrario, todo era perfectamente lógico, mucho más que lógico. Por fin se decidía José Antonio a hablarle a sus amigos, a comer, a tomar sus medicinas. Nos explicó que la primera carta era bastante extraña, porque su amada María Mercedes acababa de fallecer en un accidente de aviación. Con la segunda, el asunto se volvió verdaderamente absurdo, porque Rosario había fallecido el año pasado. Absurdo, absurdo, todo se convirtió en algo completamente absurdo, hasta que esa mañana le había llegado la tercera carta con lo cual la lógica reemplazó al absurdo, aclarándole para siempre el sentido de los acontecimientos, porque Beatriz había fallecido el año siguiente de su estúpida llegada a París. Ahí estaban las tres cartas. Ahora sí, todo era perfectamente lógico. Mucho más que lógico.

Nos quedamos helados ante la sonrisa con la que el Ultimo dandy se enfrentaba a tan inesperado desenlace. En el fondo, parecía estar muy tranquilo, parecía haber completado un rompecabezas difícil de armar, y cuya última pieza se le había perdido cuando él lo imaginaba ya listo. Pero ahora sí estaba listo, y él continuaba mirándonos con una sonrisa tranquila, mientras nosotros, entre incrédulos y asombrados, no lográbamos encontrar una palabra, cualquier idea para cambiar el tema de la conversación, o por lo menos para salir del mutismo desconcertado en el que habíamos caído. El último dandy se encargó también de eso.

—Pero hay una gran noticia, muchachos —nos dijo, con verdadera satisfacción—. Ha venido a hablarme el médico esta mañana, y ya sé de qué voy a morir. ¡Muchachos, no voy a morir de un vulgar cáncer, como todo el mundo, sino de una romántica tuberculosis! En fin, lo que le corresponde a un caballero.

Definitivamente, José Antonio no cesaba de sorprendernos con sus frases, y lo más increíble es que resultaban ser verdad siempre. Fuimos a hablar con el médico, y nos dijo que, en efecto, acababa de precisarse el diagnóstico, y que sí, que se trataba de una tuberculosis a la sangre, de algo muy serio y muy extraño, pero que a nuestro extravagante amigo parecía haberle causado una profunda alegría. Nos dijo también que ya estaban en marcha las gestiones para trasladarlo a una clínica de la Costa Azul.

Partió una semana más tarde, a la misma hora en que mi madre llegaba de Lima, tras una larga escala en Madrid. Me impresionó mucho nuestro encuentro en el aeropuerto, pues la noté extremadamente fatigada y con muy mal semblante. Pero Inés, que acababa de regresar de despedir a José Antonio, declaró enfáticamente que mi madre no tenía nada, que los problemas los tenía yo en la cabeza, y que le sirviera un whisky a mi mamá para que viera hasta qué punto los problemas los tenía yo en la cabeza. Me quedé impresionado con la reacción de Inés, pero no tuve más remedio que cambiar de tema, al ver que mi madre revivía efectivamente con un whisky, y que hasta empezaba a servirse el segundo, enorme.

—¿Qué tal la partida de José Antonio? —le pregunté a Inés.

—Ya conoces al Ultimo dandy. Partió muerto de risa, y diciendo que tras una breve temporada en la Riviera francesa, se largaría al Perú, donde hay tantas posibilidades con las adolescentes. Te habría gustado venir, estaban Ribeyro y Bryce.

—Ah ¿y qué tal?

—Ribeyro me pareció muy simpático. Tiene mucho de sus cuentos. Creo que es un tipo que te puede ayudar, si lo conoces. Bryce Echenique, no sé, ni chicha ni limonada. Ribeyro lo felicitó por su primer libro de cuentos, pero le dijo que el título era una real huachafería. Quedaron en que Ribeyro le iba a conseguir un título más decente o algo así; en fin, no sé qué más decirte: trata de ser cordial, trata de no parecer tímido, pero en el fondo parece estar pensando todo el tiempo en otra cosa. Ya los irás conociendo a los dos, puesto que son tus colegas. Pero Ribeyro parece más consistente que Bryce.

—¿Quién es Bryce Echenique? —preguntó mi mamá, mientras se servía el tercer whisky—. A Ribeyro se le conoce, pero...

—A Martín tampoco se le conoce —la interrumpió Inés—; todos los autores empiezan por ser inéditos.

—Y algunos terminan, también —me atreví a decir, sin encontrar eco alguno para mi preocupado humor. Mi madre, en todo caso, prefería saber algo sobre el amigo que acababa de partir a la Costa Azul. Mi novela no le interesaba en lo más mínimo, un hijo suyo escribiendo sobre sindicatos, ahora que ella tenía que pagar los impuestos que antes no pagaba mi papá, no, no era justo que el mejor de sus hijos le resultara el peor de todos. Ya me lo había advertido en una carta:

"*Martín, mientras no escribas* La búsqueda del tiempo perdido *peruana, o algo muy por el estilo, pues sé que hay que tener en cuenta las diferencias, no estoy dispuesta a contarle a nadie de la familia, ni a ninguna de mis amigas, que te estás convirtiendo en escritor en París.*"

Fue categórica en aquella oportunidad, y ahora era lógico que prefiriera que le contáramos algo sobre un tipo que era dandy y último, al mismo tiempo.

—Es una pena que no lo hayas conocido, mamá —le dije, dispuesto a hacerle su estadía en Francia lo más agradable posible, a pesar de que Inés iba a encontrar todo eso lo más enfermizo posible—. José Antonio es un tipo fantástico. No sé, realmente tiene algo de dandy y algo de último. Llegó a París por error, porque tomó un tren en Madrid con la intención de visitar Alemania, pero se quedó dormido en la frontera y su vagón vino a parar a París. Y ahora que está tan enfermo le ha dado porque aquel viejo error puede corregirse. Primero pensó en escaparse del hospital y en regresar al Madrid de su pasado, y ahora creo que anda pensando fugarse al Perú anterior al Madrid de su pasado. En fin, suena a cosa de locos, pero él lo hace sonar a cosa de cuerdos. Aparte de eso es un tipo muy bien plantado y muy elegante.

—¿Por qué no nos vamos todos a la Costa Azul? —preguntó mi madre—. No bien termine con las cosas que quiero hacer en París, y con la visita a la casa de Marcel Proust, podríamos irnos los tres a la Costa Azul. Está haciendo mucho frío en París. Vamos, los invito a la Costa Azul. Después puedo tomar un barco de ahí a Buenos Aires. —Nuevamente, y a pesar de los whiskies, la noté demacradísima. Era mi deber hacer algo, por más que Inés...

—Mamá —intervine, sin autorización alguna—, *no* está haciendo frío en París. —Y como quien desafía a duelo las teorías de Inés, le pregunté—: ¿Estás segura de que te sientes bien, mamá?

Y aquí se desató como loco el asunto ese de que la vida es así. Para empezar, la única respuesta de mi madre fue rociarme íntegro con una mirada de viudez, y alcanzarme el vaso para que le sirviera otro whisky. Lo distraído que soy a veces, pensé, es cierto que es la primera vez que la veo viuda, qué bruto, ni cuenta me había dado. Casi me muero de pena, pero por mi papá, no por ella. Sin embargo, también ella se estaba muriendo de pena, pero no por mi papá, sino de pensar que su hijo podría negarle los whiskies a los que, desde épocas que se perdían en mi más tierna infancia, mi padre la tenía acostumbrada. Y de ahí le venía esa cara de orfandad, que ella y las circunstancias transformaban en viudez, y que ahora sí me hacían sentir pena por ella y me llevaban a servirle hasta el tope su vaso y a ofrecerle todo el whisky que quieras, mamá, con voz temblorosa y pulso derramante, mientras mi carácter me empujaba fuertemente a seguir observando cómo transcurría la vida, tan calladita la desgraciada, y por consiguiente a enfrentarme con la mirada de Inés, no sin antes haber pensado en la cara alicaída de mi madre en el aeropuerto, y en que cada botella de whisky antidemacrador me iba a costar más o menos un día de trabajo en la escuelita infame.

Mirada filopunzante de Inés: tu mamá está estupenda y los problemas los tienes tú todititos en la cabeza. Ya lo sabía, o sea que ipso facto opté por empequeñecer al máximo, para estar a la altura de lo que se esperaba de mí, y para soportar feliz que las dos mujeres de mi vida tomaran, una de cada extremo, el cordón umbilical que deseaban aplicarme con tanto ahínco. Yo, en medio, saltaría a la soga o algo así. Valía la pena porque El último dandy iba a estar feliz al saber que llegábamos a la Costa Azul financiados por mi madre, porque iba a poder faltar unos días al trabajo, porque la directora infame de la escuelita infame iba a estar feliz al no tener que pagarme, y porque Inés y yo nunca habíamos estado en la Costa Azul. Todo eso lo pensé mientras empequeñecía rapidísimo, lo cual me llevó hasta permitirme el lujo de una última reflexión, del tipo la-maldad-infantil-puede-ser-algo-terrible, que citaré para terminar con este asunto tan loco de la vida tan calladita, y porque hace rato que ando metido en el capítulo siguiente de mi cuaderno. Bueno, lo que pensé fue que el ahorro en whisky iba a ser considerable, puesto que mi madre invitaba.

## EDIPO EN PARIS, EN ILLIERS, Y POR ULTIMO EN CANNES, CON INES, CON SU MADRE, Y CON EL ULTIMO DANDY EMBARCANDOSE TAMBIEN

Tuvimos que esperar unos días, antes de partir a la Costa Azul, lo cual me dio tiempo para avisarle a José Antonio que llegaríamos con mi madre gastando dinero a manos llenas, y que le encantaba invitar. Le avisé también la fecha y hora de nuestra llegada, y él respondió que nos estaría esperando en la estación de Cannes, cosa que me extrañó mucho, pues teóricamente debía estar encerrado en una clínica especializada en Vallauris. Realmente me sonó bastante raro el asunto, pero, en fin, no era el momento para andarme preocupando por los problemas del Ultimo dandy, ya vería qué pasaba cuando llegáramos allá. Por ahora tenía suficiente con el programa que mi madre había decidido llevar a cabo antes de nuestra partida, y que estaba dispuesta a cumplir al pie de la letra, a pesar de lo demacrada que la seguía notando. Al principio insistí en que se quedara a dormir en nuestro departamento, pero entre lo bien que dormía de noche, y lo mucho y bien que dormía después del almuerzo, roncando sin remedio alguno en la misma habitación que nosotros, y con unos ronquidos que Marcel Proust no habría podido atribuirle más que a John Wayne, opté por aceptar insistentemente la insistente generosidad con que se ofreció a dejarnos dormir en paz, trasladándose para ello a un hotelito que quedaba muy cerca de nuestro departamento.

Ya no le decía nunca, y mucho menos delante de Inés, que la notaba muy demacrada y que debía estarse sintiendo pésimo, que debía estarnos ocultando algo por no ocasionarnos molestias, asunto este en el cual soy un gran entendido. No se lo decía porque mi edad y estatura me lo impedían, y porque Inés una noche se negó a hacer el amor con un tipo que, aprovechando la muerte (natural, admitía, felizmente) de su padre, acababa de descubrir la oportunidad de su vida con su madre en París. *Ay mamá Inés*, le canté erectísimo, metiéndole manita y metiéndome, como quien no quiere la cosa, en la hondonada de nuestras felicidades, pero lo único que logré con ello fue sacarla corriendo del fondo de nuestro amor. Acto seguido Inés encendió su lamparita, agarró el tomo menos indicado de las obras completas de Freud, y siguió leyendo la historia de mi vida, mientras yo quedaba tirado a su lado llenecito de vida pero sin esperanza alguna por esa noche. Y es que la condenada se estaba aprendiendo a Freud de memoria, y cada vez que volteaba una página, volteaba a mirarme, y yo seguía ahí, a su lado, solícito, galante, y erecto, lo cual dio más o menos por resultado la primera lectura de las obras ilustradas de Freud. Lo cierto es que, según Inés, al principio ninguno de los dos dormía por los ronquidos de mi madre, pero ahora sólo yo no dormía porque cuánta falta me estaban haciendo los ronquidos de mi demacrada mami.

—¿Y entonces tú por qué no duermes? —me atreví a preguntarle, desde la soledad ardiente de mi hondonada, y como tratando de insinuarle que era ella la que se estaba asustando demasiado con el descubrimiento de Freud, que era su pura imaginación la que le impedía también a ella dormir, y que viniera a ver aquí abajo en la hondonada cómo la necesitaba de cuerpo y alma, que luego jugaríamos a los cachorritos al borde del río, y que después ya vería lo bien que íbamos a hacer tuto los dos, ahora que los ronquidos de mi mamá pagaban hotel.

Inútil. Inés terminó otra página, me echó otra mirada, y quedó más convencida que nunca de que Edipo era un enano al lado mío. Le dije, furioso, que no bien despuntara el alba saldría en busca de una sanguijuela, que era más terca y más teórica que una mula, y tras cubrirme íntegro con sábanas y frazadas, creando la oscuridad necesaria para la gravedad del acto, empecé a redactar mentalmente mi primer consejo a la juventud mundial: SI TU ESPOSA ACABA DE DESCUBRIR A FREUD, Y SI TU

MADRE LLEGA AL CABO DE AÑOS A VISITARTE A PARÍS, HABIENDO
FALLECIDO DURANTE ESOS AÑOS TU PADRE, JAMÁS SE TE VAYA A
OCURRIR ENCONTRARLA DEMACRADA EN EL AEROPUERTO. PEOR
AÚN; AUNQUE SE ESTÉ MURIENDO, TU ENCUÉNTRALA SIEMPRE
ESTUPENDA. ABANDÓNALA INCLUSO EN EL MOMENTO DE SU
MUERTE.

A la mañana siguiente, apareció mi madre con la serenidad
de quien ha pagado por roncar a sus anchas, y ajena por completo a los problemas en que se andaban empantanando sus
aflijidos hijos. Llegó demacrada, eso sí, pero se entenderá que
yo ni pío, ya. Por el contrario, sentí alguna agresividad al ver
hasta qué punto ignoraba e iba a ignorar para siempre el lío en
que me estaba metiendo con Inés. Primero fue Marx el que se
zampó en nuestra cama, y ahora, por su culpa, bueno, pero qué
culpa tenía la pobre, qué importa, por su culpa íbamos a tener
también a Sigmund Freud con nosotros tarde, mañana y noche.
Alguien tenía que ser culpable, y a lo mejor si yo la trataba
como culpable a ella y no a Inés, mi dulcísima paloma se me
acercaría nuevamente cual deliciosa sanguijuela, que era como
yo la prefería de noche, en todo caso, aunque también a veces
después del almuerzo la cosa resultaba genial y tierna en la hondonada, y era eso que los franceses llaman *l'amour l'après midi*.

Pero me estrellé contra el programa de actividades de mi
madre. A París había venido a vernos (era lo menos que podía
hacer, dado el estado en que nos encontró), a visitar los grandes
hoteles en que se había alojado durante su juventud, cuando
viajaba con sus padres, y a alquilar un automóvil para la peregrinación hasta la casa de Proust, en Illiers. Perfecto, mamá, le
dije, prometiéndole que la acompañaría en todas sus compras y
visitas, y asegurándole, para que Inés notara que estaba tratando de liquidar el asunto lo más pronto posible, que todo ese
programa se podía realizar en un solo día, si mañana nos levan-
tamos los tres bien temprano.

—Y pasado mañana podemos partir a la Costa Azul para
que de ahí tomes tu barco a Buenos Aires, mamá.

A Edipo, su padre lo habría molido a palos por no tratar

como era debido al ser que lo trajo al mundo. Miré a Inés, como quien regresa de terminar con varios años de psicoanálisis, abre la puerta, y se acerca a besar a su paciente esposa. Pero ella ni bola. Y además de ni bola, mirada filopunzante: sólo a una bestia como tú se le puede ocurrir que todo ese programa pueda llevarse a cabo en un día, ¿quieres matar a tu madre o qué? Increíble, pero cierto: Edipo tratando de matar a su mamá y la esposa de Edipo impidiéndoselo por todos los medios. Porque créanme, para mí la mirada de Inés *era* todos los medios. Y sin embargo, la mínima expresión a la que me hallaba reducido, y desde la cual a veces se puede observar tan bien la vida, me permitió llegar a la siguiente conclusión: Inés no podía dejar de tener razón cuando estaba segura de tenerla; es decir, Inés necesitaba que mi madre se quedara en París todo el tiempo posible, para que yo la siguiera viendo demacrada y ella siguiera viendo en mí a un insuperable caso de Edipo.

Una de las variantes de su amor por mí consistía en que yo fuera, en forma contundente, el conejillo de Indias de todas sus experiencias. Era la variante franciscana, y necesitaba por consiguiente amarme también como a un animalillo cualquiera. Me asombró haber captado algo tan profundo en un momento en que me hallaba tan empequeñecido, pero años después, el escritor Bryce Echenique me aclaró este punto, confirmándome que así como un niño de seis años podía de pronto comportarse como uno de un año, así también un niño de unos nueve podía de golpe captar algo que otros seres no captan ni a los cien años. De puro serio, o de puro imbécil, Bryce Echenique se había leído cincuenta tomos de novísima psicología infantil, antes de escribir *Un mundo para Julius*, con el fin de no meter las cuatro al crear al personaje infantil de esa novela. Su conclusión, al cabo de tanta lectura: prácticamente todo es posible tratándose de un niño. Y de ahí, Martín Romaña, agregó, lo triste que es dejar de serlo. Se pasa uno la vida buscando la fórmula para seguir siéndolo, pero eso es lo único que no es posible tratándose de un niño. Y todo lo demás son cuentos, viejo, cuentos geniales pero cuentos al fin y al cabo. Haz la prueba de portarte como un niño cinco minutos seguidos y vas a ver lo que te pasa, viejo. Te chanca una aplanadora.

Juro y rejuro que nunca se me ha ocurrido pensar en Inés como una aplanadora, aunque es cierto que aquel aspecto de seguridad social e individual que había todo el tiempo en su carácter podía resultar aplastante. Ahora, por ejemplo, me había aplastado hasta convertirme en el Edipo de París, por el solo hecho de haberse leído unos tomos de Freud en el momento en que mi madre llegó demacrada al aeropuerto. Y seguía demacrada y seguía también ocultándonos algo de manera bastante heroica, sí, yo estaba seguro de que nos estaba ocultando algo por temor a molestarnos. Decidí someterla a algunas pruebas mientras ella iba cumpliendo con su programa parisino. Para qué lo hice, hasta hoy veo la mirada de Inés acusándome de haber sido una verdadera bestia de llevar a mi madre al restaurant universitario, cómo se me ocurría llevar a una mujer madura y coqueta a un lugar lleno de muchachas, de lindas y despreocupadas jóvenes. Le dije que, francamente, mi mamá en lo único que se había fijado era en los lindos y despreocupados jóvenes. Claro, por temor a que me edipeara más todavía, no le dije que también se había fijado, y mucho, en las escaleras, al bajar, porque sin duda alguna no se sentía nada bien y temía caerse. Después la metí al metro y casi se ahoga con los olores que eran todos malos olores. Casi se ahoga con todo. Y después, para terminar, la llevé al único restaurant al que podía invitarla, o sea al peor restaurant del Barrio Latino, y ni con dos botellas de vino logré hacerle creer que para mí era el mejor restaurant de París, porque todos los demás estaban fuera de mi alcance. Y éste, además, sólo los feriados, mamá.

Conocía a mi madre, le alborotaban las aventuras bajofondísticas, y normalmente le habría encantado echarle un rápido y sonriente vistazo al mundo de su hijo en París. Pero esta vez no funcionó, y tuve que rogarle que me confesara, aprovechando la ausencia de Inés, qué le ocurría.

—Nada, Martín —me contestó, forzando la sonrisa cariñosa—, debe ser el clima, el cansancio natural del viaje, no sé, pero es verdad que me sentía mejor en Lisboa y en Madrid.

A la mierda con Freud, me dije, y decidí acompañarla edipísimo a los grandes hoteles en los que se alojó cuando viajaba con sus padres, a los restaurants que ella escogiera, a los espectáculos más caros, y por último, a la burguesa y podrida casa de Marcel Proust, que era más o menos el hijo escritor que yo no le había dado a mi madre. Casi grito todo esto, al entrar con ella esa tarde al departamento, donde Inés nos esperaba conversando con un gigantesco cuadro revolucionario que acababa de poner una bomba en una comisaría limeña, y que en su huida no había parado hasta París, ciudad a la cual llegaba con fines subversivos de amplia repercusión mundial y también, de paso, para estudiar los avances del psicoanálisis en Francia, porque marxismo y psicoanálisis conciliados o reconciliados, sólo necesitaban de ese empujoncito que él estaba dispuesto a darles a los empergaminados y almidonados intelectuales franceses. Se hicieron las presentaciones del caso, se decidió a punta de miradas que yo era un caso perdido, y se procedió a sacar un turrón que mi madre nos había traído de España. Feliz Inés con lo umbilical que andaba yo, umbilical y huachafo, además, porque corría de un lado a otro del departamento atentísimo a los whiskies de Yocasta, y con una inefable cara de tarea escolar para el día de la madre, que sólo hay una y no se parece a ninguna. Me esmeraba tembleque, me desesperaba analizable, corría divanizable, y le ofrecía complejo el delicioso turrón al descomunal cuadro revolucionario. Y aquí realmente vale la pena abrir un paréntesis.

# PARENTESIS

Sófocles, el creador de Edipo, rey griego famoso por su complejo, según lo define un increíble pero existente diccionario latinoamericano del siglo XIX, no tenía un pelo de tonto. Modestia aparte, yo tampoco. Y que se me perdone el andarme divirtiendo a ratos, pero esta escritura en mi cuaderno azul me devuelve la vida por momentos, y ya habrán notado que también por momentos me hace matarme de risa, aunque todo esté destinado a que yo termine, otra vez Andrés, en el aeropuerto, con el orgullo y el nudo de la corbata por los suelos, porque Inés, mi adorada Inés, ha decidido abandonarme por una causa superior. Que es más o menos la época en que felizmente se me aparece Octavia miopísima y me señala, desde una prudente distancia, los cinco bulbitos mágicos y simbólicos que aquí tengo todavía, obligándome, porque se lo merecía, sí, Octavia se lo merecía todo, a contar por primera vez esta historia y a terminar también en el aeropuerto con el orgullo y el nudo de la corbata en el consabido lugar. Así es la vida, risas y lágrimas (banal estáis, Martín Romaña), y es también como en esa canción de los *Bee Gees*, en que hay un tipo que empieza un chiste y todo el mundo se pone a llorar y después el mismo tipo se pone a llorar y todo el mundo se empieza a reír, como si se tratara de un chiste (meloso estáis, Martín Romaña), lo cual para mí constituye básicamente un problema de tiempos de la vida que no se dan al mismo tiempo y que no deben ser objeto de burla porque a todos nos puede suceder que uno de esos tiempos o incluso una canción cualquiera nos sorprenda completamente extraños en la noche (pesadote estáis, Martín Romaña, salid ya del sillón Voltaire y abrid por fin el paréntesis anunciado, aprovechando de paso para cerrar éste, tan inesperado y que no sé qué intenta).

Bien, nos quedamos en que Sófocles y yo no teníamos un pelo de tontos. Por lo demás, todo sigue igual en nuestro departamento, aunque yo más bien tendiendo a empequeñecer observador tras haberle ofrecido turrón al descomunal cuadro revolucionario, momento en el cual decidí meterme en este paréntesis porque empecé a observar situaciones francamente exageradas. Lo que observaba, en el fondo, era lo mismo de siempre, o sea la vida calladita, que en este caso era el recién llegado olvidándose de sus bombas y de los almidonados intelectuales franceses, para dedicarle toda su atención a mi señora madre, como él la llamaba. El, por su parte, se llamaba Roberto López, y a mí me estaba llamando mi mamá a un rinconcito de la cocina, para preguntarme quién era ese cholo tan buenmozón. Le dije, muerto de risa, para mis adentros, mamá, por favor, es un hombre de extrema izquierda y tú eres una señora que viajaba por Europa con sus padres y que se alojaba en los mejores hoteles.

—Es que me hace gracia, Martín —dijo mi mamá, añadiendo que se sentía mejorcita, añadiendo que por primera vez se sentía bien en París, y añadiendo, por último, aunque esto no es más que el comienzo, que se sentía mejor que en Lisboa y que en Madrid.

—Mamá, mejor partimos a la Costa Azul. No olvides que allá nos espera un dandy último.

—Ah, no, Martín; yo no me voy de París sin la excursión a casa de Proust.

Dios mío, las cosas para las que sirve Proust. Mi mamá, por lo pronto, lo estaba utilizando para retrasar su partida de París, cosa que tuve que avisarle a José Antonio, y para entregarse a interminables diálogos con el cholo buenmozón, ah, la muy sabida, lo malo es que yo temía que Roberto López se cagara en mi madre, o por lo menos se cagara de risa de mi madre. ¡Qué va! Roberto López más bien empezó a lagrimear como loco con las cosas que le contaba mi madre, su juventud en Europa con su papacito, en los mejores hoteles con su papacito, su matrimonio que deslumbró a Lima, los regalos que le hizo el presidente de la República...

—Señora —la interrumpió Roberto López—, ese presidente, y tal vez el mismo día en que le envió su presente de bodas, lo estaba mandando torturar a mi padre; lo colgaron de una soga y lo molieron a palos, señora.

—Fíjese usted cómo es la vida, Roberto. Pero sírvase más turrón.

Realmente, a lo único que yo le tenía miedo, era a las servidas de turrón de Roberto. Porque siempre se servía más, y usando el cuchillo con tal violencia, que prácticamente me degollaba la mesita sobre la cual lo había dejado, salían volando los pedazos de turrón, y yo veía al monstruo sacándonos más de lo que ya nos había sacado de garantía por sus muebles. Pero quién frenaba a Roberto López, tenía hambre de buen turrón y hambre también de señora de la buena sociedad limeña, qué otra explicación cabía a que se pasara la tarde sentado en nuestro departamento, desde que la conoció. Y mi madre insistía en que sin visitar la casa de Proust, ni hablar de partir a la Costa Azul. Pobre Proust, para lo que puede servir.

Las conversaciones se volvieron tan interminables como las evocaciones de la juventud dorada de mi madre, de su consiguiente y dorado matrimonio con mi padre (por fin lo mencionaban al pobre), en un mundo en el que sus hijos habrían de tener también una educación dorada. Roberto López, que no perdía la oportunidad de volver a colgar a su padre de una soga, me miraba con una enorme lágrima permanentemente instalada en el ojo izquierdo, como diciendo que yo era el fruto, dorado por fuera y podrido por dentro, de ese mundo.

Y así siguieron las cosas, hasta que me di cuenta de que el centro de interés de tanto diálogo se había desplazado por completo de Edipo hacia Yocasta, y que el lagrimón de Lagrimón, apodo con el que lo inmortalizó el humor eterno de los peruanos de París, no tenía nada que ver con la causa dorada y podrida que era yo. Roberto López se emocionaba hasta el lagrimón porque de golpe había descubierto que el mayor deseo de su vida era convertirse en psicoanalista almidonado, sin bombas en su pasado, y hasta francés, *¡Señor por qué los seres/no son de*

262

*igual valor!*, de señoras como mi señora madre, tan enfermas de evocación, tan exquisitas en el pago, tan llenas de inexistentes problemas que yo, Roberto López, les resolveré algún día. Pobre mi mamá, francamente la estaban engañando de entrada, ella que se entretenía tanto y que hasta se estaba sintiendo mejor que en Lisboa y que en Madrid, porque el cholo, aunque de extrema izquierda y con papá eternamente colgando de una soga, era buenmozón, inteligente y hasta fino (la coquetería de mi madre no tenía límites), mientras que el otro, en vez de estudiarle la coqueteada y responderle como era debido, o al menos invitándola a escuchar una intervención pública de Sartre contra la guerra del Vietnam, le estudiaba la generosidad con que ella le invitaba más turrón, para mi espanto, porque me sentía ya dueño de ese caso perdido de generosidad que le había permitido encontrarse a sí mismo. Mi madre trajo ocho turrones más, Lagrimón destrozó la mesita, Inés me acusó de estar muerto de celos por haber alquilado al fin un automóvil, para visitar la casa de Proust, y yo dejé a Roberto López detectado como hombre de gran futuro en el campo del psicoanálisis peruano. Me equivoqué, porque acabó mucho más lejos, pero de todo ello me ocuparé en su momento, ya que Lagrimón se merece mucho más que un paréntesis y, perdonando lo edípico, también mi madre se merecía algo mucho mejor que Lagrimón.

## ALGO MUCHO MEJOR QUE LAGRIMON

Quien la hubiese visto inhalar tres veces, en busca de los
más profundos suspiros, uno ante el Hotel Plaza Atenea,
otro ante el Ritz, y el tercero, el peor de los tres porque el
establecimiento estaba en franca decadencia, ante el Grand Hô-
tel du Louvre, habría dicho que mi madre se disponía a recitar
las coplas de Jorge Manrique en plena calle. Pero en realidad, lo
único que dijo, y muy discretamente, fue: Ya no son esos tiempos, pensando sin duda alguna en la vidaza que se había dado
antes de la muerte de su papacito. La noté más demacrada que
nunca, y me dio pena que en este viaje a Europa la hubiésemos
puesto a roncar en un hotelito apenas estrellado, junto a nuestro
departamento, para tenerla al alcance de la mano. Las evocaciones con el cholo buenmozón, como ella insistía en llamarle a
Lagrimón López, cayeron en el más cruel de los olvidos, no
bien puse en marcha el automóvil que nos llevaría hasta Illiers,
y hasta la casa de su verdadero hijo literario, o sea Marcel
Proust. Partíamos todos elegantísimos, gracias a las generosas
compras de mi madre, que nos había vestido para tan importante acontecimiento, y para varios años más en Europa, también,
que era lo que a mí me interesaba y lo que a Inés le había fasti-
diado un poco, probablemente porque en el Grupo la iban a
piropear en vez de mirarla con ese temeroso respeto que siempre despertó entre los camaradas. Nunca podré quejarme de la
austeridad con que Inés vivió a mi lado. Claro, era tan guapa
que cualquier trapo le quedaba bien, pero la verdad es que su
actitud fue siempre la de una mujer a la cual lo único que le
interesa, en materia de ropa, es que su esposo lleve los pantalones bien puestos. No lo logró muy a menudo, la pobre, porque
en el fondo yo siempre supe que me prefería tal cual era, que su
lado protector amó siempre al protegible, incluso al estrangula-

ble, al travieso, al arrepentido, al que acababa de portarse pésimo, al intuitivo y al bromista irredimiblemente dubitativo, al cual, por haberle sido siempre así, o sea fiel a lo que ella realmente amaba, un día se llevó de encuentro, pasando incluso por encima de ese cadáver exento de orgullo y con el nudo de la corbata por los suelos, que era yo, tras haberme sometido a una especie de crítica de la razón pura y mil cosas más que siempre me ocultó y que ojalá hubiese descubierto yo a tiempo.

Mi madre suspiró tres veces más aquella fría mañana: una, al divisar el letrero que indicaba que a Illiers se llegaba torciendo a la derecha, otra al entrar a Illiers, y la tercera, la peor de las tres, porque Marcel había suspirado tanto ahí, con esa asma terrible, pobrecito, al detenernos ante la casa del genial escritor. Nunca la había visto tan demacrada en mi vida, pero shiii..., pues la noche anterior, no sé si porque me vio tan bonito con toda mi ropa nueva, o porque también ella estaba al borde de recurrir a las sanguijuelas, Inés había aceptado hacer el amor con alguien que sólo deseaba a su madre, y por consiguiente yo ahora ni pío porque a lo mejor esta noche me liga de nuevo.

No me ligó más que un pesadísimo sermón laico, por la forma en que me había comportado en la casa de Proust. Qué diablos me importaba a mí que mi mamá se pasara tres horas citando uno tras otro miles de párrafos de ese escritor, para asombro del pobre viejito guardián, que había conocido a las sobrinas de monsieur Proust y todo, pero que no lograba estar a la altura de los interminables conocimientos de esa señora tan generosa en las propinas y que provenía de allende los mares.

—Del Perú, monsieur.

—Ah oui, madame, yo tengo un primo que vive en Argentina.

Qué diablos me importaba a mí que mi mamá se arrancara otra vez con las parrafadas y los comentarios a las parrafadas y que le pagara al viejito para que le abriera y le volviera a abrir por décima vez la reja haciéndole sonar la campanita para que ella sintiera, por enésima vez, lo que sintió Proust, y se mandara otra parrafada en medio de los más escalofriantes suspiros bañados con crema de ternura.

—En el Perú, entre la gente que yo conozco, se idolatra a Proust, monsieur. Claro, hay mucha gente que no sabe ni siquiera leer en el Perú, pero entre nosotras le llamamos Marcel a secas. Pobre Marcel, si supiera cuánto se le quiere en el Perú.

—Ah oui, madame, yo tengo un primo que vive en Argentina.

Y, por último, qué mierda te importa a ti que tu mamá prefiera a Proust y que ni siquiera desee leer un párrafo de tu novela porque no se ocupa de su podrido mundo. O es que es ese mundo el que te interesa a ti y te estabas muriendo de celos... Te niegas a que tu madre deje de mirarte un solo instante. Porque estoy segura de que todo no era más que un asunto de cordón umbilical, Martín.

—Inés, mi madre no se siente bien, y esta mañana sí que hacía un frío de la patada en la casa esa de mierda.

—Pura imaginación tuya, Martín. Tu madre está perfectamente bien. ¿Qué más prueba quieres de ello? Se aguantó cinco horas seguidas en casa de Proust y después se estuvo dos horas más paseándose por el pueblo y por los senderos que recorría el escritor. Casi mata al viejo, casi nos mata a los dos, también. ¿Qué más pruebas quieres, Martín?

—Sí, pero ahora debe estarse soplando una botella de whisky en el hotel.

—Déjala que se mate bebiendo, si quiere; es cosa suya.

—Inés, trata de pensar que...

—Mira, si quieres pasarte la noche con ella en el hotel, anda no más; por mí no te molestes. Con tal de que mañana no se olviden de recogerme para ir a la Costa Azul.

Bueno, nada de hondonada, por aquella noche, o sea que destapé una botella de vino, y tras haber brindado por la Inés que antes me quería, me comprendía, y me necesitaba sexualmente sobre todo, me dispuse a continuar la bronca.

—No sabía que tenías tantas ganas de ir a la Costa Azul. O es que a lo mejor temes perderme en brazos de mi madre.

—Mira, Martín, tengo tanto derecho como ustedes a conocer la Costa Azul.

—La Costa Azul es de derecha, Inés.

Nunca se me ha odiado tanto en la vida.

Veinticuatro horas más tarde tomábamos el tren más elegante de Francia, o sea el más elegante que había tomado en mi vida, porque trenes de lujo sólo había tomado en el Perú, y sólo cuando mi padre pagaba el billete, además, pero es sabido que el mejor tren del Perú equivale más o menos al peor de Francia, siendo esto parte integrante de lo que las Naciones Unidas dieron en llamar el subdesarrollo. En todo caso, el resultado para mí fue una gran erección no bien me instalé en la cama de un delicioso compartimiento llenecito de botones, con los que se encendían lucecitas de tantos colores y matices que uno podía irlas apagando poquito a poco hasta quedarse profundamente dormido, igualito que con un buen valium. Pero conmigo no funcionó el asunto, porque tanto lujo más bien me excitaba y tendía a quitarme el sueño por completo. O sea que me dediqué, subdesarrolladísimo, a encender y apagar mil veces lucecitas lujosas, y a recordar lo mal que se había portado mi madre en el vagón restaurant, tras haberse bebido dos botellas de champán casi sola, y haber descubierto que en la mesa de atrás viajaba una especie de viudo buenmozón.

Giraba como torero que agradece a todos los tendidos, y para mi desesperación, se detenía con una más que sonriente mirada en el tendido del viudo, que parecía no haber oído hablar jamás de toros en su vida. Puse cara de mamá-por-favor, pero Inés me la quitó poniéndome cara de Edipo-por-favor-deja-que-tu-mamá-se-divierta. Y cuando volví a poner la misma cara entre angustiada y suplicante, Inés me dijo que dejara en paz a mi madre, es una mujer libre, Martín, con lo cual sólo logró que la mujer libre pidiera tres cognacs de los que tomaba su papacito y girara nuevamente demasiados grados para su edad y estado, hasta llegar tan agotada como sonriente al tendido del viudo, que seguía sin entender ni papa de lo que ocurría en el ruedo.

267

—Es un necio —dijo, por fin, mi madre.

Aproveché para pedir inmediatamente la cuenta y para sacarla lo antes posible del vagón restaurant, dándole gracias al cielo porque en los trenes no hay sala de baile o algo por el estilo. Nadie tan indiferente le pasó jamás a su lado al viudo del tendido, con lo cual todos ahí se dieron cuenta de todo, menos el ofendido y mi mamá, que andaba en un estado muy cercano al yo-te-estimo, estado éste que en ella equivalía, frutos de la educación, a recordar algún párrafo de Proust que horas antes se le había olvidado un poquito. Así llegamos por fin a nuestros compartimentos, donde nos atendió una especie de oligarca peruano, al que felizmente mi madre encontró bastante huachafo y con pinta de italianón. Ese fue el señor que me enseñó el juego de las lucecitas con que no dormí hasta que llegamos a Cannes, donde nos ayudó a bajar las maletas y a que le diéramos la excelente propina que, con la perseguidora, mi mamá estaba olvidando por completo.

Hasta hoy trato de imaginar quiénes éramos para él. Inés, con lo guapa que estaba, podía ser una Miss Sevilla de hace dos años, y ésas siempre se consiguen un marido rico. Pero, ¿dónde estaba el marido rico? No era yo, definitivamente, con tanta ropa nueva pero con esa cara de ropa vieja ya marcada por el determinismo geográfico que significan un rincón junto al cielo parisino, años de restaurant universitario, una escuelita infame para ganarse el pan, más varios años en cuclillas en los waters de hueco en el suelo que me tocaban uno tras otro. Pero lo peor de todo es que no creo que le importara mucho quién era yo. Mi mamá, que tras haberle pedido que esperara afuera mientras se desvestía, y después entra usted a apagarme estas lucecitas macabras, pero sólo cuando yo le avise, por favor, todo esto dicho con un ronco francés del siglo diecisiete, para luego pasar al más tembloroso, suspirante y largo párrafo de su vida y de la de Proust, y de ahí, dulce y suavemente, a los más espantosos ronquidos, mi mamá era quien era, porque ella misma se encargó de decírselo al bajar del tren, por si acaso hubiera pensado que una ex-alumna del ya desaparecido colegio San Pedro olvidaba conscientemente las propinas, no señor, usted no sabe que el San Pedro y el Sa... No logró decir *Sacré Coeur de Paris, monsieur*, porque se pegó un resbalón y con las justas no se nos va al suelo.

—Hace un frío espantoso —fue lo primero que dijo, no bien logró recuperar el equilibrio.

—No puede ser, mamá —le dije, preocupado—, simplemente no puede ser. Mira, hay un sol esplendoroso.

—Todo el sol que tú quieras, Martín, pero a mí no me calienta. Y no te olvides de que soy una mujer que ha viajado mucho en la vida.

—Prueba quitarte los anteojos negros, mamá; tal vez viendo el sol logres calentarte un poco.

—No me atrevo; son unos anteojos muy grandes y en algo me protegen la cara del frío.

—Mamá —le dije, mientras comprobaba que José Antonio no aparecía por ninguna parte—, por favor *haz* un esfuerzo por sentir calor... *Siente* calor hasta que lleguemos al hotel, por lo menos.

—Es inútil, hijito, no puedo.

—Pero si todo el mundo está sintiendo calor en Cannes, mamá.

Inés nos estaba mirando como a dos casos perdidos, y yo seguía pensando dónde demonios andará José Antonio, cuando escuchamos una voz jadeante.

—¡Aquí, aquí, aquí, aquí!

Miré hacia el punto más oscuro de la estación: tenía que ser El último dandy, porque lo único que se veía eran dos enormes ramos de flores que lo tapaban por completo, y una pieza de cerámica a su lado, en el suelo.

—¡Aquí, aquí! —volvió a gritar.

—¡Sí, ya te vimos, José Antonio! ¡Pero qué haces ahí! ¡Por qué no te acercas!

—¡No puedo! ¡Tengo que permanecer en la sombra! ¡Acérquense ustedes! ¡No puedo soportar el sol! ¡Me lo han prohibido, además!

El "además" lo terminó con las justas.

—Dile que soy una señora mayor —intervino mi madre.

—¡Mi mamá se muere de frío, José Antonio!

—¡Qué le pasa! ¿Se siente mal?

—¡Tiene frío! —le respondió Inés—. ¡Debe ser porque no ha dormido bien anoche!

—Inés, ¿y a ti quién te ha dicho que yo no he dormido bien? He pasado una noche espléndida. Como cuando viajaba con mi papacito.

—¡Es que no se siente muy bien, José Antonio! —chillé, a punta de perder los estribos.

—¡Entonces vayan ustedes avanzando por el sol y yo voy saliendo por la sombra! ¡Afuera de la estación, a mano derecha, hay un árbol! ¡Nos encontramos ahí en la sombra!

—No me parece muy dandy que digamos —comentó mi madre.

—Mamá, piensa que está enfermo.

—Entonces para qué ha venido.

—Señora —intervino Inés, con la voz serenísima que usaba cuando realmente estaba harta de algo—, José Antonio tiene una enfermedad grave y extraña.

—Estoy segura que en Lima mi primo Fortunatito lo cura en un dos por tres. Fortunatito es un sabio; lo que pasa es que dicen que toma drogas y por eso la gente le tiene miedo. Pero recuerden ustedes que al presidente Benavides le quitó una tos que ni en Boston se la lograban calmar...

—Mamá, nosotros no habíamos nacido cuando al presidente Benavides le quitaron la tos y José Antonio ya debe estar llegando al árbol.

—¿Quién estará atendiendo a ese pobre muchacho? Los médicos franceses tienen fama de ser muy fríos. Mi papacito decía siempre...

—Mamá, a José Antonio ya se le deben estar marchitando las flores. Piensa además que está muy enfermo.

—Y quién le ha pedido que venga.

—Ay, señora —volvió a intervenir Inés, con envidiable se-

270

renidad y enorme realismo—: espérese no más a que le entregue su ramo de flores.

—Bueno, eso ya es otra cosa, Inés. Vamos; vamos a buscar a alguien que nos cargue las maletas. Una mujer es antes que nada una mujer y por consiguiente debe...

Del árbol fuimos a dar al bar del Carlton, saltándonos el desayuno, y adelantando peligrosamente la hora del aperitivo. Mi madre estaba realmente conmovida con el gesto de José Antonio.

—No ha debido usted molestarse en venir a la estación, señor, pero la verdad es que sus flores están tan lindas; a mí, por lo pronto, las mías me gustan más que las de Inés.

—Señora —intervino la esposa de Edipo—, yo creo que basta con que cada una esté contenta con su ramo.

Pobre José Antonio. Se había despertado al alba, se había fugado de la clínica de Vallauris, y se nos había presentado en la estación con un regalo para cada una. A mí me había traído una hermosa pieza de cerámica de la región, y ahora estaba dispuesto a alojarse en un hotelucho de los de las calles de atrás, para acompañarnos hasta que mi madre tomara el barco. Había tanto que ver y que pasear en Cannes, aseguraba, aunque claro, lo único malo era que mi madre tenía que ir siempre por el sol y él siempre por la sombra, lo absurda que podía resultar la vida por una simple cuestión de temperaturas.

—¡Oiga usted, José Antonio! —le gritó mi madre, durante nuestro primer paseo—. ¿Por qué no toma usted el barco conmigo?

—¡No le oigo, señora! —le respondió José Antonio, que nos estaba esperando bajo la sombra de un árbol.

Y es que así eran de complicadas nuestras caminatas. El corría de árbol en árbol, o de portal en portal, descansando también a menudo en una banca que estuviese a la sombra, y nosotros llegábamos momentos después al punto fijado para continuar el diálogo.

—Perdone, José Antonio, es que no me acostumbro a que no esté usted a mi lado.

—Disculpe usted, señora, pero mire cómo sudo hasta en la sombra.

—Es cierto. ¡Qué horror! Pero, en fin, de eso quería hablarle precisamente. Le estaba diciendo, mientras llegábamos, que por qué no se viene usted a Buenos Aires conmigo.

—Señora, imposible aceptar una invitación tan generosa. Im-po-si-ble, señora.

—José Antonio —intervino Inés—, ¿por qué no aceptas?

—Claro, José Antonio —insistí yo—. Piensa qué va a ser de ti ahora que te has escapado de la clínica y que estás sin un cobre.

—Bueno, tanto como eso, no. Por lo pronto, les tengo reservada una mesa en el restaurant donde se come el mejor cangrejo de toda la Costa.

—Es usted tan amable, José Antonio. Pero mire, yo insisto en lo de Buenos Aires. Allá podemos descansar o divertirnos, según cómo nos sintamos después del viaje.

—Ya ves, Inés, que mi mamá se siente mal. Se te escapó, mamá. Le he estado diciendo a Inés que te noto muy demacrada desde el día de tu llegada.

—Bueno, confieso que es un frío muy extraño, pero ahora déjenme convencer a este muchacho. Mire, José Antonio, de Buenos Aires nos podemos ir de frente a Lima, donde mi primo Fortunatito.

—¿Fortunatito Romaña, señora? ¿El famoso drogadicto?

—Todo lo que usted quiera, pero al presidente Benavides...

—Mamá, por favor, el tío Fortunatito a lo mejor ya se murió de viejo mientras has estado fuera de Lima.

—No seas necio, Martín. Y usted, José Antonio, vaya pensándolo mientras nos espera en el próximo árbol.

José Antonio salía corriendo hasta el próximo punto sombreado, y nosotros le dábamos el alcance lo más lentamente posible, porque mi madre ya casi no podía caminar de lo demacrada que estaba y del frío que tenía. Total que de árbol en árbol, o de banca en banca, por fin llegamos al restaurant en que se comía el mejor cangrejo de toda la Costa. Pedimos que se nos cambiara la mesa que José Antonio había reservado, y optamos por una de las que había en la terraza, exigiendo, eso sí, que nos la colocaran en un lugar que quedara mitad al sol y mitad a la sombra. Ahí casi se arma la gran pelotera porque el mozo empezó a impacientarse con tanto capricho.

—Monsieur —le explicó El último dandy—, la señora está delicada de salud y necesita sentarse donde caiga todo el sol del mundo.

—Pues entonces ahí tienen esa mesa, señor. ¿Qué más sol desean?

—Oiga usted —le dijo mi mamá—, el señor también está delicado de salud y el médico le ha recomendado sombra. Tenga usted la amabilidad de colocar la mesa en esa esquina y no se meta en lo que no le importa.

—Señora, por favor —intervino Inés—, basta con explicarle y creo que entenderá.

—Hijita, lo poco que conoces a los franceses. La única explicación que aceptan es una propina. Bien lo decía mi papacito: al salir de Londres, uno tiene que estirar la mano para que le reciban la propina; pero no bien llegas a París, todo el mundo te estira la mano a ti.

Lo peor del asunto es que, efectivamente, mi madre arregló el asunto con una buena propina; y ni siquiera con eso, sino con la promesa de una buena propina si el almuerzo transcurría normalmente, ella no estaba dispuesta a que el primer tontonazo le malograra un almuerzo cuando además se estaba sintiendo tan cansada. Y menos éste, que huele mal.

—Mamá, por favor —le dije—, ya puso la mesa donde le pediste, ya basta.

—Qué horror, José Antonio, Martín tampoco parece que hubiera vivido en Francia: hasta ahora no ha descubierto lo cochinos que son los franceses. Cuánta razón tenía mi pobre papacito, él siempre decía que los franceses se bañan sólo cuando salen de viaje. Y viajan muy poco, hijita, me decía.

Nunca vi a dos enfermos beber tanto ni comer con tanto apetito. El cangrejo estaba realmente delicioso y nosotros cuatro felices de hallarnos en Cannes, contemplando ese mar que tanta falta les hace a los limeños en París. Proust, que según dijo mi madre, al cabo de tres botellas de vino, era probablemente uno de los pocos franceses que se bañaba (Yo más bien diría que se perfumaba, señora— la interrumpió José Antonio), terminó por convertirse en interminable y amenísimo tema de conversación entre los dos, cosa que aproveché para proponerle a Inés un paseo por la orilla del mar.

Y por aquel paseo, y por lo que vino después en el hotel, siempre recordaré ese viaje al sur como uno de los pocos viajes felices de mi vida. Fue como un milagro: Inés cambió por completo no bien uno de sus pies tocó el mar, cambió hasta el punto de que por momentos parecía que jamás hubiese vivido en París, que jamás hubiese salido de Lima, y que jamás nuestra llegada a Cannes hubiese sido precedida por tensiones en torno al complejo de Edipo y demás fallas que me encontró por haberle contado lo demacrada que había visto a mi madre en el aeropuerto. Claro, después volvieron los problemas, pero aquéllas fueron horas largas y maravillosas en que nos olvidamos de tantas cosas mientras caminábamos con los pies en el mar y mientras corríamos hacia el hotel como escondiéndonos de algo que además nunca había existido. Corríamos por la playa con los zapatos en la mano, atravesábamos el malecón cogidos fuerte de la mano, esquivábamos automóviles y se nos había borrado por completo quiénes éramos, el lugar en que vivíamos, los camaradas del Grupo, mi novela estancándose, mi madre y El último dandy allá en el restaurant, sí, se nos había borrado todo en la habitación del hotel y lográbamos amarnos como dos personas que acaban de conocerse y que también se quieren con ese cariño viejo puesto a prueba por el tiempo y cuando nos volvíamos a acariciar nuestras manos eran así de perfectas y se conocían y nos conocíamos pero al mismo tiempo era esta deliciosa y tan tierna primera vez, nuevamente.

Eran las ocho de la noche cuando empezamos a sentir remordimientos por haber abandonado a mi madre y a José Antonio. Dónde estarán, nos preguntamos, y tras haber averiguado que no habían regresado al hotel, bajamos a buscarlos al malecón. Tampoco estaban.

—En el restaurant —dijo Inés.

—Imposible, no pueden estar ahí todavía.

—Conociéndolos, nada es imposible, Martín.

Estaban en la tercera botella de champán cuando los encontramos, y ya habían decidido que el mejor médico del mundo para El último dandy era el tío Fortunatito. Se embarcaban juntos a Buenos Aires, y de ahí en el primer avión a Lima.

—Dejo constancia de que se trata de un generosísimo préstamo —dijo El último dandy.

—No le hagan caso; es un necio —dijo mi madre, agregando que el maître del restaurant, un hombre bastante fino, felizmente, se había encargado de llamar al hotel para que desde ahí le hicieran las reservaciones. Zarpaban pasado mañana.

Lo difícil fue que zarparan del restaurant esa noche, porque a José Antonio se le había antojado otro cangrejo como el del almuerzo, y porque mi madre encontraba la idea excelente, sobre todo ahora que era ella quien invitaba, en retribución, y con champán, además.

—Siéntense, hijitos —nos dijo—; voy a llamar al mozo para que les traiga dos copas.

—¿Y el frío, mamá? ¿Cómo te sientes?

—La verdad es que el champán es lo único que me quita el frío, Martín. ¿Pero qué hacen parados todavía? Siéntense de una vez. José Antonio y yo somos gente de mundo y aquí nadie les va a preguntar dónde han estado metidos toda la tarde.

Prácticamente tuvimos que cargarlos aquella noche, pero eran los enfermos más felices que había visto en mi vida.

A la mañana siguiente, Inés fue a buscar al Ultimo dandy a su hotelucho, y regresó diciendo que hasta miedo le daba, porque ni siquiera respondía cuando lo llamaban a su habitación. Lo mismo sucede con mi mamá, le dije, aunque para mi tranquilidad los ronquidos se escuchan por todo el segundo piso. Bueno, creo que lo mejor sería dejarles una nota en la recepción y disponer de nuestra mañana mientras ellos se recuperan.

—Buena idea. Déjales dicho que los encontramos en el bar a las doce, y vámonos a dar un paseo por el malecón.

Regresamos al hotel un poco atrasados pero ni cuenta se dieron. Y a duras penas nos saludaron cuando entramos al bar y nos acercamos aterrados al ver que nuevamente estaban ante una botella de champán. Discutían a gritos, entre citas de Proust, dichas por mi madre, y lecturas de *Miseria de la filosofía*, de Marx, que El último dandy realizaba a voz en cuello, para desesperación de medio mundo, y agregando entre párrafo y párrafo que no eran las ideas lo importante, sino la extraordinaria habilidad literaria del autor de *El Capital*.

—¡Un panfletista genial! —exclamaba.

—Baje la voz, José Antonio; estamos en el bar del Carlton.

—¡Qué Carlton ni qué ocho cuartos, señora! ¡Escuche usted este párrafo! ¡Prosa violenta, abrumadora, eficaz! ¡Un panfletista genial, señora!

—¡Cómo puede usted comparar ese adefesio con la delicadeza de Proust! Observe la ternura de este párrafo.

—¡Eficacia, señora, es lo que se necesita!

—¡Pero si usted no me deja ni hablar!

—¡Pobre Proudhon!

—¿Pobre quién?

—Proudhon, señora. ¡Escuche usted este párrafo! ¡Marx lo hace papilla!

Inés trató de intervenir, entusiasmada por el texto de Marx. Quiso decir algo acerca del capítulo segundo, donde según ella se encontraban algunas ideas muy valiosas.

—¡Qué ideas ni qué ocho cuartos! —la interrumpió El último dandy—. ¡Lo importante es el estilo! ¡*El* es-ti-lo, mujer!

—Es un necio, Inés. A mala hora se me ocurrió llevarlo conmigo hasta el Perú. Me va a arruinar el viaje.

—Proust es lectura para largas convalecencias, señora —le dijo José Antonio, riéndose a carcajadas—. Y no crea usted que no lo respeto y admiro, pero con este día tan claro, con ese cielo tan azul que se ve allá afuera, qué mejor que una prosa eficaz, optimista, demoledora.

—Es un necio —repitió mi madre—. Este hombre me arruina el viaje. Vamos a almorzar y a dar un buen paseo por la Costa en auto. Por lo menos que no me arruine mi último día en Francia.

—¡Invito yo! —gritó José Antonio.

—Bueno, pero con la condición de que no traiga usted ese libro tan pesado.

Tuve que prestarle a José Antonio todo el dinero que tenía, para que pagara el alquiler del automóvil con el que pasamos nuestro último día en la Costa. Una vez más, mi madre se quejaba del frío, mientras él iba sudando a chorros y diciendo que los escritores peruanos eran todos unos incultos en materia de botánica. Ignoraban los nombres de los árboles, de las flores, de las plantas. Y no sólo los escritores, agregaba, apostando que ahí ninguno de nosotros era capaz de decir cómo se llamaba aquel árbol, aquella enredadera, aquella flor maravillosa. Y en efecto, Inés y yo casi nunca acertábamos. La única que logró salir más o menos airosa fue mi madre. Para algo me he ocupado siempre del jardín de la casa, me decía, pero en tu caso, Martín, es una verdadera vergüenza que te las des de escritor y no sepas ni lo que es una buganvilla.

—Sindicatos... Qué horror... La fortuna que gastó tu papacito en educarte, para que luego termines escribiendo sobre sindicatos.

Me repitió la misma frase en el momento de embarcarse, mientras yo trataba de besarla, de abrazarla con todo el cariño del mundo. José Antonio se había despedido antes, diciéndonos que quería dejarnos disfrutar en paz de la última media hora con esa mujer ma-ra-vi-llo-sa. Le rogué que la cuidara, que no la dejara sola un solo instante hasta que llegaran a Lima. Le pedí incluso que la hiciera examinar por el médico del barco. Lo prometido es deuda, me dijo, dándome un fuerte abrazo, y precipitándose luego sobre Inés con lágrimas en los ojos.

—Mujer, deja escribir en paz a este muchacho.

—No seas idiota, José Antonio, por favor.

—Bueno, mujer, bueno. Entonces enséñale el nombre de algunos árboles, por lo menos.

—Deja que los aprenda él solo.

—¡Oh fierecilla indomable! —le dijo José Antonio, y empezó a subir lentamente al barco.

En el tren de regreso a París, Inés me acusó de cosas que jamás habían pasado por mi mente. Había tratado a mi madre como a una vieja, haciéndola sentirse inútil, haciéndola sentirse vieja, cuando ella luchaba por mantenerse joven y era lo más coqueta del mundo. No había podido soportar el paso del tiempo sobre el rostro de mi madre. Todas mis obsesiones y fantasmas se habían manifestado en la necesidad de verla enferma, de quererla proteger como a una inválida. Y por último había llorado como un imbécil en el puerto.

Pasaron días de muchos silencios y evitamientos entre Inés y yo, aunque ella a cada rato volvía a repetirme que la tristeza que se reflejaba en mi rostro era enfermiza.

—El único verdadero demacrado en toda esta historia eres tú, Martín.

Lo mismo opinaba Lagrimón López, quien con toda concha inició sus estudios y prácticas psicoanalíticas, al mismo tiempo, psicoanalizándome a mí. Bueno, eso era lo que él creía, por lo menos, sin darse cuenta de que era yo en cambio quien estaba aprendiendo muchísimo sobre sus fantasmas, si es que se le puede llamar fantasmas a algo tan palpable y evidente. Cada tarde, a eso de las tres, Lagrimón echaba la puerta abajo, entraba al departamento como si acabara de poner una bomba en la esquina, se sentaba aparatosamente a mirarme como si estuviese mirando a mi mamá, y tras haber irrigado el ojo izquierdo lo suficiente como para que el lagrimón empezara a colgar enorme, me declaraba enfermo de tristeza. A mí eso me servía para no tener que trabajar en la novela; en efecto, qué mejor pretexto que el diálogo con un cuadro político para no enfrentarme al estancamiento político-literario, y ahora también freudiano, en el que me hallaba. Lo único malo, lo único realmente fatal en esta historia de fantasmas van y fantasmas vienen, era que cada tarde, al despedirse, Lagrimón me dejaba de a verdad enfermo de tristeza. Pero él insistía en venir y continuaba echando la puerta abajo. No podía prescindir de mi enfermedad, aunque él estaba convencido de que era yo quien no podía prescindir de su tratamiento. Y ni siquiera el día en que llegó la carta de José Antonio, anunciándonos que mi madre había llegado a Lima con fiebre de Malta, y que sin duda alguna la había tenido ya, o la había estado incubando durante su estadía con nosotros, ni siquiera ese día desistió Lagrimón.

Traté de darle la noticia a Inés de la manera en que menos afectara nuestras relaciones conyugales.

—Amor, mamá ha llegado a Lima con fiebre de Malta y a José Antonio le sacan un riñón, pero el tío Fortunatito ha asegurado que en un mes más los dos estarían como nuevos.

Inés pegó la bizqueada más rotunda de nuestro historial conflictivo, y siguió caminando hacia la cocina porque Lagrimón estaba esperándome en su sillón y porque. Fue la primera vez que se le derramó el lagrimón (lo reemplazó inmediatamente por otro exacto), pero ello en nada alteró la creciente necesidad que tenía yo de que cada tarde, a las tres, me declarara triste. Y por eso hasta ahora pienso que la más contagiosa de las enfermedades puede ser una buena depresión.

Un último dato, ahora, para terminar con esto. Mayo del 68 estaba ad portas. Aquella hoy antediluviana temporada rebelde, propiciadora de todo tipo de arreglos, re-arreglos, y desarreglos, muchos de ellos anémicos, estaba a la vuelta de la esquina.

## SOBRE HEROES Y ANTI-HEROES:
## MAYO DEL 68 EN MI SILLON VOLTAIRE

A título de información general, y a riesgo de que se me tome por el más grande de los repetidores de palabras, voy a decir lo que tantas veces se ha dicho y escrito en Francia sobre Mayo del 68. Es decir, que nunca se han dicho y escrito tantas cosas sobre un acontecimiento social como las que se han dicho y escrito en Francia sobre Mayo del 68. Y esto es lo mejor que se ha dicho y escrito sobre mayo del 68. Se mataron constatando, desde sociólogos hasta moralistas, para beneplácito de la industria editorial, que también tradujo libros con elaboraciones previas y hasta definiciones anticipatorias elaboradas por visionarios de otros países, para breve, balbuceante, y por qué no, profunda ilusión de una juventud, no toda, tampoco, no se lo vayan a creer, que habiendo abandonado en la medida de lo posible el caducado hogar, sólo retornaba muy de vez en cuando a él, y más que nada para atacar la agresiva refrigeradora de la abundancia. Pero el pájaro azul había muerto de aburrimiento glacial.

Es mi entristecida opinión, en aquello de la refrigeradora los muchachos no llegaron hasta el fondo de su copa de champán. Son palabras de tango, pero cuando uno manda a la mierda a sus padres no es normal continuar manteniendo relaciones afectivas con su refrigeradora. Genera mucha neurosis. Pero la espada y la pared viene cuando hasta las revistas de izquierda publicitan con colores que no existen refrigeradoras más dolorosas que las de casa, y ese auto ese estereofónico ese paraíso ese trópico y este doloroso taparrabos que compraremos o robaremos sin llegar a *ser* esa otra chica (Debió ser por eso que Euphemie decidió volverse fea. En todo caso, una noche soñé con una muchacha que necesitaba a gritos en una tienda. *Necesitaba a gritos en una tienda*, insisto, y no el taparrabos que había visto en la publicidad de imposibles formas y colores sino el deseo de *ser* lo que había visto). Se genera mucha infelicidad y violencia.

Aquello de la refrigeradora resultó muy fácilmente incomprensible para los obreros afiliados a los tradicionales partidos de izquierda. Entonces los muchachos se quedaron solos con sus slogans grupusculares mientras que los obreros fueron coherentemente crepusculares porque la verdad es que todos somos pecadores y nadie en tiempos de despelotes ideológicos está dispuesto a caminar con las pantuflas mentales hasta la refrigeradora y a abrirla y a no encontrar el televisor adentro y el automóvil en la calle. Nunca me hagan eso. Se anunciaba que el mundo fue y será una porquería y que uno es poquita cosa y que las palabras dulces serían pronunciadas por corazones sin fe.

Para retomar por algún lado el asunto del pájaro azul surgieron los charters a Katmandou o al Cuzco o a California *here I come*. Habían proliferado también las traducciones a las que me refería anteriormente (Mao, Hô Chi Minh, Henry Miller, Fidel Castro, Che Guevara, Malcolm X, Angela Davis, Wilhelm Reich, etcétera etcétera etcétera y al cuarto etcétera le agrego este etc...), un poco como si otra vez los bárbaros tuvieran algo que decir. Estos libros se vendían acompañados de posters y, si mal no recuerdo, el poster del Che Guevara era el que se vendía más, perdonen la tristeza. Entonces aquellos muchachos coleccionaban esos libros bajo sus posters y yo, terrible curioso de la pena, los leía. Quiero decir que me tomé el trabajo de leer *sus* libros. Me explico: cosas del trabajo que ya contaré algún día me acercaron a ellos y yo leía el libro o los libros que habían sido adquiridos por un joven del año 68 y siguientes. Era como leerlos a ellos porque subrayaban como locos en los primeros dos o tres capítulos, habían hojeado un par más, y el resto del libro sólo lo leía yo.

Pasaba el tiempo y sentía que un velo de tristeza iba cubriendo marginalidades y apagando miradas. Un día regresé de un viaje al Perú. Regresé en pleno invierno y tras haber abandonado un caluroso verano limeño. Pero no fue la oscuridad del frío en aquella callejuela de mi primera salida la que me hizo andar soltando en los meses siguientes que en los ojos de un ancestralmente hambreado y paupérrimo viejo andrajoso peruano había encontrado más-brillo-más-vida que en tantos ojos de veinte años y menos con que me crucé mientras iba comprando algo que traer para mi pequeña refrigeradora fea que basta con que funcione (A veces, cuando me levanto del sillón, me gusta posar ante mí mismo de rebelde nuevo, y me paso un rato contemplando mi refrigeradora, azul, chiquita, y funcional. Tal vez sea mi último homenaje a Euphemie). Aquel manto de tristeza había terminado por cubrir a todo un mundo.

Yo había envidiado a aquellos muchachos. Los había envidiado con cariño, con interés, y de una manera muy sana. Entre ellos nunca necesité perder edad ni estatura, aunque a veces tal vez por costumbre me haya ocurrido. Había querido aprender de ellos el secreto de su desenvoltura inicial, porque mucho de lo que me ocurrió durante aquel famoso mayo y después me obligaba a buscar en ellos algo que a mí me faltaba a gritos. Como que quería que me contagiaran. No sé si lo logré, pero pasaron los años hasta que pararon los años aquellos y las cosas sucedieron de tal manera que de pronto un día Euphemie se colgó. La había conocido allá por el 72. La vi muy poco, siempre es demasiado poco, a lo largo de varios años. Era muy alta y muy bonita cuando la conocí. Era también una de las personas más honestas que he conocido en mi vida.

A esos muchachos les llamaban los marginales y estoy seguro de que no debió faltar un sabio pedagogo para llamarlos los nuevos marginales o algo así. Para mí, el problema es que, o eran cada vez más numerosos, o a mí la vida me llevaba por las calles que transitaban. Como siempre, he llegado a pensar, la vida exagerada de Martín Romaña. Pero también me parece que al principio estos muchachos se marginalizaban y que con el andar del tiempo empezaron a descubrirse marginalizados, en lo cual hay una gran diferencia, la misma enorme diferencia que hay entre ser triste y ser alegre. Digo ser, no digo estar.

Euphemie solía agredirme, burlarse de mí, tenerme cariño, caer por casa y sentarse con una pierna que le temblaba en el diván que está al frente de mi Voltaire. Probó muchos viajes (yo mismo le organicé uno a México, y le di la dirección de una amiga que me escribió diciéndome Euphemie tiene una cara muy moderna), probó muchas facultades, muchos amigos, muchas drogas y algunos libros. Tuvo un novio. La encontré casualmente algunos meses antes de que se colgara y había perdido por completo su belleza. Deduje fácilmente que la mala calidad de su vida y la de los paraísos artificiales que frecuentaba eran la causa de ello. La honestidad seguía igual, enorme, total. Una noche su madre me avisó por teléfono que había regresado a su hogar para colgarse, y después me volvió a llamar varias noches porque necesitaba hablar con alguien que había conocido a Eufe, a Mimí. Inmigrantes italianos, y me contó que ella le contaba a Eufe, a Mimí, que pobre y joven como fue en Italia, había conocido la risa, la alegría, la ilusión, y el brillo en la mirada. Me contó que Eufe, Mimí, le decía, cuando le hablaba, no siempre le hablaba, esos son cuentos de hadas, mamá, cuentos de hadas. Usted perdone, señor, ¿pero es así la vida moderna, señor? Usted perdone, señor, pero mi marido se ha ido al café de la esquina y lo comprendo pero yo necesitaba hablar con alguien que haya conocido a Eufe, a Mimí. Cuando usted desee, señora. Usted perdone, señor, pero encontramos su teléfono en el único papelito que dejó Eufe, Mimí. No dejó explicación alguna, sólo ese papelito que decía mañana, vacuna, y llamar a Martín el idealista y su número de teléfono. Por eso lo llamé, señor, y le avisé que se había colgado y usted perdone que lo haya vuelto a molestar ahora pero es que. Cuando usted desee, señora... Inmigrantes italianos y les había ido bien en Francia y habían tenido esa hijita que era la debilidad de su padre, pero que la vida moderna se había llevado y ellos ni siquiera sabían dónde vivía.

Un amigo me explicó que el haberse colgado revelaba orígenes campesinos. Se quedó igualita mi pena y varias noches más casi me mata la mamá de Euphemie con ese acento. Nunca supe en dónde vivía o por dónde anduvo aquella muchacha que solía caer por aquí con una pierna temblando, para agredirme, burlarse de mí y quererme, todo al mismo tiempo. Y estoy seguro de que tampoco hubo pájaro azul alguno que buscar en su casa y ahora sí ya pasaron y pararon los años aquellos del 68, porque cómo puedo agregarle algo más a esta información general si nunca supe dónde vivía Eufe, Mimí. Los fracasos se viven, no se explican.

Paso, pues, a lo particular, con la sensación de que en este terreno me sentiré más cómodo. Si tenemos en cuenta que nunca ha habido tanto psicoanálisis en Francia como a partir de aquel famoso mayo, resulta que yo termino siendo un prototípico calibre 68, y también, por única vez en mi vida, un hombre de vanguardia, un hombre que se adelantó a los acontecimientos. Reconozco que este honor lo comparto en mucho con Lagrimón, pero no olvidemos que ya desde mi regreso de la Costa Azul, y aquello fue a fines de marzo, o sea casi dos meses antes de mayo, cada tarde a las tres me sentaban, me declaraban triste, y me hacían hablar. Yo no estaba tan triste, es la verdad, y Lagrimón tampoco era psicoanalista, ni había diván sino que cada uno se sentaba a un lado de la mesita en que ponía los turrones de mi madre y que, a escondidas del monstruo, estuvo en reparación durante las primeras semanas del tratamiento, porque mi psicoanalista la había hecho añicos cortando y salpicando trocitos de turrón a cuchillazo limpio. Después la escondía todas las tardes a las dos y cincuenta y cinco, pero igual nos sentábamos Lagrimón y yo, uno a cada lado de la mesita, porque él nunca se dio cuenta de que simplemente ya no estaba ahí. Yo le contaba mi vida, evitando de esa manera enfrentarme con los sindicatos pesqueros, con el patronato, con el Grupo, y con Inés, y Lagrimón irrigaba el ojo izquierdo, cumpliendo su deber. Verán, pues, que hasta el psicoanálisis fue en mi vida una situación exagerada.

Además, muy a menudo era Lagrimón quien hablaba. Hablaba hasta por los codos y siempre antes de empezar colgaba a su padre, ponía la bomba en la comisaría, y me anunciaba que a Francia había llegado huyendo, es verdad, pero también para organizar dentro del Grupo tareas subversivas de amplio espectro internacional. Hablaba de los verdaderos cuadros revolucionarios, de las traiciones, del partido dentro del partido que hacía estallar a un partido, y de ahí pasaba de golpe a preguntarme si yo bebía mucho, por ejemplo.

—Muchísimo —le decía yo, por temor a que se fuera, ahora que ya me había jodido la mitad de la tarde.

—¿Y drogas?

—No se lo vayas a decir a Inés, por favor.

Se quedaba hecho mierda, a veces hasta se le derramaba el lagrimón, por lo cual yo le pedía mil consejos para evitar el trago y la droga, para evitar los problemas con Inés, para evitar el complejo de Edipo, para evitar que el Grupo dudara de la buena fe de un escéptico. No paraba de pedirle consejos hasta no ver el lagrimón nuevamente bien redondo y asomado en el ojo izquierdo.

—Vamos por partes, Martín. El trago, primero. Lo peor del trago es el vaso.

—Yo bebo en copa, Roberto —a veces me olvidaba de su nombre y estaba a punto de decirle Lagrimón.

—Es igual. Uno se acostumbra a tener el vaso o la copa en la mano, y eso es parte de la adicción. Es una costumbre maldita, muy difícil de erradicar. ¿Tu madre bebe?

—Tiene la mano acostumbrada a la copa antes de las comidas.

—¿Del desayuno también?

—No. A esa hora reza.

—Es una mezcla muy extraña, Martín. Una mujer que bebe y que reza ha tenido que ser algo nefasto para tu infancia.

—Yo más bien pienso que se trata de una católica de manga ancha. Mi madre es muy liberal y muy coqueta.

—Pero a ti te ha hecho mucho daño, Martín.

—¿Cómo, Roberto? Por favor explícame cómo.

—Con dinero es muy fácil ser liberal y coqueta.

—Te olvidas de mi padre, viejo. Era el elemento catalizador

más bueno que he visto en mi vida. En realidad, a veces no entiendo por qué estoy tan enfermo si lo tengo todo tan asumido en la vida. Mi padre...

—Déjalo en paz que ya está muerto. A mí la que me preocupa es tu madre, Martín.

Y se ponía a hablar, llegando a estados inconcebibles de tristeza. Una señora así, una señora que podía recitar a Proust durante horas y horas. *De memoria...* Una señora que hablaba un francés así. Noble, buena, fina. Una señora que, en eso tienes razón Martín, era tan buena y tan liberal. Una señora que no había puesto reparo alguno en conversar amistosamente con él, un hombre marcado por la acción, por la bomba, por la extrema izquierda, por la comisaría, por los proyectos que traía para Francia. Porque yo, Martín, pienso ponerme muy pronto al día culturalmente y entonces van a ver esos engominados intelectuales franceses...

—Mira, Roberto, llámales más bien almidonados o apergaminados. Porque no hay un solo profesor en la Sorbona que use gomina...

—... una señora que puede recitar así no más a Proust, *tan* fácilmente. ¿Tú sabes lo que es Proust, Martín?

—Un genio.

—... Proust es un mundo entero, Francia, una cultura, un dios, algún día yo llegaré a leer Proust... Una señora que viaja hasta Francia para visitar la casa de Proust, tanta delicadeza, ese señorío, esa educación privilegiada que en el Perú sólo llegará con el socialismo...

—¿Pero entonces por qué me ha hecho tanto daño a mí mi madre, Roberto? Por lo pronto, por el lado de Proust no parece haber sido. ¿Por la copa? Pero si a duras penas se toma un par de tragos antes del almuerzo y de la comida... Aquí bebió... que no nos oiga Inés... porque no se sentía bien.

—... una señora que se toma sus copitas antes de cada comida no revela más que ese refinamiento de tu señora madre, esa ternura, ese conocimiento de Proust, ese dominio de la cultura francesa.

—También habla y lee correctamente inglés...

—... una señora... Ya ves cómo también domina la cultura anglosajona. Yo tengo que ponerme al día, Martín. ¡Conchesumadre! El tiempo perdido. La puta acción y la puta bomba que no le deja tiempo a uno para... ¡La puta que lo parió! (Aquí Lagrimón pegó un porrazo con el puño sobre la mesita. La mesita no estaba pero igual el puño quedó satisfecho.) Una señora que ha podido perder todo el tiempo que se le antojaba y que sin embargo ha luchado por dominar íntegras las culturas francesa y la anglosajona. Y que a ti te ha transmitido todo eso. Tu madre es una santa, Martín. De ahí te vienen a ti el complejo de Edipo y el del vaso...

—Copa, Roberto.

—... que es el más difícil de erradicar. Más difícil aún que la desintoxicación del alcohol. Más la droga. Martín, puedes llegar a convertirte en un *drogadito*.

—No te preocupes, Roberto; jamás llegaré a ser un *drogadito* —gocé no corrigiéndolo.

—... una señora que te ha hecho leer a Proust... ¿A quién más has leído, Martín?

—Pascal, Racine, Molière, Corneille, Malraux, La Fontaine, Proust, cinco veces, Hemingway en versión original, Miller, Cicerón, Plutarco, Freud, Marx, Engels, Mao, Trotski (noté que Lagrimón empezaba a perder interés, o sea que volví a la cultura de mi mamá), Maupassant, Maeterlinck, Anatole France, Madame Bovary, Stendhal y *El principito* de Saint-Exupéry. —Le dije La Gioconda, para probar, y también me lo aceptó.

Fue una de las sesiones más desgarradoras de mi vida. Roberto Lagrimón López estaba deshecho. Había literalmente enterrado la cabeza en su enorme pecho oprimido, y se le habían venido abajo, entre otras cosas, largas mechas de pelo muy negro y brillantes. Y ni que decir de su estado de ánimo, todo lo contrario de brillante.

—Cultura —dijo— psicoanálisis —dijo— filosofía —dijo— Nunca había escuchado pronunciar esas tres palabras en el fondo de un pozo muy hondo y sin soga. —Filosofía— repitió.

Como que revivió con la palabra filosofía. Levantó la cabeza, y de un sacudón logró que todas las mechas negras volvieran perfectas a su lugar. Quedó prácticamente listo para una fiesta.

—¿Has oído hablar de un compatriota que se llama Salaverry, Martín?

—¿Carlos Salaverry? Es un gran amigo. Estudia Filosofía.

—Dicen que ése sí que sabe mucho. Dicen que hay que pedir cita para verlo. A esa gente hay que ganarla para la revolución. Dicen que es el discípulo predilecto de Heidegger y que hay que pedir cita para verlo. Dicen que es muy serio. Dicen que hay que pedir cita para verlo. Yo no me atrevo porque dicen que es muy serio.

—Cuando bromea, sobre todo. Por ejemplo, él dice que Heidegger es uno de los tipos más aburridos que ha conocido en su vida, y que en cambio el hermano, que es empleado bancario y juega fútbol, es un tipo realmente cojonudo.

Nunca vi a Lagrimón tan desconcertado en mi vida. Salaverry contra Heidegger, qué era eso, qué pasaba. Y lo peor del asunto es que yo ya no daba más de tristeza, de abatimiento. A veces quería tanto a ese imbécil que tarde tras tarde me estaba jodiendo la vida. Había llegado a mí, a mi madre, por mí, y ahora quería llegar a Salaverry. Había puesto bombas y era valiente y estaba cagado por un lagrimón, y la muy tonta de Inés, otra imbécil mi adorada Inés, creía que yo necesitaba que ese experto en desgarramiento dialogara conmigo y me ayudara a salir adelante. Yo también hubiera querido gritar la puta que lo parió y pegar un puñetazo en la mesa, pero pertenezco más bien del todo al tipo no agresivo y a ese tipo todavía peor que aun cuando decide volverse loco un rato sabe que la mesita no está ahí.

—Lagrimón —le dije, con el alma, porque llamarlo por su apodo podía incluso rejuvenecerme. Para mi asombro, no le importó un repepino que le dijera Lagrimón, o sea que arranqué de nuevo—: Mira, Lagrimón, Salaverry es íntimo amigo mío y tan buen humorista y filósofo como para dejar que corra por

288

ahí la bola de que se necesita cita para irlo a ver. Como no faltan pelotudos que se la creen y le piden cita, él se la niega porque para qué le vas a dar cita a pelotudos, ¿no? Esta noche lo llamo y mañana vamos a verlo a las tres.

Han pasado más de diez años de aquello y todavía no logro explicar cómo me miró Lagrimón. Sólo sé que aquella tarde se olvidó de descolgar a su padre y de llevarse su bomba y su soga. Pero antes de partir, y como quien agradece, porque en su mirada había habido mucho de agradecimiento, eso sí, tuvo la increíble concha de decirme:

—¿Y la *sección* de mañana?

—La *sesión* de mañana la dejamos para la *sesión* de pasado mañana.

—Pero tu tristeza se está agravando, Martín. No veo aún resultados positivos.

—Mañana contagiamos a Salaverry y así nos vengamos un poco del mundo, Lagrimón.


## ROBERTO LOPEZ, SEÑOR SALAVERRY, A SUS ORDENES


Nunca sentí tanta ternura por Lagrimón, como al verlo entrar al departamento de Carlos Salaverry. No sé, pero lo cierto es que de golpe sentí incluso aquel atroz remordimiento que lo agarra a uno a veces al darse cuenta de que una broma ha ido demasiado lejos, que ya no es broma, que la hemos convertido en burla, en escarnio. Es un recuerdo infantil el culpable de

289

estas angustias. ¡Qué recuerdo ni qué ocho cuartos!, es un verdadero trauma infantil el culpable de estos insoportables malestares que me sorprenden así, en lo mejor del buen humor. Una tía vieja y buenísima era la encargada de bañarme cada noche. Al agua patos, me decía siempre, al cogerme por los brazos para que no me fuera a resbalar mientras entraba a la enorme tina. Total que a mí eso se me grabó y los patos eran unos animales que debían estar siempre en el agua. Y no sé a quién se le ocurrió, para mi desgracia, traerme unos patitos de regalo. Un atardecer me dejaron solo en el patio con los patitos y yo dale y dale con que no se salieran de su batea, mientras los pobrecitos insistían en salirse muertos de frío y con sus plumitas hechas un desastre de color amarillito tembleque, qué sé yo si de nervios o porque los estaba matando de tanto estarlos metiendo de nuevo al agua. Ya era de noche cuando apareció la cocinera en el patio donde yo seguía poniendo en práctica el refrán de mi tía, que era muy muy piadosa. Horror. Nunca me han llovido más gritos en toda mi vida, y de instancia en instancia, además, porque la cocinera me pasó donde el ama de llaves y ésta donde la culpable del refrán y mi tía con su rosario donde mi madre y de ahí todavía donde mi padre que llegaba tan cansado del trabajo. Debo haber tratado de balbucear varias veces algo tan lógico como mi profundo amor por unos patitos que no estaban cumpliendo con las indicaciones de mi tía y que por lo tanto estaban en peligro de morirse o algo así, pero al fin de las abrumadoras instancias no me quedó más remedio que salir de nuevo al patio llorando por unos patitos que mi maldad, no hay otro nombre para lo que ha hecho este niño, probablemente había matado. Tres bultitos amarillos acostados muertos junto a la batea. Basta y sobra.

Un día le conté esta historia al escritor Bryce Echenique y a él le interesó. Se la regalé, en vista de que yo había dejado de escribir, y tiempo después la convirtió en un cuento titulado precisamente *Al agua patos*. Pero a mí me sigue jodiendo todavía. Claro, es absolutamente lógico que me siga muriendo de pena al recordar que maté a los animalitos esos, no hay nada de enfermizo en ello, y está superasumida la natural tristeza del asunto, he matado a mis tres juguetitos vivos y todo eso, pero lo cierto es que ello hace que tenga siempre terror de llevar mis bromas y hasta mis acciones, en general, más allá de su intención inicial. Y por eso no falta incluso quien me habla de Herodes al ver lo indiferente que me dejan los bebes. Pero no me dejan indiferentes los bebes, lo que pasa es que me hago el frío, el duro, el seco, cualquier cosa antes que cargar a un bebe y meterle un dedo al ojo o apretarlo demasiado fuerte por andar acariciándolo cariñosísimo y nerviosísimo. Culpa de los tres patitos que siempre parecen querer arrastrarme más allá de mi intención inicial. De puro desesperado.

Lo de Lagrimón no era ni siquiera una broma. Era en realidad darle gusto en su más profundo deseo. Pero ya ven, me agarró esa ternura insoportable al verlo entrar a casa de Carlos Salaverry y no tuve más remedio que buscarme cualquier pretexto para llamar a Carlos a un lado, porque Lagrimón acababa de soltar su Roberto López, señor Salaverry, a sus órdenes, y el muy bestia de mi amigo era capaz de soltarle un Carlos Salaverry, a sus marcas, listos, ya, o algo así.

—No te preocupes, Martín —me dijo—; voy a tratar de ayudarlo en todo lo que pueda. Pero acuérdate de mí, que ya tengo muchos años en Europa: el día que sustente mi tesis me lo encuentro a éste en el jurado. Acuérdate de mí.

La salida tan típica de Carlos me devolvió el buen humor. Pero ahora, en cambio, el que parecía estar sufriendo espantosamente era Lagrimón. Para empezar, la biblioteca, la biblioteca lo hizo mierda de entrada. No sé si empezó a contar los libros pero lo cierto es que se quedó parado de espaldas a nosotros, mirando y mirando de un extremo a otro y realmente como si estuviese contando la enorme cantidad de libros.

—Roberto —le dijo por fin Carlos, como diciéndole está bien que te gusten tanto los libros pero siquiera háblanos.

—Sí, señor Salaverry...

—Tutéame, por favor.

—Cómo no, señor Salaverry.

—Roberto, los libros están a tu disposición.

—Pero me han dicho que tiene usted una primera edición de Descartes.

—Manías de este tonto —dijo la esposa de Carlos, que aparecía en ese instante.

—Señora...

—Hola, Roberto, ¿cómo estás? Te presento a nuestra hijita Marisa.

Marisa besó a todos los presentes, y acto seguido se dirigió a la gran ventana que daba al Boulevard Voltaire. Allí se estuvo parada un rato, contemplando unos altos nubarrones que pasaban por el horizonte, y de regreso pronunció una frase que nos dejó a todos cojudos, a pesar de que ya estábamos acostumbrados a las genialidades de la niña.

—Papá —dijo, señalando la ventana—, mira: el cielo se va.

Iba a decir que claro, que tras la muerte de Dios ya para qué cielo, pero Lagrimón se me anticipó suplicante, hecho mierda por la profundidad de la frase.

—*Edad*, señora —imploró.

—Cinco años, Roberto. Pero por favor llámame Teresa.

Claro, al pobre Lagrimón era la primera vez que le tocaba escuchar una de las genialidades de la niña. Creo que fue demasiado para él, tras lo de la primera edición de Descartes. Enterró pico, largas cerdas azabache le cayeron sobre el pecho, y se quedó como muerto de tristeza en el sillón. Aprovechamos para hablar de otras cosas, mientras revivía, pero revivir le estaba resultando bastante difícil porque cada vez que abría los ojos se topaba contra un nuevo obstáculo cultural y volvía a caer abrumado, sin lograr tampoco extraer la cabeza enterrada en el pecho doliente. Pasaron horas antes de que dijera, como aterrado de haberse atrevido por fin a volver a la habitación: ¡Salaverry, cuántos lápices!

—Sí, pero basta con uno para escribir —dijo Teresa—. Lo que pasa es que éste cada día adquiere una manía nueva.

—Faltas a la verdad, Teresa —dijo Carlos—; cada día adquiero tres manías nuevas. Y la primera víctima de ellas, soy yo.

—No, hijito, la primera víctima soy yo que tengo que andarte tajando los lápices.

—Es que debe subrayar mucho cuando lee, señora —soltó Lagrimón, en defensa de la filosofía.

—Oye —le dije—, ¿por qué no le cuentas a Carlos tus proyectos en Europa?

—Bueno, señor Sala... Bueno, Carlos... ¡Carajo!, hay que ser amigos, ¿no es cierto, Salaverry?

—Claro, Roberto. Me contaba Martín que piensas trabajar mucho políticamente.

—Bueno, esas son cosas que la gente ha venido exagerando demasiado, últimamente. Claro, aquí somos todos hombres de izquierda, incluso la señora, y yo quería felicitarlo por la firma que usted tan generosamente *diste* en apoyo de la guerrilla en el 64, pero yo ahora estoy ya bastante consagrado a este asunto tan contemporáneo desde Freud del psicoanálisis. Y he hecho mis lecturitas. Humildemente, Carlos, he hecho mis lecturitas en Lima con otros muchachos inquietos. Y alguna práctica ya la estoy llevando a cabo en París. Bueno, aquí ya Martín le *te* habrá contado cómo lo estoy tratando a él, humildemente.

—Sí, las cosas hay que hacerlas siempre con humildad —soltó, lapidario, Carlos, pero ya Lagrimón había empezado su carrera y quién lo paraba, que entendiera o no entendiera qué importa, nada lo pararía ya. Recordé cómo había olvidado a su padre el día anterior, al terminar la *sección* de psicoanálisis, y deduje que el pobre señor López se había quedado colgando para siempre en mi departamento, junto a las bombas de Lagrimón. Pero Carlos era bastante más agresivo que yo y decidió mostrarle su indignación no volviendo a dirigirle la palabra en toda la tarde, y hablando en cambio de Paredón, aquel gran cronopio de nuestra izquierda que tanto queríamos y admirábamos. Era muy pro castrista y tenía un tórax tan enorme y tan sólido que nosotros lo llamábamos Paredón. Lo habíamos conocido de niños, en el colegio, pero era un poco mayor que nosotros y la verdadera amistad había empezado un par de años antes, cuando llegó deportado a París. Paredón explicaba las

293

cosas hasta el cansancio, no se molestaba con nuestras dudas ni con nuestras bromas, y tenía esa esposa tan bella que él quería con toda el alma. Carlos y yo nos pusimos tristes pensando que sabe Dios cuándo y cómo regresaría a París. Meses atrás, una amnistía le había permitido volver al Perú y seguir en lo suyo, en lo de siempre. Y ahora nos quedaba esa impresión, casi ese sentimiento de culpa, de no haberlo frecuentado más. Pero la culpa era de él, en realidad, que siempre andaba por el mundo buscando gente a la cual explicarle las cosas hasta el cansancio.

Recuerdo siempre la naturalidad con que me explicó por qué, de sorpresa, lo habían llamado del Servicio cultural para extranjeros, y le habían propuesto una de las mejores becas que se daba a los latinoamericanos en Francia.

—Evidente —dijo—. ¡No siendo crítica la situación, el Gobierno se luce dándote becas (nunca se sabe, además, y De Gaulle es siempre De Gaulle), mientras que la policía te obliga a cambiarte de hotel cada dos días. En fin, hay que aprovechar la coyuntura, y no creerle nada al Gobierno tampoco.

Y recuerdo muchas de las cosas que evocamos con Carlos aquella tarde, mientras Lagrimón iba programando su carrera, muy probablemente. Nos matamos de risa al recordar ese enorme número 2 rojo que habíamos descubierto una noche, colgando de la pared, en la habitación de Paredón. Carlos y yo nos mirábamos como diciendo le preguntamos o no. Le preguntamos, por fin, y nos dejó cojudos. Era para no olvidarse que, escribiendo dos páginas al día, habría escrito más de setecientas páginas al año, en nombre del pueblo peruano. Le soltamos, casi en coro, la siguiente pregunta: ¿Y no piensas que, en vez de obligarte a escribir dos páginas por la fuerza, cada día, puedes conseguir más cantidad, e incluso calidad, escribiendo cuando realmente tienes tiempo y te provoca? Lo dejamos boquiabierto, y logramos que descolgase el número dos de la pared. Dos minutos más tarde, los turulatos éramos Carlos y yo, otra vez. Tras una breve y silenciosa reflexión, que nosotros seguimos también en silencio, Paredón abrió el ropero y sacó un enorme paquete de terrones de azúcar. Se tragó como diez, de un solo tirón. Le preguntamos por qué. Resulta que esa noche había comido en el restaurant universitario, y que ahora, tras haber hecho el cálculo de las proteínas contenidas en la comida, había notado que el total no alcanzaba al número necesario para un hombre como él. Solución: diez turrones de azúcar. Por la revolución, pensamos Carlos y yo, pero esperamos hasta llegar a la calle para soltar la carcajada y decir lo que habíamos pensado y quererlo más que nunca.

Un último recuerdo de estos seres tan queridos. Hace algún tiempo, durante mi último viaje al Perú, uno de esos viajes que me hizo ganar mucho y perder muchísimo, Paredón y yo nos reuníamos una vez por semana en casa de Carlos, que había regresado a Lima por el 74. Una noche nos emborrachamos mientras esperábamos que llegara Paredón. Llegó tardísimo y agotado. Estaba metido hasta el cogote en la organización de un paro nacional. Nos impresionó, como siempre, su fe, su voluntad inquebrantable. Y nos impresionó, hasta no saber qué hacer por ayudarlo, el estado de agotamiento en que se hallaba. Pero había venido a ver a ese par de huevones que lo esperaban siempre.

—¡Qué bestia —exclamó, de pronto—, estoy tan cansado que ya no sé si estoy llegando o me estoy yendo de las reuniones!

Carlos lo abrazó, borrachísimo, y soltó una de las frases más inmortales que he escuchado en mi vida. Quería ayudarlo, quería colaborar, nosotros éramos un par de borrachines, un par de neuróticos de mierda, probablemente nos habían cagado en la infancia pero nunca era tarde para empezar de nuevo. Y ahí vino la frase.

—Hermano, dame la dirección del paro nacional y mañana te caigo a primera hora.

Lo más increíble fue que Paredón sacó lápiz y papel y empezó a anotar, mientras Carlos repetía y repetía que nos habían cagado en la infancia. No lo quise contradecir, ni siquiera ahora que escribo lo quiero contradecir, pero yo más bien pienso que a mí me fueron golpeando por todas las edades estas situaciones exageradas, bellas a veces, atroces a veces, increíbles siempre, esta navegación dificultosa que muy pronto me iba a llevar por las aguas turbias del enfrentamiento con Inés y con el Grupo (en ese orden, hasta hoy, en mis sentimientos), y que aquella soleada tarde, previa al ya lejano mayo del 68, me hizo contemplar a un Lagrimón enloquecido tras haber abandonado el departamento de Carlos Salaverry. Ibamos caminando rumbo al metro, por el Boulevard Voltaire...

—Salaverry es el hombre —dijo, de pronto, Lagrimón. Y partió la carrera gritando—: Avanza el equipo peruano... para la pelota Joe Carderón, Carderón pasa a Alberto Terry, Terry a Barbadillo, Barbadillo driblea a uno, dos hombres, parte la carrera velozmente por el lado derecho del campo, se filtra peligrosamente, driblea a uno, dos, tres hombres más, se dispone a centrar, centra, viene la pelota, surge como una tromba Valeriano López... cabecea... y... ¡Goooooooooooool peruaaaaaaano gooooooooool pe!...

No pudo contener la emoción que le causó nuestro gol, y dio un gran salto para pegarle un sensacional porrazo a un aviso luminoso. La gente contemplaba el mundial despavorida. Yo, por supuesto, no lo conocía, en mi vida había visto a Lagrimón López.

## AGUAS TURBIAS

Como siempre, una tarde a las tres, Lagrimón empezó a echar abajo la puerta. Pensé que venía para nuestra acostumbrada *sección* de psicoanálisis, y bajé corriendo a abrir, antes de que se me anticipara el monstruo por su puerta. Pero, para mi sorpresa, Lagrimón llegó acompañado por varios miembros del Grupo. Yo no entendía nada, al comienzo, pues en vez de llamarme Martín, como solían hacerlo cuando nos encontrábamos fuera de las reuniones, o Víctor Hugo, que era mi nombre de simpatizante, dudaban entre uno y otro nombre y nadie se decidía a explicarme claramente las razones de tan imprevista visita. Por fin, el Director de Lecturas asumió la responsabilidad, me dijo que se trataba de una reunión improvisada, y que en realidad lo que deseaban era echarle un vistazo a la terraza del departamento, porque habían decidido organizar una gran fiesta de primavera.

El asunto me pareció bastante extraño, ya que todos ahí conocían la terraza, sus dimensiones, y la cantidad de gente que se podía invitar. Sin embargo, me pareció absurdo oponerme a la idea, y lo único que les dije fue que la fiesta tendría que ser, eso sí, un fin de semana en que el monstruo se largara al campo. Inés evitó mi mirada y nadie me respondió, por lo cual deduje que eso estaba muy claro, y empecé a imaginarme lo hermosa que iba a quedar la terraza iluminada con velas, una noche despejada de primavera. En realidad, la terraza era el techo del edificio, y uno de los puntos más altos del Barrio Latino. En los días poco nublados se podía divisar todo París desde allá arriba, y ya era hora de sacarle partido y de organizar una buena fiesta nocturna, con toda la ciudad brillando a nuestro alrededor.

Me parece una gran idea, les dije, y les ofrecí acompañarlos, pero me respondieron que prosiguiera mis charlas con Lagrimón, y que ellos se ocuparían de mirarlo todo, de tomar las medidas, y de ver de qué manera se podía instalar la iluminación, para que la fiesta fuera una especie de a media luz bajo un cielo primaveral. Inés se dirigió a la otra habitación, y yo me instalé en el diario sillón de mis traumas y fantasmas, una especie de pequeño precursor de este Voltaire, esperando que mi psicoanalista pusiera en marcha el mecanismo de nuestras diarias e increíbles conversaciones y meditaciones en torno al tema de mi tristeza. Pero Lagrimón no arrancó nunca aquella tarde.

Se limitó a decirme que había empezado a leer muchos libros, a la vez, para recuperar el tiempo perdido en el Perú. El no había tenido la suerte de recibir la misma educación que Carlos Salaverry, que yo, que tantos otros, él había tenido además que trabajar para sobrevivir, y para la causa política, pero ahora estaba dispuesto a recuperar el tiempo perdido y ya vería Carlos Salaverry cómo se iba a poner al día en todo. En todo, repitió con pena infinita, y después cruzó las manos, las colocó entre sus muslos, apretó ferozmente, y ahí se quedó con las manos chancadas, la cabeza caída, y en profundo silencio, tenso, muy tenso. Noté que temblaba, y pensé que era preferible no interrumpirlo. Sin duda estaba esperando impaciente que regresaran los del Grupo a discutir los detalles de la fiesta, para luego empezar con el tratamiento no bien se hubieran ido. Era una situación medio rara, pero la verdad es que a mí no se me ocurría sospechar nada y por qué demonios no iba a tomar yo la cosa como Inés, que se había ido tranquilamente a leer en la otra habitación.

Media hora más tarde los del Grupo irrumpieron en el salón del psicoanálisis, donde Lagrimón seguía con las manos chancadísimas entre los muslos, y yo observándolo sin saber muy bien qué hacer. Me incorporé para ofrecerles un café o algo, pero me dijeron que tenían que marcharse inmediatamente y que ya estaba decidido: la terraza era el lugar ideal para la fiesta. Inés reapareció, para despedirse, y le dijeron que luego discutirían los detalles, la fecha y la hora. Y yo como un pobre cojudo les repetí que lo de la fecha dependía enteramente del monstruo. Madame Labru me avisaba siempre con anticipación qué fin de semana se iba a ausentar, pues a menudo me dejaba encargado que le cuidara a su perro. No hubo comentario alguno. Ni hubo psicoanálisis tampoco, porque Lagrimón se fue con ellos. Y cinco minutos más tarde, Inés me dijo que tenía que salir. Le pregunté a dónde iba, mientras la besaba al despedirme.

—Soy libre de salir, Martín.

—¿Y qué más prueba quieres que el beso, amor?

—Ay, Martín; ponte a escribir y no molestes, por favor.

Después como que se arrepintió de tanto malhumor y de tanto misterio, y regresó desde la puerta para darme un beso. Fueron en realidad dos besos de despedida, seguidos por un tercero que más parecía de reencuentro, al cabo de una larguísima separación. Hasta pensé en la hondonada, pero no dije nada porque sentí que también ella estaba pensando lo mismo. Habría sido maravilloso, pero cómo adivinar en ese instante hasta qué punto habría sido maravilloso. Le correspondía a ella elegir entre el camino de la hondonada y el que la llevaba a la calle. Eligió la escalera.

—Vuelvo a las siete, Martín. Andate al cine o lee un rato. No te preocupes, amorcito, vuelvo a las siete en punto.

Y no me preocupé porque ella me dijo que no me preocupara y porque entonces pensaba que siempre se podría volver a nuestra hondonada. Pero Inés sabía mucho más que yo, aquella tarde, y con seguridad estaba viviendo uno de los momentos más difíciles de su vida. En realidad, yo no sabía nada de nada y cómo intuir lo más mínimo si en aquella oportunidad Inés no bizqueó un solo instante.

Volvió a las siete en punto, pero volvió acompañada por casi todo el Grupo, y nuevamente empezaron a no saber si llamarme Víctor Hugo o Martín Romaña. Lagrimón andaba con el ojo izquierdo sumamente irrigado y había caído abrumadoramente abrumado sobre el sillón del psicoanálisis. No lograba explicarme qué demonios podía estar pasando, y pensé que ofreciéndoles un café o una copa de vino conseguiría aliviarlos de tanta tensión. Pero Inés me interrumpió: ella se iba a encargar del café y del vino.

—Siéntate, Martín —agregó—, tenemos que hablar seriamente contigo.

—Sí, Víctor Hugo —dijo el Director de Lecturas—; deja que Inés...

—Dejo que Inés todo lo que quieran —dije, empezando a impacientarme—, pero decidan de una vez si esta noche voy a ser Víctor Hugo o Martín Romaña.

Ahí arrancó un silencio realmente fastidioso. Los camaradas

parece que no se habían esperado una reacción tan lógica de mi parte, y no sé, pero recuerdo que de pronto nunca odié tanto en mi vida los mocasines del Director de Lecturas. Siempre había pensado que delataban algo, siempre mi intuición me había proyectado hacia un futuro en el que aquellos mocasines caminaban al lado de los negros y lustrados zapatos de un ilustre ministro de Estado. Mierda, por qué seré así, por qué me habré jugado tanto a veces por una corazonada. Pero eso no es lo peor. Lo peor es que son apuestas que muy a menudo he ganado y aquel Jefe de Lecturas que tenía ahí parado delante, dispuesto a joderme la vida, dispuesto a romper el indestructible encanto de mi hondonada, por una insultante y más que reveladora mierda política, camina hoy igualmente enmocasinado en las fotografías que me llegan en revistas de Lima. Ha engordado él, ha engordado el ministro, el pueblo peruano ha adelgazadísimo, y a ese hijo de puta que en una visita mía al Perú no se atrevió a mirarme a la cara, le salen mocasines hasta por las orejas.

Bueno, de una vez contaré de qué se trata, aunque no sé cómo mi cuaderno azul puede resistir tanta inmundicia junta, sin que se pudran sus páginas. Habla, pues, Vladimir Illich, habla pues huevón…

—Víctor Hugo… en realidad no se trata de una fiesta… Se trata de algo muy serio… Martín.

—Debe ser algo demasiado serio, Vladimir Illich, porque acabo de enterarme, finalmente, de que me han estado mintiendo todo el tiempo.

—Mintiendo no es la palabra, Martín.

Esa, mi querido cuaderno azul, ésa que acaba de hablar, era NADA MENOS QUE INÉS, la misma Inés de la hondonada, la luz de donde el sol la toma. LA TOMABA. Andábamos con mayo de 1968 ad portas, y ahora que lo pienso, ahora que lo escribo, nada de raro tenía que también en casa se anunciaran importantes acontecimientos. Detengámonos, un instante más, oh querido cuaderno, en el fin de la hondonada, no el fondo sino en el fin de la hondonada: Inés tiene en las manos un azafate con tazas de café y copas de vino. MINTIENDO NO ES LA PALABRA, MARTÍN. Y no nos detengamos ya más, porque a lo mejor el recuerdo se precisa hasta la exactitud y terminamos escuchando, por tercera vez, la misma voz, la misma frase, MINTIENDO NO ES LA PALABRA, pero dirigida a Víctor Hugo, ahora. No podría afirmarlo. En la rabia de las peleas a muerte uno ni cuenta se da de los golpes que va recibiendo. Es cosa sabida que sólo después empiezan a doler. Este argumento se usa en defensa de las corridas de toros, por ejemplo, cada vez que una británica dama de la Sociedad Protectora de Animales se queja de la pica o de las banderillas. No podría afirmarlo, pues, pero la bizqueada de Inés fue sensacional y creo que desde entonces empezaron sus grandes esfuerzos por verme de vez en cuando, al menos. Y es que la pobre miraba, y veía ya donde yo no estaba.

—¿Cuál es la palabra, entonces, Inés?

—Víctor Hugo —interrumpió tristísimo Lagrimón.

—A ti que te interesa tanto la cultura francesa, Roberto, creo que debes enterarte de que los franceses pronuncian Victorhugó. Más la u que es jodidísima de pronunciar.

—Vete a la mierda, Romaña —dijo León.

Hice un gesto de inmovilidad, de rigidez total, y de desesperación, que significaba estoy precisamente donde me acaban de mandar y no logro salir de ahí, pero deduje que nadie me había entendido porque nadie quiso trompearse conmigo y porque Inés no bizqueó. Fue un humor tan negro, además, que mejor que no lo entendieran.

—Camaradas —dije—, decidamos ya que esta es una reunión informal e improvisada del Grupo y pasemos por fin a la orden del día, lo cual en resumidas cuentas quiere decir vamos de una vez por todas al grano, camaradas. ¿Qué pasa? ¿Alguien ha visto a Enrique Alvarez de Manzaneda dirigiendo el tráfico en la plaza de la Concordia o algo así?

—Mira, cojudo, si crees que te vas a seguir burlando de nosotros. —Sus mocasines hablaron por él.

—He dicho que vayamos al grano y no me he burlado de nadie... Hasta ahora, por lo menos.

—Martín…

—¿Sí, Inés?

—Víctor Hugo, por favor —intervino Karl.

—Inés, tú no me vayas a llamar Víctor Hugo, por favor.

—Ay Martín, no seas tonto.

Nadie sabrá nunca lo riquísimo que podía decir Inés "Ay Martín". O sea que además de todo se me paró. Lástima que estuviera sentado porque no se notó nada y tal vez esa carta… Bah, de nada hubiera servido jugarse esa carta tampoco.

—¿Para qué tipo de fiesta necesitan la terraza, señores?

No digo que el Grupo entero haya bizqueado porque el camarada Pies Planos estaba ausente (su historia es peor que la mía). Sería, pues, exagerar un poco. Pero confieso que el quórum enterito enmudeció ante mi poder de obvia adivinación. Pensé que era un buen momento para decidir volverme loco un rato, pero inmediatamente me di cuenta de que eso hubiera sido más bien hacerse el loco ante una situación que tenía que aclararse entre amigos. Porque además de todo estos huevones eran mis amigos. Sí, sí, con excepción de Mocasines, los consideraba uno por uno mis amigos. Por fin soltaron lo del globo y llegamos al grano.

—Mira, Martín —dijo León—, hemos estudiado tu terraza y resulta un lugar ideal…

—¿Ideal para qué más? Porque ya sé que es ideal para una fiesta. Ustedes mismos me acaban de decir esta tarde que la terraza es un sitio ideal para una fiesta, pero ahora resulta que *no* se trata de una fiesta.

—Mira, Martín… Hace unos años los cubanos pusieron sobre la torre Eiffel una bandera y un enorme letrero que saludaba el triunfo de la revolución. Fue un gran golpe y nosotros hemos pensado hacer algo parecido. En fin, ya está decidido que pasado mañana, en la madrugada, vamos a lanzar de tu terraza…

—Es *nuestra* terraza —interrumpió Inés.

—…vamos a lanzar de la terraza de ustedes un enorme globo en el que diga ¡VIVA LA LUCHA DEL PUEBLO VENEZOLANO!

302

—¿Venezolano? ¿Y por qué no peruano?

—Es una cuestión estratégica que ha sido decidida a alto nivel; es así y punto.

—Bueno, de acuerdo. Pero, ¿por qué de mi terraza?

—De *nuestra* terraza, Martín —volvió a aclarar Inés, quien hace tiempo venía librando una solitaria, marxista, y total batalla conta los pronombres y adjetivos posesivos en singular. Era horrible vivir sin *mis*, sin *tus*, sin *sus*. Felizmente un día dije mi bigote y ella saltó corrigiendo: nuestro bigote. Bizqueó un montón la pobre, pero yo volví a tener navaja y crema de afeitar, mi ropa de baño, mis camisas, etc... Pero en fin, con lo de la terraza sí tenía razón, sólo se la podía mencionar en plural: era hasta de Bibí.

—¿Por qué mierda de *nuestra* terraza y no del techo de tu hotel, por ejemplo? ¿O del de Vladimir Illich o Karl o del de cualquier otro miembro del Grupo?

—Porque la posibilidad existe, y en esto hay que ser honestos, de que alguna gente vea surgir el globo del techo, en la madrugada.

—El primero que va a ver surgir el globo en la madrugada es Bibí, que es perrito de monstruo. Esa mierda ladra hasta cuando yo respiro.

—Por eso no te preocupes. Nosotros nos quedamos aquí en la noche y tú e Inés entran con el globo desinflado. Y camuflado, por supuesto. Por más que ladre el perro y salga el monstruo, son ustedes los que están llegando a su casa. Y después nosotros desaparecemos por los techos. Para eso nos hemos estudiado bien tu terraza.

—*Nuestra* terraza —corregí yo, esta vez, en vista de que Inés parecía haberme cedido de pronto su parte. Y como no hubo comentario alguno, aproveché para preguntar por aquel asunto de la gente que podía verlo surgir de *mi* terraza, en la madrugada.

—Ese es el riesgo, Martín —intervino, valientísimo, el Director de Lecturas.

—Ese es el *primer* riesgo, Vladimir Illich (casi escribo "mocasines", pero entonces no me atrevía a llamarlo con tanta evidencia y sería faltar a la verdad). El *segundo,* es que entre los madrugadores esté la policía. Más que un riesgo es una fija, camarada. Y si por casualidad la policía falla en la madrugada, alguien le habrá avisado ya, un par de horas más tarde, de dónde salió ese globazo que cuelga sobre París.

—Exacto. Ahora bien, ¿estás o no dispuesto a correr ese riesgo?

—Para empezar, Vladimir Illich (qué culpa tendrá Lenin de todo esto), el riesgo no es sólo mío; al igual que la terraza, es también de Inés.

—Yo estoy por el globo, Martín.

—De acuerdo, Inés. Pero con una condición. Mía. Ni tuya ni nuestra esta vez.

—¿Cuál es tu condición, Víctor Hugo? —preguntó Lagrimón.

—Mi condición es saber por qué ninguno de ustedes está dispuesto a correr el riesgo. Es mucho más fácil meter el globo al hotel o al departamento de algunos de ustedes, que aquí. Mi condición es saber por qué el riesgo sólo puede ser mío.

Ahora sí puedo decir que habló Mocasines. Qué tal hijo de la gran puta. Y qué claro explicaba las cosas. Las resumo, porque más importante es lo que viene después. Yo podía y tenía que correr el riesgo porque si me pescaba el monstruo…

—Me bota del departamento. ¿Y con qué plata voy a conseguir otro? Lo que gano dando clases en ese colejucho de mierda, con las justas me da para pagar éste, y para el restaurant universitario. Los cigarrillos y el cine me los paga Inés con su beca.

…porque si me pescaba el monstruo, mi familia, que era una familia acomodada, podía ayudarme desde Lima. Había que saber servirse de una coyuntura de ese tipo. Arreglos de ese tipo con la burguesía los había habido millones, en la historia de la revolución mundial…

—De acuerdo, pero en la historia de *mi* revolución, aquí en París con ustedes, ustedes mismos me han enseñado, repetido, y machacado, hasta el cansancio, que yo tengo que haber roto para siempre con mi familia. Aparte de que no se les ha ocurrido pensar que también mi familia puede haber decidido cagarse en mi persona y que Martincito se las arregle solo en París, por imbécil. ¿Están locos o qué? Yo mismo me he enseñado a tener todo lo que tengo en este momento, que es menos que muchos de ustedes, y ahora, porque la coyuntura lo exige, se me declara niño bonito nuevamente. Y claro, dentro de un mes me lo criticarán. ¡Qué dentro de un mes! Me lo criticarán a la primera duda. Y francamente, ya en este instante estoy llenecito de dudas por todas partes. Pero en fin, pasemos a la policía ahora. Quiero oírte, Vladimir Illich.

...salvo que yo por mi origen de clase me negara a aceptar tales pactos, demostrando así que lo de niño bien no desaparecería nunca de mí. Porque también mi familia se ocuparía de sacarme de la cárcel en Francia...

—Mira, huevón, mi padre murió niño bien pero sin haber comprado a un solo juez en su vida. Y no crean que lo estoy alabando. Por el contrario, creo que fue su más grande defecto, dadas las circunstancias de lugar, tiempo, espacio, extracción social, ciudad, país, etc... En fin, el pobre fue algo así como el manganzón del barrio... Y ahora no veo cómo mi familia de niños bien va a llegar hasta Francia para sobornar jueces; no creo que llegaría ni siquiera a sacarme de una comisaría.

...y en todo caso el embajador tenía que ser amigo de mi familia porque todos esos hijos de putas son amigos y se deben favores.

Entonces sí ya decidí volverme loco un rato, por ser ésa la única manera de permanecer tranquilito, muy sereno, y de no mandar a gritos a todo el mundo a la gran puta de su madre y de largarlos del departamento, no sólo burguesamente, sino hasta con modales de reina de Inglaterra, de haber sido aquello posible. Y también decidí volverme loco un rato porque Inés estaba tan bizca que ni me veía ni me escuchaba porque yo la quería tanto.

—*Señora* y señores: no puedo mudarme de esta casa porque

un vicio oculto, o mejor dicho, porque un vicio que nos ocultó el monstruo de madame Labru, al entregarnos el departamento, se fue convirtiendo poco a poco en la única fuente de paz y de amor que ha vivido esta pareja que ustedes están a punto de destruir. No me voy de esta casa, no me corro el más mínimo riesgo de que me boten de esta casa, porque en ella hay un somier medio desfondado que el monstruo nos prometió cambiar y que luego, sin decirnos nada, no cambió. Y fue así como Inés y yo, fue así como ella, Doña Inés del alma mía, luz de donde el sol la toma, dulcísima paloma, privada de libertad, por muchas cosas que ustedes le han impuesto, y como yo, no importándome no ser yo ni escribir libros que no son yo porque así me quería ella, fue así como Inés y Martín Romaña han ido salvando la felicidad de la mierda que ustedes, de puro torpes, no digo malos pero sí de puro bestias, están fomentando. Hay un lugar, *señora* y señores, que ustedes no conocen, que ni Marx ni Freud conocen, un lugar, *señora* y señores, que sólo Inés y yo conocemos, y ahí nos hemos encontrado de regreso de cada inmadurez mía y de cada madurez de ella, o lo que es exactamente lo mismo, de cada inmadurez de ella y de cada madurez del que habla, *señora* y señores, y que si sigue hablando va a terminar diciéndoles que ustedes no saben nada de nada de lo que están haciendo, soberana banda de pelotudos. Hoy, *señora* y señores, me niego a perder edad, estatura, peso y equilibrio. Por lo tanto, voy a rogarle a Inés que me acompañe en el acto tan triste de presentar mi renuncia con carácter irrevocable al Grupo, al Partido, y a este infantil pleito de amigos en París. Todo seguirá mejor, después, ya verás, Inés, *por favor.*

Estas últimas palabras las dije en voz muy muy baja. Y ella, en voz muy muy baja, se quedó con el Grupo, obligándome a recuperar la razón, es decir a perder edad, estatura, peso y equilibrio. Grité y grité y grité que los botaba para siempre de mi casa. Y los vi irse pensando en lo brutos que eran porque ni siquiera me acusaban de cobarde, ni eso se les ocurrió siquiera, les había dado de lo fuerte por lo del niño bien y lo del burgués y lo del oligarca podrido, y con esas palabras fueron bajando las escaleras y Bibí ladraba como loco y felizmente que no estaba el monstruo porque hubiera sido ya el colmo.

Con excepción de Mocasines, todos siguieron siendo mis amigos, aunque a algunos no los vi más y a otros quisiera verlos siempre más, ahora que aquello es tan sólo un recuerdo de infancia que linda más bien en el trauma infantil, porque sólo Paredón y un par más hicieron en el Perú las cosas que en París decían que iban a hacer en el Perú. Y lo que es peor, para los amigos que bajaban la escalera mandándome a la mierda, es que ni Paredón ni ese par más estaban ya en París. Estaban en el Perú. Mi último grito se concretó al problema del globo.

—¡A ver quién es el valiente que lo lanza de su casa!

—¡Mañana mismo, conchetumadre! —me contestó todo un coro.

Después me tocó cerrar la puerta y mirar a Inés mirándome donde no estaba. Le estaba doliendo en el alma pero también el alma la tenía terca como una mula, aunque no hasta el punto de agarrar una maletita y meter tres cosas indispensables en ella y salir corriendo en busca del Grupo. O sea pues qué empezó a predominar el silencio ese que se mete en las casas donde hay algo que falla mucho. Ya yo había soltado todos mis argumentos, y lo más exageradamente posible, pero tampoco estaba dispuesto a agarrar maletita alguna. No, por nada de este mundo, y así seguíamos ahí parados y mudos y como quien insiste en tocar el fondo de algo muy desagradable. No pude imaginarla viviendo en otra parte, y no logré imaginarme viviendo sin ella. Y tampoco pude decirle que éramos un par de jóvenes latinoamericanos de nuestro tiempo. Sí, ESO, ESO en París. Pero eso sólo se me ocurrió tiempo más tarde, durante una conversación con el director de la Casa del Brasil, en la Ciudad Universitaria. Era un francés bastante desencantado porque había viajado por Río, São Paulo y Bahía, y no había encontrado a ninguno de los jóvenes revolucionarios que había tenido alojados en París. Y cuando los encontraba... Cuando los encontraba llevaban todos mocasines de Director de Lecturas, pensé. Pero esta conversación tuvo lugar un par de años más tarde, y por consiguiente me era imposible decirle a Inés aquella noche que no éramos más que dos jóvenes de nuestro tiempo en París y que...

En cambio, le conté una historia muy triste del Grupo, una historia que ella ya conocía y que yo hubiera querido convertir en cuento, entonces. No me había atrevido, y ahora la escribo tal como se la conté aquella noche porque no la afectó ni la hizo reaccionar ni logré que sacara algo en limpio de tenerme ahí sentado, hablando y hablando del camarada Pies Planos, en medio de tanta tristeza, a ver si comprendía ese último mensaje tan extraño y tan oscuro que le trataba de comunicar.

## UNA HISTORIA MUY TRISTE DEL GRUPO

Acuérdate, Inés, del camarada Pies Planos. Nunca leí nada de él, pero se sabe que rompió unos versos muy líricos que había escrito en Lima, en la época en que estudiaba Letras en San Marcos. Fue amigo de otros muchachos que se comprometieron mucho en las guerrillas peruanas y que también merodeaban por el patio de Letras y el café ese que había a un lado de la universidad. El Salón Blanco, sí, se llamaba El Salón Blanco y alguna vez caí yo también por ahí buscando ver cómo eran los escritores peruanos de mi generación. Como no escribía nada, nunca me senté a la mesa con nadie y sólo anduve curioseando. Pero ahí debía andar ya Pies Planos, lo que pasa es que yo entonces no lo conocía ni de vista. Ahí debía andar leyendo sus poemas y dicen que fue también amigo de Javier Heraud, a quien sí conocí de vista. Tenía la bondad en la cara y me habría gustado acercármele pero ya te digo que yo no escribía nada y aunque andaba curioseando nunca me atreví a acercármele. Por eso sólo puedo hablar de la bondad que había en su cara y de que llevaba unos zapatones enormes y como profundamente distintos a los Vladimir Illich...

Escucha, Inés, no sé, no he querido decir nada con esto, o mejor dicho, no sé lo que he querido decir con esto. Pero para el caso no importa porque estábamos hablando de Pies Planos. Mira la coincidencia: otro que tenía los zapatones enormes. Y el pobre Pies Planos se olvidaba además de amarrárselos y un día cuando le pregunté por sus poemas me respondió que la militancia lo había obligado a romperlos, tras una larga reflexión, él no estaba para lirismos ni para esas cosas. Pero fíjate, Inés, que más lírico no podía ser el pobre. Se olvidaba de todo, se olvidaba de amarrarse los zapatos, y acuérdate cómo todas las mañanas cuando iba con otros amigos a limpiar oficinas salía agotado y nadie se explicaba por qué... ¿Te acuerdas?

¿Te acuerdas, Inés?... Nadie se explicaba por qué tanto cansancio hasta que un día alguien se dio cuenta de que se olvidaba de enchufar la enorme aspiradora con que se tenía que limpiar kilómetros de moquetas. ¿En qué andaría pensando el pobre? Acuérdate que todo el mundo se mató de risa con el asunto y que a cada rato se le descubría uno nuevo por el estilo pero él permanecía inmutable, serísimo siempre, y se iba a caminar a trancadas por las calles con sus zapatotes, hasta que los amigos que más lo querían lo bautizaron Pies Planos, el camarada Pies Planos, el hombre que andaba aplanando calles de París en sus interminables caminatas pensando sabe Dios en qué...

Fue él, Inés, quien me pidió que escribiera el libro sobre los sindicatos pesqueros. Yo a él lo mandé al diablo porque más equivocado no podía estar, a mi juicio, pero resulta que después el Grupo entero se me vino en cargamontón a pedirme que cumpliera con mi deber de escribir ese libro. Pero si te acuerdas bien, Inés, ese día el camarada Pies Planos no chistó, no intervino para nada en el asunto y yo me acuerdo de que en algún momento pensé que podría estar extrañando sus poemas líricos porque el tipo era lírico, Inés, si no por qué nos enternecía a todos tanto... Y sobre todo a ti, Inés, que siempre andabas diciendo que era tan buenmozo y que caminaba tan solitario y que era divertido pero al mismo tiempo era algo más... Querías decir enternecedor, Inés, y en qué andaría pensando cuando aplanaba calles horas y horas y de los automóviles le gritaban: ¡Fíjese en el semáforo, imbécil!, ¡quiere que lo atropelle, huevón!...

Y por eso a todos nos dio una alegría enorme cuando lo vimos aparecer una tarde con la tunecina esa tan linda en el restaurant universitario. Le habían amarrado bien los zapatos, se los habían limpiado, y estaba peinadito y bañadísimo. Nunca nos ha dado tanta alegría ver que uno de los amigos que vive solo en un cuartucho de hotel se consiga una chica. Nunca... Acuérdate, Inés, de lo bonita y simpática que era ella, de lo inteligente, de la mirada tan viva que tenía y de lo bien que le quedaban los anteojos. Era agradable, alegre, conversadora. El camarada Pies Planos se había sacado la lotería y yo andaba pensando que era como el Premio Nobel para un lírico aquella muchacha tan natural y tan espontánea. Se deben haber amado como bestias, Inés, en el cuartito que tenía ella aquí no más a la vuelta de la esquina.

Para qué mierda tuvieron que vivir a la vuelta de la esquina, Inés. Sólo para que yo me la encontrara llorando sola una tarde en plena calle, buscando a alguno de los amigos peruanos de Pies Planos. Me dijo que no soportaba más, que lo amaba, que lo amaba con locura, pero que ella era tunecina y no peruana y que él la estaba obligando a abandonar sus estudios de literatura y quería que entrara a militar con un grupo de peruanos...

Qué tengo yo que ver con eso, me decía llorando, por qué no podemos vivir tranquilos cada uno como es. Y además, Martín, él es un poeta, si hay algo que él es, es poeta, está todo el tiempo como autocensurándose, autorreprimiéndose, se niega a hablar de la poesía que hizo, se niega a mis amigos porque estudian literatura, se niega a leer cualquier cosa que no tenga que ver con la política peruana. Se niega a sí mismo, Martín, y así también se niega una copa de vino o una película o un cigarrillo. Y cada día se olvida más de las cosas y cada día llora más por las noches y me está volviendo loca, no es vida, no es vida, Martín.

Y hasta que un día ella vino a vernos, Inés, y estaba deshecha y no supimos sino abrazarla y besarla cuando nos dijo que tenía que huir, que iba a desaparecer de París por un tiempo largo y que se iba a casa de una amiga a Bruselas. Y se fue, Inés, nadie pudo criticarle que se fuera, y a él le dio porque le había oído decir que tenía una amiga en Amsterdam y que se iba a buscarla. Respondió a todas las preguntas de los amigos con las respuestas que hoy...

Porque se fue tal como nos lo había explicado. Se fue sin un centavo, sin saber si la amiga de Amsterdam vivía en un departamento o en un hotel. Dijo simplemente que empezaría por los hoteles y que no pararía hasta encontrar a su mujer para leerle unos poemas que había escrito en su ausencia porque ella sólo se había ido por unos días a acompañar a una amiga que estaba algo deprimida y que no bien la amiga estuviese bien ellos volverían a París porque su mujer era indispensable en el Grupo y porque ya estaba convencida de que estudiar literatura le había hecho mucho daño y que él mismo con esos poemas que ahora le llevaba le iba a probar que ella era indispensable en el Grupo y que la literatura no era indispensable en el Grupo. Y así de confundido se fue, Inés... Estábamos todos demasiado ocupados para darnos cuenta de que realmente se iba a ir y se fue, Inés. Bueno, ya sabes el resto... todo lo que se pudo evitar... Nos enteramos por alguien de que se había acercado a la embajada, de que lo habían encontrado caminando desnudo por las calles de Amsterdam...

Miré a Inés.

—Anda y ocúpate en algo, Martín. Con todo el lío que has hecho se nos ha pasado la hora del restaurant universitario. Realmente te has lucido esta noche. Mira, mejor no hablemos del asunto. Anda y ocúpate en algo, por favor, Martín.

Me fui a la terraza a mirar el cielo un rato. No solía hacerlo nunca en París, y sólo entonces recordé que alguien me había dicho que cambiaba constantemente y que lograba momentos de inconmensurable belleza. Es cierto. Pude comprobarlo desde entonces, porque a la madrugada siguiente salí a mirar hacia arriba en busca del globo. Me habían gritado ¡mañana mismo, conch'e tu madre! pero no estuvo en el cielo y pensé que tendría que ser al día siguiente porque ésa había sido la fecha prevista cuando mi terraza fue declarada lugar ideal para una fiesta. Tampoco estuvo. Bueno, pensé, tan grave alteración en los planes puede haberlos obligado a postergar un poco el asunto. Y así, madrugada tras madrugada (mis insomnios eran totales), días tras día y noche tras noche les fui concediendo el beneficio de la duda y extrañando esa parte de mi vida que había terminado y hasta culpabilizándome en mi deseo de que lograsen lanzar el globo prescindiendo de mí. ¿Qué más puedo decir? Hay una película francesa llamada *El globo rojo*, en la que un globo se pasea por el cielo de París y un niño corre tras él. Pero fue el globo del Grupo el que me enseñó a mí que el cielo de París cambia en efecto constantemente y que logra momentos de inconmensurable belleza. Y que puede ser tristísimo también. Hasta hoy, siempre que miro el cielo recuerdo los tiempos del globo.

En fin, de todo este asunto también me río a menudo en París cuando alguno de los muchachos del Grupo regresa, y en Lima, cuando voy en busca de algo. Nos hemos reído mucho con Raúl, Felipe, Juan... Con todos menos con Mocasines y con Inés. Y en medio de aquellas evocaciones, como una gran fiesta, como una gran juerga de la amistad y del desconcierto, surge siempre el recuerdo de mayo del 68, que a mí me sorprendió precisamente en los días en que andaba buscando por el cielo un globo que ya nada tenía que ver conmigo como miembro de ningún Grupo, pero que tanto tuvo que ver con Inés, y a través de ella conmigo, el hombre que la hacía bizquear con su cariño. Mayo del 68 llegó. Había llegado el gran bolondrón.

# EL GRAN BOLONDRON

Me imagino que, en el fondo, lo que pasó es que tampoco hay fiesta que dure cien años ni cuerpo que la resista. Y mucho menos un cuerpo de policía. Pero lo que no logro comprender hasta hoy, es por qué, terminada la fiesta, la gran borrachera verbal, intuitiva, hermosa y poética, más tirada a lo Rimbaud que a lo Verlaine, eso sí, haya tenido que ser tan larga la perseguidora, tan horrible para muchos. Todavía hay gente que huye, que sufre, que se ha quedado callada para siempre, enferma, neurótica, y no hay nada tan enternecedor ni tan triste como el gochista viejo, ni a nadie en mi vida he visto envejecer tan rápido como al viejo gochista. Esconde barbas, pelambres y atuendos que un día fueron de orgullo, fueron arrogantes, en granjas, en comunidades erótico-yerberas, en charters de incompleta huida, qué sé yo. Es un viejo combatiente sin carnet alguno, un viejo lobo de mar pero con seguridad social, y por donde va cae cansado, cansado de buscar y de no encontrar el territorio de la pasión, el único que habría podido recompensarlo por el generosísimo tinglado que armó, increíble tener que decirlo así, allá por el 68, con ayuda de la primavera y de la masa amorfa que lo envolvía incómodamente con el nombre de sociedad de consumo, con la cual ni siquiera ha quedado bien establecido cuáles fueron sus verdaderas relaciones, al nivel más antipático y profundo. Lo cierto es que después llegó el verano y todo el mundo necesitaba partir de vacaciones.

Y después llegó el otoño, que con tanto color tristón no era el mejor momento para empezar de nuevo. Y después el invierno, que sin color mayor, ni menor tampoco, tampoco era el momento más propicio. Y cuando volvió a llegar la primavera, pues se cumplía ya el primer aniversario de aquella célebre primavera rebelde que sacudió a Francia, me cago. Y había que ver cómo hablaban y especulaban periódicos y sabios pedagogos, ¿se celebrará o no se celebrará nuevamente la fiesta? Cojones, cuando llega mi cumpleaños, o lo organizo yo todo, o a mí nadie me organiza nada. Y es así como nos fuimos quedando en puros brotes episódicos y de nuevo llegó el verano con su otoño, con su invierno siguientes, y a mí que no me vengan otra vez con cuentos: la juerga de mi cumpleaños no me la organiza nadie más que yo, y los aniversarios organizados por terceros pueden ser parte hasta de eso que se llama la recuperación, pero en ningún caso tienen que ver con la memoria colectiva, la que sí puede empezar con algo nuevamente.

Pero entonces nadie tuvo memoria colectiva de nada, y en todo caso, si de algo tuvo memoria el gochista viejo fue de aquel presente, quería todo completamente distinto ahora mismo y aquí mismo, y se negaba a que le hablaran del futuro, cosa esta demasiado nueva para ser entendida por la portera y el comerciante de la esquina, personajes que, sumados a otros exactos a ellos, de izquierda y de derecha, constituyen una parte importante de la población de Francia. Dicen que por eso hay una cierta decadencia cultural en el país. En fin, lo cierto es que la casa de Ramón Montoya tembló pero no cayó, y tal vez no cayó porque tampoco tembló para tanto, qué carajo, y el gochista se bajó del carro de la historia no bien empezó a joderlo el que nada hubiera cambiado al nivel en que él lo deseó, intuyó, gritó, apedreó, presintió, cantó, bebió, o fumó. Cualquiera de ésas es la palabra.

Unos llegaron a alcanzar la desesperación del terror, otros la burocracia con televisión, pero el pobre gochista viejo decrepitó no bien llegó el terrorista feroz, qué va, sólo con la llegada punk el pobre ya no sabía qué hacer con tanta barba y tanto pelo. Fue muchacho un cuarto de hora, parecía duro, no era duro, y de él sólo supe que había convertido la lucidez en masoquismo, que no se quedaba ni donde estaba contento, por temor a que lo estuvieran engañando. No era duro, nunca supe bien qué era, y ahora que venga un Proust sin tanta marquesa y sin tanto asma para recuperar todo este tiempo perdido que empezó con gente corriendo a gritos y slogans por las calles y conmigo perdiéndome todo el tiempo entre esa gente, confundidísimo y debatiéndome entre una vida de escritor comprometido pero que se ha quedado sin compromiso, en mi departamento, y la reconstrucción y modernización profunda de mi vida en torno a los nuevos slogans, a ver si lograba hacer algo por estar un poco más al día, para que Inés no se me fuera del todo. Maldita suerte, la mía: justo se me ocurre mandar a la mierda al Partido cuando empieza la revolución.

Vida exagerada, Martín Romaña, pero Inés aún no se te había ido del todo, y recuerda ahora escribiendo cómo entonces soñabas, soñabas con tener cara de slogan, caminada de blue jean, barba y pelambre, mirada de activista, pinta de póster, claro que soñabas más bien despierto que dormido, en el sentido más literal de la palabra, porque con la excusa de que no había tiempo para dormir, pues dormir era burgués, corrías tus insomnios por las calles soñando que te parecías al Che Guevara, cuando barricadeabas, y a Jean-Paul Sartre, cuando escribías. En fin, todo, todo, con tal de que Inés no se fuera del todo.

Sí, eso es verdad. Y también lo es que nunca he visto a alguien irse del todo tan a poquitos como a Inés. Tardó siglos en irse para siempre. Yo ya tenía lista una enorme corbata con el nudo por los suelos para la escena final del aeropuerto, pero la pobre Inés, entre que me quería todavía muchísimo, y entre que quería verme todavía muchísimo para dejar de quererme, no se me terminaba de ir nunca.

Pero vamos por orden, y empecemos por aquella mañana en que yo andaba dándole y dándole a la novela, en un desesperado afán de terminarla para que viera que lo mejor de mí seguía estando con ella y con los muchachos del Grupo. Con un poco de suerte y quedándome calladito, en vez de pasármelas dudando y opinando a cada rato, a lo mejor lograba que me llegaran a considerar un simpatizante independiente o algo por el estilo. De pronto, Inés se me acercó bizquísima y con una impresionante cara de estar a punto de darme un beso. Lo capté todo en un abrir y cerrar de ojos, pobre Inés, sin duda alguna andaba sumamente desgarrada por algo mucho más reciente que mi ruptura con el Grupo, qué podía estarle pasando esta vez. De hecho había moros en la costa, pero debía tratarse de un nuevo desembarco porque el asunto del Grupo ya lo teníamos resuelto mediante un silencio de esos que no resuelven nada. Me hice el disimulado y seguí dándole a las teclas y llevando a mis pescadores sindicalizados hacia un desenlace feliz. La verdad, también yo andaba bastante desgarrado, porque a punta de haber ido tomando como modelos a los antiguos vecinos de mi rincón cerca del cielo, el libro había empezado a llenárseme de nostalgia y no veía otra solución para los miembros de mi sindicato que la de sacarlos del Perú, a como diera lugar, y traerlos a París donde me sonaban mucho más proletarios y más reales. Confieso que hasta llegué a pensar en una deportación o algo así. Pero, en fin, de lo que se trataba en ese momento era de darle cara de una vez por todas a Inés, porque ya sabemos que era terca como una mula, y ahí se me había quedado bien paradita junto a la mesa de trabajo y siempre a medio camino entre el beso de amor y la bizquera que le impedía ver a su detestable amor. No podíamos quedarnos así toda la vida. Rompí el hielo, y como era de esperarse, de un solo papazo la cagué por completo por haber recurrido a fórmulas de los viejos tiempos.

—¿Qué quiere mi luz de donde el sol la toma?

Para qué hablé. No había terminado, y ya el beso de amor no existía en su rostro, y la bizquera me parece que apuntaba hacia la calle llenecita de mayo del 68.

—Inés, por favor, suéltala de una vez por todas.

La soltó de una vez por todas, con el cuello tan largo que ya resultaba implacable.

—¡Cómo demonios puedes estar escribiendo mientras todo el mundo está haciendo la revolución en la calle! ¡No te da asco! ¡No te da vergüenza! ¡Yo me largo, Martín! ¡Yo no puedo vivir con un intelectual de medias tintas!

—Mira, Inés, estoy escribiendo la novela que ustedes mismos me encargaron. ¿Acaso no era éste el deber que tenía que cumplir con la revolución peruana? ¿Qué más quieres? Sigo escribiendo el libro a pesar de que ya no estoy ni en el Grupo ni en el Partido, ni en ninguna parte. ¿No te parece la mejor prueba de amistad hacia esa gente con la que no he podido ponerme de acuerdo?

—¿No te das asco, Martín? Mírate en el espejo, por favor.

—Mira, para ascos basta con la cochinada que me hicieron los del Grupo. ¿No te parece que es a ellos a los que hay que preguntarles qué fue del globito, más bien?

—Basta de decir *ellos;* no te olvides de que yo también estoy en el Grupo.

—No lo olvido, Inés, pero habíamos quedado más o menos en que de eso no se hablaba.

—Yo no he quedado en nada contigo. Me niego a quedar en nada con un tipo que se encierra a escribir un libro cuando todo el mundo está haciendo la revolución.

Inhalé, exhalé, y solté una metida de pata cualquiera.

—Quién como Bryce Echenique que está tranquilito en su casa escribiendo *Un mundo para Julius.*

Pobre Bryce Echenique; no bien lo mencioné, Inés le mandó un escupitajo chiquitito, certero, y sin saliva. Y en plena cara de intelectual de medias tintas. Era su nueva costumbre, y algo así como un subproducto de la bizquera, muy útil para poner fin a los diálogos inútiles. En efecto, escupido Bryce Echenique, Inés desapareció con un portazo, rumbo a la revolución, lo cual hizo que Bibí empezara a ladrar como loco y que yo empezara a enloquecer pensando que no tardaba en subir madame Labru a requintarme por excitar a su perrito. Pero mayo del 68 la tenía tan aterrada a madame Labru, que últimamente a veces se volvía una santa con nosotros. Claro, debía pensar que ese par de estudiantes extranjeros cualquiera de estos días toma el poder con la imaginación, y con el poder siempre hay que estar bien. En efecto, instantes después, una sonora patada le tapó el hocico a Bibí, qué se había creído, cállese inmediatamente, no deja trabajar al señor Romaña. Vieja hija de puta, estás tan aterrada que hasta hablas con los viejitos de enfrente, y entre otras cosas te disculpas por la mordida que le acaban de pegar a Bettí, la primera fatal, sin lugar a dudas, porque ha habido que llamar de urgencia al veterinario. Malvada, bien que sigues adelante con tu crimen, a pesar de todo, y a mí me has subido la renta porque sabes también que en cualquier momento puedes llamar a la policía y decirle que soy un cubano peligroso o algo por el estilo. Casi escupo, pero temí empezar a bizquear. Inés, a veces tienes razón, Inés. Hay que ir a tirar adoquines, hay que salir a la calle, pero con quién mierda voy a salir a la calle si me he quedado sin Grupo. Maldita suerte, la mía.

Creo que me faltó rabia, un poquito más de rabia, aquella mañana. Además, Inés se había marchado sin mí, y Bryce Echenique seguía escribiendo tranquilito su libro, todos los peruanos estaban admirados de lo apaciblemente que seguía escribiendo en medio de tanto adoquín, por qué no puedo hacer yo lo mismo si ya estoy harto de este libro de mierda y me falta tan sólo un poquito, lo acabo y me largo a la calle. Ay, Inés, día tras día le mencioné el ejemplo de Bryce Echenique, día tras día hubo bizquera y portazo para mí, pero el escupitajo fue para él, evitando de esta manera algo que habría sido mucho peor que aquel silencio bizco entre los dos, hasta que por fin, sí, por fin, mis pescadores sindicalizados descolgaron al alba, resplandor del día que anuncia el sol, redes y aparejos que ya no eran del Plusvalioso (peyorativo apodo que se ganó mi padre por su nefasta conducta durante la larga huelga), y en embarcaciones del pueblo se hicieron a la mar serena, mientras Alva Manzanero iba comprendiendo, al fin, que ningún tipo de crimen paga, y captando, poco a poco, que él no había sido más que un producto equivocado de su clase, cosa que ya le había dicho la Chimbotazo, quien, bondadosa como siempre, había dado el primer paso del perdón. "El mar está lleno de anchovetas del pueblo", pensó, de pronto, Alva Manzanero, y se dispuso a ser él quien daba el siguiente paso adelante, aquel importantísimo paso que lo alejaría para siempre del mundo de los soplones e infiltrados, hasta convertirlo en pescador. Le parecía mentira, se emocionó, lloró, enloqueció de solidaridad mientras daba los pasos restantes, Alva Manzanero, convertido nada menos que en pescador de anchoveta.

Increíble, una verdadera hazaña, había escrito cuatrocientas páginas sobre aquel tema de encargo, sabiendo única y exclusivamente que en la costa del Perú había por entonces muchísima anchoveta. Sí, eso era todo lo que sabía sobre los sindicatos pesqueros, que había muchísima anchoveta en las costas del Perú. Y aunque nadie quiso publicarme aquel mamarracho, yo le tomé cariño porque ahí estaban, de alguna manera, Giuseppe, Francesco, Paolo, Carmen la de Ronda, Paco, Rolland (de rompehuelgas), Marie, la belleza mudita y proletaria, y Enrique, a quien, gracias a la ruptura con el Grupo, había logrado redimir al final. Increíble, pero aún guardo mis cuatrocientas páginas originales como un testimonio de aquellos años, y como un sentido monumento al fracaso. Pero entonces lo que hice fue meterlas en un fólder, guardarlo todo en una maleta, tirarle un portazo a Bryce Echenique, que aún sigue escribiendo, hay que reconocer que en eso sí tuvo razón, bajar las escaleras lo más estrepitosamente posible para que Bibí ladrara como loco, ladrarle como loco a Bibí, y aparecer como una ráfaga en las calles de mayo del 68, a ver si por ahí encontraba a Inés y me contagiaba un poco de la nueva juventud y cambiaba mi aspecto mediotíntico por una buena cara de póster. Y así corriendo llegué a una tienda de vejestorios y salí con el blue jean más indicado del mundo. Estaba listo: bigotudo, barba creciente, pelambre bastante creciente. Bueno, sólo me faltaba despeinarme y ensuciarme un poco el pelo. Procedí, ayudándome con un poquito de saliva y de polvo que recogí en el Jardín de Luxemburgo. Listo.

Listísimo porque por una calle cerca al teatro del Odéon venía una doble fila de muchachos salvajes, con lindas pelucas sucias y llenecitos de ademanes anticulturales. Para ellos, y cómo gozaba yo aprendiendo tanto de ellos, la palabra debía ser parte del discurso dominante, abajo con la palabra, no sólo hay que sexualizar la vida, hay que gestualizar también el cuerpo, el cuerpo tiene que encontrar su expresión, su lenguaje, algo que

destruya para siempre el discurso-carga cultural y rechace toda
tentativa de diálogo por parte del Gobierno, abajo con el Gobierno, el gesto al poder. Sí, sí, empecé a gesticular yo, rodeado
de estos muchachos puro gesto y sonido nuevo, porque emitían
todo tipo de sonido los muchachos y en medio de ellos yo feliz
de haber tenido la suerte de abandonar mi casa en busca de las
calles que llevaban al presente inmediato de la felicidad, viva el
gesto, viva el ademán, viva el cuerpo, abajo la palabra, ni una
sola palabra, claro, ni una sola palabra más porque eso es lo que
quiere el poder, que hablemos, que dialoguemos, pelotudos si
piensan que así van a poder recuperarnos. Claro que no, gesti-
culaba yo, emitiendo mis primeros sonidos contra Bryce Echenique, contra las medias tintas, definitivamente me había conta-
giado su escupitajo contra los escritores, Inés, luz de donde el
sol la toma... ¡Ojo!, Martín Romaña, ya nada de poemitas ni de
frases culturales, ni siquiera pensadas, muchos menos sentidas,
gesto puro y sonido puro como estos muchachos que siguen al
líder que no es líder sino un gesticulante más que nos está llevando directo al presente, al poder de la imaginación y el gesto,
aunque no comprendo muy bien por qué la manifestación está
frente al teatro del Odéon y estos muchachos se siguen de largo,
gesto y sonido, mientras los otros gritan slogans como locos...
¡Ojo!, Martín Romaña, no vas a empezar a dudar de nuevo; tú,
como ellos, gesto y sonido, gestualización del cuerpo, lenguaje
anti-poder con el que no se dominará ni se le sacará plusvalía a
nadie, síguelos hasta el final, que ya después te reunirás, gesto y
sonido, con Inés, y ella tendrá que ver que has ido en una tarde
más lejos que la vanguardia misma, que has llegado al local del
Partido, de tu nuevo partido, con estos muchachos que se la
han emprendido con todo discurso porque en cada palabra el
poder ha dejado un gato encerrado, un caballo de Troya...
¡Ojo!, Martín Romaña, nada de Troya, eso es cultura y este
asunto es profundamente anticultural porque Malraux es cultura y Malraux es el poder y se apodera de todo el opio y dicen
que se lo fuma todito él, hay que liberar el opio, ¡la religión
para los ricos, el opio para el pueblo!, no está nada mal mi

slogancito, cómo demonios se grita un slogan con sólo gesto y sonido, más claros estaban los manifestantes del Odéon. Ojo con las dudas, Martín Romaña, que ahorita llegas a la sede de los gesticulantes sonoros y ya vas a ver qué bien que suena su nuevo discurso que no es discurso porque hay que inventarlo todo de nuevo y porque hay que reinventar el amor, aunque esa es otra alusión cultural, Martín Romaña; no, no lo es, porque Rimbaud está perdonado y la frase es suya, y tú sigue adelante sin preguntarte tantas cosas y mira, ya vamos llegando a la sede, adentro con todos, gesto y sonido y... Señor qué desea usted.

—Shiii, gesto y son...

—Mire, señor, si quiere ir a manifestar, vuélvase usted al Odéon. Esta es una escuela de jóvenes sordomudos y aquí el que manda soy yo, y no quiero tener que llamar a la policía.

Todo esto mientras los muditos iban entrando a sus aulas obedientísimos, casi no gesticulaban, y emitían tan sólo esos soniditos que ellos no logran escuchar. ¿Qué hacer, Lenin? No te deprimas tanto, Martín Romaña. Mira cómo tiemblo íntegro, Lenin, hay que hacer algo rápido, por favor. Yo creí que iba a encontrar a Inés, Lenin, mejor aún, creí que Inés me iba a encontrar sloganizado al máximo, gesticulante, sonoro y en blue jean. Lenin, nos hemos alejado mucho del Odéon. Fuerza canejo, fuerza Romaña, al Odéon corriendo y a soltar un gran slogan. Partí, llegué, y creí que iba a gritar bien fuerte mi slogan, hasta lo sentí salir del fondo de mi alma, bueno, la verdad es que lo sentí salir del fondo de la hondonada vacía y nada más, y tal vez por eso nadie me oyó cuando gesticulé con sonido de sordomudo y temblando íntegro: ¡La religión para los ricos, el opio para el pueblo! Un hijo de puta manifestante me miró como se mira al loco de al lado, mierda, si estaba prohibido prohibir, por qué demonios a mí no me dejaban volverme loco temblando tranquilo. En cambio desmayarse tranquilo sí parece que estaba permitido porque en ese instante me fui de bruces con náuseas al suelo, y tuve que recogerme temblando solito mi alma porque partían rumbo a no sé dónde los manifestantes, no tardaban en aplastarme y yo ahí tratando de incorporarme del

KO de los gesticulantes sonoros, mierda, se me han pegado al alma los sordomudos en pleno mayo del 68, qué van a hacer, cómo van a hacer, y sobre todo qué hacer, Lenin.

Me lo dijo Adela, porque en todo caso Lenin no me dijo nada, haz de tripas corazón, Martín Romaña, sí, sí, quede constancia, sí, conste que tienes un sentido gregario tan bueno que ni siquiera te has dado cuenta de que eran sordomudos los compañeros de la primera gran manifestación liberatoria de tu vida. Pero de todos modos ahora a casita, Martín Romaña, a ver si allá paras de temblar y logras comunicarte con Inés y le ruegas que te saque a manifestar con su gente, después de todo eran tus amigos, ¿no?

La respuesta a esta importantísima pregunta la tuve a las tres de la mañana de mi insomnio tembleque en el fondo de la hondonada vacía. Ahí andaba yo contándole mi historia gesticulante a Inés, que no llegaba, que no llegaba, llega, por favor, Inés. Y llegó la condenada, pero cuánta gente traía, todos los grupos del Partido unidos, amigos y simpatizantes por montones, caras nuevas, caras conocidas, y Lagrimón en un impresionante estado de irrigación y jadeo. Bibí ladraba como loco, el monstruo de mierda gritaba que se le hundía su departamento, Inés se cagaba en el monstruo y yo ahí en el fondo de la hondonada preguntando si habían tomado el edificio por asalto o qué. Nadie me respondía, nadie me sonreía, no parecían reconocerme siquiera. Qué hacer, Lenin, todo el mundo jalea aquí, al pie de mi cama, todos me miran con ojos acusadores, qué he hecho, cómo contarle a tanta gente lo que me ha ocurrido, qué hago, Lenin, ¿les invito café, vino, o les leo el desenlace de la novela?

Inés habló con la bizquera probablemente enfocada en los cincuenta mil obreros que, según ella, marchaban hacia París. Ni una sola gota de beso en su rostro.

—No sé si me das más pena que asco, Martín. Durmiendo como una mujercita mientras cincuenta mil obreros están por entrar a París.

—Inés, no estaba durmiendo, vamos un rato a la terraza y te

cuento, yo también he estado manifestando, Inés, sólo que...
vamos a la te...

—Sólo que el gran burgués manifiesta con horario fijo. ¡Tú
te has creído que esto es turismo o qué!

—Cambiemos de tema hasta después de la revolución,
Inés...

—¿O sea que esta revolución se va a acabar? —ése fue el hijo
de puta de Mocasines.

—No sé si alguno de ustedes quiere escucharme, pero he
estado oyendo la radio hasta hace una hora y nadie ha dicho
nada de esos cincuenta mil obreros. Deben ser bolas que corren
por las calles.

—Este sí que toma sus deseos por realidades —el hijo de
puta de Mocasines, otra vez.

—Sólo quería decirles que la radio lo va transmitiendo todo
y que...

—Y tú te pasas la revolución echado en la cama; cojonudo el
tipo: escucha la revolución por radio.

—Por favor, sáquenme a esta mierda con mocasines de encima y me vuelvo Lenin, si quieren.

—Martín —dijo Inés—, los obreros van a llegar dentro de
unas tres horas y aquí todos necesitamos descansar y dormir un
poco.

—Difícil con los ladridos del monstruo y de Bibí. Y además,
cuidado, que no tarda en llamar a la policía.

—Déjala que se atreva.

—Es muy capaz de atreverse, Inés, cuidado.

—Bueno, Martín, ya basta de miedos; sal de la cama para
que puedan echarse algunos camaradas; los demás pueden descansar en el suelo. Tú anda preparando café para dentro de un
par de horas.

—Momento, caballeros; mi cama es mi cama y de aquí no
me saca nadie. ¡Qué tal concha!

—Martín —intervino Lagrimón, irrigadísimo, y con los
bolsillos del saco y del pantalón llenecitos de libros con mucha
cultura—, esa cama puede ser necesaria para fines más impor-

323

tantes. Ya es hora de que vayas resolviendo tus contradicciones.

—Para contradicciones, las tuyas, viejo, que lees y estudias hasta cuando manifiestas. Creo francamente que en vez de tanto libro deberías tener unos cuantos adoquines en los bolsillos. ¿No sabes que gran parte de este asunto es contra la universidad, contra la cultura?

Tardó días en secarse el lagrimón tan enorme que Lagrimón dejó caer sobre la alfombra. Y los cincuenta mil obreros de Inés siguen tardando años porque hasta hoy no han llegado a ninguna parte. Y por eso, y por aquello, y por lo otro, yo no tardé nada en convertirme en ese ser abyecto que gritó que ni con mandilito salía yo de mi cama a servirle cafecito a nadie. Una vez más, eso sí, logré desviar el escupitajo hacia la cara de Bryce Echenique, a quien imaginé en voz alta durmiendo tranquilamente para poder seguir escribiendo al día siguiente. O en las barricadas, si le daba la gana, o trepado en la torre de la Sorbona, si le daba su real gana, pero jamás enfrentado a una partida de imbéciles tan grande. Unos veinticinco tipos querían descansar en mi cama entre ladridos de perro y de monstruo, unos veinticinco tipos que no entendían nada de lo que estaba ocurriendo afuera creían estar haciendo la revolución infiltrándose cojudamente en un problema conyugal. Banda de pelotudos, o sea que sacar al pobre Martín Romaña de su cama era un paso adelante. Pues no lo era, era cincuenta mil pasos atrás y váyanse con Inés y con su música a otra parte y si quieren yo voy con ustedes porque me provoca y me gustaría y porque también quiero estar en la calle pero sin mandilito, por favor...

En fin, tal vez me lo merecía por hablarles con tan exagerada franqueza, pero lo cierto es que fui enviado a la mierda en coro, y de más está decir que el director del coro era bizco. Burguesísimamente me metí la lengua al culo, encendí la radio para ver si por casualidad llegaban cincuenta mil obreros en marcha a París, ojalá, lo deseaba tanto por Inés, en aquel momento, y después ya qué me quedaba más que enterrarme vivo en la hondonada y espantar lo peor de la tristeza con alguna idea divertida. La verdad, se me vino una idea realmente cojonuda y empecé a vivirla como si la estuviera viendo en el cine: Llegan los cincuenta mil obreros, Inés escupe (bueno, ya más tarde tendré que ver cómo meto aquí a Bryce Echenique, para desviar hacia su cara ese escupitajo), Mocasines sonríe, Mocasines sonríe, Mocasines sonríe, y Mocasines sonríe, los muchachos de mi ex-Grupo empiezan a entusiasmarse, es el alba, ya se divisa la marcha obrera que se acerca a una de las puertas de París, los rostros empiezan a perfilarse, Mocasines sonríe menos, los rostros se han perfilado del todo, Mocasines sonríe cada vez menos, hasta que al final los muchachos de mi ex-Grupo empiezan a aturdirse y Mocasines no sonríe nada porque Carmen la de Ronda, Paco, Giuseppe, Paolo, Francesco, Renée, Rolland resucitado, Marie, la belleza mudita y proletaria, y su esposo, están entre los abanderados de la gran marcha obrera que va llegando a París, ya Mocasines no sólo no sonríe sino que tiene una mueca amarga en la cara porque estos obreros son obreros pero son los del techo de Martín Romaña y son sus amigos, claro, lo primero que hacen los obreros que son concretos y no abstractos y que muchas veces en vez de leer a Lenin invitan a almorzar a Martín Romaña y a Enrique Alvarez de Manzaneda, es preguntarles precisamente si tienen noticias de esos dos grandes amigos, señores, por qué no contestan, cómo, ¿no se acuerdan de nosotros?, claro, ustedes nunca fueron muy comunicativos con nosotros, leyendo y leyendo no más se la pasaban, según parece, pero que ello no impida ahora que nos cuenten cómo están Martín y Enrique...

Era tan linda mi idea, tan anti-insomnio, que empecé a adormecerme y todo, aunque no creo que hubiese logrado realmente dormirme porque a Inés no sabía cómo ponerla con su escupitajo y su bizquera, y más bien con este problema empezaron a entrarme unas ganas espantosas de correr hasta esa puerta de París y gritar que en el fondo siempre habíamos estado de acuerdo, que el problema había sido tan sólo teórico, que ahora ya no existía porque estábamos en la pura práctica, en la mismísima acción, con lo cual empecé a sentirme como si nunca hubiese pasado una noche íntegra sin dormir, despiertísimo, contento, alegre, eufórico, y también con una de esas super-agradables erecciones matinales, sí, sí, se me había parado incluso, y en ésas de euforia andaba con mi propia película cuando de pronto sentí que en la oscuridad y entre las noticias que iba dando la radio Inés me ponía la mano sobre el hombro. Pero cuando volteé a besarla, no era Inés, no, qué va, a mí me suceden cosas exageradísimas pero casi nunca lindas. Era Lagrimón, en un impresionante estado de irrigación.

—¿Y tú qué mierda haces aquí, Roberto?

—No te has dado cuenta, pero aquí he estado todo el tiempo. No me fui con ellos. Tenemos que hablar, hermano.

Casi le pregunto si quería hablar de mis contradicciones o de las suyas, y si deseaba que nos instaláramos en los silloncitos de nuestras *secciones* psicoanalíticas, pero no, no era el momento. No era el momento porque la soledad deja demasiado tiempo libre y hay que ocuparlo en algo, y porque a mí en ese instante me hizo comprender el goce tristísimo en que había andado metido con el asunto de mi película, qué más prueba que el haber terminado con la mano de Lagrimón y no la de Inés sobre el hombro. Decidí, pues, meterme tanto sentido del humor donde podrán imaginar, entregarme a la compañía de alguien que estaba dispuesto a hablar sin gritar, y terminé preparando café previo al diálogo mientras iba sintiendo con amargura cómo se derrumbaba una cinematográfica esperanza entre mis piernas. Qué bestia, a lo que he llegado para comunicarme con Inés, caso agudo de soledad, mejor enfrascarme en lo que sea con Lagrimón.

—Hay problemas en el Grupo —me dijo, mientras yo observaba la impresionante cantidad de libros que había logrado meterse en los bolsillos. Parecían adoquines para barricada.

Dejé pasar la oportunidad de mi vida, que consistía en preguntarle si me estaban extrañando mucho o qué. Pero no, nada con el humor, Martín Romaña, déjalo donde está.

—¿Qué pasa con el Grupo, aparte de que hasta hoy no han lanzado el globo y de que Mocasines entra y sale de las barricadas con los mocasines cada vez mejor lustrados?

Lagrimón me miró desamparado y preguntante al máximo, con lo cual comprendí que ignoraba por completo no sólo quién era Mocasines sino también de qué diablos estaba hablando yo; no podían ser más distantes nuestras visiones del mundo.

—No te preocupes —le dije—, me refería a Iván Illich y a una de esas corazonadas mías que más vale no explicar ahora.

—Mira Martín, yo no les veo pasta a los muchachos del Grupo; tampoco a los de los otros grupos. Yo he estado en el ajo, Martín, sé lo que es la cosa en el Perú. Yo mismo ya estaba cansado, soñaba con estudiar, con leer, con aprender.

—Sí, estabas cansado, no te preocupes por eso. Tampoco creo que debes preocuparte mucho por la gente que hay en París. Tal vez haya otra mejor en partidos o grupos que desconocemos, pero a mí se me hace que los de a verdad están allá, viejo. O llegan por aquí deportados y se van no bien pueden. Nosotros no somos más que la mala conciencia que deja el paso de esa gente, un instante de sensibilidad social, y sobre todo una vieja tradición francesa según la cual todo latinoamericano en París tiene que ser de izquierda. Tal vez lo seamos todos, pero ello no hace de nadie un verdadero revolucionario. A mí no me vengan con cuentos, la revolución no se hace con becas para estudiar administración de empresas, ni con mocasines, ni con las ganas que tienes tú de ser el discípulo predilecto de Lacan o algo así. Perdona, Roberto, pero esta mañana no ando de muy buen humor que digamos.

—Pero esos muchachos son buenos, tienen fe; fíjate tú en tu compañera Inés, tiene una fe ciega.

—Sí, ya la he notado; no te imaginas la cantidad de veces que ha pasado sobre mi cadáver sin darse cuenta.

—Inés tiene sus problemas, Martín; hay varios muchachos en el Grupo que han querido...

—Qué horror, Roberto; con razón que bizquea tanto. Pobre Inés...

De más está decir que a estas alturas del diálogo, Lagrimón y yo estábamos hechos un par de lagrimones.

—El Grupo se está descomponiendo, Martín; ya no analizan las cosas, corren de una barricada a otra y lo que más les emociona es la posibilidad de levantarse una francesita...

—Humano, muy humano; sobre todo si han estado tratando de tirarse a Inés que es su mejor amiga. Mira, Roberto, tú no sabes las infinitas posibilidades de aventura amorosa que ofrece militar en grupos latinoamericanos, basta con ponerse boinas con estrellitas a lo Che Guevara, mientras el Che anda sabe Dios dónde jugándose la vida con la gente de a verdad. Igual en el Perú, viejo; nosotros no somos más que la retaguardia emotiva y retórica de los que murieron con Heraud, con De la Puente, con Lobatón. Nosotros no somos más que una especie de moda de mierda, Roberto, una moda de mierda con sus pendejos, sus oportunidades, sus maravillosas Ineses, sus cansados Robertos López, sus Mocasines... Mocasines es el nombre con que mi odio silencioso ha bautizado a Iván Illich, por si acaso.

—Sí, ya te voy entendiendo. Hay casos así. ¿Sabes que León se ha declarado trosko?

—Como su apodo lo indicaba desde hace un par de años.

—Y otros se están dejando crecer el pelo y ya ni leen ni nada.

—Bueno, pero ese es el asunto del día, Roberto. ¿Has visto los slogans, has visto las cosas que se pintan en los muros?... Ten la seguridad de que aquí agarran viaje folklórico miles de latinoamericanos; de este asunto salen parejas nuevas, culeaderas inesperadas, parejas que se van al carajo, conjuntos musicales, hippies andinos y costeños, qué sé yo. Roberto, todos estamos despistadísimos, y no te cuento la manifestación en que me metí anoche, porque me pongo a llorar a mares.

—¿Tú has estado manifestando, Martín?

Qué tal concha; o sea que estos huevones me creían incapaz hasta de salir a la calle. Pude putear, pude inventar, pero preferí ser honesto.

—La verdad es que en el fondo sólo estaba buscando a Inés.

—Yo creo que Inés te va a abandonar, Martín.

—Bueno, pero que se decida de una vez... Cambiemos de tema, mejor, Roberto.

—¿Has visto a Carlos Salaverry?, Martín.

—No, tengo que ir a buscarlo. Podría ser un buen compañero en estos momentos. ¿Tú lo has visto?

Instantes después, me enteré por qué casi mato de pena a Lagrimón con mi pregunta. Pero antes lo vi incorporarse con toneladas de libros en los bolsillos, dejar caer enorme su lagrimón sobre la solapa del saco, irrigarse de nuevo inmediatamente, inhalar y quedarse sin exhalar, darme la mano como hacía tiempo que no me la daba, seguir sin exhalar, abrir la puerta del departamento, empezar abrumado el descenso de la escalera, y detenerse por fin a mitad de camino, sin exhalar ahí tampoco.

—Recién estoy en Kant, Martín... Pero dentro de tres años podré hablar de igual a igual con Salaverry.

Creí que entonces exhalaría, pero cuando me asomé continuaba con el pecho inflado, y así se desmoronó prácticamente por la escalera que daba a la otra puerta, la que daba a la montañita que ocultaba la máquina del ascensor. Aún no había exhalado cuando lo perdí de vista entre ladridos de Bibí y alaridos del monstruo. Ladré también yo, aprovechando que era mayo del 68, y volví a encerrarme con un estado de ánimo que sólo lograría explicar diciendo que estuve horas comprendiendo por qué y cómo casi mato de pena al pobre Lagrimón, para lo cual me era absolutamente imprescindible rescatar mi humor, extrayéndolo del lugar en el que lo había dejado metido y metiendo en su lugar la frase inmortalmente triste que acababa de escuchar...

—Pero dentro de tres años podré hablar de igual a igual con Salaverry.

¡Qué horror!... Lagrimón recién estaba en Kant...

La radio dijo que eran las ocho de la mañana. Dijo todos los disturbios de la noche anterior, dijo que la cosa crecía y crecía, dijo de huelgas, dijo de falta de víveres, dijo del pánico de las amas de casa que amontonaban comida, dijo que el general De Gaulle se había retirado a meditar a su pueblo, dijo que la basura empezaba a alcanzar alturas eiffelianas, dijo muchísimas cosas más, que se acababa la gasolina, tal vez, no recuerdo bien, pero lo que sí recuerdo como si fuera ayer es que los obreros de Inés seguían sin llegar esa mañana de mayo a las ocho. Apagué la radio, y dije en voz alta, y con todas sus palabras, que felizmente la radio no había dicho nada sobre el equivocado manifestante peruano Martín Romaña y sus sordomuditos, tras lo cual pensé que, como don Quijote, estaba listo para una nueva salida, tras lo cual me cagué de risa de mí mismo y consideré que, en efecto, que debía salir de nuevo, y que efectivamente estaba listo para salir de nuevo.

Lo cual hice y lo cual explica por qué he redactado así estas líneas. El porqué de este por qué es que hasta hoy, más de diez años más tarde, y en pleno sillón Voltaire recordatorio, se me ponen los pelos de punta, la carne de gallina, y los que te dije de corbata, a medida que empiezan a invadirme, siguiendo la cronología de los hechos, uno por uno los acontecimientos a los que dio lugar mi próxima salida, que tuvo un breve retorno, y que ya después dio conmigo convertido, poquito a poco, en algo así como un estropajo humano.

## LA SEGUNDA SALIDA DE MARTIN ROMAÑA, SU EXAGERACION Y SUS TRISTEZAS

Ya casi nadie trabajaba en París, y por toda Francia los estudiantes se rebelaban con lindos slogans de difícil aplicación inmediata pero momentáneamente bien respaldados por toneladas de adoquinazos de certera puntería y huelgas de obreros dispuestos a acompañarlos hasta que bueno fuera culantro pero no tanto, que es cuando mayor fuerza empezaron a agarrar los grupúsculos y esa fue la verdadera primavera rebelde de los gochistas hijos de papá, según denominación sindical más o menos generalizada, motivo por el cual se fueron quedando solos solitos con su soledad de barbas, pelo muy largo, vestimenta hippizante, y en todo caso adiós para siempre al me pongo la corbata y vivo, de César Vallejo. Yo era un rostro en la muchedumbre, un poco como todo el mundo, si exceptuamos a la policía que se cubría el rostro con impresionantes máscaras deshumanizadoras antes de cargar con odio pero sin armas de fuego contra la muchedumbre, que era el rostro de la primavera. Y aunque hubo más de un joven trágicamente muerto (y muchos que aprovecharon para desaparecer del todo de la caduca casa familiar), yo siempre me pregunté muy latinoamericanamente, y claro, di gracias al cielo por ello, por qué aquí nunca se disparaba como en nuestros países y hasta qué punto se estuvo esperando el momento para disparar y cómo la vieron los de allá arriba, al otro lado de la barrera, y cómo se las arreglaron para contener a una policía que debía eyacular ante la sola idea de disparar un poco como en México, en Tlatelolco, donde en octubre de ese mismo año hubo un mayo con violento contenido latinoamericano.

Así andaban las cosas, o así se iban encaminando mientras yo avanzaba rumbo a la infame escuelita en que trabajaba para ganarme el pan, imaginando a Inés y a los otros muchachos del Grupo sentados en una puerta de París a la que los cincuenta mil obreros nunca llegaban, y por consiguiente odiándome. Por supuesto que en el colegito la directora había decidido que era peligroso dictar clases y que aunque el mundo estaba patas arriba y ya era hora de actuar con mano dura contra los universitarios revoltosos e inmundos, era mejor que ella, por precaución, cerrara sus puertas para evitar riesgos inútiles y, sobre todo, porque no habiendo metro para trasladarse cómo iban a venir los niños y los profesores. No me atreví a responderle que yo podía venir a pie, porque como ella muy bien sabía, mi casa no quedaba nada lejos y casi siempre venía a pie. En cuanto a los alumnos, con excepción de dos o tres, todos vivían en los alrededores, ¿cuál era el problema, pues?

Pero lengua donde ya saben porque ésta era otra variedad de monstruo que se aprovechaba hasta de los días de nieve para decirnos que no viniéramos a trabajar; en fin, cualquier cosa con tal de no pagarnos, y ahora, aunque estaba por la mano dura y todo eso, bien feliz que estaba y ojalá que mayo del 68 dure hasta el verano para no tenerle que pagar a nadie. Inútil reclamar, porque además sobraban los profesores-estudiantes como yo, y era muy fácil encontrarle reemplazo a uno. Feliz, pues, el monstruo de avaricia, y todavía encima con la concha de venir a decirme que iba a aprovechar esos días de "desórdenes" para hacer algunas obritas en el destartaladísimo local de cuatro clases, un wáter instalado en el rincón de una de ellas, y apenas disimulado por un tabique, y una puerta que daba a lo que fue la quinta clase, hasta que empezaron la demolición de la parte posterior del local, mas no de la parte que daba a la calle, que para gran suerte del monstruo N.º 2 había sido declarada monumento histórico. Total que la vieja se quedaba con sus cuatro clases, su histórica fachada, su wáter dentro de una clase, y una puerta que desde la demolición daba al vacío. Esa puerta era la única arma que tenía yo contra ella, ya que poco tiempo atrás había sido testigo de una especie de milagro a lo San Martín de Porres, santo negrito, peruano, y bien criollo, que detenía a mitad de camino a los que estaban sacando el alma desde un techo, mientras corría a pedirle permiso para milagrear al prior del convento colonial, pues por entonces el futuro santo era simplemente fray Martín y barría de color humilde los claustros con la escoba con la que hoy podemos verlo en la eternidad de la estampita. El prior accedía, el moreno regresaba con una especie de paracaídas invisible, y procedía en el acto al acto milagroso.

Algo muy semejante sucedió en el colejucho cuando una chica que había estudiado en la quinta clase simplemente se distrajo, mientras yo andaba tratando de explicar unas reglas de acentuación, ante alumnos incorregibles y hasta de mi edad (porque ahí llegaba más o menos el lumpen de los liceos franceses), que infantilísimos, aunque también con mucha razón, se tapaban nariz y oídos porque ésa era la clase del wáter y se nos había instalado un diarreico incontenible, que hasta retrasado mental no paraba. Justo entonces apareció la alumna que se distrajo, la menos fea y tonta de todas, además, hubiera sido una pena que se nos desnucara o algo por el estilo, porque había que ver lo que eran las otras. Apareció tranquilita y distraída, rumbo a su clase de antes de la demolición, y como todos andábamos con el problema del diarreico, no reaccionamos a tiempo y la pobrecita se nos fue al vacío desde el tercer piso. Y lo increíble es que recién acabábamos de captar bien lo que había ocurrido, y de correr a mirar y de déjenme pasar primero, etc., cuando Marie, así se llamaba la distraída, volvió a aparecer por la puerta de la clase limpiándose un poco el polvo, tranquilita pero con las lágrimas en los ojos, y ordenando con voz de orgullosa que cuidadito con reírse o con contarle a nadie, porque no le había pasado absolutamente nada.

Como profesor, estaba obligado a hacer un verdadero escándalo por los peligros a los que se hallaban expuestos los alumnos en ese colegio. Pero en vista de que Marie no quería que se hablase del asunto, yo me lo guardé para algún día en que mi trabajo corriera peligro o para un aumento de sueldo, pero mayo del 68 por sí solo tendría que reportarme algún beneficio salarial, cuando acabara eso sí. Total, nunca saqué nada a cambio de mi siempre postergada denuncia, un poco porque no sirvo para denuncias y otro poco porque descender a eso era entrar de lleno al nivel de los monstruos y uno siempre tiene miedo de terminar en una portería mental, con un perrito horroroso como único amor y odio en la vida. Digamos pues que cuento esta historia para que en otras partes no anden pensando que todos los colegios de Francia son tan lindos y tan ricos como su pastelería, para que vean que aquí también se cuecen habas y más habas, y para que se enteren de que no sólo Hemingway fue joven, pobre y... Y... Y pues aquí se me jodió la frase porque él hablaba de juventud, pobreza, amor y felicidad, mientras que yo ya iba para los treinta y apenas si cumplía con los requisitos de aquel viejo vals criollo que estableció que tres cosas hay en la vida, salud, dinero y amor. Me quedaba salud, pero cada día dormía peor, me quedaba dinero, pero siempre y cuando mayo del 68 no durase eternamente y no cerraran todos los restaurants universitarios, y me quedaba amor pero ya casi no me quedaba Inés.

Recuerdo cuánto me gustaba cantar por las calles, y que los días de muy buen humor cantaba en todos los idiomas en que mi educación privilegiada, la de hace mil años, en el Perú, me lo permitía. Era una manera de joder a medio mundo en París, pues en esta ciudad está permitido hablar solo, bajito y furioso, pero silbar o tararear una alegre canción es un abuso de confianza que se permiten los negros y, desde el 68, los latinoamericanos, un abuso de salud mental, de buen humor, en fin, una verdadera provocación tercermundista, porque muy a menudo se interrumpe la caquita que está haciendo un bichito monstruoso en la vereda, acompañando a y acompañado por un señor o una señora que le conversa amablemente pero con prisa. Pasa uno e interrumpe. Extranjeros de mierda, cada cosa en su sitio y para cada cosa su horario. Y últimamente hasta se atreven a parir hijos en París, niños que tanto molestan, que tanto ruido meten, que se cagan en cualquier parte y a cualquier hora, y no en la vereda y a su hora. Para lo que sirve la tolerancia. Pensar que antes era de París que la cigüeña se llevaba a todos los bebes al mundo entero. Y ahora estos condenados nos los están devolviendo. Ven, Tartufo, ya está bien de caquita y ahora vamos para que camines tus veinticinco metros de las nueve de la noche. Ven, mi Tartufito, angelito mío, o te mato de un palazo.

Me encantaba cantar, y esa mañana, tras despedirme por un tiempo de la vieja y de su colejucho, me arranqué con la primera que se me vino a la mente, y fue nada menos que

*Solo,*
*voy pasando entre la gente*

*que me mira indiferente*
*sin mostrar curiosidad.*
*Solo,*
*como perro callejero*
*como barca sin velero*
*solo con mi soledad.*

La cagada. La cancioncita que se me había venido a la mente. Y no había Inés que te valga. Y las barricadas empezaban más bien al anochecer. Evoqué a Lenin, pero debía estar ocupadísimo con la enfermedad senil del comunismo, porque no me respondió esta vez. Bueno, al Barrio Latino, de nuevo, y a mirar fijo a los ojos de cuanto policía encuentres con la máscara sobre el casco, para enterarte de que son humanos, y para matar el tiempo jodiendo a media humanidad hasta que sea la hora del restaurant universitario. Y después... Bueno, confieso que la primera idea que se me vino a la cabeza fue ir y arrojarle un adoquín en la ventana a Bryce Echenique. Bah, Inés jamás me lo habría creído, o me habría dicho que era un gesto inútil, infantil, absurdo, y cojudo, con lo cual no me habría quedado más remedio que estar absolutamente de acuerdo, además. Pero lo peor de esta idea es que era más triste aún que la canción. Sí, mucho más triste porque algo tenía que ver con el hecho de que ya yo no volvería a escribir más, ·con una cierta vergüenza de haber aceptado escribir una novela por encargo, y qué tal encargo, con la comprobación de que habían pasado ya varios años de mi llegada a París para escribir, y con esos treinta años que pronto iba a cumplir y que esa mañana, de golpe, me estaban enfrentando a proyectos no realizados, a caminos que se desviaron, a opciones equivocadas que mi mente iba asociando a Inés, a nuestra historia, a lo que había sido y era mi vida al lado de esa muchacha terca y silenciosa que ahora, según Lagrimón, deseaba además abandonarme.

Y ahora me pregunto si no fue por esa época, por esos días,

a lo mejor esa misma mañana, que dejé de cantar para siempre por las calles. Una pena, porque cantaba bonito y en varios idiomas, con lo cual mi repertorio era bastante variado y lograba interrumpir muchas caquitas en vereda. Lo que sí, nunca canté *El cóndor pasa*, y evité, en la medida de lo posible, el folklore sudamericano, debido al demagógico abuso que de él hacían los nuestros, viviendo un poquito del cuento a veces, porque la verdad es que no basta con cantar bonito *Los ejes de mi carreta* para haber estado en la guerrilla del Che o haber sido su amigo o haber sufrido cárcel y persecución, bajo esta o aquella feroz dictadura. Esta gran farsa, y muchas otras, era lo que más daño podía hacerle a los que sí habían sufrido cárcel y persecución. La gente descubría, se cansaba, generalizaba, se confundía, se equivocaba, y ya después era tan difícil tratar de establecer la verdad. Por eso me limité siempre al vals criollo, al tango, a la ranchera, al cha-cha-chá o al bolero, cuando de nuestros países se trataba. Detesté, detesto, la demagogia, el uso indebido, y el aprovechamiento sinvergüenza e irresponsable, aunque la verdad es que mucho más que esto, lo que realmente fue haciendo que mis mariachis callaran fue el paso del tiempo y mañanas como aquella, en la que todavía sigo metido, pero es que recuerdo clarito que fue camino al Barrio Latino cuando se me vino a la mente lo del perro callejero que va pasando entre la gente, este huevón de Lagrimón, a qué santo se mete a decirme que Inés está pensando abandonarme. Mierda, voy a terminar hablando como barca sin velero por las calles y saltando a la soga con la soga al cuello entre caquitas en vereda. Ni hablar, Martín Romaña, ni que se te ocurra hablar solo porque te contestan los seres que más te han aterrorizado siempre.

La mañana se acaba a las doce meridiano, hora en la que yo, aquella mañana, llegué a mi habitual restaurant universitario, el Censier. Cerrado. Ya no debía quedar un solo restaurant abierto. Mi plan era almorzar en Censier, y caminar o hacer autostop, como medio mundo en mayo del 68, hasta el departamento de Carlos Salaverry, otro mediotíntico, al decir de Inés y del Grupo, cuya compañía me había recetado yo mismo, para evitar que se repitieran canciones del tipo de la ya conocida. Pero el Censier estaba cerrado y en plena primavera rebelde con escasez de alimentos, qué hacer, había que ser muy conchudo para caerle a alguien a almorzar. Pensé esto, imaginé a Inés acusándome de burgués por haberlo pensado, pero escuché en cambio una voz muy linda que me decía, en pésimo francés eso sí, que había cerquita un restaurant chiquitito para estudiantes un poco enfermitos. No sé, era una voz muy bonita que venía de atrás, era alguien que se tomaba el trabajo de acercarse, de hablarle a un pelotudo que se había quedado contemplando idiota la reja cerrada del Censier, era sin duda alguna el espíritu profundo de mayo del 68 alcanzándome solo como un perro callejero en la calle, tenía que serlo. Y ni hablar de lo rápido que di media vuelta y dije en inglés, porque el acento del pésimo francés era norteamericano, que le agradecía en el alma, señorita 68, pero que para entrar a ese restaurant se necesitaba un carnet especial. El espíritu del 68, que estaba como pepa de mango, además, habló sonriente, ocultando la piedad y el asombro que le producía encontrar a alguien que aún creía en los carnets de entrada en pleno mayo del 68.

—No se necesita nada. Nunca más se ne esitará nada —dijo, y la voz seguía siendo linda a pesar del acento, y yo sentí ganas de pedirle perdón y de explicarle que muchos años atrás, en el Perú, había sido víctima de una educación privilegiada, pero que ya había militado en... (casi se me escapa el nombre clandestino), y que estaba en pleno proceso de reestructuración y modernización, habiendo conquistado ya el aspecto Henry Miller, aunque la verdad es que éste andaba en franco retroceso en los últimos tiempos por culpa de... (pero para qué hablarle de Inés y de mis penas), habiendo conquistado asimismo todo lo referente a largos pelos y demás señales rebeldes y primaverales, entre las cuales el blue jean y corbata ni de a huevas.

Fue así como conocí a Sandra Anita María Owens, que creo que me amó, porque la gringa era complicadísima, y a quien creo que no amé porque hubo un momento en el que no deseé más que sacármela de encima. Culpa de Inés y culpa tuya, mi querido Enrique Alvarez de Manzaneda, quería estar solo al volverte a ver y Sandra acababa de desconfiar de mí en el momento menos oportuno. Pero todo esto sucedió un poco más tarde y en España, y creo que me estoy adelantando sólo porque aún me avergüenza confesar lo que pensé mientras decidía ponerme en marcha con Sandra Anita María Owens, rumbo al restaurancito chiquitito y cercanito. Bueno, lo pondré en la forma más indirecta y objetiva posible.

Pensamientos que atravesaron la mente de Martín Romaña ante el restaurant Censier cerrado y ya con Sandra Anita María Owens al lado:

1.° Vámonos de aquí lo más rápido posible. No vaya a ser que vengan otros cojudos en busca de comida y que ella les diga lo mismo que a mí y esto se convierta en una patota camino al restaurancito chiquitito (esto último fue más sentido que pensado. Véase: H. Miller, *Trópicos...* etc.).

2.° Hasta habla como pepa de mango.

3.° La voz sale de una pepa de mango (más sentido que pensado, también).

4.° Se jodió Carlos Salaverry: ya no creo que vaya a visitarlo esta tarde.

Pensado lo cual, el espíritu del 68 y el anti-espíritu ídem que había surgido de pronto en mí, partieron rumbo al restaurant para estudiantes un poquito enfermos donde ahora ya no se necesitaría nunca más carnet sellado por autoridad ninguna. Fue un almuerzo tranquilo, a juzgar por la manera en que a mí me tembló la mano mientras le servía leche a Sandra, que siempre había comido allí desde su llegada a París, el año anterior, y que siempre tomaba litros de leche porque tenía algo así como una pequeña amenaza de ulcerita, casi nada pero molestaba. Y yo dale con servir leche y dale con temblar llenecito de preguntas porque realmente tanta leche gratis en un restaurant universitario no podía ser verdad, tiene que ser mayo del 68, ¿no, Sandra?

Pero así había sido siempre, y yo era el primer peruano que conocía en su vida, cosa que aproveché para contarle que el

Perú era un país de temblores y terremotos y que por eso mi mano tiembla así, Sandra, y a ella le hizo una gracia increíble con una risa que no llamaré argentina porque Sandra era de Alaska, uy qué frío, no te preocupes, Martín, después viví en Nebraska y ahora vivo en California, a lo cual yo agregué que en San Francisco también había habido un famoso terremoto y casi le suelto que nos habíamos conocido en pleno terremoto de mi vida. Pero para qué hablarle de cosas tristes, me dije, sonriéndole mientras le servía otro montón de leche con una mano que de pronto dejó de temblar por completo. Y en vista de que Sandra no captó en absoluto la sutil terapéutica a la que tan aterrado y a la vez tan lleno de recursos me había sometido, al terremotear íntegro a mi país para explicar única y exclusivamente mi temblequería, me serví también un montón de leche, tras haber excluido al resto de los comensales un poco enfermitos de la mesa común, manteniendo la conversación *in english*, y así fue como Sandra Anita María Owens y yo empezamos a congeniar rápidamente dentro del mejor espíritu *of may sixty eight*.

Y seguimos congeniando por la rue Mouffetard, rumbo al hotel de Sandra, que era la exacta repetición, a unos cuantos pasos de la placita de la Contrescarpe, de los hoteles que mi padre decía haber visto en su juventud, en los pueblos más apartados de los más apartados distritos de los Andes del Perú, ver para creer. Claro, es cierto que para mi padre todo lo que no era San Isidro, o su oficina blindada en el centro de Lima, era ya un poco el desierto de los tártaros, pero también lo es que el hotelucho de Sandra Anita María Owens, a quien yo insistía en llamar por su nombre completo, agregando mentalmente lo del espíritu del 68, por temor a una erección, estando en el mundo Inés, correspondía cien por ciento a lo que él llamaba no sólo hotelucho sino hotelajo, en circunstancias en las que evocaba una vida entera de trabajos y sacrificios, y todo eso para nada, para nada, sólo para que después el cretino de Martín (yo) me salga con que quiere largarse a Europa a ¡SER! De más está decir que nadie se atrevió jamás a pronunciar la palabra escritor. Pobre viejo, ni siquiera logré defraudarlo del todo, no, ni siquiera eso, y a él que le gustaba tanto sentirse defraudado.

Pero en cambio, y al igual que en sus historias, en mi dura juventud llegaba también yo a un hotel de un apartado pueblo de los más apartados distritos de los Andes del Perú. Sandra abrió la puerta de su habitación en el tercer piso, me dijo pasa, y yo le agradecí a su nombre completo, tras haber sentido algo así como el eterno retorno, aunque sin Inés, vía punzada freudiana en el estómago. Un lavatorio, una mesita, algunos libros, una cama que era un tabique sin colchón, y los dibujos y pósters con que había ocultado a medias la inmundicia de las paredes, eran íntegra su hacienda. ¡Sandra! —exclamé, contemplando aquel espectáculo, y acto seguido tuve que repetirme veinticinco veces los autoritarios y autorizados nombres de Inés y de mi padre, logrando de esta manera controlar lo que empezaba a ocurrirme entre las piernas por no haber pronunciado el nombre completo del espíritu del 68 en esa enternecedora pocilga andina.

Increíble, pero una duda impidió que me bañara en lágrimas exteriores. Y es que no lograba aclararme por nada de este mundo cómo desde hacía semanas deseaba llorar a mares por Inés y, sólo ahora, al contemplar el cuartucho de Sandra plagado de chinches, de acuerdo con las descripciones de mi padre, estaba a punto de funcionar el detonador. ¿Qué me pasa, qué es esto, quién soy, dos doctor Jekyll o dos míster Hyde? Humano, muy humano, pienso aquí en mi Voltaire recordatorio, y precisamente mientras voy recordando vuelvo a verme parado ahí ante Sandra, haciéndole la pregunta de los chinches, y bañado sólo en lágrimas interiores.

—¿Cómo es vivir con chinches? —inhalé, y exhalé.

—La revolución permanente —me respondió Sandra, sonriente y altamente politizada, aunque aclarando que no era trotskista sino maoísta-feminista, tras lo cual añadió—: ¿Pero tú cómo sabías lo de los bichos estos?

—Uf —le dije, canchero—, han sido parte de mi vida en el Perú. Me acuerdo de los hoteles apartados de los Andes apartados: te acostabas en el cuarto número 25 y te despertabas en el 26. —Inhalé, exhalé, y muy viajado concluí—: Los chinches cambiaban las camas a lomo de mula por las noches.

—Bueno —dijo Sandra, encantada con mi historia—, la verdad es que a pesar de todos los productos que uso no logro eliminarlos. O sea que a lo mejor ahora me siento a tomar un café contigo, en la cama, o sea a la izquierda del cuarto, y terminamos a la derecha.

No quise tomarlo como una alusión política, porque Sandra no era Inés, y porque de pronto había empezado a sentirme muy feliz con mi mentira. En efecto, a Sandra le había hecho mucha gracia el asunto, y además le había robado una falsa historia a mi padre, sí, una gran mentira, porque en sus viajes sin duda conoció más de un hotel así, como cualquiera que recorre la sierra del Perú, pero esos viajes fueron siempre de placer, fueron cacerías, excursiones, andinismos, y porque el muy sabido cuando se divertía dejaba de creer que el Perú limitaba por San Isidro y su oficina blindada con el desierto de los tártaros, y todavía después tenía la concha de sacárselo en cara, transformado en sudor de su rostro, al adolescentísimo Martín Romaña, que era yo, promesa familiar, sentado ahí en la mesa del comedor, entre mi madre suspirante porque nada de eso se parecía a Proust, y mis hermanos atragantándose la sopa porque el viejo no tardaba en mandarnos a todos a la cama sin comer, para que aprendan que yo, yo ¡¡¡YO!!!, tras lo cual se arrepentía porque más bueno no podía ser el pobre, y él mismo subía trayéndonos la comida, empezando por mi hermana Augusta, su preferida, lo cual torturó siempre a Rocío, la segunda de su lista, dejó torturado para siempre a Rafael, que era también su preferido, pero en la lista de los hombres, total que mientras llegaba a mí, yo qué menos podía que soñar con morirme como Vallejo en París, mientras mi madre suspiraba aún más, porque ahora sí las cosas se parecían en algo a Proust, que fue tan delicado.

Mucho menos delicada fue Sandra, quien terminado el cafecito, y cuando me disponía a contarle la historia de mi vida, para que ella me contara, a su vez, qué tal le iba en este valle de lágrimas, interrumpió mi· enorme emotividad con una de esas frases que podían convertirse en el comienzo de la locura para un hombre cuyo proceso de modernización y reestructuración estaba aún en marcha.

—Bueno, Martín, ya es hora de que te vayas porque estoy esperando a un amigo.

Pensar que parecíamos tan amigos, tan 68 en nuestra relación, pensar que yo andaba tan tranquilo con mi taza de café, con el pulso estable, con ganas de una copa de vino, de reír, de fumar, de pedirle que me acompañara a la acción de las barricadas, y pensar sobre todo que en mis evocaciones hoteleras había deshonrado padre y madre, para que ahora la gringa me salga con que espera a un amigo. Cualquiera avisa, me dije, pero en mayo del 68 no se avisaba porque avisar era burgués, y en el fondo era yo el que andaba aún hasta las patas con mi sensibilidad a flor de piel, mi sentimentalismo depresivo y hasta de pronto deserotizado por una frase tan natural, tan espontánea, tan la imaginación al poder, como la que Sandra acababa de pronunciar, probándome casi documentalmente que no me caería nada mal una buena relectura de Henry Miller y mucha tinta Mao sobre mis medias tintas. Confieso: nunca me sentí tan pobre diablo en mi vida: una mujer que no era Inés podía herirme tanto sólo con esperar a un tipo que no era yo, porque seguro que el esperado era barbudísimo y peludísimo y desenfadadísimo y no tardaba en llegar, en entrar, y en ni siquiera preguntar quién diablos era yo y qué demonios hacía ahí, reduciéndome a mi mínima importancia, mientras yo me reducía a mi mínima estatura, para que ni Sandra ni él se dieran cuenta de que a la habitación andina había llegado esa tarde un pelotudo tembleque: yo, imaginándome todo esto, temblando de nuevo, y sin que nada pasara ni nadie llegara y con Sandra tan sonriente y simpática como siempre. Bueno, pensé, ya es hora que don cojudo se vaya, hay que salvar el honor, hay que evitar la locura y el sufrimiento, y hay que repasar muy bien este capítulo hasta aprendérselo de memoria sin que duela tanto. Me incorporé tal cual era, es decir, sin imitar a actor de cine alguno porque eso era cultura y también, vamos, Martín, confiesa, por temor a pisar una cáscara de plátano o algo así, y empecé a despedirme con la menor cantidad de palabras, para evitar cualquier metida de pata tipo referencia cultural. Pero Sandra casi me mata de nuevo.

—¿Qué es de tu esposa? —me preguntó, contándome, porque Sandra era natural y contaba, mientras que yo era de plástico y confesaba, que muchas veces nos había cruzado por el barrio y que siempre se había fijado en lo linda que era ella y en lo divertido que parecía ser yo. Yo lo tomé a cáscara de plátano, la verdad. Inhalé una mentira, pero cosa increíble, exhalé una verdad, por lo cual hasta hoy pienso que me porté como todo un hombre, en el cine.

—Milita con un grupo con el que no logré ponerme de acuerdo, produciéndose hace poco una grave ruptura por culpa de un globo y una tremenda perrada, aunque hay mucho más que eso. Total, se llama Inés, yo la llamaba luz de donde el sol la toma, lo cual para ti no debe querer decir nada, pero no te preocupes porque es una referencia cultural de las que sólo podían emplearse hasta marzo o abril y...

—Termina, Martín; no tarda en llegar mi amigo.

—Total que ahora se ha ido al monte con su gente.

—O sea que tienes problemas matrimoniales...

—Todos.

—No me gustan los matrimonios infelices...

—Chócala —le dije, extendiéndole la mano.

Pero en vez de la mano, Sandra me dio un beso de hermano, una palmadita de amigo en el hombro, y una sonrisa riquísima en mi vida. No recordaba en qué momento había empezado a temblar otra vez, pero lo cierto es que seguía temblando cuando le pregunté si podíamos salir a las barricadas juntos esa noche. Mañana, me respondió Sandra, mañana almorzamos juntos, pasamos la tarde juntos, y cuando quieras salimos a las barricadas. No te preocupes, Martín, tendremos tiempo para vernos mucho. Trata de estar alegre, eso sí.

343

Un guiño de ojos fue la única palabra de despedida que me salió, y hasta hoy creo que con más me voy de bruces por la escalera. En la calle, hice algunos ejercicios respiratorios, y luego me decidí a pasar un rato por el departamento, aunque con la seguridad de encontrarlo vacío. Esta vez sí que no había lugar para dudas: eran doctor Jekyll y míster Hyde quienes emprendían el camino de retorno, éste pensando en la suerte que tienes, Carlos Salaverry, de que Sandra reciba a un amigo esta tarde, y aquél pensando alegremente en la perspectiva de encontrar a su gran amigo Carlos Salaverry, culturalmente instalado en su departamento de filósofo mediotíntico. Bueno, pero antes que nada al departamento, nunca se sabe, a lo mejor Inés... Inés.

Noveno piso ascensor. Estaba sacando las llaves del bolsillo y pensando en la puteada que iba a recibir por tener amigas norteamericanas, en el asunto discutido luego en el Grupo, Martín puede haber caído en manos de una agente de la CIA, no tardan en sacarle todos nuestros secretos, estaba pensando en lo mal que tratan los gobiernos a sus espías, Enrique Alvarez de Manzaneda en un cuartucho techero, Mata-Hari en un hotelucho de esos de varias estrellas bajo cero, en una verdadera pocilga andina, y empezaba a reírme entre los furibundos y habituales ladridos de Bibí, eterno comité de recepción de los que se acercaban a mi departamento, cuando un porrazo del monstruo lo puso momentáneamente fuera de acción, perro de mierda, no te das cuenta de que es el señor Romaña que regresa a su casa, imbécil, bruto, animal, cuántos años vas a tardar en reconocer los pasos del señor Romaña. Acto seguido se abrió la puerta y apareció el rostro sonriente de madame Labru, buenas tardes, señor, y más sonrisa todavía cuando le respondí, diablos, qué ocurre, a lo mejor la imaginación acaba de tomar el poder y ésta quiere estar bien conmigo, algo tiene que estar pasando. Subí corriendo a ver qué decía la radio, pero no llegué a encenderla porque esa tarde las noticias más importantes las daban por escrito.

344

*Martín,*

*Ya es hora de que hablemos claramente. Me es imposible seguir viviendo contigo. Hoy más que nunca estoy convencida de que fue un error quererte y que debí estar ciega cuando me casé con una persona como tú. Es cierto que mis ideas han cambiado con el tiempo, pero francamente no creo que ésa sea la razón principal. Para mí tú no eres más que un fin de raza, un hombre incapaz de comprender que el mundo puede y tiene que cambiar. No te acuso de ser directamente culpable de ello, pero sí de ser un miembro satisfecho de una familia podrida, un típico descendiente de la clase social que tanto daño y ruina ha causado en nuestro país. Un oligarca podrido. Sí, Martín, eso es lo que eres, y yo no puedo convivir con una persona así. Hace tiempo que lo venía pensando pero con los acontecimientos actuales y tu conducta perezosa e indigna todo se me ha aclarado definitivamente. Ahora no tengo tiempo para llevarme algunas cosas, pero ya algún día volveré con más calma a ocuparme de eso. Me das pena, Martín, pero no es el momento de andar apiadándose de nadie. Son momentos cruciales y yo tengo que irme a cumplir con mi deber de revolucionaria. A luchar por el poder. Vivir con un tipo como tú es como vivir con un obstáculo permanente para la realización de mis ideales. Tú saliste de entre mis enemigos de clase y a ellos volverás. No intentes buscarme. Estoy con el pueblo y ahí nunca me encontrarás. No pierdas tu tiempo. No te pido que me perdones porque he pensado mucho antes de decirte estas palabras y creo que son profundamente acertadas, reales, y honestas. Chau, Martín.*

INÉS

El documento, como Inés lo habría llamado, estaba apoyado precisamente en la radio, para que yo lo viera no bien entrase al departamento. Lo leí y releí lentamente, varias veces, y la verdad es que no lograba reconocerme del todo en él... Qué tal concha, además, de entrada me decía que ya era hora de que habláramos claramente, y sin embargo no me daba la más mínima oportunidad de réplica, sólo esa hoja llena de lugares comunes que mucho más decían sobre ella que sobre mí. Claro, este era el caso en que otros piensan, aunque sea un instante, no, no puede ser verdad. A mí en cambio no me quedaba ni ese breve consuelo. Inés era terca como una mula, y cuanto más leía y reflexionaba, más iba captando que su decisión era una especie de discurso grupal y que, aunque poco o nada tenía que ver con sus entrañas, estaba liquidado para siempre... *Tú saliste de entre mis enemigos de clase...* Qué tal raza, nadie había querido tanto a Inés como mis padres y hermanos, y sólo un tío de mierda había pensado que no era una muchacha de "mi condición", hecho éste que a mi familia le había importado un repepino, muy probablemente porque pensaban que una muchacha bella, noble, e inteligente, como Inés, sería siempre demasiada suerte para esa especie de promesa eternamente incumplida que era yo, este diablo de Martín, del cual sólo se puede esperar lo peor y en cualquier momento, mi padre dixit, muy a menudo. ¿Y su familia? O Inés estaba loca o se había olvidado por completo de que era una familia tradicional, profundamente religiosa, seria y trabajadora, al máximo, pero cuyos intereses podían chocar tanto como los de la mía con la clase a la cual ella decía pertenecer ahora. Seguí leyendo y releyendo, sin embargo, porque algo por ahí me hacía quererla más que nunca, algo en esa carta me enternecía mucho más que las absurdas ideas que Inés había expuesto en aquel *hablemos claramente* en el que yo no había tenido derecho ni a voz ni a voto, a nada, ni siquiera a asistir.

Por fin encontré la palabra, entre tanta frase, entre tanto análisis marxista-infantil del *caso* Romaña. Parecía una clave, *la* clave, de la verdadera Inés, sí, sí, se le había escapado un *chau* que para nada encajaba en el texto, esa era la clave, esa la palabrita que no era adiós, Martín, y que era en cambio como su amor, como su ternura, como tu bizquera, Inés. Sí, hasta hoy estoy seguro de que cuando escribió *chau*, al despedirse, estaba bizqueándole a la pena... *Chau, Martín...* Ese *chau, Martín* le quitaba tanto marxismo al texto, la delataba tanto, hablaba tantísimo de la hondonada. *Chau...* ¿Por qué no adiós o que te chanque un tren? *Chau, Martín,* en cambio, como si no hubiese querido terminar realmente su documento, sí, su *chau, Martín* le daba al tremendo documento una intimidad de carta, casi de carta de amor, sí, sí, a mala hora se le había escapado esa palabra a Inés, porque ahora era a mí a quien empezaban a escapársele una tras otra las lágrimas.

Y exteriorísimas esta vez, qué bestia, lloraba como si yo hubiese matado a un ser adorado, como si el daño se lo hubiese hecho yo a ella, su *chau, Martín* me hacía desbordar de ternura, de pena, de angustia por ella, pobrecita mi luz de donde el sol la toma, se te ha escapado una palabra de cariño, se te ha metido en pleno documento una dulcísima paloma privada de libertad, mi luz de donde... Inés, dónde vas a dormir esta noche, Inés, a dónde, yo siempre te dejé irte donde quisieras, siempre podías militar de noche, hacer tu vida política de noche, desde que salí del Grupo nunca te pregunté nada, nunca supe nada y nunca me importó no saber porque confiaba en ti y porque realmente quería que hicieras tu vida, había cedido en todo y lo único que me importaba era que volvieras, aunque sea al alba, a nuestra hondonada. Por eso ahora me preocupa el lugar donde vas a pasar la noche, sólo por eso, porque se te ha escapado el *chau, Martín* del demonio ese y debes estar bizquísima para no ver nunca más de frente lo que has hecho... Mierda, Inés, estoy seguro de que si hubiesen llegado los obreros a París no me escribías esto, ah mi maldita intuición, me juré que si no llegaban empezarías a odiarme, y ya ves, lo pensé, lo pensé, y ahora ya sé que nunca llegaron y que estas frases las has escrito con rabia mientas ibas esperando, mientras me ibas odiando por haberte dicho que en la radio nadie había mencionado ese hecho... Y muy simbólicamente me has dejado la carta apoyada en la radio... Mujer, *chau, Martín* deben haber sido las únicas palabras que te costó trabajo escribir. Chau, pues, Inés, y por favor no me imagines escuchando la revolución por radio, como dijo el hijo de puta de Mocasines, no, qué radio ni qué ocho cuartos, para noticias ya estuvo bueno por hoy, y además las cosas deben ir muy bien a pesar de que no llegaron los obreros, porque el monstruo me acaba de recibir sonriente... Chau, pues, Inés.

Andaba bañado en lágrimas cuando sonó el timbre, ladró Bibí, el monstruo lo calló de un porrazo, y yo pensé me cago en las lágrimas, más vale desahogarse acompañado que solo. Pensé también que podría ser Sandra, a quien le había dado mi dirección, tal vez su amigo la dejó plantada. No, me dije, ojalá que no sea Sandra, con ella sólo podemos comunicarnos bien en inglés y tener que desahogarme en otro idioma me da una flojera espantosa... Llegué a la puerta hecho una Magdalena, abrí, era Carlos Salaverry, qué suerte, en medio de todo, la persona más indicada, el amigo con el que mejor hablaba... En fin, ya iba a empezar a contarle, a llorar a mares sin vergüenza alguna, ya estaba abriendo mis brazos de Magdalena cuando Carlos Salaverry me cayó entre los brazos hecho una Magdalena.

También a él se le había vaciado el alma, la vida, y la cama. Teresa, su esposa, se había marchado acompañada por su hijita Marisa. ¡El colmo, el colmo, el colmo!, exclamaba Salaverry, ¡A quién se le ocurre partir con una niña de cinco años! Recordé lo genial que era la chiquilla, y la frase increíble que había soltado la tarde en que llevé a Lagrimón a conocer a Carlos: Mira, papá, había dicho, observando el paso de unos altos nubarrones, el cielo se va. Casi suelto que a lo mejor era la niña la que había arrastrado a su madre a las barricadas, pero francamente me pareció un exceso de humor entre tanta lágrima de una parte y de otra, y preferí decirle que era mejor subir rápido, en vista de que Bibí empezaba nuevamente a ladrar, no tardaba en salir madame Labru y en encontrarnos en el momento menos decoroso de nuestras vidas. Subamos, Carlos, subamos.

Comprendimos lo honestos que habíamos sido siempre, y de paso lo poco que vale serlo, cuando cada uno le confesó al otro que su respectiva ex-esposa formaba parte de un Grupo, que, a su vez, formaba parte del mismo Partido. Acto seguido, saqué mi carta, se la mostré, recibiendo al mismo tiempo otra carta, en fin, otro documento, que también Carlos sacó de un bolsillo para que yo lo leyera. Me bastó con un par de líneas.

—Parece una circular —le dije, inhalando cantidades industriales de mocos.

—Una circular que de ahora en adelante nos obligará a circular solos —agregó Carlos, inhalando toneladas también.

—¿Qué hacer? —le pregunté, casi automático, olvidando que Carlos no era Lenin y que era capaz de soltarme cualquier respuesta, aun la más descabellada.

—Mira —me dijo—, yo no puedo meterme a buscar a mi familia entre las barricadas. Ya lo he intentado anoche, pero a mil kilómetros de distancia empiezo a enroncharme íntegro; soy superalérgico a los gases lacrimógenos; me arde todo el cuerpo, se me incendian los ojos, me quedo ciego... Imposible buscarlas y estoy aterrado por la niña.

—Carlos, la niña debe estar con otras niñas, en casa de alguien; debe estar en la comunidad de niñas grupales. Francamente creo que por eso no tienes que preocuparte, al menos por ahora...

—Pero es que yo no sé hacerme ni una taza de café. Me estoy muriendo de hambre.

—¿Cuándo se fue Teresa, Carlos?

—Hace dos días.

—Inés acaba de irse...

—Perdona... no sabía que era tan reciente. ¿Y cómo vas a hacer para comer?

—Siempre queda por ahí algún restaurant universitario abierto. ¿Y tú?

—Ya sabes que no puedo comer en restaurants universitarios; me enroncho íntegro. Martín, no sé si tienes unos tallarines o algo por ahí, estoy muerto de hambre.

—¿Y el restaurancito de los bajos de tu edificio?

—Ya van tres veces que voy, y salgo sin poder comer... Y lo peor es que tengo que pagar.

—¿Pero por qué, Carlos?

—Por culpa de una niña de mierda...

—¿Te hace recordar a Marisa?

—Eso sería lo de menos; lo que pasa es que es la hija del dueño, y que se me acerca a la mesa y me clava la mirada, justo cuando voy a empezar a comer. La odio, la odio con toda mi alma. Espera que haya escogido los platos, para acercarse. Y no bien empiezo a comer me clava la mirada y yo trato de bajársela y arranca una verdadera tortura, porque no lo logro, y tengo que largarme con cualquier pretexto, y además pagar, encima de todo. He regresado dos veces para terminar con el asunto, y de nuevo he salido yo bajándole la mirada y teniendo que pagar. Más las explicaciones al dueño: una cita urgente que había olvidado, una llamada importantísima de larga distancia...

—Pero si no debe haber ni larga distancia, con tanta huelga.

—Eso qué mierda. Lo que importa es la mocosa del diablo. Comprende, Martín, no puedo seguir yendo y salir siempre humillado por ese monstruo de criatura.

—¿Qué edad tiene?

—Tendrá unos cuatro años, pero te aseguro que es un verdadero monstruo. —Inútil decirle que con guiñarle un ojo, sonreírle, o con preguntarle cómo te llamas, habría bastado. Inútil. Comprendí que había casos mucho peores que el mío, ah, cuánto habría gozado Inés con esa conversación entre dos cretinos, entre dos niños bien podridos, entre dos mediotínticos, a veces no le falta razón, Inés, pensé. Pero pocos amigos he tenido en la vida como Carlos Salaverry, y siempre era bueno y entretenido hablar con él, y estábamos los dos tan jodidos, además. Le prometí que me ocuparía de cocinarle algo simple, cada día, le dije que yo ahorraría yendo al restaurant universitario, y que hasta le iba a presentar a una gringa que parecía encontrar muy divertidos a los mediotínticos con problemas conyugales. Carlos, a su vez, me prometió llevarme a los bajos fondos, allá por Pigalle.

—¡Qué! —exclamé, realmente asombrado.

—Anoche anduve dando las primeras vueltas de mi vida por ahí —me dijo, agregando—: Martín, tengo ganas de irme a la mierda de una vez por todas.

Quedamos en intentarlo esa misma noche, porque al día siguiente yo tenía almuerzo universitario, tarde de hotel no estrellado, y noche de barricadas, con Sandra. Carlos estaba de acuerdo: bajos fondos hoy, y mañana él nos acompañaría un rato cuando saliéramos rumbo a las barricadas. Pero eso sí, no bien sintiera el primer escozor en la piel, ahí se quedaba sentadito esperando nuestro regreso, aunque sea a las mil y quinientas, Martín. OK, le dije, agregando que se podía quedar a dormir cuando quisiera, en vista de que el monstruo andaba tan sonriente.

—Gracias, Martín, eso me conviene mucho porque ya no tarda en acabárseme la gasolina.

—Ahí sí que te jodiste, ya no queda una sola gota en todo París.

—Para serte sincero, Martín, no veo las horas de que se me acabe. Para mí es horrible tener que manejar entre tanto autostopista, todo el mundo te pide que lo lleves y yo simple y llanamente no puedo parar. La única vez que paré, una hippie inmunda me preguntó si tenía radio, o no. Y después tuvo la concha de decirme que prefería esperar el siguiente carro, porque yo era un huevón sin música. Pero lo peor, lo que realmente me aterra, es que me suba un hijo de puta con ideas diferentes. Imagínate si se me sube un tipo de extrema derecha. ¿Qué le digo? Porque la cortesía obliga al que maneja... Martín, te confieso que sólo con imaginarme esas situaciones llevo días sin dormir...

—Mira, Carlos —le dije, pensando que le estábamos dando demasiada razón a Inés—, no hay más que una sola terapéutica para eso: ahorita mismo te vas a tu casa, a ver si por casualidad Teresa y Marisa han regresado, y a la primera persona que encuentres en el camino, te la llevas. ¿Me oyes? ¿Me oyes, Carlos? —Casi grito, porque realmente le estábamos dando toda la razón a Inés.

—Está bien —dijo Carlos—; voy, pero como me suba alguien...

—No te va a pasar nada, hombre. Mira, suba quien suba, tú

le sigues la cuerda, o lo mandas a la mierda, o le dices que piensas distinto a él, eso es todo. ¿Por qué crees que tiene que sucederte siempre algo?

A mala hora le dije que no le iba a pasar nada. No habían transcurrido ni diez minutos, cuando Bibí empezó a ladrar furioso, el monstruo a golpearlo furiosamente, y alguien a tocarme furiosamente la puerta. Bajé corriendo a abrir. Era Carlos, el pobre Carlos en un estado de rabia que le impedía hablar, por qué, qué le había ocurrido, qué te ha sucedido, Carlos. Me lo fue explicando poco a poco, y gracias a una verdadera seguidilla de tranquilizantes, le tomó horas contármelo todo. Había seguido, en efecto, al pie de la letra mis instrucciones... En la esquina había un señor parado... El señor era en realidad un viejo... Un viejo estaba parado en la esquina delante de un jardincito... Había una manguera que podía ser de cualquiera... No tenía por qué ser del señor... Del viejo que estaba parado en la esquina, delante del jardincito...

—Bueno, Carlos, pero al final, ¿qué pasó?

—Yo le pregunté, señor, ¿a dónde desea que lo lleve? ¿A dónde va usted, señor, por favor? Y el viejo de mierda, el muy hijo de la gran puta, el muy conchesumadre, el cretino del diablo ese dijo y a usted qué mierda le importa... Te lo había advertido, Martín. Cómo iba a saber yo que la manguera era suya y que estaba regando su jardín... Viejo conche...

—En fin, ya pasó, Carlos —le dije, pensando que debíamos haber nacido astrológicamente jodidos o algo así, y que en todo caso su presencia en aquellos días iba a dificultar bastante mi proceso de modernización y reestructuración.

—Me muero de hambre, Martín.

—Verdad, hombre, me había olvidado por completo de tus tallarines. No te preocupes; en un instante te los tengo listos.

—Gracias, Martín. Pero mira, lo que sí quiero adelantarte desde ahora es que no te voy a poder ayudar absolutamente en nada. Lo he tratado algunas veces en la vida, sólo por salvar mi matrimonio, claro está, pero lo único que he logrado es romper los platos más bonitos y empeorar las cosas.

—Zapatero a tus zapatos —dije, para que se sintiese más cómodo.

—Esa ya no se la cree ni Heidegger, viejo. Hasta la filosofía se ha ido a la mierda con esta primavera de autostopistas. ¿Has visto a Sartre? Anda como loco porque lo acepten de gochista; el tipo va a terminar tocando la puerta de una comisaría, a ver si lo meten preso, aunque sea un ratito, para que después lo saquen en póster como a Mao Tsē-tung, que dicho sea de paso en su juventud escribió uno que otro buen poema... Se acabó la filosofía, Martín, y no porque no se hubiese acabado antes, sino porque atrévete a decirle a alguien en la calle que te interesa y te tiran al Sena. En fin, a partir de hoy, considérame un desempleado más. Yo me voy pa' Pigalle y no vuelvo más. Sí, hay que escoger entre eso o un saco de fumar bien acolchado por dentro y con solapas de seda y una pipa, por fuera, al pie de una chimenea, viendo para siempre nevar en los Alpes, hasta que haya nevado del todo en mis sienes plateadas. Esta última imagen, con tu perdón, porque quince años de estudios de griego, latín, alemán, francés, inglés e italiano, y otros tantos de historia, más *demasiados* de filosofía, en opinión de mi *ex*-esposa, por supuesto, no logran borrar el huachafo profundo que todos los peruanos arrastramos en el alma. Grotescos en la risa, ridículos en las lágrimas, y generalmente maravillosos y más que sublimes un solo instante en toda nuestra vida... No me preguntes cuál, porque no lo sé, y no lo sé porque se trata precisamente del único instante de nuestra vida que pasa siempre completamente desapercibido, salvo honrosísimas excepciones, como la de aquel gol peruano que Navarrete le metió al Brasil, en el sudamericano del 53. Por lo demás, nada, mi querido Martín, nada para los peruanos o más bien sólo aquel proverbio salmantino: Lo que natura no da, Salamanca no lo presta, aunque la verdad es que uno no se puede fiar ni siquiera de eso. Fíjate que hace poco estuve en Salamanca, y a la entrada del moderno y flamante puente sobre el Tormes había un letrerito que decía:

—Perdona estas consideraciones tan depresivas, Martín, pero la verdad es que me muero de hambre.

—Servido, caballero, y cuidado porque están un poco calientes.

—Una servilleta, por favor.

—Voy a traerlas del wáter; son las únicas que tengo, pero te juro que no sacan ronchas.

—Soy yo el que te va a sacar ronchas con mi depresión y con mis manías de mierda. Perdóname, por favor, Martín.

Lo imperdonable aquella tarde fue lo de madame Labru. Vieja monstruosa, ya la había notado yo demasiado sonriente, aunque jamás creí que su temor a dos inquilinos extranjeros, en mayo del 68, la llevaría hasta revivir una vieja e incumplida promesa. Pero, en efecto, el miedo a lo que decía la radio le hizo pensar que había llegado el momento de sobornarnos con el somier nuevo que nos prometió cuando alquilamos el departamento. Abrió la puerta como si fuera la de su casa, saludó respetuosamente a Carlos Salaverry, y me anunció que estaban subiendo toda una cama nueva, colchón incluido. Y de paso, muy cortés, me preguntó por madame Romaña. Casi le digo que madame Romaña detestaba que la llamaran madame Romaña porque era feminista, además de marxista-leninista, y que firmaba todo con su nombre de soltera, menos la cuenta bancaria, por supuesto. Bueno, una cosa es ser feminista y otra cosa, es ser idiota. Y casi le digo, también, aprovechando su terror, que madame Inés andaba cumpliendo con su deber de revolucionaria. No fue fácil callarse, pero la imaginación aún no había tomado el poder y a lo mejor no lo tomaba nunca, y mi experiencia de ex-miembro de un grupo militante me había enseñado que no hay que ceder a las tentaciones, porque si esta hija de puta gana el match, mi pobre ex va a parar en chirona o sabe Dios dónde, aparte de que no se ha hablado de divorcio todavía, y también yo, en mi calidad de cónyuge, puedo terminar pagando el pato, cuando lo único que he hecho en todo mayo del 68 es comprometerme a alimentar a Carlos Salaverry, en vez de enseñarle que las manos de un intelectual mediotíntico no sólo sirven para romper platos.

Púchica que me estaba dando un colerón espantoso. Se me va Inés, y justo el día en que se me va Inés viene la hija de puta esta a llevarse nuestra hondonada, mi único recuerdo, el tierno lugar al que llegábamos siempre, sí, siempre, aun en aquellos últimos días en los que, orgullosamente, pero en mi caso era puro truco porque bien que sabía del resbaloncito posterior, cada uno se acostaba en el extremo más extremo y más opuesto, hasta equilibrio terminábamos haciendo sobre los lejanísimos bordes de la cama. Mas luego, con las horas y el sueño, empezaba el resbaloncito, y allá en el fondo yo volvía a sentir los muslos, los senos, las nalgas de Inés, y empezaba el más delicioso acomodo, para mí en todo caso, aunque modestia aparte, también algo de sabroso tenía que encontrar ella allá abajo, porque enseguida venía el más delicioso desacomodo rítmico, fruto del acomodo previo, fruto éste a su vez del haberse ido resbalando cada uno desde el extremo más opuesto, y ya de ahí, de ahí de nuestra hondonada, no nos sacaba nadie sino Karl Marx, pero eso a la mañana siguiente, pues es justo reconocer que el viejo aguafiestas, o se fue apiadando poco a poco de mí, o tenía algo de *voyeur*, pero en todo caso en la oscuridad se estaba siempre quietecito, y sólo se acercaba a joder, joder en el sentido de arruinarnos la vida, con la llegada del día.

Ni hablar pues de que se llevaran mi hondonada, y ni hablar tampoco de explicarle al monstruo por qué a mí nadie me quita lo que es mío, mío, mío. Mire, señora, le dije, ya no necesitamos una cama nueva porque mi esposa se ha acostumbrado a ésta; tiene incluso una pequeña lesión en la columna y el médico le ha aconsejado un somier así, medio desfondado.

—Eso no puede ser verdad, señor Romaña; un médico jamás puede aconsejar semejante cosa, ya que la otra persona puede terminar también con una lesión en la columna. En este caso, usted. Se recomienda en todo caso una cama más blanda, y precisamente la que yo les he comprado es muy blanda.

—Hija de puta —dije, bajito, y aprovechando que el monstruo no entendía ni papa de castellano. Miré a Carlos, pero éste se cagaba en cualquier idea de solidaridad conmigo, y seguía dándole a los tallarines, en vez de ayudarme. Bueno, qué sabía el pobre de la hondonada, es cierto.

—¡El noticiero de las cinco! —gritó de pronto el monstruo, mirando su reloj—. ¡Ya vengo, ya vengo, bajo a escucharlo y subo!

También yo encendí la radio y empecé a escuchar, mientras dos tipos que Inés habría odiado por estar trabajando en esos días, aparecieron con la cama nueva. La toqué, no bien la pusieron en el suelo, y traté de hundir mi mano con fuerza en el nuevo somier: ni la más remota esperanza de una hondonada, en años. Ah, pero no era blanda, qué va, era el somier más duro del mundo, y el más barato; barato, duro, y sin hondonada. Ni hablar, madame Labru no me la hace esta vez. Pero la radio me jugó una mala pasada, maldito informativo de las cinco: una buena noticia patronal y una triste noticia sindical hicieron que el monstruo reapareciera jadeante con la subidita, y dispuesta a exigirme, con otro tono ahora, que me quedara con la cama nueva, qué me creía yo, ella no había gastado su dinero por gusto, esa cama era suya y la otra ya estaba entregada en parte de pago.

—De acuerdo —dije, tras haber comprendido muy bien que se habían alterado las relaciones de fuerzas—. ¿Cuánto cuesta la cama vieja? Yo se la compro a estos señores.

—Haga usted lo que quiera, si ellos aceptan, pero que conste que yo no voy a guardar la nueva en mi departamento. No hay sitio.

—Aquí tampoco hay sitio —subí el tono de voz, mirándola con odio—, pero yo sí la voy a guardar. Me quedo con las dos camas y así estos señores no tendrán que cargar más en un día en que nadie trabaja en París.

—No te metas en asuntos ajenos, Martín —intervino inesperadamente Carlos—; tal vez los señores no pertenecen a ningún sindicato, o tal vez desean simple y llanamente mantener abierta su tienda.

Juré que no volvería a cocinarle tallarines ni nada, en el resto de mis días, por mí que se muera de hambre el tipo. Pero la vida es así y uno es así y Carlos Salaverry era así, un perfecto anfitrión, le era imposible no tratar bien a unos señores que se habían molestado en subir la cama hasta el noveno piso. Total que no bien vi que había terminado su plato, le dije que quedaban más tallarines en la olla, puedo calentártelos, si quieres, Carlos.

—Mil gracias, Martín, pero en realidad lo que necesitamos es cambiar de servilletas, porque la verdad es que...

No juré nada más, por las razones ya expuestas, e incluso terminé dándole las gracias, al cabo de un rato, porque en efecto su frase de perfecto anfitrión, de hombre incapaz hasta de llevar a alguien en su auto por temor a no compartir las mismas ideas, les cayó muy bien a los tipos que trajeron la cama nueva. Sonrientes y amables me vendieron mi vieja cama por un precio más bajo que el que ellos le habían ofrecido al monstruo, al aceptarla en parte de pago, en vista de que ahora podían deducir los gastos de transporte del monto total. Y fue así como me quedé con ambas camas, como puse la nueva en la terraza y acto seguido casi me mata el monstruo porque le podía llover encima, y como acepté serenamente dejar mi hondonada en la terraza, bien protegida, eso sí, porque la verdad es que dormir en ella sin Inés era más o menos como ésa que contaba mi padre, la del avaro que todos los domingos llevaba a sus hijos a ver tomar helados. Además, Carlos Salaverry iba a dormir en casa, y una cama nueva y realmente impecable era la única manera de que no se me enronchara también por ese motivo. Pobre Carlos, varias noches lo dejé solo mientras me batía con Sandra en su pocilga andina. Pero de todas maneras, aquella primera noche de nuestra mutua y compartida soltería, cumplí con acompañarlo al mundo de los bajos fondos, allá por Pigalle. Increíble, también ahí había cada latinoamericano...

## YO ME VOY PA' PIGALLE
## Y NO VUELVO MAS

Carlos Salaverry se enronchó con las tres botellas de vino que nos soplamos antes de partir. No fumaba, nunca bebía, pero ahora de lo que se trataba era de irse a la mierda lo más pronto posible, y la verdad es que lo estaba consiguiendo porque el trago se le había trepado muy rápidamente y unas mechas de pelo le caían sobre la frente, cosa increíble en un hombre tan pulcro y ordenado como él, mientras buscaba afanosamente las llaves del automóvil en todos sus bolsillos, diciéndome al mismo tiempo que con un poco de suerte el viejo de mierda y su manguera estarían aún en el jardincito de la esquina, ahí se las va a ver conmigo, viejo hijo de puta, le pego, carajo. Por fin encontró las llaves, arrancó el carro, no encontró al viejo en la esquina pero igual lo granputeó, y emprendió rumbo hacia los bajos fondos, deteniéndose cada vez que alguien le hacía la clásica seña del auto-stop, para luego acelerar a fondo en el instante en que la persona se nos acercaba. Traté de abrir la ventana, para refrescarlo un poco, pero muy cortésmente me pidió que la mantuviera cerrada hasta que nos alejáramos del Barrio Latino. Los gases lacrimógenos, me explicó, todo el barrio se llena de gases por la noche y ese tipo de roncha sí que es insoportable, aparte de que me quedo ciego. Bueno, ciego parecía estarlo ya por la forma en que manejaba, nos ve un policía y nos jodemos, pensaba yo, pero él como si nada, zigzagueando y preguntándome a cada rato si no se me había ocurrido traer una botella de vino para el camino, porque era realmente agradable estarse yendo a la mierda, mañana mismo me compro ropa como la tuya, Martín, con terno y corbata nadie se va a dar cuenta de que me estoy yendo al carajo, decídete, Martín, vete tú también a la mierda, qué esposa ni qué hijos ni qué ocho cuartos, nos educaron para ser virreyes de la India y mira cómo nos ha agarrado de golpe el futuro. Mi querido Martín, no bien se me acabe la gasolina me vuelvo autosto-pista en la zona de Pigalle, qué Barrio Latino ni mariconadas, eso está bien para juegos de estudiantitos, ¿te acuerdas de ese tango?...

> *Hoy un juramento*
> *mañana una traición*
> *amores de estudiante*
> *flores de un día son...*

...oñoñoooy... Nosotros ya estamos curtidos, hermanón, hay que escoger un buen barrio para irse a la mierda y te juro que anoche he detectado cosas allá por Pigalle, algo que me huele a verdadero bajo fondo, lugares con el alma sucia y las uñas inmaculadas, purgatorios que se cagan en el cielo y siguen igualitos toda la vida, porque no me vengas con que a Humph-rey Bogart o a Robert Mitchum los puede afectar una prima-vera rebelde, a mí con cuentos... Las leyes del hampa, las de la verdadera hombría, las del coraje ante la adversidad, las del pro-xeneta y la puta, las del matón y un amigo flaco, ¿dónde están escritas esas leyes, Martín? Nadie, nadie las ha escrito, y sin embargo son las únicas que duran y perduran, las únicas que... Mira, Martín, allá hay un sitio abierto para comprar vino, baja y compra todas las botellas que puedas y pide del más barato para que nos haga más daño... Te tengo que mostrar un lugar que descubrí anoche, se llama Valparaíso, inenarrable, compa-dre, ahí no hay hijas ni esposas que valgan, perdona, Martín, no me refería a Inés, me refería a... Bueno, pero qué chucha, Inés también, hermanón, espérate a que lleguemos al Valparaíso, ¿vas a mear?, espérate que bajo yo también y te acompaño, ningún peruano mea solo, compadre, meemos ese árbol de mierda, carajo...

Compré todo el vino barato que pude, y por fin llegamos al inenarrable Valparaíso de Carlos. Ese es el sitio, me dijo, pidiéndome por favor que le estacionara el carro porque a él ya le resultaba imposible con tanto vino. La verdad es que a mí también me resultó casi imposible, nos habíamos tomado un par de botellas más y yo hacía años que no manejaba un automóvil. Bueno, Carlos, le pregunté, ¿y qué hay en el Valparaíso? Ya veremos, Martín, porque para serte sincero anoche sólo estuve aguaitando desde afuera, no, no creas que no me atreví a entrar, lo que pasa es que aún no había decidido irme a la mierda del todo, hay que inspeccionar el lugar antes, di mis vueltas y pasé varias veces por delante, hay putas, eso te lo garantizo, putas como en nuestra infame adolescencia, y hay gente con cara de no haberse enterado de que estamos en medio de una revolución, eso es lo fantástico, la vida sigue para ellos porque en el mundo de lo prohibido no te vas a estar preocupando por quítame esta paja, qué va, mira, Martín, te aseguro que entramos al Valparaíso y que al mismo tiempo estaremos saliendo de la historia, una sensación cojonuda, Martín, es como si se te hubieran subido delicioso los tragos, como fumar opio, hermanón, vamos, vamos, compadre, entremos, anímate, dos huevones que se están yendo a la mierda merecen respeto en cualquier parte del mundo, es sólo cuestión de pagar la cuenta aunque nos cobren diez veces más de lo debido... Me cago de miedo, Martín, ¿entramos? Entremos, le dije, porque yo también me estoy cagando de miedo de que salga alguien a preguntarnos qué mierda queremos, a quién buscamos, qué hacemos de mirones aquí, y por qué no entramos o no nos largamos de una vez por todas.

—¿Tienes plata, Carlos? —fueron mis primeras palabras en el Valparaíso. Nos habíamos instalado en una mesa, en el extremo opuesto al mostrador, bastante sorprendidos de que nuestra dignísima entrada no hubiese despertado la más mínima sospecha, ni sorpresa, ni mirada, ni reojo, ni nada. Aquí se cagan hasta en Humphrey Bogart, pensé, aterrado, pero no le dije nada a Carlos, para que no me fuera a acusar de haberlo obligado a entrar a un antro del que ninguno de los dos saldría con vida. Insistí en lo del dinero, porque me parecía el único aspecto de nuestra ida a la mierda que podría interesarle a tan silenciosa y discreta concurrencia.

—Aquí se cagan hasta en Humphrey Bogart —me respondió Carlos.

—Fíjate que ni cuenta me había dado; más bien estaba pensando que Pigalle es una zona tan tranquila y tan turística...

—Esto no es exactamente Pigalle, Martín. Y no sé si te has fijado que no hay un solo turista, a no ser que...

—...a no ser que sigamos hablando en castellano y seamos los primeros turistas que han entrado jamás aquí, ¿no?

—Creo que ahora se trata más bien de salir de aquí con vida, Martín.

—De ahí mi insistencia en lo del dinero. Yo tengo muy poco.

—Por eso no te preocupes; a mí creo que me alcanza para pagar el rescate.

—Entonces gastemos, mi querido amigo, pues eso es lo que todos están esperando de nosotros.

—¿Qué pedimos?

—Creo que, en principio, debemos pedir lo que nos provoque, porque tampoco se trata de hacerles el juego —declaré, absolutamente dispuesto a cambiar de opinión.

—¿Champán? —insinuó tímidamente Carlos.

—Por qué no —dije, cambiando de opinión—, ése debe ser el monto del rescate.

Traté de pedir una botella pero me salió un gallito, a Carlos no le salió ni siquiera un gallito, y no tuve más remedio que insistir con una voz que no he podido identificar en toda mi vida, pero que logró redimir un alma en ese antro de perdición, porque el mozo se puso buenísimo y regresó más bueno todavía con el champán más caro de mis conocimientos en la materia. La segunda alma redimida por mi falsa voz fue la del pianista. Era un tipo mucho más delgado que Atahualpa Yupanqui, pero cuyo prestigio, de existir, se basaba indudablemente en el hecho de que, visto de cerca, se parecía un montón a Atahualpa Yupanqui, visto de lejos. Nos sonrió con muchos dientes de oro y demasiada tristeza acumulada en el alma, y se arrancó con unas canciones latinoamericanas que jamás habían estado de moda en Latinoamérica, en épocas de las que Carlos y yo tuviésemos recuerdo. Pero era agradable el asunto, y aunque nos dejaba como un par de pelotudos, era más agradable aún comprobar que nuestro pavor había sido exclusivamente de origen lingüístico. En Lima, Caracas, Buenos Aires, o en Santiago de Compostela, el Valparaíso habría sido un bar de putas en castellano, con peligros en castellano, y con gente mucho más jodida que nosotros, en castellano también. Se podía uno tomar sus copas, emborracharse, pagar si es que se tenía dinero, y éste era nuestro caso, todo en castellano. En fin, para qué andar muriéndose de miedo si, como hubiese dicho Carlos, estábamos nada más que en un bar de putas como en nuestra infame adolescencia. Y tal vez lo único verdaderamente peligroso, pensé, es que andamos cerca de los treinta años comportándonos como un par de niños infames y aprovechando la única ventaja que puede representarle París a un extranjero marginal e intelectual, a condición de que no trabaje de obrero, por supuesto: la de prolongar la adolescencia hasta que lo sorprenda la muerte.

Y no sé por qué, al terminar este pensamiento, por primera vez en mi vida, aquella noche en el Valparaíso se me escaparon tres palabras: Octavia de Cádiz. Sí, dije claramente eso, y Carlos me preguntó ¿qué? y yo dije ¿qué?, también, porque hasta hoy no comprendo este extrañísimo fenómeno, inherente desde entonces a mi vida, como los cinco bultitos de Enrique Alvarez de Manzaneda. Consiste en soltar la palabra Octavia, cada vez que me tropiezo, voy llegando tarde a una cita, me doy cuenta de golpe de que me he olvidado de algo, me quemo el dedo al encender la cocina, me suben el alquiler, recuerdo algo que me avergüenza, etc. En fin, podría dar mil ejemplos más, pero en el fondo sólo serían derivados de los anteriores. Me tropiezo y digo Octavia, llueve inesperadamente y digo Octavia. Lo que sí, y esto es lo único coherente que puedo contar de tan extraño asunto, hace ya mucho tiempo que dejaron de escapárseme las tres palabras. Antes decía Octavia de Cádiz, pero por ser precisamente tres las palabras, y a menudo pronunciadas en la calle (un tropezón, una caquita de perro en la vereda, etc.), parecían la frase completa de alguien que habla solo, y eso sí que es terrible en París, porque se expone uno a que se le acerquen rarísimos otros solohablantes y a terminar descubriendo muchas variedades ciudadanas de ésas de partir el alma. Y como he luchado siempre porque éste no sea mi caso, pues considero mucho más digno lo del perro callejero que va pasando entre la gente que lo mira indiferente, etc., etc., EN TOTAL SILENCIO Y CON LA CABEZA ERGUIDA, hacia 1971, más o menos, logré suprimir la palabra Cádiz, hacia 1972, la preposición de, y ahora sólo se me escapa Octavia. Pero también esto resulta inexplicable si tenemos en cuenta que, cuando finalmente conocí a Octavia, una serie de circunstancias muy divertidas hicieron que le cambiara de nombre, la verdad es que a los dos nos encantaba cambiarnos a cada rato de nombre, tal vez porque día tras día descubríamos a un ser aún más maravilloso, en el ser de ayer, e inmediatamente procedíamos a bautizarlo con algún nombre muy lindo o muy divertido, para poder acariciarlo sabiendo cómo se llamaba. Le descubrimos como un millón de sinónimos a la palabra amor, entre Octavia y yo, y todos eran superiores, notables, fabulosos, imposibles, qué sé yo lo lindos que eran. Con ella, y sin ella, llenaré otro cuaderno, ya que éste sólo me va a dar para terminar con Inés y nuestra historia, aunque en realidad debería decir lo contrario: para que Inés termine conmigo y con todo.

Pero retomando el hilo, ya el pianista se había tocado muchas de esas canciones que jamás estuvieron de moda en nuestra infancia, adolescencia, o en los años que precedieron a nuestra llegada a París, épocas todas infames, según Carlos, cuando otra alma redimida aterrizó en nuestra mesa. Para qué negarlo, era el champán que tan generosamente consumíamos el que había atraído a esta alma, ya que recién al sentarse captó que éramos tan latinoamericanos como él. Y nosotros, lo mismo, porque el perfecto japonés que se nos instaló en la mesa se presentó como Eudocio Zamudio, colombiano de padre colombiano y de madre también colombiana, pero hija ésta de padre y madre japoneses de pura cepa, ésa ha sido mi cruz, amigos, nos dijo, haciéndole una seña al Atahualpa del piano para que siguiera partiéndonos el alma con su música de mierda.

Para Carlos había llegado el momento del descenso a los bajos fondos. ¡Más champán!, gritó, súbitamente envalentonado porque Eudocio Zamudio parecía ser un habitué del Valparaíso, porque además parecía conocer al pianista, y porque la anterior botella de champán se la había bebido prácticamente solo (en ese orden), yo casi digo agárrate Catalina, que vamos a galopar. Y en efecto, Eudocio Zamudio, pero para ustedes, hermanos, El Ponja, salud, hermanos, empezó a galopar por la historia de su vida, vida de mierda, que no siempre había sido una vida de mierda. Juventud feliz en Bogotá...

—Eso no existe —interrumpió Carlos.

—...una hembrita cruelmente abandonada, unos estudios de Farmacia, y con ellos arrancó este viaje que hoy termino muy jodido, pero también muy contento.

—Bueno, salud —dijo Carlos—, pero que conste que yo sólo brindo por la parte en que estás muy jodido.

—Claro, salud —dije yo, agregando, más que nada por intensificar la sensación de descenso que Carlos tanto buscaba—: Tienes suerte, hermano, son pocos los que terminan bien en los últimos tiempos.

—¿Por qué estás contento, Ponjita? —intervino, enseguida, Carlos—. ¿No sabes acaso que el mundo fue y será una porquería?

Nunca conocí un filósofo que supiera tantas letras de tango como Carlos.

—Lo sé mejor que nadie —respondió Eudocio Zamudio—, pero para mí será ya para siempre una porquería luminosa, con colores reales, sin anteojos negros.

—Explícate, Ponja —dijo Carlos—. No sé si es el maldito champán o qué, pero no te entiendo ni mierda. Y de paso, Martín, pídete otra botella.

—Los estudios de Farmacia tuvieron la culpa. Yo era un buen estudiante.

—Por favor, hermano, sáltate la parte de los amores de estudiante...

—Déjalo hablar, Carlos.

—Me becaron pa' Alemania, hermanos.

—Heidegger es un huevón.

—Carlos, déjalo hablar.

—Y ahora ya estoy de regreso. Me voy para siempre a Colombia, me voy a mi tierra y nunca más usaré anteojos de sol. Lo único malo es que a Piolín, a mi hermano Piolín, no logro convencerlo para que regrese también a su tierra...

—¿A tu hermano qué? —lo interrumpió nuevamente Carlos.

—Piolín, el pianista. El es ecuatoriano, quiteño. El dolor nos juntó en unos bailes en las afueras de Munich. El tocaba ahí antes de venirse a París. *Das Ball des einsamer Herzen.*

—*El baile de los corazones solitarios* —tradujo Carlos, diciéndole de paso al Ponja que pronunciaba pésimo el alemán, pero que en fin...

—Carlos, por favor.

—Limítate a pedir y a beber champán, Martín. Deja hablar a este hombre feliz.

—Carlos...

—El que paga soy yo.

—Pero el que cuenta soy yo —dijo Eudocio Zamudio, impacientándose.

—De acuerdo, pero termina rápido porque me joden los hombres felices.

—Soy feliz, con tu perdón, hermano, porque ya nunca más usaré anteojos negros, pero créeme que todo lo demás es pena, mucha pena. Eudocio Zamudio tenía que rebelarse un día y mandar a la mierda a esa banda de hijos de puta, racistas de mierda, hijos de la gran puta. Helga y yo debimos dar la batalla frontal, de entrada, todos los datos. Helga era mi chica, no la colombiana sino la alemanita. Casi la matan cuando contó en su casa que se había conseguido un novio colombiano. Fueron meses de gritos y peleas, meses de vernos a escondidas. Un día, por fin, aceptaron, de muy mala gana pero aceptaron. Y ahí empezó el verdadero vía crucis, una vida entera con anteojos negros, hasta tenía que dormir con los anteojos puestos, por temor a que alguien de la familia entrara de golpe a la habitación y descubriera que además de todo el colombiano era japonés. Helga me juró, me convenció de que eso sí ya era demasiado para la cosmovisión de sus padres: colombiano, de acuerdo, pero japonés, encima de todo, imposible, jamás las dos cosas juntas, la una o la otra, porque era demasiado para esos mierdas un ponja colombiano. Esos han sido, hermanos, mis seis años de anteojos negros. Eudocio Zamudio tenía que rebelarse un día, y ese día llegó una mañana en que me salí desnudo de la ducha, ¡mírenme!, ¡mírenme desnudo! ¡desnudo!, les gritaba, pero esos hijos de puta ni cuenta se dieron de que estaba desnudo y mojado y mojándoles el piso recién encerado, nada, ¡japonés!, ¡colombiano y japonés!, empezaron a chillar, y hasta me denunciaron a la policía. Ya de eso hace algún tiempo, ya no hay Helga, ya no hay nada, pero puedo vivir sin anteojos negros y qué lindo es París sin anteojos negros, muchachos. Y qué lindo será mi país sin anteojos, hermanos. Ayúdenme a convencer a Piolín, por favor. Si supieran lo triste que era verlo tocar en El baile de los corazones solitarios, entre gordas viejas que casi te alzaban en peso y que se lo bailaban a uno, vals tras vals, domingo tras domingo, en los más sórdidos suburbios de Munich.

—Déjanos la dirección, Ponja —le dijo Carlos, ya muy borracho—; tal como están las cosas es probable que la necesitemos pronto. Yo, en todo caso, me siento completamente listo *für Das Ball der einsamen Herzen*... así se pronuncia, Ponjita... Soy capaz de partir mañana mismo.

—Muchachos —lo interrumpió Eudocio Zamudio—, les presento a Piolín, mi hermano Piolín.

—Martín, pide más champán.

—No, esta vez la casa invita; para algo soy el pianista —dijo Piolín, mostrándonos la tristeza de su sonrisa, por toda presentación.

—Yo creía que la única manera de salir de aquí con vida era arruinándose, —comentó Carlos, preguntándole luego su nombre y apellido.

—Piolín, no más, muchachos; con Piolín basta.

Otra sonrisa tristísima y todos los dientes de oro. Eudocio Zamudio intervino, entonces, para contarnos que una tarde no había encontrado a Piolín en El baile de los corazones solitarios. —Lo fui a buscar a su casa y ya se había ido de Alemania. No saben la alegría que sentí, creí que por fin había dejado de tocar el piano en lugares sórdidos, creí que por fin había regresado a Quito. Pero una tarde recibí una tarjeta de París, Piolín tocaba en el Valparaíso y me enviaba la dirección. Me he venido corriendo a convencerlo, muchachos. Yo me regreso a mi tierra y él también tiene que regresar a la suya. No puede seguir tocando eternamente en estos lugares para corazones solitarios...

—Para corazones solitarios —repitió Carlos, con la cabeza hundida entre los brazos—; acertó este cojudo.

—Hermano Piolín —dijo Eudocio Zamudio, como quien continúa una vieja discusión—, deja el Valparaíso, vámonos, hermano, cada uno a lo suyo, regresa a Quito... Martín, Carlos, convénzanlo de que no puede seguir así toda la vida... Lleva más de veinte años así.

Increíble, me dije, por donde uno va se encuentra con latinoamericanos. Y en qué estado. Eramos cuatro, ahí, y cada cual parecía estar más jodido que el otro. Eramos los únicos realmente borrachos en ese bar de putas en el que los demás clientes podían dividirse entre putañeros y ensimismados, y las putas, entre las que estaban bastante mal y las que no estaban nada mal, incluso alguna hubiese podido pasar por una joven y perfecta ama de casa de buena familia limeña, bien vestidita, discretamente maquillada, rubiecita, delgada, la verdad es que en Lima a nadie se le habría ocurrido que no era una señorita bien, una delicada francesita... Bueno, pero de lo que se trataba ahora era de ayudar un poco a Eudocio Zamudio a convencer a Piolín, para luego pedirles a los dos que me ayudaran a sacar a Carlos de ahí. No tardaba en enterrar pico.

—Piolín —intervine, tratando de quedar lo mejor posible con Eudocio Zamudio—, ¿qué razones te mueven a permanecer año tras año en estos sórdidos lugares? ¿Hace cuánto tiempo que saliste de Quito?

—Abandoné el Ecuador —me respondió, esta vez sin sonrisa y sin dientes de oro— la fatídica mañana del 27 de septiembre de 1947, cuando en un hotel de Quito, María Elena me dijo: Piolín, no sólo no te quiero sino que no te quiero volver a ver más.

—Eso es lo que se llama irse a la mierda, carajo —comentó Carlos, momentáneamente reanimado por la inefable frase de Piolín—. Viejo, dame la mano porque realmente has logrado destrozarme el corazón... No se puede pedir más, hermano.

—Piolín —insistí, viendo que muy pronto necesitaría la ayuda de todo el mundo para sacar de ahí a Carlos—, pero de eso hace ya más de veinte años; María Elena debe ser hoy una señora gorda, casada, con siete hijos y hasta nietos, tal vez. ¿Por qué no regresas?

—No regreso, señores —anunció Piolín, y nunca vi tantos dientes de oro ni tanta tristeza en una sonrisa—, no regreso por la sencilla razón de que no tengo en el bolsillo lo que tengo en la boca.

—Bebe champán, hermano —le susurró Carlos—, bebe con confianza, hermanón, yo pido más si...

Ahí terminó la noche para Carlos. Estaba tratando de eructar, cuando cayó. Pensar que mañana tendré que ocuparme de su horrible malestar, me dije... Y del mío... Pensar que tendré que contarle a Sandra todo esto, todo lo de Inés, casi lo que es América Latina, vamos... Pensar que sólo con mucha suerte lograré explicarle bien cómo y por qué vine a dar aquí, y que Carlos es un ser como hay pocos, y que se merece todo el cariño y el respeto que le tengo... Pensar que tengo que meter a Carlos en casa sin que se entere el monstruo, pensar que estaré cansado y que me cansaré más si Sandra no me entiende todo lo que voy a contarle, pensar que Sandra me ha dicho que me conocía de vista y que me encuentra muy divertido, pensar que mañana voy a seguir tristísimo con la desaparición de Inés, pensar que a lo mejor Sandra no logrará entender nunca estas cosas que voy a querer contarle, pensar que... En fin, en qué no pensé antes de que se acabara para mí la noche. Pero lo que jamás se me ocurrió es que iba a ser yo quien tendría que luchar por entender hasta qué punto Sandra era una muchacha ingenua y complicadísima, a la vez. Hasta hoy guardo aquella foto que me envió, mostrándome alegremente y por última vez sus piernas tan hermosas.

## ...AND THAT'S ME ON THE LEFT WITH THE BEAUTIFUL LEGS

No le había faltado razón a Carlos Salaverry cuando dijo que entrar al Valparaíso era como estar saliendo de la historia. Era una frase momentánea, ebria, personal, e intuitiva, pero al día siguiente, en la pocilga andina de Sandra, tuve fuertemente la sensación de hallarme en medio de algo que escapaba por completo a mi entendimiento, en medio de algo que era y no era la verdad, al mismo tiempo, como si por primera vez en mi vida la honestidad y las mejores intenciones avanzaran por dos caminos que ni siquiera llegaban a ser paralelos. Y lo peor de todo fue que así empezó a transcurrir desde entonces para mí la historia, aquella difícil presencia entre la gente y los hechos que se había iniciado sin duda con las fracasadas navegaciones de mi infancia y adolescencia, y que por el 68, entre Inés, entre

Sandra, entre el desenlace atroz al que me acercaba con Enrique Alvarez de Manzaneda, entre todo, todo cada vez más exagerado en mi vida, se convirtió, por un buen tiempo, como suele decirse, en un estar raro muy incómodo en un mundo hostil, hostil por gusto, porque le daba la gana, y en el que además mi vieja táctica de volverme loco un rato no me iba a servir de nada.

Y fue entonces cuando empecé a sentir aquel terror ante una situación *bastante novedosa en la vida de Martín Romaña* (mi única facultad defensiva era la de observarme observándome). Consistía en que no tardaba en encontrarme a cada rato un jebecito tirado en la calle, un trocito roto de elástico como el que cualquiera ve sobre la vereda, al pasar, una basurita encorvada e inútil. Lo malo es que yo al jebecito constante lo iba a ver estiradísimo y sin nadie estirándolo DE UN EXTREMO NI DEL OTRO cuando me pusiera a observarlo horas y horas y qué hacer y cómo hacer para lograr volverme loco un rato.

Por ahí he escrito, Sandra, que creo que me amaste y que creo que no te amé. Claro, podría agregar, burlón y amargo, ¿y qué querías, pues, hijita, estando en el mundo Inés? Pero no fue así, por más que mi dulcísima paloma anduviese revoloteando aún, casi de noches de ronda, en las proximidades. Fue diferente, fue más bien como una victoria pírrica del no amor, con su amargo sabor a derrota incluido, además. No nos dimos tiempo para mucho él-es-así y ella-es-así, y en cambio nos pusimos mutuamente en acción, si a eso puede llamársele acción, en menos de lo que canta un gallo. Tú me enseñaste lo pobre que naciste en Alaska, que pasaste un largo tiempo sin zapatos en Nebraska, y que te acostaste por primera vez en 1965, con un dominicano, pero no por el dominicano sino por la intervención norteamericana en Santo Domingo. Todo lo cual despertó en mí sentimientos del siguiente tipo: exportar a Marx a Nebraska, pero tú ya lo conocías, comprarte muchos zapatos muy caros, pero eso era capitalismo tipo Martín Romaña, en pleno mayo del 68, y maldecir al Perú porque los marines no lo invaden nunca. Esto último, aclaremos, no fue más que una desesperada agresión contra Sandra y lo del dominicano y lo de medio mundo, porque ya andábamos en la época (la época empezó inmediatamente) en que Sandra se acostaba con cualquiera menos conmigo, porque a mí me amaba y quería acostarse conmigo, no por darme placer, como a los demás, sino cuando su corazón y su cuerpo, en un mismo instante, se lo pidieran. Chispas, ya verán los malos ratos que pasé al acecho de aquel instante... Bueno, todo eso por parte de Sandra.

Por mi parte, ahora. Yo quería, desde nuestro segundo encuentro, contarle lo de Inés y lo de Pigalle con Carlos Salaverry y el ex-militante Víctor Hugo yéndose al carajo para no volver más. Iba dispuesto a hacerlo aquel día siguiente al Valparaíso, en que avanzaba hacia su hotelucho tras haber dejado a Carlos entre vómitos y más vómitos, jurando que jamás volvería a intentar irse a la mierda, entre otras cosas porque el lugar ya estaba copado por seres inimitables como Piolín, porque detestaba el efervescente sabor de los antiácidos, y porque le caía pésimo la aspirina, aparte de lo mucho que podían gozar sus enemigos con saberlo en ese estado. Estos, en cambio, morirían de envidia al saberlo para siempre con pipa y saco de fumar ante una chimenea de los Alpes.

—Opté por eso, Martín —me había dicho—, o sea que pronto dejaré de molestarte. Me largo de este país no bien pueda, con la seguridad de que será para bien de media humanidad, y del mío, para empezar. Y con la absoluta seguridad, también, Martín, de que estableceremos una hermosísima correspondencia.

Después había corrido a vomitar de nuevo.

—Eso te aliviará, Carlos —le dije, siguiéndolo para sostenerle la cabeza.

—Sin duda —me había dicho, entre un espasmo y otro—, pero no ahora sino cuando haya terminado, o sea pasado mañana, con suerte. No necesitaré comida durante un par de días, pero de todos modos te ruego que pases un rato esta noche, a ver si no me he muerto, carajo. Y ahora lárgate a ver a Sandra, para que algún día pueda decir que me dejaste agonizando, por irte a ver un culo. Hablando en serio, Martín, ya es hora de que vayas y ya es hora de que yo…

Ahí quedó, arrojando el alma, y minutos más tarde llegaba yo a la pocilga andina, dispuesto a explicarle a Sandra cosas como que no todos los momentos sublimes de un peruano pasan completamente desapercibidos. Ello me impidió oír voces adentro, mientras tocaba.

"Octavia de Cádiz", se me escapó, al ver que me abría un tipo con cara de latinoamericano.

—No vive aquí —me dijo.

—Octavia de Cádiz —se me volvió a escapar, por más que hice.

—Che, ya te dije que no vive aquí.

—¡Sandra! —grité, para terminar con el impasse.

—Che, Sandra, aquí hay un tipo que pregunta por vos y por una tal Octavia.

—Perdón, *sólo* pregunto por Sandra; lo que pasa es que me equivoco.

Empecé a detestar al tipo. Su corpulencia le daba para tapar íntegra la puerta y además estaba tapando intencionalmente íntegra la puerta con su corpulencia. Pensé decirle que tenía cita con la muchacha invisible mientras sigas parado ahí, imbécil, pero en ese instante la cabeza de Sandra se le incrustó por un sobaco y me dijo entra, por favor, Martín, agregándole a sus palabras una sonrisa que me animó hasta el punto de que casi le doy su empujoncito a Toño.

Porque se llamaba Toño y era argentino y era trotskista, mucho gusto, y yo era Martín Romaña a secas, porque no venía a hablar de política sino de Carlos Salaverry, Piolín, Eudocio Zamudio, y de Víctor Hugo, y porque no bien se quitó amablemente el corpulento, me encontré con una habitación llena de humo y con tres individuos más, que Sandra me presentó como Juanito, marxista-leninista del Ferrol del Caudillo, Yoyo, anarquista, peruano como tú, es el segundo que conozco, Martín, nos encontramos anoche en una barricada, y Pierrot, vasco francés, que hubiera preferido ser vasco español, para poder militar en la ETA. Normalmente, en estos casos, los españoles dicen ¡acabáramos! Al menos creo.

Pensé que era innecesario seguir presentándome, porque hacía un instante que mi mente había sido atravesada por la depresivísima idea de que ahí todo me delataba: intelectual, mediotíntico, recién abandonado por esposa emprendedora, hombre negado para la acción, y sobre todo, hombre negado para Sandra. Me alivió un poco recordar que ella me encontraba divertido, a pesar de tantos agravantes, y procedí a crearme una alianza momentánea con mi compatriota Yoyo, preguntándole para ello si conocía a Bryce Echenique, la mierda ésa que se está pasando todo mayo encerrado en una torre de marfil, el hijo de...

—¿Pero por qué, hermanito? Bryce Echenique es un tipo lindo, él hace lo que le da la gana y así es sincero y es lindo. Déjalo en su torre, para qué te metes con un tipo tan lindo.

Che, intervino Toño, mientras yo pensaba el mundo anda patas arriba, yo a las torres de marfil les meto un molotov. Yo dos, dijo Juani, y yo tres, dijo Pierrot, con lo cual arrancó una discusión política de bajísimo nivel teórico, cuya finalidad, triste es decirlo, aunque ellos en el fondo lo ignoraban, no era precisamente la de conquistar el poder sino la de terminar metidos en la cama con Sandra. Empezaron a matarse citando frases clásicas, slogans, hablando de cosas hechas y por hacer, de lo prohibidísimo que estaba prohibir, de la barricada de anoche, del hijo de puta de Bryce Echenique, de lo equivocado que estaba Yoyo al defenderlo, y de que así se empieza, viejo, primero mucho anarquismo pero fíjate en los collares que te andas poniendo, son los mismos que se quitan algunos hippies en Estados Unidos antes de irse al Vietnam. Yoyo los mandó a la puta de su madre, manteniéndose así la discusión dentro de su nivel, y agregó que si un collar era lindo, él se lo compraba o se lo tiraba, y que por eso Bryce Echenique era lindo: a él le gustaba su torre de marfil y no tenía por qué salir ni a la esquina si no le provocaba... A estas alturas de la discusión, yo ya había comprendido que no había nada que temer al nivel teórico. Sandra era mía; sería mía no bien abriera la boca y empezara a citar frases, párrafos, páginas, panfletos enteros de los que mi permanencia en el Grupo me había enseñado.

Pero pensé en Carlos Salaverry vomitando cultísimo, y en su honor decidí quedarme callado, aunque la verdad es que él les habría probado, además, que con unos cinco años leyendo *El Capital*, y en la versión alemana, tal vez habrían podido ser útiles para algo en la política de sus respectivos países, después un portazo y a la mierda con todos. Yo no me atreví a tanto, cómo me iba a atrever a tanto si estaba ahí por Sandra y Sandra había abierto enormes los ojos y seguía la discusión interesadísima, ¿qué hacer, por Dios santo, Lenin? Debo decir, en honor a la verdad, que fue Dios el que me oyó esta vez, por Lenin nos quedamos peleando en el cuartucho hasta las mil y quinientas. Pero del cielo le anunciaron a Sandra que ya era hora del restaurant universitario y muchos ángeles y serafines le hicieron recordar que la cita era con Martín Romaña, el divertido, y ahí se quedaron los otros matándose a un nivel bajísimo, parar por hambre o por celos habría sido contradecirse en su pasión política, mientras que el espíritu del 68 y yo arrancábamos rumbo al restaurancito para estudiantes un poco enfermitos y yo hasta me atreví a decirle a Sandra Anita María Owens que a esos muchachos les faltaban años de formación, así no hay barricada que dure...

Fue una reverenda metida de pata. Martín Romaña, empezó a resondrarme Sandra, mientras a mí se me escapaba un Octavia de Cádiz, esos muchachos se la juegan cada noche en las barricadas y por consiguiente encuentro que tu juicio es el de un intelectual titubeante, un hombre deformado por la cultura, el de un ser incapaz de captar el momento. Porque mira, Martín, el momento no es cultural sino imaginativo, hay que crearlo todo, a medida que todo se va creando solo, ¿me entiendes?, y tampoco se trata de estar a favor o en contra sino de todo lo contrario, ¿me entiendes, Martín? Casi le digo que en América Latina teníamos uno que hablaba igualito y que se llamaba Cantinflas, pero nuevamente debo confesar que no tuve el coraje intelectual de Carlos Salaverry. ¡Ah!, lo justiciero que es el cielo: acababa de premiarme por haberme quedado callado cuando debí, y ahora me castigaba por no haber hablado cuando debí. Sandra siguió alabando al cuarteto político que había quedado en su habitación, y la pregunta no se hizo esperar: ¿A dónde estuviste tú anoche, por ejemplo, Martín Romaña? ¿A dónde, mientras ellos se la jugaban en las barricadas?

¿Se lo digo o no se lo digo?, me pregunté inhalando ansioso, nervioso por conocer mi respuesta. Inútil confesar lo que le iba a decir: Sandra, anoche tomé por asalto la torre de la Sorbona. Me lo habría creído, y habría resultado todo tan simple: sus ojos abriéndose enormes, su sonrisa admirándome, su cariño encontrándome más que divertido, su honestidad entregándose a mi coraje, y lo linda que era: Sandra llevaba el pelo muy muy corto y tenía los ojos más grandes y más azules de mi vida: era alta, tan alta como yo, delgada y falsamente delgada, es decir... Me había explicado el primer día que usaba esos enormes aretes, porque una vez el patrón de un café no la vio de cuerpo entero y la tomó por hombre, por el pelo tan chiquito y con la ropa tan suelta que usaba. Yo, ni disfrazada de Superman la habría tomado por hombre. Y sus labios, *full lips,* como decía ella. Y el pantalón por más amplio que fuera deslizándose sobre sus caderas y la manera en que no caían sus nalgas, como uniéndose a su cintura, y su cintura y su piel y los vellos acariciables de sus antebrazos, como para estarse ahí horas acariciándolos...

Total que exhalé la verdad: había estado por Pigalle con mi amigo queridísimo, el filosófico estudiante de Filosofía, Carlos Salaverry, tratando de irnos a la mierda de mentiras, ya que éramos incapaces de lo contrario, por asuntos que tenían mucho que ver con la verdad, la nuestra, por lo menos, ya te explicaré bien, Sandra, porque es complicadísimo, tengo que empezar prácticamente desde el descubrimiento de América (ahí me enteré de que tampoco Sandra tenía mucho sentido del humor), en fin, Inés me mandó a la mierda y a Carlos lo mandó a la mierda Teresa y nosotros decidimos irnos al Valparaíso, que es la mierda, pero según Carlos el sitio ya estaba copado por Piolín, una historia inmortal, Sandra...

Sandra empezó a llorar de incomprensión y yo vi un jebecito constante, el primero y tal como me lo había imaginado, la empujé para no observarlo estiradísimo y sin que nadie lo estuviera jalando por ninguna parte, y le dije, gritando *ma contenutíssimo*, es *todo* lo que venía a contarte, Sandra, y ya nunca más te llamaré Sandra Anita María Owens porque estás llorando, demonios, vine para hablarte de estas cosas y terminas así, ¿por qué lloras, Sandra?, ven, te invito a comer un sándwich enorme y riquísimo, algo mucho mejor que el restaurant universitario, démonos un lujo, Sandra, no llorar, por favor, si no Martín Romaña el divertido llorar también...

Y aquí arranca el desenlace de esta parte de la historia que, a su vez, enlaza con esta otra parte: Yo había imitado a Tarzán. Por qué, no lo sé, tal vez porque mi ternura necesitaba recurrir al humor más fácil (Tarzán llorando por Sandra en la jungla de París), para calmar las lágrimas de Sandra, sí, eso debió ser. Pero ella lloró más aún, quejándose además, ¡qué hacer, Lenin, por Dios santo!, de que yo me andaba burlando hasta de su inglés: sí, ella empleaba mal los verbos, sí, yo con toda mi cultura la estaba aplastando hasta en su propio idioma, *pero... pero...* Sorbió mocos mientras yo aflojaba mocos y continuó su frase, que era, por supuesto: pero es con la imaginación que se toma el poder y no me voy a dejar corromper con un sándwich, y menos tuyo, Martín Romaña, porque te encuentro tan divertido y porque realmente me hiciste gracia cuando te asustaron tanto los amigos que encontraste en mi cuarto.

—Sandra, *por favor*, escúchame —inhalé, recogiendo de paso mocos—; no he querido, *no* quiero mentirte, Sandra —supliqué, casi, inhalando mucho más.

—Martín —dijo ella, llorando muchísimo más—, parecías tan asustado creyendo que me había olvidado de nuestra cita... Les tenías tanto miedo a mis amigos cuando hablaban y discutían y luchaban y...

Lloró a mares.

—Sandra —intervine, totalmente inhalado, un verdadero yoga, a no ser por los nervios— ¿habrías preferido que te contara que anoche me trepé con una bandera peruana a la torre de la Sorbona?...

Ojalá, algún día, ante un altar, con muchas flores, y con todos mis amigos presentes, una mujer me suelte un sí tan rotundo, tan profundo, y tan arrojándose entre mis brazos como el que Sandra me soltó, mientras yo iba desinflándome rápida y poderosamente. Quedé hecho una pelota de trapo, y así, hecho una pelota de trapo, la invité a un café de la Contrescarpe y la fui observando comerse un hot dog, dos hot dogs, un milkshake, de postre pidió un banana split, todo mientras yo consumía dos austeras copas del vino más barato, en honor a Carlos Salaverry y a no sé qué. Capitalista, me dijo, cuando pagué la cuenta. A Sandra se le escapaba a menudo lo de capitalista, un poco como a mí lo de Octavia de Cádiz, había más de moda que de maldad en el asunto, en todo caso, pero qué tal concha, también, quién se había tragado a quién ahí, seamos justos.

Placita de la Contrescarpe con Sandra y Martín Romaña mucho más joven cruzándote amarraditos, ¡cómo te recuerdo! Te veo, me veo, nos veo: ella me había cogido la mano y yo se la había entregado prácticamente de regalo, quédate con ella, si quieres, Sandra, tal vez logres arreglarla aunque creo que le faltan piezas, se la había entregado casi como algo que no servía para nada desde que Inés... Lo malo es que te cruzamos, placita de la Contrescarpe, rumbo a un hotel donde todo indicaba que la guerra no había terminado entre el cuarteto político. Miré hacia la ventana del tercer piso, no bien llegamos al pequeño patio interior: señales de humo y alaridos de bajísimo nivel teórico. Esta es la mía, pensé, subo cogidito de la mano con Sandra, rememoro íntegra mi formación en el Grupo, me salto las partes que no entendí, qué diablos, ni cuenta se darán, y los hago papilla. Pobre Toño, pobre Juani, pobre Yoyo, pobre Pierrot: Martín Romaña vinividivinci, vuelta al ruedo, oreja, rabo y pata. Hola muchachos, dijo Sandra, al entrar, y no sé en qué momento me había devuelto la mano, pero lo cierto es que yo sentí como si no hubiera logrado arreglarla, o como si hubiera dejado para más tarde su compostura. Mientras tanto, los muchachos continuaban en profundo desacuerdo con respecto a las barricadas de la noche anterior, y cuando traté de intervenir con dialéctica implacable, el espíritu del 68 me tapó la boca diciéndome que no olvidara lo de Pigalle, no, Martín, tú no estás moralmente autorizado para participar en esta discusión, siéntate o échate en la cama o en el suelo como los demás, y limítate a escuchar. Quedé, pues, limitadísimo y con una mano de sobra.

Y lo peor de todo es que un par de horas más tarde, a pesar de mi olímpico, saturado, y altivo desinterés, todo fingido, por supuesto, Toño, Yoyo, Pierrot, y Juani, habían logrado ponerme en un estado que se debatía entre el desasosiego, la angustia, y los celos. No entendía nada, prácticamente nada, y tal vez lo único que lograba sacar en claro es que esos celos no eran por Sandra, sino por la manera en que esos cuatro alegres y furibundos optimistas de la ignorancia no importante parecían merecer oreja, rabo, y pata, constantemente. No, no era el que a mí me sobrara una mano desde hace rato lo que me inquietaba tanto, ni tampoco el no poder intervenir coherentemente en su incoherencia, tampoco que Sandra les sirviera más y más café como quien se entretiene profundamente y desea mantenerlos eufóricos, no. Lo que me tenía realmente desgarrado era esa incapacidad mía para captar el estado de fiesta permanente en que vivían, y la manera tan fácil y gratuita en que asumían que aquello era un todo, y que si se acababa, pues lo regalaban, lo regalaban como yo andaba regalando mi mano pero sin tantas consideraciones cabizbajo-depresivas. Era como si ellos estuviesen viviendo las barricadas de anoche, más las de esta noche, por anticipación, mientras que yo andaba viviendo la historia de la humanidad, con mayúsculas, mezclada con la historia de mi vida en unas letras tan chiquitas que ni se veían. Y era, por último, como si de pronto yo me encontrara paralizado por una honestidad embrutecida ante el hecho de que ellos, ellos y decenas de miles como ellos, estuvieran a punto de poblar por primera vez el cielo de buenas intenciones. Sólo me salvaban mi desasosiego, mi honesta parálisis, y un dolor muy hondo que yo trataba de conectar con el de mi compatriota, el poeta César Vallejo, que murió en París con aguacero, y un día del cual ya tenía el recuerdo, además, pero sin llegar francamente a saber si en esto no andaba haciendo uso ya de una cierta dosis de socarronería muy latinoamericana.

Total que ahí el único denominador común era que los cinco queríamos acostarnos con Sandra. Ellos, sin saberlo, y/o como consecuencia natural de la gran fiesta del 68. Yo, sabiéndolo, y/o porque desde que Inés me plantó, no encontraba nada mejor que hacer con la mano que Sandra ya había cogido para llevarme sabe Dios adónde, un poco lazarillo, un poco a través de las barricadas, un poco como a un ciego, pero cojones qué tal ciego tan clarividente, tan pesimistamente lúcido, tan tuerto en tierra de ciegos. Así ni el denominador común único duraba, porque yo sólo sabía que no sabía nada, o mejor dicho, que no entendía ni papa, mientras que ellos ignoraban por completo aquello de que el infierno está poblado de buenas intenciones, y eran felices y francamente macanudos y contagiosos y tan alegres si los comparábamos conmigo, tuerto de mierda.

Pero mi tuertera no era contagiosa, felizmente: bastaba con verlos matarse a los cuatro, con verlos reír, gritar, no cansarse nunca, para comprender que ahí a nadie se le podía pegar mi parálisis. No, mayo del 68 no se iba a acabar por culpa mía, aunque es verdad que con tipos como yo no habría empezado tampoco nunca. Y sin embargo... Y sin embargo, me dije, como quien descubre un gran secreto, como quien escucha una gran revelación y lo capta todo en un solo instante: soy un gran amante de mayo del 68, un gran amante despechado, sin duda, aunque absolutamente incapaz de llegar a aquella indiferencia de la que habla un valsecito criollo:

*Odiame, por favor, yo te lo pido.*
*Odiame sin medida ni clemencia,*

*odio quiero más que indiferencia,*
*que tan sólo se odia lo querido.*

Descartemos también el odio, por improcedente, y veremos que no podía ser más cierta mi revelación: era un amante despechado, más aún, desgarrado, pero ahí quedaba aquella mano que ya le había servido para algo a Sandra, y entonces, tirado en su cama, oyendo berrear a los cuatro gochistas, fui más allá, mucho más allá en mis descubrimientos: Sandra era el espíritu del 68, yo estaba actuando muy honestamente con ella, y si esta gringa ignorante no mete la pata de puro andar siguiendo slogans y no lo que son realmente sus sentimientos, con ella, por ella, ante ella, y a través de ella, sobre todo, podía reconciliarme con el presente, modernizarme y reconstruirme para caer de cabeza y feliz y poblado de buenas intenciones entre las celestiales antorchas de las barricadas. Sandra es mi vaso comunicante, se me escapó en voz alta, tan alta que interrumpí la guerra y todos me miraron asombrados, y entonces lo que se me escapó fue un Octavia de Cádiz, y para disimularla y arreglarla un poco, no se me ocurrió nada mejor que decir que sólo había querido comunicar mi sed de agua fresca, sed de agua fresca como la de las playas de Cádiz, pero felizmente a ellos les bastó con saber que tenía sed para abrir el caño y pasarme un vaso sin preguntar más.

—Y de paso, ¿puedo echar una meadita? —preguntó Juani.

—Sí, yo también me muero de ganas de mear —dijo Pierrot, tras lo cual Yoyo y Toño empezaron a seguir su ejemplo, que consistía en abrirse la bragueta ante el lavatorio del que acababan de sacar el agua para mí.

—¡Nones! —gritó Sandra—. Aquí la única que hace pipí en este lavatorio soy yo. Ya conocen las reglas, muchachos: y ahora, a bajar los tres pisos y al wáter común.

El wáter era común a todo el hotel, de hueco en el suelo, por supuesto, y quedaba en el patio interior. Los cuatro cerraron braguetas, salieron de la habitación obedientísimos, y en la escalera empezaron de nuevo a matarse teórica y envidiablemente. Comprendí que se querían mucho, y me sentí inferiorísimo ahí tirado en la cama de Sandra y sin nada realmente honesto que proponerle, aparte de matrimonio, no bien encontrara a Inés y lográsemos divorciarnos, Dios mío, qué pena. Por consiguiente, tampoco ése era un sentimiento honesto, y entonces como quien busca una razón para vivir, para amar y ser amado, descubrí que honestamente yo también tenía ganas de pegar una meadita.

—Ya vuelvo, Sandra —le dije, incorporándome para dirigirme a la puerta.

—Martín, espera un momento... Estoy muy confundida. No sé... Empezó mientras comía los hot dogs. No sé cómo explicártelo. Mira, hay muchos hombres que *vienen* aquí, ¿me entiendes? Tantos, que a veces me he preguntado si no soy ninfó...

Casi intervengo para opinar que yo más bien la consideraba el espíritu mismo del 68, pero en vista de que mi vida transcurría bastante exageradamente... Pues déjala transcurrir, Martín, me dije, decidiendo no interrumpirla, porque acabáramos, estaba llorando además mi vaso comunicante, por lo que de inmediato entré comunicadísimo en una impresionante sesión de lágrimas interiores, nudo en la garganta, y por qué no, de soga al cuello, también, dado el tema que estábamos a punto de abordar. Bueno, pero no la interrumpas, Martín Romaña, deja correr el agua que sí has de beber.

—...ninfómana —lloró a mares Sandra, acercándose a mis brazos tan virgen de cara y de mirada como un primer amor, de cara al pasado.

Imaginé una de Humphrey Bogart tomando entre sus brazos a una ninfómana, pero sólo logré reproducir con absoluta fidelidad a Martín Romaña, mocos y todo. A sus marcas, listos, ¡ya!, y les juro que salía disparado en busca de Inés y el divorcio, pero Sandra habló primero.

—No sé cómo explicarte, Martín.

—No sé cómo entenderte, Sandra.

—Se trata de eso que empezó cuando los hot dogs.

No soy freudiano, soy simplemente lo más Martín Romaña que darse pueda, o sea trasladé el asunto, en el fondo de mi alma, al siglo XIX, primera mitad, donde no hubo simbología fálica alguna, sino más bien campiña inglesa muy verde y sembrada de finos arbustos, ni uno solo de forma fálica, lo juro. Luego, pensé: felizmente que los cuatro tardan tanto en su meada, porque esto va para largo, lo cual era profundo interés por la confesión de Sandra, y tampoco fálico, por consiguiente.

—Sigo sin saber cómo explicarte, Martín, pero creo que empezó cuando el segundo hot dog.

—Después vino el banana split; tal vez eso te ayude en algo, Sandra.

—Es tan difícil hablar llorando, Martín.

—Y debe ser tan doloroso pensar llorando, mi a a a...

Ahí me atraqué, pero creo que fue suficiente para que se acordara del resto, que era nuevamente no sé cómo explicártelo, Martín, y que todos los muchachos que venían a su cuarto habían querido orinar en su lavatorito, y que ella los despachaba siempre al wáter común, yo soy la única que hace pipí...

—Es lógico, Sandra; todos sabemos que París está plagada de wáters alejados y que medio mundo termina meando en su lavatorio. O en un bidet, con algo de suerte.

—Pero no las visitas, Martín, eso sería una inmundicia.

—Totalmente de acuerdo, mi a a a..., pero no llores más, por favor.

—Es que yo quiero que tú seas el primero que hace pipí en mi lavatorio, Martín.

Matrimonio, casi grito matrimonio, pero soplaban vientos del 68, y no tuve más remedio que reprimir una palabra tan burguesa. ¡Linda! exclamé, en cambio, porque era y estaba linda, a pesar de la ninfomanía y las lágrimas, porque con Sandra así, yo de cabeza a las barricadas, porque habían terminado mis dudas y temores, y también, qué se le va a hacer, siempre hay que confesar, porque ya subían los castigados del wáter común y Martín Romaña meando en el lavatorio privado de Sandra era algo así como el final de un proceso de modernización y reestructuración, y a partir de hoy se me portan bien mis anarcoprimaverales o lo que sea, aquí el dueño de este cariño soy yo y se acabaron las ninfomanías o cualquier otro tipo de plusvalía obtenido tan sólo porque la muchacha fue muy pobre en Nebraska. He sido un burro, si quieren, ante los actuales acontecimientos, pero de hoy en adelante en este burro mando yo.

Pensado lo cual, muy gozosamente, procedí a orinar en profundo silencio y entre lágrimas exteriores de ternura y emoción, arrancándole sonrisas a Sandra de Romaña, sí, *de* Romaña, porque así como hay juramentos de sangre, los hay también de pipí en lavatorio a dúo, aunque sin lograr en lo más mínimo el efecto deseado sobre el cuarteto político-fiestero. Increíble, los muy desgraciados ignoraron por completo mi conquista (no puedo contener la tentación de decirlo con palabras aún más duras y ciertas: se cagaron en mi meada), no sé hasta hoy si porque eran hombres realmente emancipados, o porque conocían a Sandra mejor que yo, y en el fondo no la querían, o porque estaba prohibido prohibir y ellos creían, hasta la autorrepresión, que un slogan era más real que un sentimiento vívido viviéndose, o porque simple y llanamente en medio de una fiesta de antorchas, barricadas, adoquines, y policías enmascarados, Romeo y Julieta desenmascarados no tenían la menor importancia. De otra barricada sacarán a otra Sandra, me dije, y confieso, pero esta vez muy orgullosamente, por ser éste uno de los sentimientos más sublimes que he tenido en mi vida (tanto que se lo dediqué a Carlos Salaverry vomitando), que me dolió en el alma imaginar que *mi* Sandra *de* Romaña iba a perder a sus cuatro amigos, mis ex-rivales. De ahí, humano, muy humano, aunque de eso se entera uno años después de haberlo sufrido, pasé incómodo al pensamiento de mi bigamia y sus consecuencias. Una sola y tristísima: Inés no formaba parte de ella, era pues una especie de milagro sin santo, algo así, y qué pena la que sentí mientras iba cerrándome la bragueta durante mi segundo y tan circunstancial matrimonio parisino.

Fue brevísima la unión, por llamarla de alguna manera, entre Sandra, que no era en absoluto ninfómana, que era más bien una hermosísima y superingenua estudiante de Bellas Artes pagando a punta de coitos las culpas de su gobierno en el Vietnam, como antes había entregado su virginidad a cambio de una intervención militar en Santo Domingo, y entre su bígamo esposo, que más tenía de solo-como-perro-callejero-voy-pasando-entre-la-gente, que de bígamo o de esposo, siquiera. Pero pasemos a los hechos. En lo del lavatorito a dúo, Sandra me fue de una fidelidad ejemplar y conmovedora. Aparte de nosotros dos, ahí no orinó ni Cristo. Fue su manera de amarme, la expresión posible de su amor; la imposible, fue la que frenó su masoquismo, porque yo nunca tuve el descaro de echarle la culpa de nada ni el sadismo de tocarle el tema del Vietnam, sabiendo lo mal que las pasaba, y porque ella deseaba sinceramente entregármelo todo pero eso sólo sería posible después de la guerra, con suerte, y mientras tanto...

La guerra siguió y siguió, después de nosotros, y aquel mientras tanto fue en cambio muy breve. Fue breve y fue tremendo desde el día mismo en que Sandra me habló de su ninfomanía, algo que ella llamaba así, confundiéndolo con la compulsiva necesidad de acostarse con muchachos izquierdistas del Tercer Mundo, para pagar culpable las cuentas de su gobierno. Parece que el fenómeno fue bastante común en ciertos sectores de jóvenes norteamericanas de su generación, pero Sandra no había podido controlarlo, a pesar del amor compartido con dos hombres antes que yo. En mi caso, sin embargo, las cosas llegaron hasta la exageración, como era de esperarse. Llevaba conmigo el carné de subdesarrollo y tercer mundo, parecía estar en regla y todo, PERO. PERO resulta que por ser yo niño de familia bien, otra vez, Andrés, o porque de entrada me había catalogado de intelectual cabizbajo y meditabundo, otra vez, Andrés, bis, incurrí en más de una contradicción durante el largo interrogatorio. A la pregunta ¿es usted peruano de nacimiento?, por ejemplo, respondí que sí, para gran alegría de los dos, pero luego me contradije cuando confesé que jamás había tocado la quena. Hablaba además el sospechoso idioma inglés y había leído demasiadas novelas y libros de historia y. En resumidas cuentas, meterse a la cama conmigo sólo podía producirle placer.

Y créanme que no fue nada fácil llegar a aquel placer, que fue tremendo lo que tuve que inventar y mentir para que Sandra decidiera meterse a la cama una tarde con un Martín Romaña que ya le andaba aullando a la luna de lo consumido, de lo carcomido, de lo devorado que lo tenían el deseo y la espera. Sí, la deseaba a gritos. ¿Y a quién creen ustedes que deseaba Sandra a gritos? Me lo llegó a decir, a confesar, me lo lloró, por fin, un día: nada menos que a ti, Martín Romaña, mi corazón y mi cuerpo me lo piden, me lo exigen. Pero mientras tanto el perro callejero en celo seguía aullándole a la luna de sol a sol, y ella continuaba escribiendo a escondidas su amor en un juvenil y norteamericanísimo diario íntimo. Así andábamos, y a los muy pocos días de habernos conocido. Pero de lo otro, nada, nada por culpa del Pentágono.

Bien, pero volviendo a la cronología, acabo de cerrarme por primera vez la bragueta bígama ante el lavatorio, han pasado las horas de la tarde, se acercan el anochecer y las barricadas, la pequeña radio de Pierrot informa e informa, el cuarteto político empieza a despedirse, Toño decide quedarse un rato más, y estoy pensando en Carlos Salaverry al cabo de su primer día de vómitos. Eran tres, según él, y *noblesse oblige*, había quedado en pasar un rato, a ver si no se había muerto. Ya era hora de ocuparme de ese amigo del que tan poco había logrado hablarle a Sandra, para ella debía ser el otro de Pigalle y punto. O sea que le dije más o menos eso: Que el otro de Pigalle me esperaba antes de que saliéramos a las barricadas, porque no se sentía muy bien, y ya vuelvo, linda. Recibí un beso de hermano, una palmadita en el hombro, y una de esas sonrisas riquísimas que Sandra me mandaba hasta cuando no quería. El conjunto me encantó, y la verdad es que me fui sin darme cuenta de que no era suficiente para un día de bodas.

Encontré a Carlos Salaverry maldiciendo de hambre y aburrimiento. Esto último, de más está decirlo, porque ya había leído y releído, y en sus ediciones originales, por supuesto, todos los libros que encontró en mi biblioteca.

—¿Cómo, y los vómitos? —le pregunté.

—Hace como *tres* días que me curé del todo —gruñó.

—Bueno —le dije—, te llevo a conocer a mi nueva esposa.

—¡Tu nueva qué!

—Ya te contaré, mientras voy preparando unos tallarines. ¿Qué te parece si nos acompañas esta noche?

—Yo feliz de estar con ustedes, Martín, pero que quede claro que por mi alergia...

—No bien empiece a oler a gases lacrim...

—Antes, Martín.

—*Antes* de que empiece a oler a gases te dejamos y ahí nos esperas. No sé cuánto tardaremos, pero te aseguro que volvemos a recogerte. Tal vez de madrugada, aunque sea, logremos tomar un vinito juntos en el hotel de Sandra.

—Espero que esa gringa tenga buen vino. Lo digo por ustedes, porque lo que es yo no vuelvo a probar una copa de nada en mi vida.

Hablarle de Sandra a Carlos, de lo que entonces sabía yo de ella, fue comprobar, una vez más, cómo aquel hombre de juicios y actitudes implacables podía enternecerse hasta la profunda comprensión, hasta el olvido de sus principios y exigencias consigo mismo y con los demás, cuando se trataba de un amigo. Fue eso lo que siempre me unió a él, y lo que hizo que aquella noche me escuchara atento y emocionado mientras comíamos nuestros tallarines y yo le iba soltando excesivo entusiasmo porque Sandra esto y Sandra lo otro y Sandra y más Sandra y Sandra hasta en la sopa porque además de todo la pobre Sandra es la única gringa pobre que existe en el mundo...

—Bueno, Martín, digamos que hay dos o tres más...

—No, no puede ser. Y ya vas a ver cómo me das toda la razón no bien lleguemos a su hotel. En tu vida habrás visto algo igual... Una pocilga andina, una verdadera pocilga andina...

—Por mí no te preocupes, Martín: te juro que esta vez no

me enroncho, y que haré todo lo posible por hacerte quedar bien.

Hablarle de Sandra a Carlos fue, por supuesto, que se me enfriaran por completo los tallarines porque mucho más importante eran mis borbotones de entusiasmo y si vieras a Sandra y si vieras a Sandra, Carlos...

—Bueno, pero qué tal si *vamos* a ver a Sandra, Martín, creo que ya debe estarte esperando.

Hablarle de Sandra a Carlos, mientras nos dirigíamos a su cuartucho con un lavatorito en el que sólo ella y yo orinamos, te lo advierto, Carlos, fue realmente lanzarle toneladas de aquel maravilloso y absurdo entusiasmo que le dio luz a mi vida, apagándola después, como dice el bolero, sólo que uno es más largo que un bolero y se vuelve a entusiasmar pero lo vuelven a apagar a uno y entonces reacciona violento y le mete tango al asunto y uno lucha y se desangra por la fe que lo empecina pero tarde o temprano su radio será una Philips porque acaba por llegar ese día en que uno se ha *quedao* sin corazón, más del mismo tango, aunque ya sólo escuchado en la radio y sin prestarle mayor atención porque antes hubo esa temporada vivida en constante cuesta abajo y en la que uno fue a parar al mismo tiempo de narices y de culo, bien sentadito y obediente, al Voltaire del gran apagón interior, pero aun aquí vienen a joderme recuerdos como éste de cuando llegamos al cuartucho de Sandra, que me duele luego existo, y fíjense ustedes de lo que se termina dándole gracias a Dios, de que uno luego existe sólo porque algo le duele. ¿No será que me estoy recuperando? Calla y sigue escribiendo, Martín Romaña.

Pobre Carlos, el mal rato que le hice pasar viéndome pasar un rato tan malo. Le acababa de decir ésa es su ventana, me acababa de decir en esta escalera se mata cualquiera, le acababa de decir que sí, y a veces se desbarranca uno que otro chinche, también, y ahora él ya estaba empezando a rascarse y yo ya había tocado la puerta. La voz de adentro soltó un che, medio adormecido, y a mí se me escapó un Octavia de Cádiz intuitivamente desgarrador.

—Es Martín Romaña llamando otra vez a la tal Octavia esa —dijo Toño. Recién me daba cuenta: había dicho que se iba a quedar un rato más, cuando fui al departamento.

—Pero, cómo —intervino Carlos—, ¿no veníamos a buscar a Sandra?

Casi le digo que sí, que ya la habíamos encontrado, y en los brazos de un argentino, además, pero un nudo en la garganta, una rabia espantosa, y una incertidumbre total, me impidieron soltar palabra alguna. Pensaba, en cambio, pensaba en la maldita ninfomanía de la que Sandra me había hablado, existe, existe, existe en los libros, en el cine, también en la vida tiene que existir, claro, pero es que jamás me había topado con un caso y no era posible que justo ahora y tan rápido y delante de un gran amigo. Sí era posible.

—Un ratito, Martín. No sabía que ibas a regresar tan rápido. Creí que tu amigo estaba realmente mal. Un ratito, por favor, Martín. Vuelve dentro de un ratito. Todavía estamos a tiempo para las barricadas. ¿Vas a regresar, Martín? Por favor, no dejes de regresar, Martín.

—Así hablan las ninfómanas, Carlos —le dije.

Carlos había enmudecido totalmente cabizbajo.

—Hablan bajito y jadeando —insistí, para ver hasta qué punto dolía.

—Vámonos, Martín.

—Voy a esperar en la calle —le dije—, porque simple y llanamente no puedo creer que sea verdad.

—No es verdad —dijo Carlos, más por necesidad que por otra cosa.

—Sí es verdad, claro que es verdad. Lo único que pasa es que yo no creo que sea verdad. —No añadí explicación alguna a mis contradicciones, porque no le iba a soltar, además de todo, cosas como que acababa de casarme dentro del más sentimental y estricto ritual urinario. El pobre habría pensado que empezaba a volverme loco, lo cual era cierto, pero él no tenía por qué saber que últimamente unos jebecitos constantes y estiradísimos habían hecho su aparición en las veredas de mi vida. Y

388

justo me puse a mirar uno cuando llegamos a la calle, mientras el pobre Carlos se concentraba en tener la cabeza lo más gacha posible, como prueba palpable de que me estaba superacompañando en mi dolor. Ni cuenta nos dimos de que alguien acababa de salir del hotel.

—Chau, Martín, ya nos vemos.

—¿Y ése quién es? —preguntó Carlos, sabiendo quién era ése.

—Ese es el ninfómano —dije, pensando—: Ese es el que no sabe lo que ha hecho.

—Mejor sube tú, Martín.

—Sí, mejor es que me esperes aquí abajo.

Sandra me recibió de espaldas, se siguió lavando de espaldas, y entre el ruido del caño y el agua que se arrojaba en la cara, nunca sabré si estaba llorando, también de espaldas. Soy un débil del carajo, carajo, porque de tanto verla de espaldas terminé acercándome para acariciarle la cabeza, la nuca y, por supuesto, la espalda. Y digamos que no lloré, también, porque llorar le tocaba a ella. A mí me tocaba calmarla, más bien, y entonces la tomé por los hombros, obligándola muy suavemente a dar media vuelta, y terminé besando purito jabón con una impresionante cara de piedad y de tendré-que-acostumbrarme, todo fielmente reproducido por el espejo que colgaba sobre nuestro lavatorio, ya que para estas cosas también sirven los espejos. Es sólo cuestión de que estén donde deben estar, y en el momento preciso, para que uno los mire preguntándoles por nuestro estado actual y por nuestro futuro, al cabo de una de estas enormes sorpresas de tamaño natural.

Total que al cabo de un rato, los arrepentidos parecíamos ser Carlos y yo caminando mudos hacia las barricadas, tras las presentaciones del caso, en la puerta del hotel. Pero poco a poco, la excitación en el Barrio Latino hizo que Sandra rompiera el silencio del trío, dirigiéndose repetidamente a Carlos, sin encontrar para nada que su excelente inglés aplastaba u ofendía el malinglés de sus años duros en Nebraska. Al contrario, Carlos empezó a caerle cada vez más simpático, con ronchas, con alergias, con citas de Marx en alemán, con frases que yo hubiera podido decir sólo por fastidiarla, y hasta cuando le cedía el paso porque las damas primero, todo en pleno mayo del 68. Es cierto que, para Sandra, Carlos debía tener las mismas virtudes y defectos que yo, aunque en realidad eso no significaba nada, porque para ella todas mis virtudes eran defectos y mis defectos más defectos todavía. Sin duda alguna, la diferencia de actitud se debía a que Carlos era sólo un amigo circunstancial, incluso una persona que le daba la serenidad de haber desaprobado, como yo, su examen de tercermundista, por lo cual no había con él ni gota de la tensión ninfómano-culpable-soy, como con otros latinoamericanos, ni tampoco aquella otra tortura, producto del cariño que estaba sintiendo, sabe Dios por qué y maldita la hora en que empecé a encontrarlo divertido, por el cretino de al lado, o sea yo caminando totalmente excluido de tan amena charla. Así, hasta que Carlos declaró que no avanzaba un paso más. No puede ser, le dijo Sandra, tratando de animarlo para que siguiera adelante, para que viera aunque sea de lejos una barricada. Pero Carlos le mostró una roncha lacrimógena e insistió en que ahí se quedaba y en que podíamos volver a recogerlo pasado mañana, si queríamos.

—No te vas a quedar ahí sentado mirando las estrellas como un huevón —intervine.

—Mi querido Martín, créeme que así ha transcurrido la mayor parte de mi existencia.

Un par de horas más tarde, Sandra y yo nos estábamos queriendo muchísimo encerrados en la iglesia de Saint Séverin. Eramos unos doscientos manifestantes, protegidos por la bondad de unos curitas sonrientes, pero la verdad es que si no forzamos la puerta de la iglesia, casi hasta echarla abajo, la policía nos hace papilla. Había sido cosa de segundos, no veíamos, no comprendíamos nada. La turba empezó a retroceder, primero, a correr después, y también nosotros empezamos a correr huyendo, pero ya los enmascarados habían cerrado toda posibilidad de escape, por esta callejuela, por ésa, ¡mamita!, aquí nos hacen pan con pescado, nos caen de a montón por adelante y por atrás. ¡La puerta de la iglesia!, ¡échenla abajo!, grité, dando órdenes, sacando incluso un pañuelito blanco de guía. Era un grito, una orden, una decisión superlógica, pero el hecho de que yo hubiese gritado primero conmovió profundamente a Sandra y por eso nos estábamos queriendo tanto ahí en la iglesia. Alrededor de nosotros la gente hablaba de pedir asilo, salir era exponerse a que lo mataran a palos a uno. Los curitas asentían, no nos iban a echar, pero tampoco era cosa de andar pidiendo asilo, no hay que dejarse llevar por el pánico, bastaba con esperar hasta que esas calles se despejaran y todos podríamos volver a casita.

Y ahí entre sus brazos, en la oscuridad de la iglesia, empecé a comprender cuál era el camino que llevaba a los brazos de Sandra, pero en la cama de Sandra. Me negué a aceptarlo, al principio, pero días más tarde no tuve más remedio que actuar de acuerdo con lo que estaba comprendiendo mientras ella me seguía amando hasta el punto de pedirme perdón, por favor perdóname por lo de Toño, Martín. Yo, en una iglesia, se lo perdono todo a quien sea. Atavismos bautismales, me imagino, y más aún aquella noche con los curitas protegiéndonos con sus sonrisas, pero mucho mucho más aún porque acababa de captar que si Sandra me estaba queriendo tanto, tanto como para pedirme un perdón que yo no le exigía, como para darme unas explicaciones que tampoco deseaba, era porque yo había gritado, dado órdenes, sacado mi pañuelo, porque de golpe en su vida el tontonazo de Martín Romaña le había demostrado ser un hombre de acción, un líder nato, y había salvado a tanta gente de una buena moledura a palos. Increíble, pensé, insistiendo en que no tenía por qué pedirme perdón ni darme explicaciones ni nada. Ella insistía en que sí y yo en que no. Y no por bondad, piedad o liberalismo, sino porque para mí lo de aquella noche con Toño era aún ninfomanía, y cómo se acusa a un enfermo, se sufre y punto. Pero poco a poco, escuchando las cosas que me decía, empezaba realmente a captar que no me hallaba ante un caso de esto sino de lo otro. Y lo otro era aquella maldita culpabilidad. Sandra queriéndome tanto aquella noche, porque había sacado un pañuelo y pegado el único grito que se podía pegar, era un poco Sandra queriendo a un tipo al que habían desaprobado en el examen de manejo, pero que resulta manejando mejor que Fangio, cuando se presenta la ocasión. Increíble. Pero pronto llegaría aquella tarde en que tuve que poner en práctica tan estúpidos conocimientos.

Por ahora, comprobar que no me estoy equivocando, pensé, decidiendo al cabo de un buen rato que era posible salir ya de la iglesia. La gente se oponía. Medí la reacción de Sandra: sí, deseaba que sacara el pañuelo de nuevo. Lo saqué, le dije que me esperara ahí, que si no regresaba en media hora avisara a mi Embajada, asomé la nariz a la calle, guardé el pañuelo porque no soy tan bruto como para hacer señales blancas en la oscuridad enemiga, salí, salí más, miré por la esquina, nada peligroso por ahí tampoco, caminé entre algunos enmascarados como quien no quiere la cosa, y regresé a la iglesia anunciando que había encontrado *vagas* posibilidades de una salida exitosa, todo mentira. Pero vale la pena intentar, añadí, sacando de nuevo el pañuelo blanco, en el momento en que llegaba donde Sandra. Me miraba como si jamás hubiera conocido a Toño ni a Taño ni a Tiño, sólo a ti, Martín Romaña. Ven, cojuda, le dije, sabiendo que no entendía ni papa de castellano. Ven, cojuda, si estos pelotudos no quieren salir, es problema de ellos, pero yo a ti te saco de esta iglesia inmediatamente. La última parte, la heroica, la dije en inglés y, por supuesto, funcionó en los ojos de Sandra. Ver para creer.

Carlos nos vio abrazados. Por fin, dijo, sonriente, han pasado más de cuatro horas y francamente empezaba a temer que les hubieran partido el cráneo. Casi, arrancó Sandra, mirándome entusiasmadísima, apretándome fuerte la mano como para que fuera yo el que contase nuestras peripecias de esa noche. Pero los héroes callan, callan sobre todo cuando están pensando tristemente en lo absurdo, lo estúpido que puede ser todo, en Sandra, que porque me vio gritar, sacar un pañuelo blanco, en Inés, que aunque me hubiera visto gritar pañuelo en alto, o lanzar un enorme globo al cielo de París, bah, allá el que quiera hablar de hazañas, un día desfilando equivocado entre un colegio de sordomudos, esta noche descubriendo que Sandra mejor hubiera sido ninfómana, no habría sufrido tanto, tal vez.

Pero Sandra era sinónimo de entusiasmo incontenible mientras avanzábamos por la rue des Ecoles, no paraba de contar, hasta Carlos Salaverry empezaba a entusiasmarse ante la presencia de un hombre ganado por el vértigo de la acción, valiente, decidido, de rápidas reacciones frente al enemigo al acecho, sí, poco a poco la historia de Sandra me iba convirtiendo en el irrealizable sueño de un filósofo contemplador contemplativo, contagiándole al mismo tiempo su entusiasmo, haciéndolo olvidarse por completo de los olores a gas, de sus alergias y de sus ronchas, y de que a medida que avanzábamos en dirección a la rue Monge nos estábamos acercando a una barricada en formación: claramente se veían las antorchas, las humanas cadenas que mil estudiantes habían formado para irse pasando de mano en mano los adoquines destinados al muro de protección, para ir excavando y retirando la tierra de una trinchera, para recibir de ventanas y balcones las bebidas y alimentos que la solidaridad del vecindario descolgaba en canastas atadas a largas sogas. No tardaba en arder Troya, en la esquina de la rue Monge y la rue des Ecoles, mientras Carlos iba hundiéndose por completo en la tierna y contagiosa euforia de una preciosa y culpable amiga a punto de darnos incluso una segunda oportunidad en aquel inadmisible, absurdo, estúpido, triste examen de admisión a lo que ella creía ser la vida. Ardían las antorchas a pocos metros de nosotros, ahora, iba entusiasmándose cada vez más Sandra, al frente estaban los enmascarados sabe Dios con cuántas toneladas de bombas lacrimógenas, y Carlos Salaverry seguía avanzando como si nada y como Robert Mitchum en dirección a Troya.

Y de pronto corría y nos llamaba, que nos apuráramos, que iba a ser un espectáculo inolvidable, que esas antorchas en la noche lo acercaban al centro, al secreto mismo de sus sueños, apúrense, vengan, corran, por aquí, esto es maravilloso, Sandra, ven, acércate, Martín, pero Carlos, los gases, cuidado,

Carlos, ¡qué gases ni qué ocho cuartos, Martín!, ¡a la mierda con los gases!, estos muchachos, estas perfectas cadenas humanas, esta trinchera, estas antorchas ardiendo en la noche, todo, ¡todo! me recuerda a la solidaridad de los pueblos de la noche de que habla Malraux en la cuarta parte, página 143, en mi edición, de *La condición humana*, ¡sí, sí!, me acuerdo hasta del párrafo, Martín, Sandra, me acuerdo hasta del párrafo (se lo recitó íntegro y a gritos), ¡qué maravilla!, ¡exacto! la solidaridad de los pueblos de la noche, ¡no!, no podemos permanecer indiferentes ante un hecho tan grande, tan cargado de emoción, de todo, ¡no! ¡ni hablar!, yo no puedo quedarme así, no no no, ¡imposible!, yo me llevo un adoquín a mi casa, ¡sí sí!, yo me llevo un adoquín de recuerdo a mi casa...

Y siguió caminando con su adoquín mientras Sandra dejaba de querernos por completo, y a mí, en particular, por haberle dicho lo que pensé mientras contemplaba a Carlos Salaverry recoger su adoquín y seguirse luego de largo con una emoción completamente distinta de la de ella.

—Este tipo es un genio, Sandra. Es lindo, como diría tu amigo Yoyo. Te juro que si algún día escribo una página, una sola página sobre París, no dejaré por nada de contar esta historia. Creo que nunca he tenido un amigo tan formidable como Carlos Salaverry. Míralo, mira cómo se va hecho mierda de emoción, de cultura, de felicidad. ¡Sublime, Sandra, genial!

Fue como si me hubieran robado el pañuelito blanco. Carlos ni cuenta se dio, pero a mí todo en la cara de Sandra me lo gritaba: quería quedarse, mezclarse a esa nueva barricada, pero sola, jamás con ese par de estorbos intelectuales cuyo impulso revolucionario podía satisfacerse con una cita de Malraux y un adoquín de recuerdo. Total que ahí estábamos los tres juntos nuevamente: Carlos mudo de felicidad con su adoquín, Sandra también muda, pero con la mirada que acabo de describir, y yo mudo a secas porque de qué sirve protestar en casos como éste, qué ganaba diciéndole me encantan, me divierten las cosas de Carlos, hay gente que es así y no tienes por qué sentenciarla a muerte y, además, Sandra, me parece francamente injusto que me claves esa mirada a mí y no a Carlos, yo en el fondo qué he hecho, he festejado el asunto porque de veras lo encuentro divertido, no he hecho nada más, en realidad no he hecho absolutamente nada malo, ponle esos ojitos a él y no a mí, gringa estúpida, a mí dime más bien cuándo es tu cumpleaños para mandarte una tonelada de humor de regalo. Nada que hacer: me habían robado el pañuelito, había perdido mi alfombra mágica.

—Nos vamos, Sandra; nos vamos a ver si hay alguna tienda abierta, a las tres de la mañana, para comprarle una urna de cristal al adoquín.

Sandra salió disparada, y por fin Carlos comprendió que había pasado algo entre nosotros. Le dije que era lo de siempre, lo que siempre iba a pasar entre nosotros, y que era mejor que Sandra se quedara sola esa noche. Y justo estaba pensando que de sola nada, que de la barricada con seguridad me salía con un nuevo tercermundista, cuando, para mi espanto, vi lo suficiente, más que lo suficiente como para que Otelo matara a Desdémona desde el primer acto, escena primera, y primera palabra de la tragedia de Shakespeare. Vi tanto como el tipo de *El Aleph*. Vi llegar a mi ex-Grupo llenecito de mujeres nuevas, jóvenes, bonitas, y sucias, todas fruto barricadensis, sin duda alguna. Vi llegar a Mocasines, y con la suerte que tengo este hijo de la gran puta es capaz de atrincherarse al lado de Sandra. Vi a Sandra ignorando por completo mi más sincera y profunda opinión acerca de los mocasines de ese tipejo, de cómo, créeme *por favor* Sandra, esos zapatos llevan de frente a secretario de ministro de cualquier régimen o algo así. Vi a Sandra escuchando la versión sobre mi cobarde negativa de lanzar un insignificante globito desde la terraza capitalista de mi departamento. Vi a Lagrimón instalándose a leer mientras empezaba a arder Troya. Vi otra vez a Mocasines difamándome. Vi a Sandra negándose a entender que ni ella era culpable de nada ni el tercermundo tan poco complejo como eso. Vi al Grupo con el pelo muy largo y a alguno que otro de sus miembros con demasiados collares hippies como para irse de guerrillero. Vi que no veía por ninguna parte a Inés y que podía estar herida o presa. Vi que ya no daba más y que Carlos tenía prisa pero ¡espera, carajo!, porque precisamente en ese instante vi brillar la cara de Sandra al lado de una antorcha, y no muy lejos de ahí, podían encontrarse en cualquier momento, vi los mocasines de Mocasines relucientes hasta en las barricadas, carajo, ¿hay tanto imbécil en este mundo como para no ver la evidencia? Vi que ahora todos ellos se habían perdido entre la muchedumbre. Vi que no había nada que hacer aquella noche, pero cuando estaba a punto de decirle a Carlos que ya podíamos irnos, vi, sí, es ella, vi a Inés conversando alegremente con un francés. vi que seguía conversando alegremente. vi que no me estaba extrañando. vi que no bizqueaba en lo más mínimo. vi que había olvidado por completo la hondonada. vi que ignoraba por completo que no todos los norteamericanos estaban matando vietcongs. vi que jamás entendería que también Sandra podía ser una ferviente antiimperialista. vi que esa noche Inés jamás volvería a casa. vi que esa noche Inés volvería nuevamente a donde por diablos y demonios viva con ese francés barbudo o alguien alguien alguien quién quién quién. vi a Sandra regresando a su pocilga andina con cualquiera menos conmigo. vi que podía ser con Mocasines. vi que ninguna de las dos me comprendía. vi que tampoco las dos se comprenderían. vi que el mundo es muy complejo y la gente cada día más bizca. vi que Inés no estaba bizqueando. vi que si me seguía quedando esa noche terminaba sacándole cuerpos de ventaja a Otelo. Vi y vi y vi que no hay nada que hacer, Carlos, y que lo mejor era irnos a dormir y que la historia nos juzgue.

—¿Qué? —me preguntó Carlos, bostezando feliz con su adoquín.

—No sé —le respondí mientras nos poníamos en camino hacia el departamento—; no sé, estaba pensando tonterías, cosas como que si no se podría juzgar a la historia, en cambio, ser nosotros los que juzgamos algunos de sus detalles, por lo menos... En fin, nada, nada...

Nos despertó el timbre y nos enfurecieron los ladridos de

Bibí. Bajé, abrí: nadie. Abrió el monstruo, nos miramos, nos odiamos. Abrí más, para que viera que se trataba de un visitante fantasma, y eso me permitió descubrir un papelito clavado en mi puerta con un chinche. Era la letra de Sandra. Sentí ternura al pensar que se había venido desde su hotel trayéndome un papelito y uno de sus chinches, que a lo mejor había clavado ese chinche ahí simbólicamente, quería enternecerme, hacerme sonreír recordando su pocilga andina plagada de esos bichos. Tu eterno sentimentalismo, Martín, me confesé, mirando nuevamente al monstruo controlándome desde su puerta. Nos odiamos mucho más y cerré. Sandra me pedía perdón por lo de anoche y me rogaba que fuera a buscarla. No sé qué tengo, Martín, no puedo hacerme a la idea de no verte más. Sí sé que tengo, Martín, le tengo miedo a todo sin ti.

Le dije a Carlos que tendríamos que desayunar muy rápido, y que no me quedaba más remedio que dejarlo solo nuevamente: Sandra me esperaba, era mejor que fuera rápido porque parecía estar muy intranquila. Media hora después, ya estaba vestido y despeinado al máximo para nuestra cita de reconciliación. Dos cafés: Carlos diciéndome que trataría de llegar a su casa para traerse unos libros, yo diciéndole que por favor se lavara ese par de tazas, él asegurándome que las rompería, y un minuto más tarde, la gran carrera hacia el hotel de Sandra. Llegué corriendo, subí corriendo, y créanme, por favor, que adentro estaban haciendo el amor.

Bajé al segundo piso, me senté en el descanso de la escalera, y ahí estuve esperando tranquilamente que bajara el subdesarrollado de turno. Digo tranquilamente, porque al principio pensé que podría ser Mocasines, puesto que mi álbum de recuerdos es tan enorme que requiere siempre de instantáneas agrandadísimas de la vida, pero después escuché un acento mexicano y ya con ese dato me calmé bastante. Pasó una hora, subí, y nuevamente estaban haciendo el amor. Maldije lo bruto que había sido al darles tiempo para volver a empezar, bajé tranquilito a mi segundo piso, y al cabo de un cuarto de hora subí otra vez, toqué y dije que era yo. La respuesta fue, por supuesto, por favor no te vayas, Martín, espérate un momentito, Martín, por favor, Martín. O sea que escaleras abajo, según la vieja costumbre, y a sentarme de nuevo en el descanso. No sé por qué a un piso de distancia me sentía algo menos imbécil.

Pasó el mexicano, me preguntó si era Martín Romaña, se dio cuenta de que con esa cara no podía ser *más* que Martín Romaña, y me dijo que ya podía subir. Casi le digo gracias y subo corriendo, no vaya a ser que llegue otro más, pero un instante me bastó para captar que el tipo era de sonrisa entre difícil e imposible, y muchísimo más grande, fuerte, macizo, y todo que yo. Conté obedientísimo los escalones que llevaban al tercer piso, y tras haber tocado una puerta entreabierta, aparecí en una habitación donde nuevamente una chica que a mí me enternecía muchísimo, vaya usted a saber por qué, a estas alturas, me recibía de espaldas, se seguía lavando de espaldas, y probablemente estaba también llorando de espaldas. Lo que es seguro, pensé, es que está esperando que la acaricie mientras permanece siempre de espaldas. Manos a la obra, Martín Romaña...

—¡Oh, Martín! ¡Oh, Martín! ¡Oh, Martín!

—Pero si *tú* me has pedido que venga, Sandra. *Tú* has venido hasta mi departamento, *tú* has dejado un papel clavado con un chinche (ya en otra oportunidad le pregunto si es o no simbólico... Me desarmaría tanto saber que sí...), *tú* has escrito en ese papel que le tienes miedo a todo sin mí.

—Es verdad, Martín, te juro que es verdad. Lo que pasa es que no esperaba que vinieras tan rápido.

—¡La próxima vez dame turno! —grité, pero sin lograr añadir, también a gritos, que al pobre Carlos lo había hecho atragantarse el café, lavar o romper dos tazas, que lo había dejado solo y sin lectura, siquiera: una bofetada me tapó el hocico en la palabra *turno*.

Después Sandra lloró a mares en mis brazos, me dijo que creía estar realmente enamorada de mí, que si tan sólo le dejara un poco de libertad. Yo, ni pío: escucha y escucha tendido a su lado sobre la cama, quería que lo soltara todo de una vez, que llegara al fondo de las cosas, desahógate, Sandra, desahógate al máximo. Lloró una hora más, y al final era yo el que se estaba ahogando en ese mar de palabras, en esa historia imposible, triste triste triste, pero que me sentía totalmente incapaz de controlar o de juzgar. Besar y besar a Sandra fue lo único que se me ocurrió, y ahí la estuve besando mucho rato antes de que ella empezara a responder a la búsqueda de mis labios, pero cuando quise abrirle la blusa para acariciarle los senos, Sandra abandonó todo, se hizo a un lado, y empezó a llorar nuevamente.

—¿Por qué? ¿Por qué? ¿Por qué?

—Porque contigo no puedo, no puedo contigo, Martín.

Me largué diciéndome esta gringa está más loca que una cabra, yo aquí no vuelvo más, me fui corriendo por las escaleras pensando así, pero maldita sea, pensando también que tenía que haber algo además de eso y que qué era eso que yo llamaba *eso* y que en el fondo tampoco estaba convencido de que fuera loca, otro papelito más con su chinche y vuelvo, estoy seguro. Temblaba de espanto cuando llegué a la calle.

No voy a decir que guardo los chinches de recuerdo, porque eso no me lo creería nadie, pero sí que soporté varios sentones más en el descanso de la escalera, segundo piso, que me largué varias veces más, y que regresé igual cantidad de veces llamado por un papelito con su chinche. Diré, ahora, que, cuando le pregunté a Sandra si éstos ocultaban algún tierno simbolismo, ella me miró con una asombrosa sonrisa. Deducción: mi eterno sentimentalismo, y la total ausencia de humor, agilidad mental, o lo que sea, en ella, para asociar un bicho chinche con un clavito chinche y luego hundirlo en la puerta de Martín Romaña, a quien, dicho sea de paso, cualquiera que lo conoce sabe perfectamente que trayéndole un chinchecito-souvenir de pocilga andina se lo mete en el bolsillo. Pero no, Sandra no parecía captar nada de nada, y fue más bien una gran indiscreción de mi parte la que me hizo comprender a fondo que su problema era pura culpabilidad, que de ninfómana no tenía una pizca, y que sólo me quedaba un recurso para metérmela a ella en el bolsillo, lo cual en resumidas cuentas significaba meterme yo del todo en la

cama de Sandra. Ella anotaba paso a paso su vida en un diario
íntimo. Una noche, por descuido, lo había olvidado sobre la
cama. Yo andaba furioso porque acababa de soplarme, una vez
más, toda la incultura política, muy bien sazonada con presencia activa en las barricadas del día anterior, de tres muchachos
que tarde o temprano harían lo que yo no lograba hacer con
alguien que me seguía reclamando a gritos con papelitos y chinches. No había tenido derecho a la palabra, porque en vez de
acudir al frente de batalla, opté por quedarme en la retaguardísi-
ma acompañando a Carlos Salaverry, que había decidido abandonar definitivamente París dentro de poco, y que deseaba hablar de ciertos asuntos a solas conmigo. Por fin, se largaron los
primaverales, y quedamos Sandra y yo enfrentados al abismo
que nos separaba después de cada una de esas aburridísimas sesiones de quién grita más fuerte, y el que grita más fuerte y
cuenta más aventuras se tira a la gringuita. Pensé que la gente
del barrio ya debía estarse pasando la voz, hay una gringa maravillosa que con todo el mundo, viejo, y enfurecí más todavía. A
Sandra le dolía el estómago, y como en el lavatorio sólo hacíamos el número uno, bajó a hacer el dos al wáter común. Yo
aproveché, agarré el diario, busqué las páginas que correspon-
dían a aquellos días. Me bastó con lo que pude leer antes de su
regreso.

### 3 de mayo

Hoy he vuelto a cruzarme por la calle con esa muchacha tan alta y tan bonita. No sé cómo decirlo: lo más
hermoso que tiene es el cuello tan largo y distinguido
como el de una reina, o lo que uno imagina que es una
reina. Pero esa muchacha simplemente "no saber hacer
uso" de su cuello. A su lado, como siempre, iba él,
aunque más bien parecía que cada uno caminaba solo y
que él le tuviera un poco de miedo. El camina con aire
ausente, y al mismo tiempo como si estuviera arrepentido de algo. O como si alguien le acabara de pegar un
buen jalón de orejas. Parece sudamericano. Ella, no

sé, más parece italiana que otra cosa. Tiene una cara muy seria. A él, en cambio, lo encuentro cada día más divertido.

Escribiendo estas líneas me he dado cuenta de que me gustaría saber el nombre de él, qué hace, etc. Me he dado cuenta de que me molesta llamarlo siempre "él". Hoy iba más divertido que nunca.

### 14 de mayo

Lo he conocido. Me ha dado miedo conocerlo; a pesar de que es en efecto un tipo divertido. Estoy contenta de saber su nombre. Me gusta que se llame Martín Romaña y poder escribir desde ahora Martín en vez de "él". Le dije que no me gustaban las parejas que tienen problemas conyugales, pero ahora que lo pienso bien, recuerdo que me produjo cierta alegría saber que él y su esposa tenían "todos" los problemas de este tipo que existen. Así dijo Martín al despedirse, y yo lo encontré muy divertido y me dio cierta alegría saberlo.

### 16 de mayo

Me avergüenza leer la mayor parte de las cosas que he escrito en estas páginas. Y al mismo tiempo me hace preguntarme si no soy todavía una niña. Pero de ser así, estoy segura de que habré dejado de serlo cuando termine con estas experiencias.

### 23 de mayo

Me he vuelto a acostar con un hombre sin desearlo. Por darle algo que en el fondo sólo desearía darle a Martín. No, no es ninfomanía. Esto empezó entregándole mi virginidad a un dominicano que me agredía por lo que mi país le había hecho al suyo. Y desde entonces me he sentido siempre indefensa ante los hombres que vienen de regiones que son víctimas de mi país. Me defiendo perfectamente de un francés pero no puedo hacer absolutamente nada ante un peruano, por ejemplo. Y Martín, por más que lo diga a gritos, a mí no me parece sudamericano. ¡Maldita sea!

## 25 de mayo

Hoy lloré otra vez y esto hizo que Martín volviera a temblar, a sentirse muy mal a causa mía. Me ha estado hablando de unos jebecitos muy extraños, de insomnio, y de una extraña tristeza. Se le ve en la mirada. ¿Lo amo? Sí, pero no quiero darle el placer que les doy a los demás. No, eso no. Voy a escuchar a mi corazón y a mi cuerpo, porque quiero que ambos me lo exijan en un mismo instante. Ellos me van a indicar que estoy hecha para un hombre como Martín. Y cuando eso suceda, voy a abrirle las piernas porque soy yo la que lo desea, porque quiero que todo en mí le guste, y porque quiero que también él me dé mucho placer a mí. En todo caso, jamás lo haré "porque quiero quedar bien", como con los demás.

Actuando de esta manera, habré sido honesta conmigo misma y con Martín, aunque tal vez entonces sea ya demasiado tarde para encontrar a ese hombre "alto, tierno y español" con el que soñé siempre, que se parece tanto a Martín, cuyo cuerpo he deseado siempre tocar, y en cuyo corazón quisiera esconderme para siempre.

## 27 de mayo

Creo que podría ser muy feliz con Martín si él lograra otorgarme, en el fondo de su corazón, la libertad que necesito, a causa de esta estúpida deformación de mi actitud ante los males de mi país y ante cierto tipo de hombres. Creo que es pedirle demasiado. Creo que sería pedirle demasiado a cualquiera. Pero, confío en su honestidad para decírmelo, para decirme y mostrarme qué podemos hacer juntos y cómo.

A veces me parece que soy yo la que habla siempre de sus problemas. Escribiendo estas líneas acabo de darme cuenta de que ni siquiera le pregunto por su esposa, por sus amigos, y por la vida de ese Carlos al que quiere tanto y que me resulta también tan divertido.

Carlos me ha tratado como en un sueño. Mejor todavía.

Pasos de Sandra en la escalera. Dejé el diario donde lo había encontrado, me estiré en la cama como quien ha estado dejándose comer vivo por los chinches, y esperé que entrara para decirle que deseaba irme a ver a Carlos. Me miró sorprendida, pues ignoraba por completo las mil ideas que empezaban a ponerse en funcionamiento en el cerebro de un hombre que, aunque sea por un breve período de tiempo, había decidido juzgar a la historia. Seguía mirándome sorprendida, como si las decisiones las hubiese tomado siempre ella, como si necesitase un mínimo de explicaciones para salir de su desconcierto. ¿Por qué me iba ahora que estábamos al fin solos? ¿Acaso no íbamos a salir juntos a ver qué pasaba esa noche en París? ¿Normalmente no habría deseado quedarme ahora que ya nadie discutía y gritaba?

—Pensé que te ibas a quedar, Martín.

—Yo también, Sandra. Pero acabo de cambiar de idea. Acabo de decidir que estoy harto de estas discusiones absurdas, que estoy harto de tanta teoría barata, que tengo cosas mucho más graves y arriesgadas que hacer, que mañana para mí es un día cargado de peligros e incertidumbres, que necesito horas de silencio y reflexión antes de llevar a cabo las consignas...

—¿Las qué?

—Las consignas: aquello que le da razón a mi estadía en esta ciudad, aquellas actividades que cumplo en silencio, con seriedad y humildad, y que no son juegos de niños que pueden contarse a gritos y en la habitación de una amiga como tú, donde pueden haber infiltrados, policías vestidos de civil, en fin...

—Pero tú me has contado que renunciaste...

—¿Al Grupo? No me hagas reír. Eso era juego de niños, un pasatiempo para mantenerse en forma. No renuncié. Tuve que irme hacia cosas más importantes... Hacia consignas... Chau, Sandra.

—Martín...

—Deséame suerte, linda.

En la calle anduve haciendo ejercicios respiratorios, evitando encontrarme un jebecito constante, buscándolo estiradísimo porque el asunto era más fuerte que yo, y pensando en la bomba que me tocaba poner de madrugada en la fábrica N, de acuerdo al operativo 007... Pelotudo, ¿no se te ocurre nada mejor que el 007 de James Bond? Bah, ya encontrarás algo X 023, por ejemplo. Ay gringa tonta, suspiré, las cosas que uno tiene que hacer por ti. Y también por mí, claro...

Una larga carta de Carlos me esperaba en el departamento.

*Mi querido Martín,*

*Acabo de comprarme toneladas de jamón y de queso. Pan no me va a faltar. He comprado también toneladas de cajas de cartón y me voy a encerrar a empacar libros en mi departamento. Acabo de vender el automóvil. Por supuesto que me hicieron cholito, peor que cholito, pero con ese dinero parto a Alemania (al Baile de los corazones solitarios, a la mierda, o a lo que sea, aunque ya tengo un saco de fumar y tal vez la suerte haga que encuentre una chimenea apropiada...), en el primer tren después de las huelgas o en el primer tren rompehuelgas o como diablos sea. Por favor, no vengas a verme, Martín. Tu amistad ha sido para mí siempre sagrada, y como sé que algún día, a pesar de los sindicatos pesqueros, de Mocasines, y de Inés (perdóname, Martín), escribirás a tus anchas y contarás tal vez estas cosas, no quiero que digas que además de alimentarme, comprarme servilletas, lavar todos los platos y tazas (menos las dos que yo rompí. Te dejo el importe sobre el tocadiscos), me ayudaste también a mudarme, cuando en realidad lo único que deseabas era paz para olvidar a Inés, en los brazos de una norteamericana cuyo inglés es peor que el del Indio Bedoya en El tesoro de la Sierra Madre, o que el de cualquier otro mexicano imaginado por Hollywood. Aparte de eso, Sandra es en-*

cantadora, hermosísima, y está completamente loca. Prefiero estar en los brazos del aburridísimo Heidegger (Creo que ya te he contado que su hermano es empleado bancario, aficionado al fútbol, y algo así como cien veces más inteligente, entretenido y simpático que mi genial maestro), cuando ella te mate a balazos por no ser diferente, para poder amar a otro hombre que se parezca al que tú eres, si es que esto quiere decir algo, y yo creo que sí. En todo caso, tú no la matarás, o sea que trata de darle un cariño mejor que el que me darán a mí las gordas del Baile para corazones solitarios, en un sórdido local cuya única iluminación ha debido ser la dentadura de oro del inmortal Piolín. Ten la seguridad, Martín, de que cuando no esté con Heidegger, con su hermano, o en los brazos de una mamapancha bávara apachurrando a la miseria de la filosofía (yo), mientras ésta gira pensando en su infame adolescencia, o leyendo y leyendo y leyendo, para que después Lagrimón sea el que publique erratas llenas de libros (Te juro que no he bebido una gota de nada desde el infame Valparaíso, en el que comprendí que hasta mi niñez me aburría ya), estaré escribiéndote las cartas que serán, gracias a tus respuestas, aquella hermosísima correspondencia entre dos amigos que nada podrá separar. Ni siquiera tus opiniones sobre Hemingway, que siempre encontré algo exageradas, y no necesariamente producto de una atenta relectura de la obra de ese hombre que, a mi entender, nunca supo nada de toros. Perdóname, Martín, si hay en esta carta de despedida alguna que otra frase muy dura. Me conoces: después me habría odiado por no haberla dicho. En efecto, de toda la obra de Henry de Montherlant, aparte de una que otra escena de La Reina muerta y de Malatesta, sólo se salva una frase: "Si no somos duros con los seres que queremos, con quién vamos a serlo entonces". No te doy noticias de Teresa y Marisa, por la simple razón *de que ellas no me las han dado a mí, y porque a causa de los gases lacrimógenos no me he atrevido a ir a ver si están trepadas en la torre de la Sorbona, donde parece que hoy hasta se hacen picnics. Esto me apena por los excelentes cursos que dictaba Etiemble sobre "El mito de Rimbaud en los países eslavos y comunistas", pero me alegra y reconforta por casi todo lo demás. Mi dirección en Alemania te llegará con mi primera carta. La botella de champán que te dejo es para que la bebas con quien te dé la gana, pero no solo, por favor. Habría sido hermoso beberla con Inés, lo confieso. Y también con Sandra, lo confieso también. Y con cualquiera que te dé la alegría y serenidad que te desea con todo cariño tu amigo de siempre,*

CARLOS SALAVERRY

*P.S.: No deja de preocuparme tu problema con "los jebecitos constantes". Hay algo muy depresivo en ello. Trata de consultarlo con un médico serio. Evita, de preferencia, que ese médico serio sea Lagrimón.*

Mierda, te me vas Carlos, te vas justo cuando quería que me ayudaras a darle un aspecto convincente al operativo X 023. Hubiera bastado con que me dieras razón, apoyo moral, y como diablos y demonios se le llame al que encuentres justificable tremenda patraña, sí, porque lo voy a hacer en función a Sandra, Carlos, para curarla de una vez por todas, para obtener de una vez por todas lo que ella y yo tanto deseamos, el fin no puede ser más noble, Carlos, pero ya tú te fuiste, adiós amigo, te comprendo y sí nos escribiremos, pero ahora un buen rato para cada uno por su lado porque yo tengo que poner en marcha los medios para obtener ese fin.

¿Qué medios?, me pregunté. Pues ninguno que no sea quedarte toda la noche pensando como un cretino en la tonelada de mentiras que dirás mañana al llegar al cuartucho de Sandra, jadeante, cubierto de polvo, agotado, ojeroso, tembloroso, tras haber puesto una bomba en una fábrica N, secreto político, sin haber hecho otra cosa que pasarte la noche en blanco, envidiando en algo a los seres que sí ponen bombas, extrañando mucho a Carlos, preguntándote qué pensaría Inés de todo esto, pero seguro, segurísimo, eso sí, de que Sandra cae, de que te admirará y amará y largará a cualquier tercermundista de vocabulario para afuera, porque ahora tú, Martín Romaña, no solamente te mereces el carnet sino además la medalla, y con carnet y medalla, poco a poco, dulcemente, siguiendo su primer llamado sincero, te irás introduciendo bajo su frazada, entre sus brazos, entre sus muslos, entre su boca, y por fin esa gringa enternecedora habrá logrado ser verdaderamente una mujer que vive la ternura y que se siente sana y que está sana. Claro, después vendrá el secreto que tendrás que llevarte a la tumba. A la tumba, nada menos que a la tumba, Martín Romaña, y con gran dificultad porque te morirás de ganas de confesarle que jamás hubo X 023 ni bomba ni nada, sólo esta noche de insomnio porque habías tomado la determinación, sólo esta noche de insomnio sin Carlos para apoyarte, aconsejarte, estimularte, darte la razón, superconvencerte de que el fin es nobilísimo y de que tal vez algún día ella, tras muchos años de felicidad, pueda aceptar sin rabia y sin vergüenza que tuviste que recurrir a semejante patraña para llegar del todo a sus brazos, sí, tal vez el día de las bodas de plata matrimoniales o algo así, que espero no tenga lugar en Nebraska con niños sin zapatos, me cago, insomnio de mierda...

Y cuatro horas más tarde de insomnio: bueno, no dormir da mala cara y yo necesito llegar con muy mala cara esta mañana, lo más temprano posible, ojalá me estén saliendo ojeras, pintarme unas ojeras. Y una hora más tarde de insomnio: signe revolcándote en tu camota nueva, todo eso despeina más y da peor cara, y de paso pon el despertador porque el asunto te está resultando tan convincente que no tardas en quedarte profundamente dormido.

Tras el golpe del operativo X 023, los héroes, como todos los héroes urbanos, se dispersan y entran de madrugada a un café pobre y pequeño y se toman dos express bien cargados para resistir el día de alerta que los espera, pueden haber noticias, pueden no ser buenas, puede haber caído un camarada en su huida, hay que escuchar un poco la radio. Cumplido todo lo cual, de pronto me di cuenta de que me faltaba ensuciarme un poco y también mucho jadeo, un verdadero jadeo para llegar a su cuarto, que estaba a muy pocos metros de los Cinco Billares, el café al cual había llegado desde muy lejos, desde el suburbio X, secreto político, completamente agotado pero sin jadeo alguno porque mi departamento quedaba también bastante cerca y se me había olvidado correr huyendo de algo. Pagué, avancé hasta el centro de la plaza de la Contrescarpe, recogí un poco de tierra al pie de un árbol, me ensucié bastante un hombro, un codo, el fundillo del pantalón y ambas rodillas, y partí a hacer jogging en la plaza del Panthéon. Una vuelta, media vuelta más, y entre que hacía tiempo que no corría, entre los express bien cargados y unos nervios de la puta madre, igualitos a los que habría sentido tras haber puesto una bomba en Notre-Dame, un jebecito constante y estiradísimo y luego dos más que no estaban estiradísimos porque eran dos gusanos tan enroscados como primaverales, había logrado por fin los efectos indispensables post-operativo X 023: corcoveaba, todo en mí corcoveaba.

Había llegado el gran momento. Todo esto por ti, Sandra, me repetí siete veces, y si resulta juro que el día de nuestras bodas de plata te lo cuento todo con lujo de detalles. 7 a.m.

7.07 a.m. Corcoveaba de desesperación y de rabia en el descanso del segundo piso. Y no porque Sandra estuviera haciendo el amor con un tercermundista. Eso me lo esperaba, a estas alturas quién ignora que eso me lo esperaba siempre. Al contrario, era lo que más me habría gustado encontrar, habría podido echar la puerta abajo y, en tres segundos de corcoveo, palabreo, noche en blanco, operativo terminado, un vaso de agua al sediento, silencio y discreción total, por favor, y también escondite y ayuda y solidaridad, en esa habitación no habríamos quedado más que Sandra y yo enlazados ante el peligro y ella escuchando a su corazón y a su cuerpo pedirle exactamente lo mismo, a las 7.07 a.m.

Pero no hay nada más imprevisible que el reposo de un guerrero. Jamás se me había ocurrido que Sandra no iba a estar. ¡Lenin, por Dios santo! ¿Qué vas a hacer, Martín Romaña?, ahí no puedes seguir esperándola, le quita convicción al X 023. No te queda otra que largarte y seguir dando vueltas al Panthéon hasta que regrese. Pasa cada diez minutos a ver si ha regresado, a lo mejor trasnochó y se ha ido a tomar una sopa de cebollas o algo así.

9. a.m. Tras haber pasado unas cincuenta veces, la vi llegar con un grupo político-primaveral. Serenidad, Martín Romaña, comprueba funcionamiento operativo post-operativo. Suciedad: suficiente. Pelo: más que suficiente. Corcoveo: ni siquiera sé si voy a poder llegar hasta su cuarto.

9.03 a.m. Jebecito constante.

9.04 a.m. Hace horas que sigue estiradísimo.

9.06 a.m. Me voy. Tengo que irme de aquí.

9.09 a.m. Doy un porrazo en la puerta de Sandra y se me escapa un Octavia de Cádiz.

9.10 a.m. Adentro, silencio. Afuera, mi corcoveo. Doy otro porrazo, me tapo un Oc... y grito por fin un ¡Sandra! que la arroja contra su puerta para abrirme.

9.11 a.m. Corcoveo flemático, lo cual no salió nada mal porque los héroes deben corcovear flemáticamente y los muchachos van abandonando aterrados la habitación. Perdonen, es grave, corcoveo respetable y respetando opiniones políticas diferentes a las de un X 023.

Un minuto más tarde, debí pensar al fin solos, pero el corcoveo me impidió grabar ese pensamiento en mi memoria. Además, el hecho de que el cuerpo y el corazón de Sandra pudieran no estarle exigiendo lo mismo, exactamente al mismo tiempo, me obligaba a contarle minuto a minuto sólo lo que podía contarle, por supuesto.

¡Ah, lo bien que se vivía tras haber contado! Lo bien que

viví, en todo caso, hasta que empecé, qué bestia, lo humano que es uno, a buscar alguna hondonada a la cama de Sandra. Cómo iba a tenerla. Imposible que la tuviera. Era tan sólo un tabique de madera y en él todo intento de hondonada resultaría siempre imposible. Pero Sandra era feliz con su héroe. Lo había lavado, le había hecho masajes por todas partes, le había abierto las piernas y el corazón nuevamente y nuevamente le había hecho masajes y lo había vuelto a lavar por todas partes. Y mientras nos seguíamos amando nunca volvió a preguntarme sobre el operativo, por lo que yo seguía jurándome a mí mismo que si este asunto, con o sin hondonadas, llega a bodas de plata, le suelto todititita la verdad aunque ello me cueste un divorcio en Nebraska con tutela exclusiva de los hijos dada a la madre y yo me quede sin verlos más sin sus zapatitos, aunque conociéndome, esos niños míos, esos hijos que Sandra y yo procrearemos juntos nacerán en territorio neutral, ni Alaska ni Nebraska, para evitarme inconvenientes con su familia (Sandra la calificaba de muy vulgar y reaccionaria), ni mucho menos Lima, para evitarle a ella inconvenientes con mi familia (Sandra la calificaba de muy refinada y reaccionaria), pero eso sí, en cuna de oro. Hasta peleamos por este asunto, lo juro, pero las cosas iban tan bien que transamos en lo siguiente: nacerían en cuna de oro pero los educaríamos de tal forma que el sistema actual, contra el que siempre estarían a punto de dar la vida, como su padre una vez en el 68, en París, los llevaría a renunciar hasta a los zapatos del capitalismo.

Genial la parejita que se estaba formando en la pocilga andina. Y sin embargo, no puedo negar que nos estábamos llevando muy bien y que mi operativo X 023 estaba cumpliendo perfectamente con su objetivo. Tanto, que la noche del 29 de mayo, Sandra y yo no paramos de hacer el amor y nos dimos y compartimos tanta ternura y confianza que, hacia la madrugada del 30, ella lloraba añorando un tabique exacto a éste, en el cual se había negado a abrirle las piernas a Tom, allá en Nebraska, y yo lloraba porque amor había encontrado en su tabique, o por lo menos alguien que se ocupara de la mano que me sobraba y que me escuchara explicarle a fondo el asunto de los jebecitos constantes, pero en cambio por nada de este mundo lograba encontrar una hondonada, una hondonada, una hondo... Y me puse a hablarle de Inés. Después caímos en un largo silencio que ella interrumpió sólo una vez para decir que era necesario seguir juntos, confiar el uno en el otro, querernos puesto que nos queríamos a pesar de nuestras creencias y... Silencio nuevamente y más madrugada con pajaritos cantando en la Place de la Contrescarpe y yo interrumpiéndolos sólo para decir que al que madruga Dios lo ayuda. Nos besamos y tocaron la puerta.

Conocía al tipo. Le llamaban Alfredo el Increíble, era andaluz, y solía merodear por la plaza de la Contrescarpe, aunque jamás tuvo nada que ver con Sandra. Qué diablos lo traía a estas horas, a quién buscaba.

—Sé que eres peruano —me dijo, añadiendo—: Traigo un mensaje de un peruano preso. A mí acaban de soltarme.

—Operativo X 023 —le dije, bajito, a Sandra, para que él no preguntara, ¿y eso qué es?, y para que ella se me quedara bien obedientita en su cuarto mientras yo salía a enterarme de quién era el peruano preso y de cómo podía ayudarlo.

En la calle, Alfredo el Increíble me preguntó si conocía a Jorge Matos. Llevaba cuatro días preso, se había comido todas las direcciones que llevaba en los bolsillos, se negaba a hablar, y sobre todo se negaba a decir a dónde mierda estaba yendo cuando la policía lo detuvo vestido de hippie, con una buena docena de collares al cuello, tres ejemplares de la revista *Hara Kiri*, y en plena Place Monge, una tarde en que se estaba programando una manifestación en ese lugar.

—No te preocupes —le dije—, lo conozco bastante bien. Voy a lavarme un poco, a esperar que sea una hora más potable, y corro a buscar a nuestro cónsul. Normalmente suele ayudar en estos casos, aunque no sé si le gustan los hippies.

Consideré que lo correcto era subir donde Sandra y decirle la verdad. Después de todo, aunque ésta nada tuviera que ver con mi operativo, no había ya razones para que Sandra cayera en manos de otro tercermundista; además, salir a ayudar a un compatriota preso, cuando uno se está escondiendo tras haber puesto una bomba, requiere mucho coraje. Sandra se quedaría tranquilita.

El intranquilo resulté siendo yo, tras haber logrado la ayuda del cónsul, haber sacado a Jorge Matos del calabozo en el que unos diez estudiantes no cesaban de proferir todo tipo de insultos contra cualquiera que se acercara, hasta que uno de ellos logró cambiar tanta rabia en una carcajada general. El pobre andaba tan aterrado que pidió silencio, por favor, no griten más compañeros, por favor, fíjense bien, si seguimos gritando así nos van a meter presos a todos.

—¡Y este cojudo a dónde cree que está si no en la cárcel! —exclamó el cónsul, controlándose la carcajada, porque había que tratar prudentemente el caso Matos con el Jefe del Establecimiento—. Espérenos en mi automóvil —me dijo—, voy a ver si arreglo lo de este muchacho.

Nada grave, salvo que Matos llevaba demasiados collares, demasiados *Hara Kiris*, y que había aparecido en la Place Monge una tarde en que se estaba vigilando mucho el lugar, porque se esperaba una improvisada manifestación, barricadas y, en fin, todo lo que viene después. Mas el hecho de que se haya comido todas las direcciones que llevaba consigo, dijo el jefe, revela cierta experiencia, señor cónsul.

—¿Pero el muchacho ha cometido alguna falta? —preguntó el cónsul.

—Ninguna, en realidad, señor cónsul. Con mostrarnos sus documentos en regla y contarnos a dónde iba, todo se hubiese resuelto desde el primer día. O el muchacho es tonto o esconde algo.

—Yo más bien creo que es tonto —dijo el cónsul, agregando—: Viene siempre a renovar su pasaporte, está registrado en la embajada como estudiante, y no tiene ningún mal antecedente. Yo más bien creo que lo ha hecho por dárselas de machito.

—Bueno, espero que no lo agarremos otra vez —dijo el Jefe del Establecimiento—. Firme usted estos documentos de garantía, señor cónsul, que el señor Matos firme aquí, y que se vaya y se quede tranquilo en su casa hasta que acaben estos líos.

Estaban cruzando la calle, en dirección al automóvil, cuando escuché que el cónsul le gritaba ¡cretino! ¡tontonazo! ¡tremendo manganzón! ¡para qué diablos se te ocurre hablar cuando ya a nadie le importaba nada!

—Pero, señor, es que es la verdad y no tiene la menor importancia. Yo esa tarde no iba a ninguna manifestación. Simplemente cruzaba la Place Monge porque iba a visitar a Martín Romaña.

—Se jodió usted, Martín Romaña —me dijo el cónsul, al llegar a mi lado—. Este pelotudo se ha tragado un secreto durante cuatro días, y cuando lo dejan libre se emociona tanto que se lo dice al mismo jefe.

—Bueno —intervine, mientras le abría la puerta del auto—, pero eso ya no tiene nada que ver, señor cónsul.

—¡Qué buenos izquierdistas son ustedes! ¡Qué buen par de papanatas! Cuántas horas van a tardar en comprender que si alguien se calla un nombre cuatro días, a pesar de las amenazas, y lo suelta al último momento... Cuántas horas más van a tardar en comprender que a partir del instante en que este bellaco soltó *su* nombre, Martín Romaña, la policía debe haber decidido que se trata de un nombre muy importante, del Jefe de una Célula clandestina o sabe Dios qué. Para la policía francesa ya debe ser usted todo un héroe o todo un mito, pedazo de...

Matos entendió. Bajar la cabeza era lo único que le quedaba por hacer en esta vida. Aparte de frecuentar un Grupo como el de Inés, el pobre no era nadie, y yo era mucho menos que el pobre, ninguno de los dos tenía importancia política alguna, pero la verdad es que su gesto, al verse libre, ese gesto tan inocente como la visita que me pensaba hacer, me había fregado. ¡Mierda! Ahora sí que tenía todo un post-operativo X 023 detrás de mí.

—¿Qué hago, señor cónsul?

—Por lo pronto, no romperle el alma a su amigo. En todo caso no en mi presencia, por favor. Y enseguida bajarse inmediatamente de este auto y esconderse en algún lugar muy segu-

413

ro. Espérese, aquí no lo voy a dejar. Dígame dónde quiere que lo deje y luego desaparezca. Váyase a otro país, a donde sea, hasta que esto se calme un poco.

—Déjeme en la Place de la Contrescarpe, señor cónsul.

—Si lo viera su familia, Martín Romaña. Usted no está como para andar de guerrillero parisino. Déjele esa fiebre a otra gente.

—¿Cómo me puedo ir de Francia, si casi nadie tiene auto ni gasolina y los ferroviarios siguen en huelga?

—¿Pero ustedes en qué país viven? ¿No se han enterado de que hoy se va a realizar la más grande manifestación de *todo* lo que está contra mayo del 68? ¿Y que De Gaulle se va a poner duro? ¿Y de que mañana todas las estaciones de París amanecerán milagrosamente llenas de gasolina para que la gente pueda gozar de un largo fin de semana? Mañana mismo sale usted en auto-stop de Francia, Martín Romaña. Adiós y buena suerte.

Matos me pasó todo el dinero que le habían devuelto con sus documentos, me soltó un disculpa, hermanito, que casi lloro por él, me abrió y me cerró la puerta, y minutos después llegué nuevamente corcoveando donde Sandra. Me habría creído si le hubiese dicho que regresaba de poner otra bomba. Pobre Sandra, me ayudaba a temblar, a punta de temblar entre mis brazos, con lo cual en realidad no me estaba ayudando en nada. Le solté la verdad, aunque sabiendo que a mitad de camino empezaría a complicarse hasta dejar de ser verdad: por error, y sin la menor mala intención, un antiguo camarada me había denunciado a la policía. Desconocía por completo mis actividades fuera del Grupo y con la alegría que le produjo que lo sacaran de la cárcel, dijo algo que sólo por joder a la policía se había estado callando a lo largo de cuatro días: que cuando lo pescaron se dirigía a mi casa. Total, si bien lo del operativo X 023 era todo un éxito, ahora, por culpa de esta bestia, ya no era todo un éxito. Y ello porque un hombre que se calla cuatro días y luego suelta... Me cago, resulta que ahora Martín Romaña puede ser el hombre más buscado de París. Puede no serlo, también, pero si me vienen a buscar...

414

—Comprendo —dijo Sandra—; si te vienen a buscar no agarran a un ex-camarada del Grupo sino al hombre del operativo X 023.

Casi le digo que había comprendido demasiado, más de lo que yo hubiera deseado, en todo caso, pero no tuve más remedio que callarme, pues lo otro era secreto para tumba, o por lo menos para bodas de plata matrimoniales.

—¿Qué hacer? —dijo Sandra, temblorosa, y queriéndome más que al Tom del tabique de Nebraska.

—Octavia de Cádiz —se me escapó a mí, pero ella ya se estaba acostumbrando a ese sonido-frase-inconsciente, que producía a menudo mi inconsciente, no preguntó nada, y me permitió seguir—: Yo en este instante corro a mi departamento...

—Corremos —me interrumpió ella, tan solidaria y tan cariñosa, que confieso que por un instante, entre el calor que hacía, y lo tierna y noble que estaba, pensé en una rápida prueba de amor al aire libre, en la terraza del departamento. Bastaría con desenfundar somier y colchón, poner éste sobre aquél, y aparecería la hondonada, y Sandra y yo ipso facto en la hondonada y claro, media hora después, Sandra y yo adorándonos en la hondonada, o yo extrañando a Inés en la hondonada, a lo cual no tenía ningún derecho Inés, ni yo tampoco, y entre ese caos sentimental la policía cayéndonos encima en plena e importantísima prueba de hondonadas van y hondonadas vienen. Besé a Sandra, y le dije que era la mujer más noble que había tenido entre mis brazos y que bueno, que salíamos corriendo juntos a mi departamento, con los siguientes propósitos:

1.º No separarnos más (con la primera sonrisa me sonrió a mí, y con la segunda a Tom. Debo confesar que ambas eran la más hermosa sonrisa que había visto en mi vida, y que no sentí celos ni nada porque Tom la había abandonado hace dos mil años y se había casado hace mil: lo primero, tras lo del tabique nebrasqueño, y lo segundo, tras lo del desvirgador dominicano).

2.º Poner, a la entrada de la casa, y en forma tan evidente

415

que la policía las vea no bien entre, las obras completas de Malraux, ministro del régimen, las de Claudel, que pudo haber sido ministro del régimen, las de Mauriac, que merecía ser ministro del régimen, las de Céline, que son lo más revolucionario que se ha escrito en Francia en el siglo xx, pero cuyo autor había soñado con ser ministro del Interior en cualquier régimen o país en el que aparecieran fantasmas maoístas o simplemente peligros chinos, y por último, las de mi querido y respetado general De Gaulle.

—Yo ni lo quiero ni lo respeto —me interrumpió Sandra.

—Mira, mi amor, como en el asunto de los hijos, transemos por hoy en que se trata de una debilidad de mi parte, y ya en España lo discutimos.

—¡Adónde!

3.º Porque se trata precisamente del punto tercero. Mañana empiezan a vender gasolina a pasto. Tú tienes tus dólares, a mí me quedan francos, y Matos, mi pobre amigo Matos, acaba de pasarme todos sus francos. Dejamos la casa llena de libros que "digan" mucho sobre mi vida en Francia. Nos vamos a España a ver toros, en auto-stop, también a visitar a algunos amigos que tengo por allá (inmediatamente empecé a pensar en ti, Enrique), y cuando todo se haya acabado por aquí, porque hay quienes piensan que con un fin de semana largo y mucha gasolina, todo empezará a acabarse por aquí, volvemos a casa, y miramos qué efecto han producido mis libros sobre la poli. Si no los han tocado, ni han llamado a la embajada, ni me han dejado convocatorias, ni me ha expulsado madame Labru, podremos vivir tranquilos en la misma ciudad, entre la misma gente, y sin encontrar nada extraño, tampoco, como dice la ranchera.

4.º Si estás de acuerdo, en este instante salimos corriendo al departamento. Pero no te olvides de que tienes todo el derecho del mundo a no estar de acuerdo. Sé muy bien por qué te lo digo, Sandra (Con esa frase, quise decir todo lo contrario, pero como sucede tantas veces, también ella entendió todo lo contrario y cómo describir la sonrisa que le soltó al ahora además perseguido héroe del X 023. Ahí, en ese mismo instante, quise realmente estar con ella en la hondonada. La amé y quise amarla en la hondonada, para poderle decir que había querido decirle exactamente todo lo contrario, que el operativo etc..., pero ella volvió a entender también exactamente lo contrario en la vida exagerada de Martín Romaña, por lo cual pasé de inmediato al punto siguiente).

5.º Corramos ahora mismo al departamento, acomodemos los libros sobre una vieja cama con hondonada que tengo archivada en la terraza capitalista, y hagamos el amor veinticinco años. Perdona, Sandra, pero te juro que es lo que estoy sintiendo y corramos y corrimos pero ella en el camino me confesó que su deber era mantenerme sano y salvo y que no bien hubiésemos puesto mis libros de buen ciudadano en el lugar más evidente, y retirado los otros, aquellos tipo Marx, Mao, que evidentemente podían perjudicarnos...

—No, de ésos no hay ya —la interrumpí—: se los llevó todos Inés, en vez de llevarse su ropa.

—...Bueno, terminamos de arreglar lo que haya que arreglar, y después regresamos corriendo a escondernos en mi cuarto, hasta que veamos circular un auto y que han liberado la gasolina; y después otra vez volvemos a correr en busca de caras simpáticas que nos lleven a España en auto-stop. Allá podemos amarnos en paz, Martín, esa hondonada es una obsesión en tu vida y no quiero que ni la policía ni nadie te vaya a hacer daño por una maldita obsesión.

El punto 6.º fue cumplir al pie de la letra los cinco puntos anteriores, mientras yo iba pensando que realmente había llegado al máximo de mi ternura por Sandra, al proponerle un riesgo (que llegara la policía), que para ella eran dos riesgos (que llegara la policía no sólo por un ex-camarada sino además por el Martín Romaña del X 023), y que menudo lío en el que me había metido por ayudarla, y que si le decía ahora la verdad reservada para las bodas de plata quién me ayudaba a mí, porque lo cierto es que también yo necesitaba ayuda y muy en especial ahora que ya ella ni soñaba con que era ninfómana ni se acostaba con gente porque se sentía culpable, todo por culpa

417

mía. En ese instante, para mí, sólo existía una verdad en el mundo: Nadie sabe para quién trabaja.

Sandra, esa verdad, y yo, llegamos a Barcelona el 3 de junio. Nos despedimos de la persona que nos había traído desde Montpellier, y lo primero que vi al bajar del auto fue un jebecito constante. ESTIRADÍSIMO. Ella me apretó la mano terca y tiernamente y eso me hizo pensar que en las viejas pensiones de cincuenta pesetas siempre los colchones tenían hondonadas. Y éstas, maldita sea, me hicieron pensar en Inés. Y de ahí a recordar a Mario y Josefa Feliu, unos amigos muy ricos de mi familia, que Inés se había negado siempre a visitar por capitalistas, no pasó un segundo. Le expliqué a Sandra: estábamos inmundos, teníamos poco dinero, y en las casas de los ricos los jebecitos constantes, si los hay, están siempre en el basurero.

—Hazme ese favor, Sandra; mi familia siempre ha deseado que los conozca.

Sandra soltó un *okay* de esos que uno normalmente quiere comerse, y media hora más tarde estábamos sentados en el magnífico salón del magnífico departamento de los Feliu, contándoles de los Romaña, del Perú, de Francia y del mes de mayo en París, y aceptando copita tras copita de un jerez muy seco y toda la comida que con tanta pena por el estado de estos dos muchachos nos iban sirviendo. En realidad, a mí no me conocían ni en pelea de perros, por lo que tuve que esperar que Sandra se fuera a acostar, entre agotada e impresionada por tanto capitalismo, para contarles quién era ella, por qué y cómo no era Inés, quién era Inés, cómo y por qué habíamos llegado a Barcelona una norteamericana y yo, y lo mucho que deseaba visitar a un amigo que tenía en Oviedo.

—Vale vale —dijo Mario—; todo tiene arreglo. Lo más práctico me parece que se queden unos días paseando con nosotros por Barcelona, y que luego vayan a ver un par de corridas a Madrid, porque Barcelona no es muy buena plaza…

—Eso —lo interrumpí, añadiendo que además Sandra era estudiante de Bellas Artes, y que un salto a Madrid sería su gran oportunidad para visitar el Museo del Prado.

—Ya ves, todo va saliendo a pedir de boca. Luego, de Madrid pueden irse a Oviedo, para que tú veas a tu amigo.

—Y con un poco de tiempo y de sol —intervino Josefa—, pueden luego detenerse en Bilbao, de regreso, y bañarse un poco en el mar. Nosotros tenemos un piso vacío allá, y basta con que Mario les dé las llaves.

—Vale vale, perfecto —dijo Mario, alegre y alborotado con la idea de ayudarme—. Ya está todo organizado. Y ahora a dormir, para que mañana podamos darles un buen paseo por la ciudad y llevarlos después un rato al mar.

Me habían hablado tan mal de los capitalistas, en los últimos años, que a éstos los encontré francamente encantadores. A la que no encontré nada encantadora, en cambio, fue a la hasta entonces encantadora Sandra. Dormía ya profundamente en un dormitorio de dos camas, cuando entré, y no sólo no se le había ocurrido juntarlas, sino que además me largó con un manazo bien dormido pero mejor calculado cuando traté de introducirme entre sus sábanas, en busca de su ansiado cuerpo. Le dije soy yo, es Martín, mi amor, pensando que a lo mejor me había tomado por Mario, por culpa de Buñuel y sus películas sobre esta gente en España, pero nuevamente me largó tan dormida como la primera vez, pero con un inglés que ni Shakespeare, no, no quería nada conmigo esa noche, demasiado capitalismo, Martín. Decidí entonces utilizar la fórmula mágica y dije Operativo X 023, pero esta vez sí que la cagada, porque Sandra permaneció inmutable ante el héroe tan fatigado. Y al día siguiente continuó inmutable. No se rió, ni siquiera se sonrió durante el desayuno, ni en las Ramblas, tampoco en las edificaciones de Gaudí, mucho menos en el Barrio Gótico, puso cara de tranca mientras nos bañábamos en Cadaqués, nos odió cuando Josefa, Mario, y yo, alabamos la impresionante belleza de sus piernas, se puso el pantalón que peor le quedaba mientras todos tomábamos el aperitivo en ropa de baño, y al caer la noche no aceptó cenar donde Mario propuso, sin duda alguna por temor a que se tratara de una especie de *Maxim's* catalán o algo por el estilo.

419

—Esta gringa que te has conseguido es totalmente idiota, Martín —me dijo Mario, no bien Sandra desapareció para irse a dormir nuevamente sola—. De acuerdo con que una persona sea izquierdista, pero de ahí a que sea idiota...

—Pobrecita —intervino Josefa—. Creo que realmente nos ha tomado odio.

—El pobrecito es Martín, mujer; él es el que va a terminar pagando las consecuencias.

—Lo siento mucho —dije—, pero creo que partimos a Madrid mañana. Les ruego que me perdonen: siempre me tocan así. Con Inés habría sido igual. Ya les he contado que en todos estos años en Europa no he venido a verlos porque ella nunca quiso. Y ahora ésta...

—Vale, muchacho, no te preocupes. Toma, aquí tienes dos billetes para Madrid. Y mira que soy buen psicólogo: son de segunda, para que no ofendas a tu amiga.

Sandra partió de Barcelona casi sin despedirse, y yo despidiéndome demasiado. Mario no sólo nos había prestado la llave de su departamento en Bilbao, sino que además acababa de introducirme, casi a la fuerza, un buen fajo de billetes en el bolsillo del saco. Lo recuerdo todo ahora, aquí en mi sillón Voltaire, mientras escribo en mi grueso cuaderno azul. Han pasado muchas cosas y han pasado muchos años, pero lo recuerdo, si no con exactitud, sí con sentimiento, con emoción. Y ahora, en este instante, me emociona más que nada el hecho de estarlo escribiendo. O el hecho puro y simple de estar escribiendo.

—Anda, muchacho —me dijo Mario—, ya me lo pagarás con creces cuando publiques tu primer libro. No creas que ignoro que eres escritor. Lo sé por tu familia. No dejes de darles mis recuerdos cuando les escribas.

Subí al tren muy deprimido. En España, a Sandra como que empezaban a pasarle los efectos del operativo. Pero también, sí, también en España, alguien pensaba todavía en mí como en un escritor. Viejas noticias familiares, me dije, triste, muy triste. Y es que jamás se me habría ocurrido, entonces, que contando esas mismas cosas, todo aquello que para mí fue una vez tan real, que escribiendo algún día sobre lo que yo mismo he llamado ya *La vida exagerada de Martín Romaña*, que narrando cómo ahora y cómo desde hace algún tiempo, instalado en mi sillón Voltaire, a fuerza de melancolía, distancia, humor, mi bendito humor, a fuerza de olvidos que dejan sin embargo sus huellas, de súbitos recuerdos de seres y hechos que habían caído en el olvido, aquello que en cada momento del pasado fue para mí tan real, ya no lo es, porque se mezcla y renace entre nuevas y difíciles navegaciones por mi mente, entre demasiados recuerdos de acontecimientos por distintos países a los que llegué con ideas muy diversas para encontrarme luego con situaciones igualmente diversas, entre gente a menudo tan diferente... Y todo, todo, sólo para caer, por fin, un día, en la enorme melancolía que me arrojó sobre lo que es y lo que no es esto, para que por fin empezara a parecerse, a ser, quiero creer que ya es, que hace tantas páginas y horas de trabajo que ya es mi primera novela, bastante tardía, tal vez, pero qué importa: lo es por lo inaceptable, por lo irreal y por lo insoportable que de golpe me resultó cualquier acto que no fuera el de escribir estas páginas, por lo mejor, por lo bien que día tras día me voy sintiendo a medida que avanzo por mi cuaderno azul buscando y dejando huellas de un pasado que hoy ya ni siquiera me parece mío: es simplemente mi primer libro, aquél que años atrás vine a escribir a París y que determinadas circunstancias...

...Y aquél que hoy me hace llegar con Sandra a Madrid. Quiero estar bien con ella, quiero que volvamos a ser las mismas personas que llegaron a Barcelona. No le vuelvo a hablar de Josefa ni de Mario y en cambio voy buscando y encuentro la peor pensión de cincuenta pesetas y hundo la mano sobre el colchón y sí hay posibilidades de hondonada y, púchica diegos, sobre la marcha me acuerdo una vez más de Inés, luz de donde, que ni se entere Sandra. Y nos acostamos juntos nuevamente y hacemos el amor pero algo falla, se nota, quién no nota cuando falla en estos casos, los dos lo notamos. Al Museo del Prado. Pero en el Museo del Prado, Sandra requinta contra la cultura y sólo soporta a Goya y en todo caso a mí no me soporta porque yo soporto también al Greco, a Velázquez, a Murillo, a los pasivos espectadores, al pintor que venga según la sala en que caemos y al mundo entero. Toros, ahora. Sandra vomitó en los toros. Mejor dicho, Sandra vomitó sobre *mi* pantalón en los toros. Ordóñez estaba en una tarde sensacional, Inés siempre le perdonaba a Ordóñez, sólo a Ordóñez, que toreara para los tendidos enemigos de sombra, pero Sandra y yo, o más bien yo bajo las órdenes de Sandra, o tal vez sea mejor decir Sandra, yo, y mi verdad esa de que nadie sabe para quién trabaja abandonamos la plaza antes del segundo toro de Ordóñez. Mierda, no lo había visto torear sino una sola vez desde las temporadas de Lima, ¿cuatro, cinco, seis años?

Desde entonces ya no pienso más que en una cosa: Enrique Alvarez de Manzaneda. Y decido: adiós patrañas, no más ¿qué te parece, Sandra?, comprende, mi espíritu del 68, después de todo sigo siendo el hombre del operativo X 023, aunque la verdad es que entre el Museo del Prado, amistades como las de Josefa y Mario, y Antonio Ordóñez, me ló han rebajado bastante a mi pobre operativo. Pienso: de Guatemala a Guatepeor, de una Inés peruana a una Inés norteamericana. Pero le cuento lo de Enrique a Sandra e Inés, no, perdón, a Inés no, Sandra me escucha atentamente y acepta, gracias a Dios, que se puede sufrir por un amigo con el que se quedó mal por amor a una esposa, por culpa de un Grupo, y por qué no, por culpa de uno mismo. Si tan sólo hubiese sido un poco más enérgico, un poco menos débil. ¿Vale la disculpa de que eran mis debuts matrimoniales, el principio de la hondonada? No lo sé, pero en todo caso no soporto más esta disculpa. Y puesto que era imposible ir nuevamente a los toros con Sandra, y puesto que Sandra, bastante harta ya, le hubiese clavado su X 023 a toda la cultura que había en el Prado, de no haber estado ahí don Francisco de Goya, ha llegado el momento de partir rumbo a Oviedo, ésta es la sorpresa, la sorpresota que te daré, mi querido Enrique Alvarez de Manzaneda.

Tren a Oviedo. Y en Oviedo, Plaza de América 24, 2.º, B. Tengo todo esto en la mente y sé que aunque hubo silencio y que aunque nunca hubo correspondencia, el gustazo que te voy a dar, Enrique, Plaza de América, tu dirección me la sé de memoria. Tren a Oviedo, qué pesadilla, tarda mucho más de lo que imaginaba en llegar. Sandra quiere un mapa de España, se lo compro, quiere pagarlo, ¿por qué tienes que pagar tú siempre todo, Martín?, resulta casi ofensivo. Mira, Sandra, la verdad, no lo sé, simplemente saqué el dinero antes, no compliques las cosas, ahora yo ya guardé mi dinero y resulta que tú no encuentras el tuyo. Demonios, se amargó Sandra. Prueba una broma, Martín. Prueba: mira, linda, tú me das tu dinero y yo te doy el mío: así, cuando yo pague por culpa de mis malos instintos capitalistas, estarás pagando tú, en realidad, y cuando tú pagues, en realidad te estarás gastando el dinero que el podrido capitalista de Mario me encajó por la fuerza en el bolsillo, es lo que en castellano se llama nadie sabe para quién trabaja. Mierda, Sandra se amargó más todavía, Sandra ignora que también yo empiezo a ponerme nervioso, que estoy cansado, impaciente, que de pronto empieza a hartarme que siempre me anden derecheando, capitalisteando, mediotinteando, después de todo hace mil años que defeco, qué increíble palabra, en wáters de hueco en el suelo y que vivo del sudor de mi rostro, peor todavía, casi de sangre, sudor, y lágrimas, que me perdonen Churchill y el pueblo inglés, pero en todo caso lágrimas sí que las hubo y sudorosas fatigas también y también, ya verán algún día, mucha sangre en el culo de Martín Romaña, un verdadero vía crucis rectal.

Tren a Oviedo en compartimento de segunda y no sé cómo diablos Sandra se ha enterado de que en España aún quedan terceras clases y que a lo mejor en este tren las hay. No las hay, le digo, lo he averiguado muy claramente y sé que quedaban algunas hace unos años, las usé con Inés, pero eran líneas menores, Sandra, y sé que poco a poco tienden a desaparecer. Pienso: además no jodas, Sandra, pero en cambio me sonrío y le acaricio las rodillas, los muslos. Nada, no obtengo el más mínimo resultado, una, sólo una de sus maravillosas sonrisas habría bastado para arreglar tanto las cosas. Ya sé, Sandra está extrañando

París, las barricadas, ha olvidado por completo, por culpa de Mario y Josefa Feliu, del Museo del Prado y de Antonio Ordóñez, que está acompañando a un hombre que huye de la policía, sí, porque esa era su verdad, mientras que la mía en el asunto ese de para quién trabajamos y en todo caso ahora es sólo llegar a casa de Enrique, darle la gran sorpresa a Enrique, liberarme por fin de aquella culpa que en España, abandonado ya por Inés, crece y crece hasta convertirse en algo enorme, o sea que por favor no jodas tanto, Sandra.

Pero siguió jodiendo. Ah, quién iba a pensar que aquella muchacha en cuyo diario íntimo y en cuyos ojos, en cuya sonrisa y en cuyas piernas abiertas había leído un gran amor por mí, estaba en ese instante pensando abandonarme, regresarse a Madrid, regresar de ahí como fuera a París, quién demonios iba a pensar que en la parada de León me habrían ocurrido ya, para variar, cosas tan exageradas que yo mismo le iba a dar la oportunidad de partir, como última consecuencia de ellas, que en esa estación de tren yo mismo iba a verme en la obligación de decirle vete, Sandra. Y que momentos después la vería llegar a otro andén, en espera del más rápido retorno a Madrid, y que la miraría sentarse cabizbaja, y que iba a continuar mirándola un rato como se mira por última vez a una mujer con la que se ha querido vivir tanto y se ha compartido tan poco y de ese *tan* poco, casi todo gracias a una mentira cuya única disculpa fue su tierna y desesperada urgencia.

Claro, ahora, muchos años después, he aprendido que a estos seres se les vuelve a ver, que además es uno mismo quien los busca. Con Sandra me pasó eso. Una sonriente fotografía de despedida, un amable texto escrito al dorso, ella en ropa de baño, la divertida alusión a sus piernas tan hermosas, la dirección de sus padres en Alaska, a través de los cuales podría siempre volverla a buscar, darle alguna noticia cuando me provocara, hicieron que en 1975, en otro de mis viajes solitarios (sí, hubo también toda una época de viajes solitarios, hablaré de ella tal vez en otro cuaderno, en otro libro), antes de partir a los Estados Unidos le envié una nota como quien lanza una botella con un mensaje al mar. Me respondió y fui. Vivía en California, era profesora de Historia del Arte, hablaba en sus clases de Murillo, Velázquez, y del Greco, pero lo más increíble fue que ella y su esposo, también profesor de Historia del Arte, acababan de comprarse una costosa residencia californiana y que en las contadas visitas que le hice a ella (a él trataba siempre de evitarlo, por pesado), anduve conteniéndome la risa y las críticas humorístico-aburridas y hasta tragando saliva por momentos porque Sandra me dictó una verdadera cátedra sobre la hipoteca, sus ventajas y desventajas al adquirir un bien inmueble y esto y lo otro, Martín, y los intereses bancarios, y no sé qué más decirte, Martín, de todo aquello de París ni me hables porque no me queda más que una especie de nube, un vaguísimo recuerdo, tú y un par de cosas más, ni un solo nombre, apenas algún rostro nublado y sírvete otro bourbon, y yo ahí que acababa de llegar en charter y andaba contando los centavos de dólar porque seguía igualito sólo que con varios combates más de diez, doce, y hasta quince rounds, y ya no maldecía a Hemingway porque mi vida en París y en diversas ciudades de Italia y España no se parecía nunca a la maldita y maravillosa ficción de sus libros tan vividos, tan basados en la realidad y la vida y la experiencia. En fin, algo así como lo que estoy haciendo yo ahora, sólo que él lo hacía en inglés, y a mí además quién mierda me conoce.

Bueno bueno, pero un poco más de cronología, Martín Romaña, no andes dando tanto brinco tempo-espacial en tu Voltaire. Tren a Oviedo, no se preocupen, lectores, al comienzo iba tan despacio que casi no ha habido oportunidad para que suceda nada nuevo. Sólo que yo sigo ahí sentado frente a mi segunda muda (1.era, Inés, 2.da, Sandra, desde hace un rato, pero con cara de que será para siempre), maldiciendo al maquinista porque este tren parece peruano o es que el tipo conoce mi ansiedad y no quiere que llegue nunca donde Enrique, tranquilo, Martín, no te paranoies, ya ves, ya empieza a ir rápido. Me incorporo, salgo al corredor a ver si llueve. En este vagón, al menos, no llueve. Avanzo uno, dos, tres vagones más, a ver si llueve, todo en vista de que Sandra... Me detengo al fondo de un vagón, vuelvo a encender un cigarrillo, me lo fumo, lo arrojo por una ventanilla, siempre soy agresivo cuando nadie me ve, cuando no puedo agredir a nadie, cuando lo único que podría lograr es un crimen tan poco civilizado como incendiar un bosque para avergonzarme luego de mis crímenes tan cretinos como solitarios y sin cadáver que se pueda reconocer porque cadáver no existe. Bueno, digamos que aún no existía pero que no tardaba en existir, porque minutos después sí que había cadáver reconocible, y es que de pronto, como para que no fuera a perder la costumbre, las cosas se me presentaron exageradísimas y en momentos en que el tren había ganado, por fin, gran velocidad.

Llegó un tipo que yo califiqué de muy mal educado, cosa que me extrañó bastante porque en los libros de Hemingway los españoles no lo son jamás. Este turismo de mierda, me dije, le está jodiendo todas sus ficciones a Hemingway, parece mentira, hasta los españoles se están volviendo poco amables. Hemingway inventó el *Spain is different*, otros esloganizaron su invención para atraer masas turísticas generalmente mal educadas, y ahora resulta que *Spain is different* de lo que a mí, en todo caso, me contó Hemingway sobre ella. Nuevamente el asunto ese de que nadie sabe para quién trabaja, porque el tipo que llegó era un español que hasta grosero no paraba. Antes, los españoles te invitaban chorizo y vino en el compartimento. Este, el que acababa de llegar adonde yo estaba, ni siquiera contestó a la cortesía mi saludo. No traía chorizo, tampoco, pero sí cigarrillos y encendió uno y a mí como si nada, nada de ¿me permite invitarle uno?, nada de yo encendiéndole el suyo y él el mío, nada de nada. Le menté la madre en monólogo interior y le manifesté mi más absoluto desprecio mediante un exagerado interés por el paisaje castellano, literalmente aplasté la nariz contra la ventana y permanecí así, sumamente interesado. Cinco minutos después, y siempre con la nariz aplastada contra la meseta catellana que se repetía y repetía, escuché unos ruidos extraños a mis espaldas. ¿Despego o no despego la nariz? Bueno, me dije, mientras hay vida hay esperanza, despegué y volteé. El tipo quería pasar al siguiente vagón pero no lograba abrir la puerta y se había puesto nerviosísimo y ahí estaba dale que dale pero la puerta dale también con atracársele y con tantos nervios probablemente se había olvidado de que más vale maña que fuerza. No se lo dije, por temor a sus malas pulgas, a que no contestaba saludos, a que no invitaba cigarrillos ni entablaba española conversación con chorizo, y sobre todo por lo nervioso que se había puesto. Pero los peruanos somos de temperamento más bien dulzón y yo además soy un peruano nada rencoroso, o sea que me ofrecí a ayudarlo con más maña que fuerza.

Funcionó, sólo sus nervios le habían impedido abrir la puerta, y si no le dije usted primero, señor, fue porque definitivamente el tipo parecía querer estar solo, porque no quería que fuera a pensar que lo iba a seguir o algo por el estilo, y porque en el fondo la muy muda de Sandra me había obligado a andar viendo si llovía por los vagones, pero a lo mejor con mi ausencia ya se le había pasado un poco su terrible necesidad de un nuevo operativo X 023 y hasta era capaz de volverme a sonreír. Me estaban entrando unas ganas horribles de acariciarle los muslos, bajo la falda, cuando noté que el tipo, al pasar al otro vagón, había dejado la puerta abierta y me acerqué a cerrarla... ¡Me cago!... La alarma, ahí estaba la alarma, me colgué de la alarma.

Y seguía colgado de la alarma cuando el tren frenó bruscamente y ahora cómo mierda explico. No había otro vagón y unos doscientos metros más allá el tipo estaba tirado sobre los rieles, inmóvil, probablemente muerto, le acabo de abrir la puerta a un suicida, con razón que estaba tan nervioso, con razón que no lograba abrir una puerta tan fácil de abrir. Grité ¡aquí aquí aquí, en el último vagón! y empezó a llegar gente, más gente, la gente que trabajaba en el tren, y dos guardias civiles. Fueron a ver. Lo tocaron, lo examinaron, el tipo estaba muerto. Lo registraron, le sacaron documentos, papeles, y su billete del bolsillo. Y ahora regresaban donde el único testigo. Que se vaya todo el mundo, ordenaron los guardias civiles, tenemos que interrogar al señor, su documentación, señor. El único testigo: yo.

Yo resultó muy sospechoso, a causa de la pelambre mayo del 68, de la barba, del bigotazo, más el acento sudamericano, más la cara de sudamericano. Sumamente sospechoso desde los primeros contactos, que no fueron físicos, pero que a pesar de no serlo permitían ver a la legua cómo temblaba el sospechoso, el sospechoso temblaba como si no sólo hubiera empezado a llover y yo ahí en mangas de camisa y sin paraguas sino que de pronto además hubiese empezado a nevar y yo siempre ahí sin paraguas y en mangas de camisa. Y todo esto por culpa del presunto suicida que entraba en gravísimas contradicciones que ya estaba muerto para poder explicar. Que explique, entonces, el señor Romaña, por ejemplo, cómo el cadáver pudo gastar en un billete hasta Oviedo, cuando tenía pensado suicidarse a tan sólo cincuenta kilómetros de Madrid-Atocha. O el presunto suicida está, en fin, estaba loco, de lo cual no hay prueba, o el sudamericano... Y al sudamericano le seguía nevando y lloviendo sobre sus temblores tan desabrigados y sin paraguas y además constantemente se le extraviaba la mirada porque, eso no lo mencioné en mi declaración, por supuesto, andaba buscando otro jebecito constante más estiradísimo aún y no los había por ninguna parte porque o la lluvia torrencial se los llevaba navegando o era a lo mejor que tanta nieve los cubría para siempre mientras el interrogatorio continuaba y por fin llegó Sandra que tan enemiga no podía ser como para declarar en contra mía.

Declaró a mi favor, gracias a un improvisado intérprete, llorando y abrazándome a mares, esto último con el debido permiso de la Benemérita. Y la verdad es que salí del apuro porque Sandra estuvo tan genial que, cuando menos se lo esperaba mi tamblequeo, se mandó un operativo X 023 que tuvo efectos instantáneos y prácticamente franquistas sobre ambos guardias civiles. Afirmó, y mientras afirmaba iban cesando lluvias y nevadas, que ella había estado conmigo cuando yo, de *puro* cortés, e ignorando por completo que ahí se acababa el tren, tanto que habíamos estado a punto, *nosotros dos*, de pasar también al otro vagón, el inexistente, porque andábamos buscando un bar, ¿dónde hay un bar en este tren, señores, por favor?, hace horas que estamos buscando un bar... cuando yo, de *puro* cortés, le abrí la puerta pensando que, como era natural, ella iba a pasar primero, *por ser una dama*, pero el tipo pasó primero con gran ímpetu, casi corriendo, señores, como tomando impulso, señores, y no bien me di cuenta ¡del horror!, le grité al señor Romaña que se colgara de la alarma mientras yo corría en busca de auxilio, señores.

*Vista* y escuchada por los dos miembros de la Benemérita, Sandra fue una turista norteamericana que deja más divisas que cualquier sudamericano, que tan sólo acompañaba al *ex* sospechoso sudamericano por los territorios franquistas y turísticos del *Spain is different*, y que además respondía mucho más coherentemente que yo porque estaba, claro que los de la Benemérita lo pensaron con términos mucho más castizos, como pepa de mango. Por eso he dicho que Sandra fue *vista* y no sólo escuchada por la Guardia Civil.

Y por eso le agradeceré siempre su X 023, lo cual, desgraciadamente, es algo que no podría afirmar acerca de mi X 023, sobre todo tras mi visita aquella del 75 a California, en la que Sandra me contó repetidas veces, para mi gran desilusión, que de París no le quedaban más que muy vagos recuerdos, uno o dos rostros nublados y tú, Martín, porque eras siempre tan divertido, pero por favor ahora no hagas muchas bromas porque Peter, mi marido, es un hombre bastante celoso. Todo esto me lo iba soltando así nomás, mientras continuaba sentando cátedra sobre las ventajas y desventajas de la hipoteca, abriendo con la sonrisa que me encantaba plano tras plano de su nueva mansión californiana, e ignorando hasta la indiferencia que yo seguía batallando con porteras, viejas brujas, el alza de los alquileres en París, y que seguía también aprendiendo, ahí, ante las mismas narices de su alegre hermosura, que en la vida uno sigue aprendiendo siempre y otras desilusiones más por el estilo (la palabra *estilo* alude aquí a mi vida y no tiene nada que ver con la casa nueva de Sandra), paralelas, las desilusiones, a la gracia tristona que me ocasionaba el encontrarla tan burguesa y tan capitalista (digo esto un poco por usar sus palabras del 68), aunque ello no le impidiera para nada olvidar la Nebraska de sus pobrezas ni sacarme en cara mis ya absurdos orígenes, claro que era sólo una broma y yo volví a sonreírle como lo había hecho momentos antes, o sea aburridísimo pero con cara de estar entretenidííí-simo. Porque la verdad, a mí, a estas alturas de la vida, sin más raíces que las que nunca logré echar y que por ahí andaban el 75 y siguen andando hoy convertidas en el cenicerito que me regaló Inés, la cucharita que nos robamos Sandra y yo del restaurant para estudiantes un poco enfermitos, y mil cachivaches más que con los años fueron llegando y que a veces con los años se caen al suelo y se rompen y son pena, mas no raíces, *a mí*, digo, no me iban a salir en California con historias de hipotecas y demás leyes que estudié, que ya olvidé por completo, y que lustros atrás dejé en el pasado para emprender el viaje a París-Hemingway y para que luego me ocurrieran cosas como las que he venido contando hasta ahora...

Sí. Y cosas como las que estoy contando ahora: las del mediotíntico pre-X 023, las del héroe del X 023, y las del posthéroe del X 023, aquél que por burgués y capitalista, sus amistades en Barcelona lo delatan, sus gustos en Madrid lo delatan más, empieza a cansar durante un viaje a Oviedo, está cansando, ha cansado ya a la hermosa, a la tan hermosa como insonriente pre-Sandra del 75, a aquella post-Sandra del 68 que en California me escucharía decirle cuánto me alegra que te vaya bien en la vida, sigues siendo tan hermosa como entonces, sigues teniendo unas piernas maravillosas, a aquella querida y recordada Sandra que algún día, años más tarde, miraría desde California hacia la Ciudad Luz tan sólo para ver apenas unos rostros nublados, no, no lograría ver más, ni siquiera un pipí nublado en un lavatorio a dúo...

Sí, para que estas cosas me ocurrieran vine yo a dar a París, la de los quemados plomos, estas cosas y todas las otras que he venido contando hasta ahora y también las *por* venir. Conste, conste que no he dicho *porvenir* ni nada por el estilo de la nueva mansión californiana de Sandra. He hablado de lo *por* venir. Y ello, en lo inmediato, o sea en el tren rumbo a Oviedo, fue que debido al accidente, éste llegó con dos horas de retraso a su parada de León y que allí se quedó horas más mientras los dos miembros de la Benemérita cumplían con las diligencias del caso, devolución de un cadáver de suicida a Madrid, mientras el personal del tren y los pasajeros se irritaban cada vez más, y mientras entre estos últimos un sudamericano libre ya de toda sospecha y una norteamericana majísima, monísima, en fin, que estaba buena como un tren (esto último lo aprendí años más tarde, en otro viaje a España), parecían estar llegando a algún tipo de *impasse* definitivo, tras haber tratado él durante un buen rato de acariciarle los muslos, bajo la falda, primero, y sobre la falda, aunque sea, después.

Estación de León: ahí sí que Sandra metió las cuatro. Yo no había perdido la esperanza de que me acompañara hasta Oviedo, de que compartiera conmigo la alegría de darle esa sorpresa a Enrique, había que esperar un buen rato, podíamos tomar unas cervezas mientras tanto, conversar, convencerla yo de que valía la pena visitar Oviedo y luego seguir juntos hasta Bilbao, con suerte haría sol, podríamos bañarnos en el mar, instalarnos solos y cómodos en el departamento de Mario y Josefa. Pero Sandra tenía que salirme con ésa, maldita sea, yo pongo bombas que a ti te encantan hasta abrirme las piernas libre de culpas y falsas ideas, libre, Sandra, libre para que juntos tu cuerpo y tu corazón te exijan en un mismo instante lo que yo logré que te exigieran, que llegara el día algún día. Y puse la bomba y llegó el día pero yo no mato gente, Sandra, eso es otra cosa, ni siquiera pongo bombas pero éste no es el mejor momento para confesártelo aunque tampoco es el mejor momento para que me vengas con insinuaciones de ese tipo, Sandra, habla claro, qué quieres decir con eso, ¡déjate de rodeos y habla de una vez por todas, carajo!

—Creo que me has comprendido muy bien, Martín.

—Será entonces que me niego a comprenderte…

—Bueno, Martín, te lo diré de la forma más directa que hay:

Quiero saber si las declaraciones que le inventé a la policía, sólo para salvarte y porque odio a los policías, eran verdad. Quiero saber si he dicho la verdad sobre lo que pasó con ese hombre en el vagón del fondo.

—Dijiste toda la verdad, Sandra, y me salvaste de un buen lío. Precisamente lo malo es que dijiste la pura verdad verdadera, porque yo ahora he dejado de creer para siempre en ti.

—Regreso a Madrid: de ahí me será más fácil hacer autostop hasta París.

—Tu tren sale del andén de enfrente, creo.

—Sí, ya lo sé. Adiós.

—Octavia de Cádiz —se me escapó, pero ya a los dos qué nos importaba.

Al cabo de unos instantes, Sandra era una muchacha muy guapa que esperaba sentada cabizbaja en una banca. Yo me fui a buscar una cerveza para que no nos siguiéramos viendo mucho rato. No estaba, cuando regresé tras haber comprobado que ya no tardaba en partir mi tren. Al cabo de unas semanas, Sandra era una foto de recuerdo que aún guardo. Iba a abandonar definitivamente Francia en pocos días y se había acordado de mí en una playa. Había escrito en el dorso de la foto, pero la verdad es que me da flojera sacarla ahora para encontrar el texto entero. Recuerdo, eso sí, que anotaba la dirección de sus padres, en Alaska, por si algún día llegaba a USA y deseaba ubicarla a través de ellos. Fue la dirección que utilicé para ubicarla en el 75. Por lo demás, decía algo de que no deberíamos guardarnos rencor, pero mucho más interesante que el texto era verla a ella en la foto. Un precioso bikini, la sonrisa con que me conquistó y me acompañó tanto en ausencia de Inés, y dos tipos, dos norteamericanos probablemente, a su derecha. Mencionaba sus nombres y deben haber sido sus primeros amigos compatriotas en Francia. Pero lo que sí recuerdo siempre y me hizo gracia antes y después del 75, siempre me hará gracia, es que al terminar la descripción de la foto, playa, personajes, etc., agregaba aquello de *and that's me on the left, with the beautiful legs.* Y sí, hasta en la foto provocaba acariciarle los muslos, las pantorrillas, en fin, todo aquello que me iba haciendo falta mientras mi tren empezaba a acercarse a Oviedo, la primera vez en mi vida que llegué demasiado tarde a alguna parte.

## DEMASIADO TARDE DEMASIADO TARDE DEMASIADO TARDE DEMASIADO TARDE DEMASIADO

El tren de Oviedo ha llegado a Oviedo y yo he ido caminando por calles de Oviedo, preguntando por la Plaza de América, torciendo a la izquierda, otra vez a la izquierda, a la derecha y otra vez a la izquierda, y a la derecha varias veces porque me he perdido muchas veces buscando tu dirección, Enrique. He llegado por fin a tu puerta, es en el segundo piso, departamento B, pero de todas maneras le pregunto a una señora que baja las escaleras en el preciso instante en que miro, por la puerta abierta, desde la calle hacia arriba. Pregunto con nerviosa alegría, olvidando el cansancio del viaje, a Sandra, al suicida, olvidando al sospechoso sudamericano que fui, una y tantas aventuras que te contaré mientras bebes tu eterno vaso de leche y yo te acompaño charlando con una, dos, tres cervezas, festejando con cuatro cervezas. Le he preguntado por el señor Enrique Alvarez de Manzaneda a la señora que ya está en la calle, a mi lado, y me ha respondido con una voz natural, sí, para mí fue natural en ese momento, que sí, que es ahí, que suba, el segundo piso y la puerta de la izquierda que está abierta cuando llego y miro y hay mucha gente más de negro en el departamento, muchas señoras más de negro como la que en la calle me dijo sí, es aquí, y algunos señores también de negro.

Ya di el paso adelante y estoy en una sala, una sala comedor tal vez, ahí estoy, maleta en mano, y donde pudo o debió estar siempre la mesa del comedor hay un ataúd rodeado de todo el aparato funerario, las velotas esas y los enormes candelabros y las cintas muy blancas y el Cristo de plata en su madero negro y las mujeres que se hablan en voz baja y las que lloran y las que gimen y los hombres detrás de ellas, graves y encajados en el luto general mientras transcurre el tiempo de un velorio.

Me han visto. Soy para ellos un hombre desconcertado, que se equivocó de puerta, tal vez, muy inapropiadamente vestido y con esos pelos y esa barba pero que insiste en quedarse porque ha puesto su maleta en el suelo, y ha avanzado dos pasos más. Sigo buscando a Enrique, debe estar en otra habitación, aparecerá en cualquier momento vestido de negro, he llegado a verlo en un día aciago, ha fallado mi sorpresa, su madre, tal vez... Me atrevo a preguntar por él y ya todos ahí me han visto y las voces corren hacia una mujer que alza de pronto los brazos al cielo, grita, gime, se aparta de la cabecera del ataúd y se me viene encima corriendo y gritando ¡no puede ser! ¡no puede ser, señor Romaña! ¡hasta ayer habló de usted! ¡hasta ayer lo esperó! ¡él sabía que usted le había creído todo! ¡usted fue su único amigo en París! ¡él siempre lo esperó! ¡sí, señor Romaña! ¡era lo que él contó en París! ¡ese bultito al que yo misma no le di importancia! ¡pero él lo sabía por sus años de Medicina! ¡no puede ser, señor Romaña! ¡hasta ayer lo esperó! ¡yo todo lo sé! ¡la forma en que usted lo acompañaba y lo consolaba! ¡la forma en que usted lo hacía reír con sus cinco bultitos para consolarlo! ¡por qué no llegó usted hace cinco días! ¡mi Enrique lo esperó siempre! ¡pero ha llegado usted demasiado tarde, señor Ro...!

La arrancaron de mi cuello, me arrancaron de sus brazos, me hicieron avanzar hasta el ataúd y pensé en ti, Inés, no, no creas que te odié, tal vez incluso comprendí mejor cómo con tu bizquera ibas pasando a un lado de tus afectos, una frase tuya fue la que en todo caso me hizo pensar en ti y sentir de esa forma mientras contemplaba el rostro de Enrique muerto, ya tranquilo de nuestras únicas medias tintas, las de nuestra amistad con él, con ese hombre que ahí yacía y continuaba teniendo el más bello perfil que habías visto en tu vida, Inés, lo dijiste un día en París, y Enrique muerto guardaba exacto el perfil que una noche te conmovió cuando aún no andabas bizqueándole a la vida y al que más tarde le negaste toda la vida que hay en una amistad, obligándome luego... Nunca me he sentido más niño, más irresponsable, más imperdonablemente infantil que ante Enrique Alvarez de Manzaneda, muerto ya.

Después vino esa especie de ataque adulto y desesperado y no sé cuántas veces gritó la madre de Enrique ¡demasiado tarde! ni cuántas veces nos arrancaron cuando nos colgábamos uno del cuello del otro, ella del mío, yo del de tu madre, Enrique, y hacia el final, mi maleta, absurda, increíblemente absurda a la entrada de tu casa, cerca a la puerta, me hizo comprender que la necesidad de huir era superior a todo porque la necesidad de morirme vomitando por ahí se agigantaba en arcadas, en un cólico tremendo, era como si alguien me hubiera pegado un atroz porrazo en el estómago y mi último esfuerzo antes de doblarme tenía que consistir en llegar hasta la maleta absurda a un par de metros de la puerta de tu casa, apenas traspasando el umbral el día en que traté de corregir, algo demasiado tarde... Siempre me he preguntado qué traté de corregir, Enrique, cuando tú lo sabías todo, lo comprendiste todo, el cómo y el porqué... Y sin embargo, la respuesta ha sido siempre demasiado tarde... Demasiado tarde tal vez para las últimas sonrisas que me hubieras dado en Oviedo, para los últimos vasos de leche, para que supieras algo más de unos risibles contratiempos, como sin duda eran para ti las cosas que a mí me ocurrían en París, cuando tú estabas, cuando me cortabas el pelo, cuando me aconsejabas siempre que controlara tanta sensibilidad y no le diera demasiada importancia a las cosas, tómalo con calma, Martín, tómalo con calma...

Pero ese día cómo iba a poder tomar las cosas con calma, cómo pensar siquiera en mi método aquel de decidir volverme loco un rato, todo lo había superado esta situación, y entre el cólico feroz y la maleta absurda a unos centímetros de la puerta y la escalera que daba a la calle desaparecí como un rayo, sin despedirme de nadie, me lancé escaleras abajo, me enredé con la maleta, rodamos confundidos y así llegamos a la calle, sólo que las maletas no vomitan. Me incorporé, no podía seguir vomitando en la puerta de tu casa, Bilbao, Bilbao, tengo que llegar a Bilbao, salir de Oviedo como si nunca hubiera estado en Oviedo. Y para ello, soportar, caminar normalmente, absorber mocos, enjugar lágrimas, aguantar vómitos, tengo que averiguar cómo se llega a Bilbao.

—¿Señor, por favor, sería tan amable de decirme cuál es el medio más rápido para llegar a Bilbao? Necesito estar en Bilbao lo más pronto posible. Se trata de una urgencia, señor. Un amigo que se me muere en Bilbao.

—Sí, señor, cómo no. Mire, a esta hora lo que más le recomiendo es que se tome un taxi, y le pida que lo lleve al terminal de los autocares ALSA. Ahí puede usted tomar uno de esos autocares que recorren toda la costa, hacia Francia. Se detienen en Bilbao. Y aquí puede usted esperar un taxi. Pasan a menudo.

—Muy amable, señor. Muchísimas gracias.

Avanzó unos metros, volteó a mirarme, y no me vio vomitar porque me vio haciéndole señas a un taxi que se acercaba con el letrero LIBRE, tan útil para no vomitar.

ALSA. Dentro de media hora. Tiempo para comprar el billete y tiempo para vomitar. Y durante el viaje sentía la bilis en la saliva y el dolor del porrazo en el estómago, en todo el pecho ahora, porque me había tocado un vecino que me impedía vomitar por la ventana y ser un pasajero enfermo. Cerraba los ojos para imaginar Bilbao pero no conocía Bilbao y te veía a ti en cambio, Inés, y me preguntaba cuánto tiempo habrá pasado desde que Inés dijo Enrique tiene el perfil más hermoso que he visto en mi vida. Entonces veía a Enrique, muerto ya, y apretaba al máximo los ojos cerrados para ver Bilbao pero nunca había visto Bilbao y cómo imaginarlo. Me agarré del último recurso, y cómo funcionaba, me aferré entonces a ese último recurso y durante el millón de horas que duró el viaje sostuve la más entretenida, amable, cordial, informativa, y sencilla conversación con mi vecino de asiento que, en Bilbao, su ciudad natal, insistió en llevarme en un taxi hasta la dirección que yo buscaba, un hermoso barrio en el que le ha tocado a usted vivir, señor Romaña, lo conozco muy bien, conozco hasta el edificio que usted busca, construcción moderna pero sólida, y tiene delante un pequeño pero hermoso parquecito. Ahí me dejó con un fuerte apretón de manos, y no bien desapareció su taxi, aproveché para doblarme un rato de dolor. Pero, pensé, mientras me doblaba, mientras permanecía doblado, y mientras me enderezaba nuevamente, aquí tampoco debo vomitar. No me queda más remedio que esperar hasta haber entrado al departamento, podrían oírme, verme, después de todo soy un desconocido en este edificio y no quiero que vayan a pensar que don Mario Feliu y su señora envían a un borracho cualquiera a su departamento. En ésas estaba, cuando la más feroz de todas las arcadas me dobló de nuevo con la boca rebalsando una saliva que ya no era más que pura bilis. Y sin embargo, hasta hoy recuerdo haber corrido a pegarme doblado contra el muro. Eran las doce de la noche pero quedaban dos o tres ventanas encendidas y tampoco deseaba que algún amigo de Josefa y Mario fuera a pensar, bueno, qué sé yo lo que se piensa de un tipo que llega doblado al departamento vacío de los señores Feliu.

Mi último recurso, doblado y apoyado contra el muro, fue decirme cómo es la gente, ¿no? ¿Acaso Sandra había hecho algún esfuerzo para no vomitarme el pantalón durante la media corrida de toros que por su culpa vimos en Madrid? ¿Y cuando pensó y me dijo que mejor nos íbamos antes del segundo toro de Ordóñez, que estaba sensacional esa tarde, hizo acaso algún esfuerzo por no molestarme, por no joderme la corrida que tan feliz me tenía, hizo acaso algún esfuerzo por evitar ese segundo vómito sobre mi pantalón que, según ella, aunque se trataba tan sólo de una eventualidad, podría materializarse? No. Dijo que mejor era abandonar la plaza cuando ya sus primeras náuseas estaban sobre mi blue jean y las segundas eran tan sólo algo eventual y que con algún esfuerzo de su parte, de haber empezado a manifestarse, pudieron haber sido evitadas y, lo que es más, poniendo de su parte mucho menos de lo que yo puse durante el millón de horas que duró el viaje a Bilbao, las cinco mil veces que estuve a punto de ensuciarle el pantalón al amable vecino de asiento que acababa de depositarme a unos cuantos pasos del lugar en el que seguía pensando dobladísimo en todas estas cosas, absolutamente concentrado en la sonrisa y en las piernas de Sandra, no tanto para no odiarla como para entrar de lleno en aquel trauma que, desde mi más temprana adolescencia, ha hecho de mí un ser que simple y llanamente detesta molestar. Y a quién no le molesta que le vomiten el pantalón, o el parquecito que está delante de su casa en Bilbao, o su taxi cuando está llevando a un señor a la estación de los autocares ALSA, en Oviedo, o incluso las veredas de Oviedo, en el caso del señor que me indicó cómo llegar rápido a Bilbao y que por ahí nomás pasaban muchos taxis y que luego volteó a mirarme por el estado en que me hallaba, probablemente, pero que tampoco me vio molestar. Doblado, siempre doblado contra el muro, para que no me vieran los vecinos y no molestar a nadie a las doce de la noche, en Bilbao, y siempre absolutamente concentrado en la sonrisa y las piernas de la muchacha que me había molestado cuando aún podía ser feliz con ella y estaba feliz con mi corrida de toros, logré entrar de lleno en aquel trauma de mi más temprana adolescencia, en el fondo era un niño todavía, que, creo, merece un breve paréntesis, pues yo lo viví así gracias a lo doblado que estaba cuando el recuerdo de esas piernas y esa sonrisa se convirtieron en algo tan hermoso que, a lo mejor, si me desdoblaba, se me escapaban sonrisa y piernas y de paso me impedían pensar en el contenido de este paréntesis.

## PARENTESIS

Conviene recordar, pues esto fue dicho hace ya un buen rato, y cuando aún no había tomado plena conciencia de lo que deseaba hacer con mi cuaderno azul —mi primera novela—, que mi padre fue un hombre tan bueno como importante. Y que yo, desde mi más temprana adolescencia, simplemente no logré sacar a una chica a bailar, sin soñar una vida entera con ella. Una de esas chicas, preciosa, linda, apenas si aceptó vivir un baile conmigo. Aclaro: una sola pieza conmigo en todo un baile. No logré resignarme con tan poco, y días más tarde ya estaba partiendo rumbo a Piura, en busca de la chica con la que había soñado vivir una vida entera. De lo cual se deduce que la chica era piurana y que sólo había estado de paso por Lima, mi ciudad natal.

Ese soy yo. Ese y el que está doblado en Bilbao antes, durante, y hasta el final de este paréntesis. Soy el de Bilbao y el que está partiendo en el primer viaje de mi vida, dejando muy intranquila a mi familia, pero qué iban a hacer si me había invitado un piurano compañero de colegio, a cuyos padres conocían los míos, gente respetabilísima de aquella ciudad norteña, felizmente, porque si no no me dejan ir ni de a caihuas. Mis padres seleccionaban las amistades de sus hijos y mis abuelos las de mis padres. Fuimos todos muy infelices, pero esa es otra historia.

Hice el viaje por tierra, en un ómnibus interprovincial, y con una foto de la chica en el bolsillo. La foto, de más está decirlo, se la había comprado a otro compañero de colegio, pero mirándola logré acortar la enorme distancia que hay entre Lima y Piura, y de paso me cagué en el paisaje nacional. Duré dos días en Piura, porque en las dos fiestas a las que fui la chica se negó a bailar conmigo, y muy probablemente por la cara de imbécil que debí poner para hacerle sentir que deseaba vivir una vida entera con ella, con acné además de todo. Antes de regresar, me pegué la primera gran borrachera de mi vida, me gasté hasta mi último centavo invitando a medio mundo en un burdel, también el primero de mi vida, porque me moría, pero lo que se dice me *moría* de miedo de encerrarme en un cuarto con una puta entre cuyos senos izados sobre un descomunal escote podía desaparecer, en pecado y en picada, del seno familiar honorable y protector. Niño bien, al día siguiente llamé a mi padre y le conté que me habían robado el dinero, porque el Banco en el que se mataba trabajando, para obtener de mí todo lo contrario de lo que estaba obteniendo, tenía sucursales en cada ciudad importante entre Piura y Lima. Si me ocurría algún percance podía presentarme de su parte en cualquiera de las sucursales, para que me dieran lo que necesitaba. Era prácticamente una orden.

Logré llegar a Chiclayo con plata prestada por mi amigo piurano, porque el administrador de la sucursal de Piura no me quiso creer que con esa facha postburdelera fuera hijo de tan importante señor, y yo, por no molestar (primer indicio), no le solté un buen carajo ni le dije sucursalero de mierda, ni mucho menos pruebe usted llamar al señor Romaña a Lima y verá. Me faltó agresividad, problema éste del que me ocuparé más adelante. A Chimbote llegué entre la carga de un camión, tras haber ayudado a cargar el camión, y con lágrimas de rabia e impotencia en los ojos, porque en Chiclayo me había ocurrido exactamente lo mismo que en Piura. Y ya no me atreví a insistir en Trujillo, ciudad en la que el camión hizo una parada para llenar el tanque.

Mi tío Felipe Romaña, que trabajaba entonces en las grandes obras del Cañón del Pato (si las obras no hubieran sido grandes, él no habría sido mi tío), me reconoció en Chimbote, me dejó llorar de pica de rabia y pena, en sus brazos, mientras le contaba lo que me venía ocurriendo por haber ido a dos fiestas en Piura, y me tranquilizó con su acostumbrada bondad. Llamó a mi padre, lo informó de mis percances, mi padre le dijo que procedería inmediatamente a la expulsión de esos miserables sucursaleros, aunque luego por el asunto de su bondad se limitó a cambiar al de Piura a Chiclayo, y viceversa, con lo cual, pensé yo entonces, el honor de la familia no había quedado a la altura en que se mantuvo desde que el primer Romaña lo puso en algún lugar. Han habido, pues, fallas familiares que yo no he cometido, cosa que hoy me importa un repepino, pero me estoy refiriendo a épocas en las que todavía se me podía venir con cuentos de capa y Romaña.

Mi tío Felipe logró tranquilizar por completo a mi padre, e incluso logró que aceptara dejarme partir con él a Huallanca, para que visitara la gran central hidroeléctrica del Cañón del Pato, entonces en construcción. Y en la construcción mandaba mi tío, por supuesto. Pero por esos lugares hay fiestas en que se reúnen jefes y empleados y se bebe mucha cerveza. Mi tío Felipe me llevó a una de esas fiestas, en alguna hacienda para mí tan serrana como lejanísima, donde se confundían las razas, el cura de un pueblo, el maestro de otro, empleados de mi tío, importantes lugareños, familias venidas a menos y que hablan un español que cuanto más esdrújulas, mejor, y en las que nunca falta una beldad que es medio indiecita de hablada y costumbres, y que al mismo tiempo no puede parecerse más a Greta Garbo debutante. Todo esto entre cerveza para los adultos, chicha también para los adultos, y denle un poquito de cerveza o de chicha al sobrino del ingeniero Romaña para que se vaya haciendo hombre, limeñito pues es, y yo ahí dale que dale tratando de hacerme hombre y después con una horrible pena en el alma y bebiendo hasta por los codos porque la Greta Garbo debutante apenas si me entiende en castellano y yo insisto en bailar una vida entera con ella mientras los empleados de mi tío insisten en que se trata de una sirvientita, muy buenamoza, eso sí, pero sirvientita y nada más.

Gobernaba el Perú, en su segundo mandato, el presidente Manuel Prado, y todavía no se había escuchado hablar de guerrillas y de justicia social en el país. Todo lo cual me llevó a querer llorar una vida entera con la sirvientita-no-más-puessoy, y a pegarme una tranca que sólo se me quitó con el escalofrío andino que me atravesó cuando a medianoche me metieron de cabeza al carro, para llevarme de regreso a Huallanca.

Y ahí empecé a querer orinar y a no querer molestar. Me urgía pegar una meada de cervecero prolongado, pero junto a mí estaba la esposa importante de un ingeniero muy importante que viajaba en el asiento delantero, en amena charla con mi tío Felipe. Querían regresar pronto. La señora importante del ingeniero muy importante se había aburrido mucho en la fiesta y había dejado además a sus hijas solas en casa. Eran las mil y quinientas. Estaban todos apuradísimos por regresar y en esas condiciones yo no podía anunciar mis descomunales deseos de orinar. No, no deseaba molestar. Y no, no molesté. Meé dos horas sin molestar. Meé las dos horas que duró el viaje de regreso. Claro, no las dos horas seguidas, pero sí estuve soltando de a poquitos durante dos horas. Soltaba, comprobaba que nadie se había dado cuenta, comprobaba que el asiento no se había manchado, lo cual era dificilísimo de hacer en la oscuridad, y soltaba otro poquito más. Dos veces logró pasar hasta el asiento y las dos veces me las arreglé para andar secando como loco con un pañuelo y sin que nadie se diera cuenta. Cambié unas quinientas posturas para evitar que mi pantalón ya mojado contagiara al asiento, y cuando por fin llegamos a Huallanca y mi tío Felipe encendió las luces para buscar algo que se le había olvidado en el auto, pude comprobar que el lugar que acababa de abandonar estaba impecable y que no había molestado a nadie, y mucho menos a la señora importante del ingeniero muy importante que, en efecto, me habría odiado si los obligaba a parar por una meada, ya que sus hijas habían hecho turumba en casa y habían aprovechado su ausencia para seguir levantadas hasta las mil y quinientas.

Al día siguiente, mi tío Felipe tenía que inspeccionar un inmenso túnel. Me dijo que había tiempo para que lo acompañara, antes de que saliera mi tren para Chimbote, donde un taxi especialmente contratado por él para mí, o mejor dicho para la tranquilidad de mis padres, me depositaría en la puerta misma de mi casa. Dejamos mi equipaje en la estación, para ganar tiempo, y partimos a visitar el túnel. Me aburrí a chorros. No hay nada en el mundo más aburrido que visitar un túnel. Es túnel todo el tiempo y siempre igual a sí mismo. Pero claro, para él la cosa era muy importante y hablaba y hablaba y hablaba y órdenes por aquí y más órdenes por allá, y ni cuenta se dio de que en un momento yo no vi en el suelo un enorme pozo lleno de agua color cemento, como el suelo, y de que estuve caído en el pozo un par de minutos con el agua hasta la cintura pero sin el menor deseo de molestar. Nadie se dio cuenta, lo cual me permitió salir con absoluta tranquilidad, y llegar nuevamente hasta donde mi tío Felipe estaba teniendo un colerón terrible por no sé qué atraso con unas vigas o algo por el estilo. Al pobre le dio tal colerón, que casi se olvida de que mi tren salía a las 12 en punto. Llegamos, pues, corriendo a la estación, yo con el pantalón empapado pero sin decir ni pío, porque para qué molestarlo más diciéndole necesito que me saquen mi equipaje para cambiarme, me caí a un pozo, tío Felipe. Me despedí de él, y fui el extrañísimo viajero que leía una revista chorreando agua, pero que felizmente había tenido el tino de buscarse un asiento totalmente desocupado para no mojar a nadie.

Temblaba íntegro de una especie de pulmonía cuando llegué a Chimbote con la enorme satisfacción de no haber molestado a nadie. Y así nació esta especie de conquista de Martín Romaña, en un mundo en el que todo el mundo anda fregando a todo el mundo, esta especie de divisa para una nueva estirpe de Romañas, que felizmente hasta hoy no existe, porque lleva dolorosamente incrustada la tremebunda espada de la timidez y ese asunto de la falta de agresividad del que ya hablaré más adelante, porque sólo se agravó más adelante, y porque este paréntesis está destinado únicamente a explicar el cómo y el por qué originales y traumáticos (temprana adolescencia, era en realidad un niño todavía), de mi abstención vomitiva en el trayecto Oviedo-Bilbao, y de mi doblamiento contra un muro en esta última ciudad. Pero ahora, no tardo en desdoblarme.

# DESDOBLADO EN BILBAO (DEMASIADO TARDE DEMASIADO TARDE DEMASIADO)

Merezco vomitar ya, me dije, tras haber dejado esfumarse la sonrisa y las piernas del espíritu del 68, que con sobrehumanos esfuerzos había evocado para que me ayudaran a mitigar el espantoso dolor del porrazo estomacal. Merezco vomitar ya, me repetí, desdoblándome y buscando en el bolsillo del saco las llaves del departamento de Mario y Josefa. Bueno, primero había que tocar para que el guardián me abriera la puerta de acceso al edificio, lo cual implicaba sonrisa, explicaciones acerca de mi persona, aunque ya Mario y Josefa me habían dicho que a nuestra llegada estaría prevenido. Nuestra llegada era la de Sandra y la mía. Demonios, espero que ahora no piense que soy otro porque llego solo. Pero no pensó nada por la simple razón de que no estaba. Era su día libre. Quien me explicó era un señor mayor y canoso que ante mis insistentes llamadas acababa de asomarse por una de las ventanas encendidas. Acababa también de preguntarme qué deseaba yo.

—Buenas noches, señor. Perdone que lo moleste, pero es que los señores Feliu me han dado en Barcelona la llave de su departamento, para que pase aquí unos días visitando Bilbao. Ellos quedaron en avisarle al portero.

—El portero no está.

—Sí, señor, el portero no está y yo sólo tengo la llave del departamento. Podría ser tan amable...

—Pero aquí a quién le consta que es usted amigo de los señores Feliu.

—Pero es que tengo la llave de su departamento, señor.

—Lo siento, joven, pero aquí uno no se puede fiar de cosas como ésas.

—Pero entonces, señor, ¿de dónde voy a haber sacado yo la llave del departamento de los señores Feliu?

—Eso es problema suyo, joven. Yo no puedo abrirle.

—¿Y quién puede abrirme, entonces?

—A mí qué me pregunta usted.

—Señor, por favor, son las doce de la noche; no puedo quedarme en la calle; no puedo quedarme tirado en un parque a las doce de la noche. Mire, señor, le ruego llamar a los señores Feliu por teléfono.

—Bueno, vamos a ver. Voy a consultar con otros vecinos que están despiertos, que no es hora ésta de andar despertando gente aquí, ni tampoco a los señores Feliu en Barcelona.

—Mire, señor, por favor, si quiere usted una buena prueba de que le estoy diciendo la verdad, aquí tengo el teléfono de los señores Feliu en Barcelona.

—Eso déjelo estar, que en casa también tenemos ese teléfono y además usted pudo haberlo obtenido en cualquier guía de Barcelona.

Diré, con toda sinceridad, que conversaciones como ésta permiten soportar casi confortablemente el espantoso dolor de un porrazo en la boca del estómago. Hijo de la gran puta, viejo de mierda, no bien desapareció a consultar con los vecinos, sólo me quedó aquel dolor que precipitaba las náuseas. Salí disparado a doblarme contra el muro y ahí estuve dejando caer chorritos de bilis sobre el césped. Se secaría para la mañana siguiente, nadie lo notaría, el viento se llevaría el olor. En todo eso pensaba, e incluso estaba volviendo a evocar a Sandra, para que me tapara el perfil más hermoso que Inés había visto en su vida, muerto ya, cuando el viejo canoso me volvió a llamar y pude notar que muchas ventanas se habían abierto, dejando aparecer muchas vidas respetables más, en bata, en camisón, en pijama, y alguna que otra cabeza con ruleros. Me desdoblé ipso facto y regresé al centro del cuadrilátero, un punto iluminado del parquecito en el que todo el edificio tenía la posibilidad de contemplarme desdoblado, educado, amable, muy paciente. Sonreí, también, por supuesto.

—Hemos hablado con el señor Feliu y el señor Feliu ha dicho que le ha dado la llave a una pareja. Y yo no veo una pareja por ninguna parte.

—Mire, señor, por favor, en efecto yo venía con una amiga norteamericana.

—Los del señor Feliu eran novios.

—Señor, por favor, por *qué* no hacemos una cosa.

—¿Qué cosa?

—Usted le pide, por favor, al señor de la ventana izquierda iluminada del segundo piso, que es joven, fornido, y se está matando de risa con el incidente, que baje y me abra la puerta; yo le entrego a este señor mi pasaporte en prenda, paso luego a su departamento escoltado por todas las personas que así deseen hacerlo, y llamo al señor Feliu...

—Al señor Feliu no se le puede estar molestando cada cinco minutos.

—Señor, por favor, sin ánimos de ofenderlo, ¿me permite usted dialogar con el señor de la ventana izquierda iluminada del segundo piso?

—Señor Idiáquez, ¿desea usted...?

—Ahora mismo bajo, señor Eceiza.

Claro que mientras bajaba no pude ir a doblarme contra el muro, porque de todas las ventanas iluminadas, y lo eran ya prácticamente todas a estas alturas, muy respetables ojos en prendas de vestir nocturnas concentraban sus miradas sobre el punto iluminado del parquecito que era mi centro del cuadrilátero-mundo. Imposible doblarme y ahí seguía cara a cara con el perfil más hermoso del mundo y de pronto Inés mirándolo bizquísima, o sea que Inés en el fondo no lograba ver el cadáver de Enrique ni yo lograba doblarme ni podía vomitar tampoco. Merezco vomitar, me dije, jurándome que no bien me dejaran entrar vomitaría, muy de acuerdo con mis merecimientos.

Llegó el señor Idiáquez, joven, sonriente, y fornido, al vestíbulo del edificio, abrió la puerta que me permitiría entrar, la volvió a cerrar, y se me acercó joven, fornido, y parco. Vestía un pantalón vomitabilísimo.

—Su pasaporte.

—Mi pasaporte.

Desapareció con mi pasaporte y un pantalón impecable, tras haber cerrado la puerta que el guardián me hubiese abierto tan fácilmente. Conversé un ratito con Enrique Alvarez de Manzaneda en nuestro café parisino, pero esta vez el café parisino estaba en Oviedo: ja, Enrique no cambiaría nunca, tómalo con calma, Martín, me dijo, mientras se aprestaba a tomar con increíble calma su vaso de leche. Yo vi que yo, en cambio, estaba llegando al fondo de una botella de cognac. Corregí inmediatamente la escena, porque si bien en España se dice coñac, ésta es una denominación regional francesa (¡ah!, nadie sabrá nunca lo importantísimas que son las denominaciones regionales francesas cuando uno ha llegado por primera vez demasiado tarde a alguna parte y todo, todo y todos le impiden vomitar un porrazo en la boca del estómago), y en las etiquetas de los coñacs españoles sentí el sabor de una distinta concepción de esa bebida, los productores ponen siempre la palabra brandy. Estaba llegando al fondo de una botella con una etiqueta y la palabra brandy en vez de la palabra cognac, porque nuestro café parisino se encontraba en Oviedo, cuando de arriba me anunciaron junta de propietarios, para examinar mi pasaporte. Fue la oportunidad de mi vida, en aquella oportunidad, ya que los vecinos desaparecieron de sus respetables ventanas, ignorantes todas ellas de la muerte de Enrique Alvarez de Manzaneda, y yo aproveché para salir disparado a doblarme contra el muro.

—Ha desaparecido —dijo, de pronto, desde su ventana, la voz del señor Idiáquez.

—Aquí estoy, señor Idiáquez —grité sin gritar, dirigiéndome desdoblado al punto iluminado del que sería mi último round en ese parquecito.

—Usted no se parece a la fotografía de este pasaporte, joven. Y no insista. No le vamos a abrir, por unanimidad.

Arrojó el pasaporte, no traté de agarrarlo en el aire por miedo a que se me escapara el vómito con el esfuerzo, ni traté tampoco de explicarles que entre ese pasaporte y yo estaban mayo del 68 y varios años en París, y me puse a pensar en ti, Inés, porque la única alegría de mi vida en ese parquecito fue recordar exacto el instante, la circunstancia, el lugar en que me dijiste que Enrique Alvarez de Manzaneda tenía el más hermoso perfil que habías visto en tu vida.

No vomité en un taxi pero estuve vomitando toda la noche y lo que duró la mañana siguiente, en la estación de Bilbao, antes de que el tren a Barcelona se pusiera en marcha conmigo metido en un compartimento sin un solo jebecito constante. Desgraciadamente, no bien cerraba los ojos veía el más estirado de todos los jebecitos constantes que había visto hasta entonces, en una calle cualquiera de París, lo cual, gracias a Dios, me permitía volver a abrir bien los ojos y probarme, a fuerza de paisaje y ruido de tren, que no estaba en una calle cualquiera de París.

A casa de los Feliu, en Barcelona, llegué de noche, varias horas después de mi llegada a esa ciudad. No quería molestarlos, y por eso me metí primero en una pensión de camas con hondonada, para vomitar un rato, asearme mucho rato, descansar algo, y doblarme a mis anchas antes de llegar a ese bellísimo departamento en el que deseaba encontrarme con Enrique Alvarez de Manzaneda vivo ya.

Claro, como llegué de noche, la puerta de entrada al edificio estaba cerrada y también era lógico que el portero estuviese disfrutando de su día libre. Pero aquí no había tanto problema como en Bilbao. Detrás del edificio estaba la entrada para los automóviles de los que en él habitaban, una puerta amplia, una bajadita hasta un enorme estacionamiento subterráneo, y un guardián nocturno que era remplazado por otro guardián nocturno en sus días libres, para seguridad de todos. Yo andaba necesitando doblarme mucho menos, también, o sea que caminé hacia la parte posterior del edificio sin grandes dificultades, con pocas náuseas o, en todo caso, sin ningún deseo de molestar, y con esa especie de euforia que me producía la idea de encontrarme a Enrique tomándose una copa con Josefa y Mario. Hasta se me ocurrió que podía estar Inés allá arriba contemplando el perfil de Enrique, y deseando casarse conmigo o algo por el estilo. Silbé un aire alegre y escuché el aire alegre que estaba silbando, lo cual probaba que no sólo me salía el silbido al silbar, y alegre además, sino también que en Barcelona, a diferencia total de Bilbao, en realidad no había ningún problema. Esta es la parte posterior del edificio, me dije, y ése que está ahí esperando para abrirme a mí es el señor guardián nocturno.

—Buenas noches, señor. Acabo de llegar a Barcelona y vengo al departamento de los señores Feliu.

—Los señores Feliu llegaron temprano esta noche y ya deben estar acostados.

—No se preocupe, señor. Somos grandes amigos, y hace poco que estuve yo aquí en su casa e hicimos numerosos paseos por la ciudad y sus alrededores.

—Entonces usted conoce el coche de los señores Feliu.

—Por supuesto, un Chrysler verde.

—Ah no, señor, lo siento, es un Alfa Romeo blanco.

—Se equivoca usted, señor, lo cual es normal con tanto automóvil que hay en este edificio. Pero el carro de los señores Feliu es Chrysler y es verde.

—Alfa Romeo y blanco, le digo yo, señor.

—Apostemos, señor.

El guardián nocturno se negó a apostar, me abrió la puerta, me indicó el ascensor que debía tomar, y se dirigió a la cabina de cristal en la que pasaba sus noches de guardianía. Salí del ascensor en el sexto piso, y ahí me esperaba Josefa con la puerta y los brazos abiertos de par en par, mientras Mario hablaba con alguien por el teléfono interno. Colgó, entró muerto de risa al salón, y soltó un ¡me cago!, seguido de un ¡te has salvado por un pelo, Martín! Me quedé en babias, y Mario empezó a explicarme.

—Eso es algo peligrosísimo —lo interrumpió Josefa, indignada—. Ese hombre ha podido matar a Martín, Mario, ya ves que no es aconsejable tener a un policía de guardián nocturno.

—¿El que me abrió era un policía?

—Y bien armado, Martín. Y a éste además le da por someter a la gente a esos tests.

—¿Qué tests?

—¡No te das cuenta, Martín! —interrumpió Josefa—. Te ha sometido a un test con eso del Alfa Romeo blanco. Si tú no insistes en que es un Chrysler y verde...

Y ahí seguimos sacando conclusiones y Mario empezó a reírse a carcajadas mientras yo iba pensando en lo difícil que me resultaba últimamente entrar a las casas donde tenía que vomitar y de pronto pensando más bien en lo arriesgado que había sido entrar a una casa en la que después de vomitar quería llorar y llorar en los brazos de Josefa que era la encarnación de la ternura, y que también reía ya contagiada por Mario pero yo prefería llorar lo antes posible, mejor, porque tanta risa había despertado a su hijita, una chiquita realmente linda que apareció en pijama y sabe Dios de dónde había sacado un jebecito que no era constante porque aunque estaba estiradísimo era *la* chiquita *la* que lo estaba estirando de cada extremo por primera vez en tanto tiempo.

—¿Una copa, Martín?... Pero, ¿y qué fue de Sandra?

Yo señalé el sofá, para llorar, y después Josefa me estuvo consolando horas y horas y tampoco Mario cesaba de acompañarme y de entender los confusos borbotones de explicación que yo iba soltando ni la imperiosa necesidad de beber hasta la última gota de esa botella de cognac en cuya etiqueta controlaba permanentemente la palabra brandy como punto de referencia para hablar y llorar más y que no me doliera nada y que se produjera por fin el alivio ante un perfil tan hermoso y muerto ya, que fue cuando tú apareciste, Octavia de Cádiz, por segunda vez en mi vida, y en medio de aquel silencio en aquel lujoso salón en el que empecé a contemplarte con tu ropa de baño marrón y clásica y tus piernas graciosas, sí, graciosas, tus piernas tan divertidas que yo contemplaba mientras me ibas señalando los diversos tomos de Hemingway y Baroja y como que me llamabas y me contemplabas, no sé, porque también Josefa y Mario me contemplaban y también yo a ti te estaba contemplando sobre la arena en aquella playa de Cádiz en la que por primera vez en la vida tuve un real desacuerdo con Inés que me

había enviado solo con los Barojas y tanta inquietud tanto nerviosismo tanta tristeza, y ahora, en el salón lujoso en el que dos
seres que me contemplaban con afecto se confundían al verme
contemplarte con los ojos bien cerrados por el cognac, instalada
allá en tu playa de Cádiz, divirtiéndome con tus piernas, tu
comprensión, tu bondad, y tus libros, todo al pie de la etiqueta
con Enrique en la que decía siempre brandy mientras él bebía su
eterno vaso de leche...

—Se está quedando dormido, Mario; mejor es no moverlo
del sofá. Pobre chico.

—Ojalá le vaya mejor en París. Insiste en irse mañana
mismo.

—Qué manía la que tiene con lo de no molestar...

—No ha cesado de repetirlo... Eso, y lo de jebecitos constantes.

—Se sonríe, mira... Se ha aliviado un poco.

—A dormir, mujer. Mañana lo acompañaremos al tren.

Sí, aquella fue la segunda vez en que Octavia de Cádiz se me
apareció de esa manera, como en el fondo de una enorme carencia, como la carencia misma, como tratando de parchar una herida, de llenar vacíos, de ahuyentar terrores y de remplazarlos
por la diversión de sus piernas graciosas, sí, graciosas. Pero eso
lo comprendí más tarde, al conocerla. Mientras tanto, seguía en
Cádiz, en la misma playa, en el lugar exacto de la primera vez.
Aunque no sé. Tengo la impresión de que, en esta segunda
*oportunidad*, más que señalarme sus libros o tratar de mostrár-
melos, sus brazos se alargaban intentando alcanzar mi cuello,
mis cinco bultitos de vida exagerada que ella también comprendía, y gracias a los cuales, un día, logré conocerla. Yo casi no
hablaba de los bultitos ya, pero me había quedado la enojosa
costumbre de tocármelos siempre. No, no vayan a pensar que
por evocar a Enrique mediante un gesto asociativo, nada es necesario para evocarte, Enrique, Octavia es testigo. A ella le conté todo, cuando la conocí, finalmente, cuando miope como era
detectó desde una prudente distancia los cinco bultitos y empezamos a hablar y a reírnos y yo me enamoré imprudentemente

de ella y seguimos hablando de todo y de todo. Y así, esto que ahora escribo, esto y lo que sigue, es algo que estoy repitiendo, recuerdos que le fui contando a ella, siempre tan atenta a mis palabras.

# OCTAVIA
# ME ESCUCHABA
# ATENTAMENTE-2

## PARIS, MEDIADOS DE JUNIO, 1968

—Por favor, Martín, llámanos si tienes cualquier problema. No dejes de llamarnos, por favor. No basta el coraje, muchacho. Hay que saber también que se puede contar con los amigos. Piensa que de ahora en adelante tendrás que enfrentarte a mucha soledad...

Acabo de bajar del tren que me ha traído de Barcelona. He tomado el metro, he salido en la estación de Jussieu y ahora voy avanzando lentamente hacia mi departamento. Las calles están limpias. La basura acumulada hasta lo alto de las puertas ha desaparecido. Acaban de suspenderse prácticamente todas las huelgas, tras los acuerdos de Grenelle, y aunque hay gente que tardará aún mucho tiempo en aceptarlo, en creerlo, mayo del 68 ha terminado y por algunos rincones debe estarse empozando ya ese enorme desencanto que en el transcurso de muy pocos años dañará el brillo de tantas miradas juveniles.

—Por favor, Martín, llámanos si tienes cualquier problema...

Voy repitiéndome esas palabras de Josefa y Mario al despedirnos en Barcelona, palabras sinceras, palabras de gente buena, de amigos. Sigo avanzando hacia mi departamento, me pesa una

455

maleta nada pesada y mientras vuelvo a repetirme las palabras de Josefa y Mario pienso que tienen que haberme visto muy mal, que han detectado en mí algo que no anda bien, y me da miedo. Me asusta la idea de llegar a mi departamento pero ya estoy ante la puerta del edificio. Me parece que hubieran pasado años desde el adiós de Inés, desde el de Carlos Salaverry, me parece también que lo malvivido con Sandra ha durado una eternidad. Entro al ascensor, llego a mi noveno piso, ladra Bibí, subo los escalones que me hacen pasar por encima de la gran caja que oculta el motor del ascensor, los bajo lentamente, estoy ante mi puerta que abro para mirar inmediatamente la puerta de la cocina de madame Labru. Ha quitado el corcho, su ojo malvado me espía por el agujero, soy yo, quién más podía ser, vuelve a poner el corcho en el agujero, y empiezo a subir lentamente la escalerita que lleva a la verdadera puerta de mi departamento. Abro, dejo abierto, salgo nuevamente, voy a mirar la terraza un rato, ahí sigue el somier de la hondonada cubierto de telas plásticas que lo han protegido bastante bien. Le echo una mirada a París. Es un día claro y alcanzo a ver la torta de merengue del Sacré Coeur en la colina de Montmartre, la torre Eiffel, el Sena. Quiero mirar otras cosas pero de golpe me aterra una feroz atracción al vacío, me veo cayéndome por encima del muro, arrastrado por un fuerte viento que se lleva primero mi maleta y a mí detrás, luchando por no perderla. Recién entonces me doy cuenta de que he entrado al departamento con la maleta y de que he vuelto a salir con ella hasta la terraza. Retrocedo lentamente por temor a caerme, acaricio el somier, me saltan lágrimas a los ojos, cierro la puerta de la terraza, me doy cuenta de que sigo retrocediendo, de que voy a entrar retrocediendo al departamento. Ladra Bibí. Doy media vuelta, entro, camino hasta la cama nueva y ahí dejo caer la maleta. Recuerdo que me queda muy poco dinero pero no le doy mayor importancia porque las clases en mi colejucho tienen que estar empezando de nuevo. Mañana mismo empezaré mis caminatas hacia allá, dictaré mis horas de siempre, iré luego al restaurant universitario, aunque no sé bien para qué haré estas cosas o por qué las haré en París. Mientras abro la maleta y miro su contenido voy sintiendo que por algún lado las cosas como que han perdido su razón de ser, que estoy demasiado lejos de las razones e ilusiones que me trajeron a esta ciudad, que las he olvidado, que eso fue hace mil años, pero siento también, extrañamente, que no me voy a ir, que ya no puedo dar marcha atrás, que sería como una enorme molestia para mi familia verme regresar en este estado, sin nada entre las manos y con el recuerdo de un departamento plagado de fracasos de los que ni siquiera sé si soy culpable.

Estoy solo, le pregunto a las cosas que hay dentro de mi maleta ¿qué mierda hacemos en París?, estoy a punto de tirarme sobre la cama y de hacer desaparecer el mundo cerrando los ojos, cuando la voz de Inés me hace súbitamente voltear.

No la había visto. Allí estaba sentada, detrás de mí, en el sillón de la derecha, semioculta por la puerta del departamento que yo había dejado abierta porque de pronto, además de los jebecitos constantes, me había entrado miedo al encierro y ya estaba empezando a sentir miedo a la oscuridad en plena luz del día, tan de golpe como había sentido esa feroz atracción al vacío. Sí, le estoy preguntando a las cosas que hay dentro de mi maleta ¿qué mierda hacemos en París?, cuando escucho la voz de Inés y volteo asombrado y está sentada y a su lado tiene también una maleta. Yo sólo sé que me lleno de angustia, de miedo y de amor.

—He vuelto, pues, Martín —me dice, con mucha dificultad, esforzándose por hablar—; he regresado, Martín, ya se acabó la revolución.

Hay un enorme cansancio triste en su mirada, un asomo de sonrisa en sus labios, tiene las manos serenamente sobre las rodillas, sé que dentro de un instante estaré apretando y acariciando con mis manos la maravilla de sus brazos desnudos y sé que no debo hacer ninguna broma porque a Inés no le gusta mi sentido del humor y porque no es éste momento para bromas, tampoco sé qué es este momento ni cómo se vive este momento con una mujer que ya dijo todo lo que tenía que decir, que ya se explicó, que me sigue observando, que nota que tiemblo, que tengo miedo de meter la pata, que me tengo terror ahí parado porque si no acierto a fondo, si no hago ni digo algo que ella rechace, tal vez me permita llevarla hacia la perfecta sorpresa de una reconciliación tan llena de amor, mi amor, que ni siquiera notaremos que se trata de una reconciliación, disfrutaremos únicamente de la felicidad que ella nos produce.

Pero hay más mientras la sigo mirando y me sigue mirando. No bizquea, no, quiere llegar hasta el fondo de lo que estoy empezando a sentir. Por eso, la sonrisa tan tenue con la que me observa trata ahora de ahuyentar ese pequeño odio que ha aparecido en su mirada al adivinar en mis ojos lo que yo acabo de adivinar, no sé por qué, más en sus brazos que en su mirada: que sí, que ha regresado porque se acabó la revolución, pobrecita, mi amor, pero también porque aun a pesar suyo sigue amando a ese desastre que debo ser yo para ella, que ha extrañado a su desastre, a su Martín, que a veces sus risas tras una barricada debieron haberse quedado a la mitad porque mi recuerdo la sorprendió, que tal vez una noche en el Grupo me nombraron y se produjo un silencio que todos vivieron con embarazo pero tú con pena, Inés.

No bizquea y acentúa su tenue sonrisa. Sus manos continúan serenamente sobre sus rodillas y sus brazos son tan hermosos que logran incluso alejar esa imagen de un gran cansancio, de una gran desilusión, que trae en su mirada. Mulita terca, me estás odiando porque me quieres, y ojalá no lo notes pero me están entrando unas ganas de bromear espantosas, de soltarte un *como decíamos ayer* y de poner música y de sacarte a bailar un pasodoble o algo así. Contrólate, Martín, opta por seguir emocionadísimo, evita detenerte en los deliciosos y sonrientes detalles de lo compleja que es la vida y asume tal cual es el amor de tu esposa, un amor con su espadita de odio porque ha regresado también a pesar de que eres para ella un desastre y precisamente porque eres un desastre y entonces pierde edad y estatura y rompe el silencio que esto ya parece orgullo y tú cuándo has sido orgulloso para estas cosas y a lo mejor si te tiras de rodillas a acariciarle los brazos, la presencia de su cuello, la juventud de su piel, la aciertas de una vez por todas y otra vez a vivir con la terquedad de tu mulita pero a ti hasta eso te hace gracia y ya ves cómo te has puesto a llorar de emoción no bien te ha permitido ocultar tu cabeza entre sus piernas.

Eso duró horas. Horas durante las cuales quise hacerle sentir exactas y una por una las cosas que me habían ocurrido desde su partida, horas durante las cuales busqué su comprensión total, un amoroso entendimiento, una muy tierna aceptación de mis razones, de mi vida, de mi persona, de lo maltratado que me iba descubriendo mientras continuaba tratando de hacerla recorrer conmigo el itinerario que empezó tal vez con los jebecitos constantes y que yo creía haber concluido ante el ataúd de Enrique, en lo atroz, y en la maravillosa acogida de los Feliu, en lo hermosa que puede ser la vida, la vida hermosa que ahora empezaría nuevamente con ella.

Pero no, no porque el desahogo de mi largo recuento, aunque enorme porque Inés lo acompañaba con un constante acariciarme la cabeza mientras yo deleitaba mis manos en sus brazos, no lograba ser un desahogo, no, no lograba serlo y era terrible sentir que a medida que iba alejándose el pavor de los hechos concretos, del perfil muerto de Enrique, por ejemplo, otro pavor ocupaba ese lugar, que me aterrorizaba la idea de un desmoronamiento, sí, recuerdo hasta hoy cómo la palabra desmoronamiento me sorprendió completamente desarmado a pesar del retorno de Inés, a pesar de sus caricias, y de sus caricias como *más allá* de su retorno, y recuerdo también cómo ni siquiera éstas lograban alejar con su maravilloso estarse repitiendo y repitiendo una especie de asfalto nocturno plagado de jebecitos constantes o el terror a que alguien me fuera a apagar una luz. Cosas así de horribles, así de insoportables invadieron de pronto algo que yo sentía ser mi cuerpo y mi alma totalmente desarmados, mientras yo estaba contándole a Inés de mis problemas en Bilbao, y también aquel otro terror a caerme de la terraza, me invadió, y aquel otro de no servir ya para nada en la vida, me invadió, y aquel otro de cruzarme en la calle con un hombre con una oreja normal y la otra del tamaño de una hoja de plátano, también me invadió.

Y de todo eso nada sabía Inés. Cómo se explica eso, cómo se explica eso mientras uno la está llevando, está recorriendo con ella el itinerario que debe, que tiene, que puede llevar a la perfecta sorpresa de una reconciliación, porque Inés me sigue acariciando y yo insisto en deleitarme con sus brazos, después con sus senos, y después levanto por fin la cabeza que ella guarda siempre entre sus manos, y la miro cara a cara: pobrecita, mi amor, se le ha acabado su revolución y sólo le queda este desastre que es su amor pero este desastre vive ahora desmoronamientos que no tienen nada que ver con lo concreto, que lo sorprenden, que lo bambolean en un mundo de fantasmas y obsesiones contra las que muy poco puede el humor y parece que nada el amor, mi amor, pero ya vas a ver cómo lucho y no te cuento nada a punta de luchar y cómo en cambio te voy a decir que somos los reyes del amor, ¿no te das cuenta, Inés?, tu maleta aquí a nuestro lado, la mía ahí sobre la cama, entraste al departamento media hora antes que yo, somos unos ases, hemos regresado juntos, mejor todavía que si lo hubiésemos planeado, hemos llegado el mismo día a la casa de nuestra vida conyugal y perdóname Inés el que haya llegado con media hora de atraso pero ya sabes que tu Martín siempre fue una bestia y que se le paran los relojes y todo eso, o tal vez fue miedo a esperarte porque si yo llego un minuto antes que tú, ese minuto se me convierte en un siglo, tú ya me conoces, amor, soy tu desastre preferido...

Inés se sonríe. He acertado a fondo aunque en el fondo me sigo sintiendo pésimo de esa cosa nueva que no entiendo y que no curan las caricias. No importa, adelante, Martín.

...Soy tu desastre preferido pero valientemente me he enfrentado en tu ausencia al monstruo de madame Labru, la vieja de mierda esa tuvo tal pánico de que volvieran a ejecutar a María Antonieta que hasta se apareció con la prometida cama nueva, con su promesa nunca cumplida, y fíjate que quería entregar nuestra hondonada en parte de pago pero yo me batí como

D'Artagnan y logré conservar nuestro tesoro porque nunca llegué a creer que lo nuestro era definitivo, no podía serlo, la perfección, Inés, ama el desastre...

Inés vuelve a sonreírse. Nuevamente he acertado a fondo aunque en el fondo me sigo sintiendo pésimo de esa cosa que empezó con los jebecitos constantes y ¿le cuento o no le cuento?, ¿le hablo de eso o me lo callo? Te has jurado luchar, Martín, no olvides un instante que tu amor ha regresado. Pobrecita, mi amor, ya no tiene revolución, Inés ha regresado y tienes que luchar por conservarla, por reconquistarla, si eso es necesario, por no dejarla irse nunca más, porque eso sí que te es sumamente necesario. Lucha, Martín.

...Sí, Inés, la perfección ama el desastre y el desastre adora y admira y envidia sanamente a la perfección. Total que el monstruo no quiso por nada de este mundo que pusiera la cama nueva en la terraza, que la lluvia, que el viento, que el polvo, y entonces yo, yo que por nada de este mundo quería desprenderme de nuestra hondonada, saqué nuestro viejo somier desvencijado a la terraza y lo llené de plásticos bien atados y acabo de verlo, no bien llegué salí a la terraza y comprobé que conservaba intacto su delicioso desvencijamiento...

—Martín, yo creo que nunca te abandonaré, lo que pasa es que no sé cómo voy a hacer...

—¿Te preocupa lo de Sandra?

—No seas tonto, por favor, Martín; qué puede importarme a mí una gringa tonta.

Qué tal raza, ni siquiera conoce a la pobre Sandra y ya le dijo tonta. Pero por supuesto que esto no lo digo y en cambio me incorporo rápidamente y le propongo a Inés la solución para que le sea fácil quedarse conmigo el resto de la vida: Inés, en este instante salimos a la terraza, traemos nuestra hondonada, la ponemos encima de la cama nueva porque si no el monstruo nos mata, y...

—No soporto que le tengas tanto miedo a esa vieja de mierda.

Tienes toda la razón, mi amor, también en eso voy a mejorar, pero dame tiempo, por favor. En todo caso, no se trata de eso ahora, sino de meter lo más rápidamente posible nuestra hondonada, no seas terquita, Inés, dame gusto, la ponemos encima de la cama nueva por unas horas, por unos días, y no bien ella se vaya al campo un fin de semana o se ausente por unas horas, botamos la cama nueva y todo en nuestra vida vuelve a quedar igualito que antes...

—¿Tú crees en eso, Martín?

—Profundamente.

Pero después, inmediatamente después, me asaltó el terror de no creer en eso profundamente. Miré a Inés, le sonreí, la acaricié, busqué su boca, recogí sus maravillosos e incrédulos brazos, los llevé a abrazarme, y poco a poco, mientras nos besábamos con pasión y sus brazos empezaban a abrazarme de verdad porque era verdad que nos seguíamos adorando, algo pasó en mí, algo que no sólo tenía que ver con el no creer profundamente que todo pudiera ser igualito que antes, aunque ese antes se refiriera a los mejores días y a las mejores noches de nuestra vida en común, a los tiempos que precedieron a mi ruptura con el Grupo, a los tiempos anteriores a los que precedieron a mis primeras desavenencias con el Grupo y con Inés, en fin, a todo lo que fuera este o aquel buen recuerdo de cortas o largas temporadas de amor y de ternura compartidos. Sí, algo me pasó, algo que empecé a notar cada vez más a partir de esa mañana, cuando ya habíamos metido la hondonada al departamento, o mientras hacíamos el amor con verdadero afán de total reconciliación, pero sobre todo a medida que fueron transcurriendo las semanas y los meses que precedieron la aceptación final de un penoso y total desmoronamiento personal: que yo había dejado de creer en todo, cosa horrible porque Inés creía cada vez más en sus ideales revolucionarios y entonces tuve que revisar mi frase acerca de la perfección y el desastre y descubrir en carne viva que no, que la perfección no ama el desastre.

Pero estaba decidido a luchar, y para ello lo primero que había que hacer era ocultarle todos mis terrores a Inés. Nada supo, por ejemplo, del pánico que sentí esa mañana cuando salimos a la terraza en busca de nuestra hondonada. Me concentré en su sonrisa, en su alegría cada vez más evidente, me concentré en que mi mulita terca estaba contenta y hasta había empezado a hablar de los problemas que ella misma había tenido con algunos miembros del Grupo durante el período ya menguante de las barricadas, algunos se habían portado a la altura de las circunstancias, pero otros habían empezado a entregarse a las modas hippies o se habían entregado a falsas aventuras eróticas con francesitas desconcertadas que fácilmente sucumbieron ante los mayores conocimientos de teoría política con que las deslumbraban. Mocasines se había colocado una boina con una estrellita sobre la frente, a lo Che Guevara, y no había dejado pasar oportunidad de lucirse falsamente. Me dio tal rabia y tal alegría cuando Inés me contó eso, que a eso me aferré para que no notara el trabajo que me costaba acercarme al muro de la terraza. Claro, no dije, refiriéndome a Mocasines, que una de mis malditas intuiciones empezaba a cumplirse. También yo quería seguir a Inés tierna y afectuosamente por el itinerario que había recorrido durante nuestra separación. Ella habló siempre muy poco, pero ahora estaba hablando y habría sido muy torpe de mi parte interrumpirla con algún comentario mordaz o irónico, era capaz de molestarse y de encerrarse nuevamente en ese mutismo en el que guardaba los pormenores de sus actividades políticas, de sus ilusiones y de sus desencantos. También ella tenía necesidad de ser escuchada, de meditar, de hacer un largo recuento, de digerirlo con el tiempo y de ver entonces hacia qué nuevas decisiones la llevaba aquella experiencia recién vivida. La diferencia conmigo fue que Inés no tuvo necesidad de llorar. Guardaba intactas sus convicciones, sus ilusiones, su severidad política, la gravedad con que tomaba esos asuntos, no tenía pues necesidad alguna de llorar. A ella no se le había roto nada, y de regreso de aquel largo itinerario, que de alguna manera transformaría en experiencia enriquecedora y crucial, había incluso encontrado a su querido e insoportable Martín, más querido y más insoportable que nunca, puesto que ahí estaba a su lado llora que te llora a cada rato porque era un tontonazo hipersensible, un fin de raza irritante y divertido, a la vez, un hombre totalmente equivocado, sin duda alguna, y qué más prueba de ello que la cantidad de barbaridades que le acababan de suceder y la cantidad de líos en que se había metido no bien ella lo había dejado solo, sólo a él se le ocurre pasarse mayo del 68 en los brazos de la primera gringa que encuentra suelta en plaza, y sólo a él se le ocurre irse a visitar a Enrique Alvarez de Manzaneda aprovechando que no estoy yo, pobre Martín, pobre Martín, ¿qué voy a hacer con él?...

Hicimos el amor hasta que nos dio mucha hambre, era bueno tener tanta hambre, se olvidaba uno por momentos de que ya no tardaba en oscurecer y de que si salía a la calle podría encontrarse con ese hombre cuya oreja normal era una trampa para hacerme descubrir al hombre con una oreja normal y la otra del tamaño de una hoja de plátano... Martín, Martín, no olvides que te has jurado que lucharás hasta quemar el último cartucho, ahí tienes una buena oportunidad para empezar o para continuar o qué sé yo...

—Inés, yo bajo a comprar algo para comer. Subo y bajo corriendo, mi amor. Los últimos tallarines que quedaban se los comió Carlos Salaverry.

—Martín, los dos estamos cansados y los dos tenemos hambre. A mí me parece más justo que juguemos cara o sello a ver quién baja.

—Pero Inés, yo...

—No es más que nuestra habitual repartición de las tareas domésticas, ¿o ya te olvidaste?

—Dame un beso.

—Toma tu beso y ahora busquemos una moneda.

Perdió Inés, y yo le rogué que me dejara bajar. Nones. Entonces le rogué que me dejara acompañarla. Nones. Entonces le pregunté que si le había dado mucha pena lo de Enrique. Me miró callada y yo le dije que entonces sí le había dado mucha pena y que era terca como una mula y que yo la adoraba y que deseaba hacer el amor una vez más antes de que bajara. Nones. Entonces le pedí que encendiera la luz. Nones, aún no ha oscurecido, Martín. Entonces le dije que yo había entrado al departamento dos veces en la mañana, una antes de salir a ver nuestra hondonada en la terraza (sentí una espantosa atracción al vacío), y la segunda cuando entré y puse la maleta sobre la cama y estuve ahí un rato antes de que ella me hablara. Y después le pregunté que si me había visto la primera vez, agregando que tenía que haberme visto, y le pregunté también que por qué había tardado tanto en hablarme.

—Te estaba observando, Martín. Necesito observarte.

Dijo eso mirándome ahí tirado sobre la cama, y desde entonces capté que en efecto había empezado para ella una larga etapa de observación de mi persona, precisamente durante el período en el que yo necesitaba ocultarle pánicos y fantasmas, lo cual hizo que también yo me volviera muy observador y que me pasara la vida observándola observarme, para que nunca se fuera a dar cuenta de lo mal que me estaba poniendo. Pero Inés captó todo eso muy pronto, y también ella empezó a observarme observándola, y así de tranquilitos y relajados vivimos hasta que llegó el verano y a ella le renovaron nuevamente su beca y yo mantuve mi puesto en el colejucho de mierda, para el siguiente año escolar. Y también así, OBSERVÁNDONOS OBSERVARNOS, partimos luego a pasar el verano a España, donde ella se negó a visitar a los Feliu y yo tuve que andar como niño travieso, pegándome las grandes escondidas para enviarles postales. Para burgueses podridos, a Inés le bastaba con el desastre observado y querido que llevaba con ella.

Lo más importante que hicimos aquel verano, aparte de intentar realmente una definitiva reconciliación en pensiones con hondonadas, restaurants muy baratos, y muchas corridas de toros, fue visitar el pueblo de donde habían emigrado los padres de Inés al Perú. Aquello fue un hecho determinante en la vida de Inés, pero yo tardé siglos en comprenderlo y en aceptar que ello se debió a lo que entonces vimos en el pueblo, que fue vida de parientes muy pobres y por los que ella, extrañamente, no sintió ni marxismo, ni compasión, culpa de ellos, dijo, por no emigrar a tiempo, ahora ya son casi todos demasiado viejos. Me quedé perplejo, realmente perplejo, yo que había estado a punto de perder edad y estatura, de pura vergüenza, ante el temor de que intentara inducirlos a formar un embrión de partido o algo así. Bueno, me dije, tratando de explicarme de algún modo las cosas, tal vez los ha encontrado demasiado conservadores, como en efecto lo eran. Aquella fue una visita realmente determinante, por razones que yo entonces no logré adivinar, por las extrañas consecuencias que más tarde tendría sobre nuestra relación, sobre nuestra ruptura final, y sobre el futuro de ese ser tan querido que algún día iba a convertirse en mi ex-esposa, queriéndome todavía tanto. Hoy me parece mentira que, durante la visita a aquel pueblo, yo no llegase a penetrar el secreto profundo que sobre ella misma descubrió ahí esa muchacha tan sólida y tan severa. Debo reconocer que en aquella oportunidad no me funcionó para nada mi famosa y maldita intuición. Resulta casi increíble el asunto, sobre todo si tenemos en cuenta que pasamos íntegro aquel verano observándonos observarnos. Pero tiene que haber una explicación y sin duda es ésta: yo observaba tanto a Inés, sólo porque quería evitar que descubriera lo que cada vez más agudamente iba ocurriendo en mí, aquel desmoronamiento interior de angustias y terrores que día tras día me obligaba a asomarme con mayores precauciones a la vida. Y cuando entré a *su* pueblo, como Inés lo llamó, en un primer momento, me había convertido ya en un observador bastante enceguecido por lo que a ella nunca quiso reconocer como una verdadera enfermedad. Pero, en fin, eso vino después de aquel verano en el que fue sin duda ella quien peor las pasó en su pueblo, sin que yo me diera en absoluto cuenta del cómo ni del por qué.

## EL PUEBLO DE INES, VUELTO A VISITAR, EN MI SILLON VOLTAIRE

Sí, es preferible así. Es preferible para todos que yo cuente esta visita hoy, bien sentadito aquí en mi Voltaire, y con toda la sal y pimienta que Octavia le agregó, sentada a mi lado, sobre una vieja alfombra, un poco por alegrarme la tristísima vida que yo vivía tras la partida de Inés, y un poco por ayudarme a comprender y a aceptar la verdad verdadera de lo que ocurrió ante los ojos del debilitado observador que llegó a aquel pueblo, en el lejano verano del 68. Hoy, años también después de habérselo contado a Octavia, hoy, que hace años que a ella se la bautizó con el nombre de Petronila, entre muchos otros, en reconocimiento de su abolengo medieval, y hoy, en que, muy desgraciadamente para mí, Octavia no está tampoco a mi lado, aunque yo me siento bien por lo mucho que he escrito ya en este cuaderno azul, también el camino seguido por Inés tras su partida me permite contar mejor esta historia. Qué poco podría contar, en efecto, esa especie de aterrado pre-enfermo, al que sólo la esperanza de una reconciliación definitiva con su esposa, hacía no declararse a gritos enfermo todavía.

Bien, estamos en 1968, pero yo estoy también en mi sillón Voltaire, hoy. Inés y su desastre, que la quiere, la admira, la envidia, pero que al mismo tiempo empieza a ya no dar más, han llegado a la ciudad de Burgos, y de ahí se han trasladado a Lerma, porque en Lerma ella tiene un primo obrero y en una fábrica, agárrame esa flor, Martín, en tu familia cuándo alguien. Claro que no lo dice, pero me lo acaba de decir con la miradita esa. A mí ipso facto se me ocurre que, por ser más frecuentes estas deformaciones entre la gente pobre, de lo cual mi familia no es la única culpable, miradita a Inés que ella no entiende, a lo mejor el primo obrero de Lerma es el hombre con el que debo

467

cruzarme obligatoriamente en la vida: el de la primera oreja normal y la segunda del tamaño de una hoja de plátano. Consumía toneladas de valium, por aquel entonces martirológico.

Fábrica. Inés pregunta por su primo, y no sé si es porque está guapa como nunca, muy a pesar suyo en una fábrica, pero nos llevan directamente hacia la caldera del diablo que alimenta, a lampadas de pulmón, su importantísimo primo obrero que yo no tengo. Inés me observa y yo observo a Inés observándome orgullosa. Llegamos a una especie de infierno que me conmueve hasta pensar en adherir nuevamente a algún partido en el que no milite Mocasines, y en ese infierno está su primo prácticamente incendiándose. Ignora por completo que le han llegado unos parientes peruanos, mientras otros dos obreros, que son menos importantes y ganan menos por hora, ley de la oferta y la demanda, supongo, le arrojan baldes de agua fría para mantenerle la temperatura del cuerpo a un nivel humano porque realiza un trabajo completamente inhumano. Lo iluminan tanto las llamas, que yo, que he llegado siguiendo a Inés en su orgulloso descenso hacia estos territorios realmente dantescos, logro comprobar de una vez por todas que la oreja derecha y normal de mi pariente político obrero me oculta, al lado izquierdo, una aterradora sorpresa del tamaño de una hoja de plátano. Aprovecho para llorar, ya que ahí todo el mundo suda a mares y hay un ruido tan espantoso que nadie se da cuenta. Bueno, nadie no, Inés sí se da cuenta, por supuesto, me está observando observarla. En ese instante, abrazarla es más fuerte que yo, y así lo hago y ella me rechaza avergonzada pero yo sigo deseando conocer a Inés por primera vez en mi vida en ese lugar y pedirle inmediatamente que, por favor, se case conmigo y que no nos vayamos a vivir a París.

Mientras tanto se le han dado de alaridos al pariente obrero y éste por fin comprende de qué se trata el asunto e interrumpe orgullosamente la cadena del trabajo porque, como nos lo explicará más tarde, es un hombre libre y hace ese trabajo porque le gusta y porque no quiere cometer la tontería de otros primos de emigrar a América. En España y con Franco se está mucho

mejor. Uno pertenece al lugar al que pertenece aunque los hay
muy despiadados que abandonan a sus padres viejos en el pueblo y se van a probar suerte a América, él no tiene nada que
envidiarles a ésos, qué va a tener él que envidiarles a ésos, aquí
se está mejor que allá. Así empezó el discurso del primo obrero
Jaime, quien tardó más o menos dos horas en lograr que viéra-
mos que tenía el pelo rubio, los ojos verdes, la piel prematuramente resquebrajada, y salió por fin limpio de la ducha de la
fábrica, a invitarnos a una copa.

Luego, a la pregunta de Inés, ¿y por qué has abandonado
el pueblo?, respondió que en ese pueblo no había vida para
los jóvenes ni trabajo para los viejos, pero que era un gran pueblo, con unos prados que ni en Barcelona, su constante referencia cultural admirativa, aunque desgraciadamente con algunos familiares cobardes que prefieren dejar toda esa cosa
grande por el Perú, su constante referencia cultural peyoratheví-
sima.

—Sucede en las mejores familias —comenté, ya más tranquilo con sus orejas, e Inés casi me mata con la mirada.

Acto seguido, muy extrañamente, mi dulcísima paloma
(aunque yo entonces había dejado ya por completo de usar palabras como dulcísima o paloma, no por falta de motivos para
usarlas, sino porque entre orejas descomunales, atracciones al
vacío, y las luces que me podían apagar, me resultaban imposibles las asociaciones bonitas y las palomas ya no volaban y lo
dulce ya no existía), le dijo al primo obrero Jaime que el primo
emigrante Raymundo trabajaba en una compañía de seguros y
que se acababa de comprar un carro. Perdí edad y estatura, cosa
que de pronto me aterró, porque me vi en efecto chiquitito y
deforme. Invité una cerveza, pero ello sólo sirvió para que el
primo Jaime me probara que él podía invitar tres más, y para
que Inés le soltara, mucho más extrañamente que la primera
vez, un ¿y qué quieres probar con eso?, tan duro, que no tuve
más remedio que volverme a ver deforme y horroroso. La sangre no llegó al río, felizmente, y tras haber pagado incluso la
cerveza que yo había invitado, el primo Jaime se jactó de que

469

sus tareas le impedían acompañarnos al pueblo, y se volvió a jactar de que nos podía conseguir el carro de un amigo para que fuéramos al pueblo.

La meseta castellana estaba a punto de convertirse en algo así como el altiplano de nuestro peyorativizado Perú.

—Inés, tenemos que habernos perdido, por aquí el diablo perdió el poncho, por aquí te juro que ya no encontramos ni al... ni al...

Me callé, porque casi se me escapa lo del hombre con la otra oreja, y porque Inés insistía en que no nos habíamos perdido y que detrás de este pueblo, ¿esto es un pueblo?, me pregunté, en el más profundo silencio capitalista, estaba su pueblo. Pero su pueblo no estaba detrás de ese ¿pueblo?, ni tampoco detrás de ese otro pueblo por el que pasé dejando escuchar el ruido de mi silencio, *elementary, Watson,* y que tampoco era su pueblo. Atardecía y tampoco era su pueblo. Empezaba a caernos la noche y tampoco era su pueblo.

—¿Hay luz en tu pueblo, Inés?

—Tienen un motor que funciona perfecto —me odió Inés.

Y a punta de observarme no tardaba en estrellarse porque eso ya no era carretera, ni pista, ni huella, no sé lo que era eso, o en todo caso era simplemente un estar dando saltos por los campos de Castilla, cuando apareció, casi al lado del carro, una manadita de ovejas e Inés frenó, sacó la cara, y la que momentos más tarde, tras haber guardado a las ovejas, sería la única muchacha del pueblo, la prima Isabel, pegó un alarido que nos permitió detectarla entre las ovejas. ¡Inés de América! —gritó emocionadísima, iluminando la escena con una linterna, lo cual me permitió ver que se trataba nada menos que de un ser exacto a Inés, con una cara realmente exacta a la de Inés, pero todo en muy chiquito, una Inés más o menos de la misma edad pero en chiquitito.

—Están a la entrada del pueblo —dijo, señalando algo que en efecto parecían ser muros y algo que en efecto parecía ser una iglesia. La oscuridad jodía, pero Inés, siempre inmutable, encendió los faros altos y ahí estaba el letrero: CABREADA. Era casi lo único que había en el pueblo, al menos dentro del estado de ceguera depresiva en que me encontraba yo.

CABREADA. Recuerdo que entonces no me reí pero cuánto me he reído después con el asunto ese de Cabreada. ¿De qué otro pueblo podía provenir ese personaje que, para usar la palabra tal como la usan en España, vivía casi permanentemente cabreada, esa Inés que reía tan poco, que fue siempre incapaz de captar mi sentido del humor, que atormenté con mis ocurrencias tan llenas de cariño y de necesidad de hacerla gozar en esta vida. Bueno, tampoco hay que exagerar, limitémonos a decir que traté de hacerla feliz en la parte de su vida que vivió conmigo. Otros, antes y después que yo, la habrán hecho reír y hasta gozar, me imagino. Lo que pasa es que yo quise hacerla feliz siendo yo, siendo el ser que era yo, pero ya sabemos que eso la volvió tan bizca que un día simplemente ya no logró verme más y se fue para siempre. Cabreada, tenía que ser originaria de Cabreada mi terca mulita, aquella muchacha que guardaba sus ternuras y sonrisas únicamente para la hondonada, Inés, la de la difícil sonrisa, la de la terquedad sin nombre y la del sentido del humor que la hacía reír con todos menos con su desastre, con aquel desastre que años atrás, al pasar con ella por Murcia, se llevó una buena bofetada cuando vio un letrero que anunciaba un pueblo llamado MULA, y le dijo, mi amor, ¿no es por casualidad de ahí de donde viene tu encantadora familia?

CABREADA. Inés me pegó la gran observada e inmediatamente bajó los faros para que no siguieran iluminando el letrero: acababa de captar, la observé observándome, que yo acababa de recordar el incidente de Mula y por qué hasta esa noche, ahí, ante ese letrero, me había ocultado el nombre de su pueblo. Octavia se rió muchísimo cuando le conté esta anécdota. Yo no lograba reírme todavía, entonces, aunque ella, siempre tan atenta a las cosas de mi vida, también entonces, me ayudó bastante al explicarme que el simple hecho de contar una anécdota así, revelaba ya síntomas de interés por la vida. Y hoy recuerdo a tantas personas a las que he hecho reír con esta anécdota. Y esta tarde la escribo y me río mientras la escribo. Me río alegre y tiernamente, a la vez. Ah, la literatura en mi vida, ¡por fin! Pero también es cierto, y hay que reconocerlo, que sin aquella vida... Bueno, Martín, ya para tu carro, que a ti te han aburrido siempre las grandes teorizaciones.

Paro, pues, mi carro, en el preciso instante en que Inés arranca el suyo, o mejor dicho el que le prestó un amigo del primo Jaime, y juntos hacemos nuestro ingreso a Cabreada. Hay luz, me digo, y aprovecho que Inés está abriendo su puerta y me está dando la espalda, para sacar de un bolsillo mi frasco de valium y mandarme un rápido traguito de pastillas.

—¡Es Inés de América y su esposo el que se la llevó de América a París! —grita la Inés chiquitita, apareciendo por la única calle del pueblo, tras haber guardado a las ovejas.

Las desconfiadas puertas por donde un auto llegó de noche a Cabreada, hizo asomarse a una buena docena de desconfiadas cabezas, se abren ahora de par en par, y empiezan a acercársenos viejos y viejas sonrientes, muy sonrientes a medida que van reconociendo parecidos, se parece a su mamá, no, yo más bien diría que se parece a su papá, no, yo más bien diría que se parece mucho a su primo Raymundo.

—Yo soy Isabel, soy la hija de tu tía Marcelina, la mamá de tu primo Raymundo, soy tu prima, Inés —dice, informadísima por la correspondencia con su hermano Raymundo, la Inés chiquitita.

—Yo soy tu tía Marcelina, la hermana de tu mamá. Nuestro padre fue el peluquero, pero ya tu abuelo murió y ahora tampoco hay peluquería.

—Yo soy la hermana de tu padre —dice una que ha llegado con retraso a la ceremonia informativa, la pobre vieja apenas puede hablar, apenas caminar, pero en su rostro descubro un enorme parecido viejo con el rostro de Inés. Clamo porque los valiums me hagan efecto, mientras le tomo terror a una vejez que no sé si es la de Inés, la de su tía, o la vejez en sí. Dios me libre de esto último, me digo, pensando más en el efecto de los valiums que en Dios, pero sigo ahí hecho el desastre que le pasa revista a todas las orejas del pueblo y que está a punto de pegar un alarido porque hasta ahora esta condenada de Inés no me presenta a nadie. No, no es tanto que quiera abrazar a tíos y tías, es la idea fija de que tocándolos les perderé en algo el miedo que me impide hablar, moverme, sonreír, que me impide todo menos temblar.

Pasa media hora en la única calle del pueblo, media hora de ceremonia informativa, durante la cual me voy enterando, entre sobresalto y sobresalto, de que en ese pueblo no quedan más viejos que los de la familia materna y paterna de Inés, y todos casados entre ellos. Recuerdo entonces que también el padre y la madre de Inés eran primos, me alegra poder recordar algo todavía, gracias celestes pastillas de valium, y por fin Inés se acuerda del esposo que se la llevó a París, de acuerdo a la versión de la prima Isabel, y me va presentando y voy exorcizando pavores al tocar manos como pan duro arrugado y hasta besando algunas mejillas que, sin duda muy pronto, el Señor las tendrá en su gloria, y al mismo tiempo, me repito y me repito que no, que yo no me la llevé a París, ella vino un año después, y que más bien yo nunca hubiera querido llevármela a París sino a Perugia.

Inés sonríe en esa parte de la única calle del pueblo, que justo ahí se ensancha un poquito, convirtiéndose en la plaza del pueblo. La observo observándome, le sonrío, la amo, quisiera decirle que ojalá me hubiese tocado una familia tan vieja, tan pobre, y sobre todo tan sana como la suya. Quisiera decirle cualquier cosa que le gustara. Quisiera estar ya acostado con ella diciéndole cualquier cosa que le gustara. Inés me observa observándola, me sonríe, me sonríe más todavía, y por primera vez en la vida siento que he echado raíces en alguna parte y que no hay nadie más adaptado que yo a la vida y costumbres de Cabreada, definitivamente entre los valiums y la amplia sonrisa de Inés las cosas parecen haber mejorado enormemente para mí. Y aunque es bastante tarde para un pueblo, ha llegado la hora de que nuestros parientes nos reciban en sus casas. Así lo anuncia la tía Silveria, cuyo hijo Silverio, emigrado a Buenos Aires, ha enviado el único televisor del pueblo y la vieja resulta que le cobra a los otros parientes por ver la tele y se está convirtiendo en la mujer más rica del pueblo y la más mala también. La prima Isabel, pobrecita, tan joven, tan chiquitita, tan llena de vida y tan encerrada en ese pueblo muerto porque su mamá no la deja irse de sirvienta o de puta, ni mucho menos de emigrante a América, ha sido la encargada de informarnos de esta primera maldad.

Siguen más, mientras realizamos nuestra visita a los parientes. Inés ha pedido ver a un hermano de su padre, porque para ella es un dulce recuerdo de infancia, pero ese hermano de su padre no posee tierras ni ovejas y sólo se le puede ver tras haber pasado por la casa de la tía que posee tres ovejas mas no tierras, y a ésa sólo se le puede ver tras haber pasado por la casa del tío que posee cuatro ovejas mas no tierras, y a ése sólo se le puede ver después de haber visitado al tío que posee cuatro ovejas y un poquito de tierra, y a ése tampoco se le puede ver hasta no haber visitado al tío que posee seis ovejas y un buen trozo de tierra, y a ése sólo lo podrán visitar tras haber visitado a la tía Silveria y a su televisor, que también posee ovejas y un buen trozo de tierra que le ha comprado al hermano de tu padre, Inés, que estaba muy endeudado por una mala cosecha y por su salud, con el dinero que gana con el televisor. Pero antes de visitar a tu tía Silveria, Inés, tienes que venir a mi casa, le dijo el tío Jaime, padre del primo obrero de Lerma, porque yo soy el alcalde del pueblo. En cada casa comimos, en cada casa bebimos, y en cada casa comimos y bebimos según la jerarquía establecida sobre las ya citadas bases socioeconómicas. A mí el vino me potenció el valium, y por primera vez en mucho tiempo logré pasar flotando y sonriendo de casa en casa, desde el mejor plato, donde el tío Jaime, hasta el trozo de chorizo, donde la tía Cirila. Pero ello no impidió que casi me muriera de pena cuando llegamos a la casa del tío que Inés había deseado ver primero. Era paralítico, y se había dormido esperando su turno de más pobre que todos. Bah, dijo el tío alcalde, ése sólo tenía un poco de miel de sus panales para ofrecerles. Vénganse a dormir, muchachos.

Caí seco con el vino y las pastillas, y pude haber dormido horas y horas, pero Inés, que según imaginé años más tarde, al descubrir y entender el secreto profundo que se llevó con ella en su partida, no debió haber pegado los ojos aquella noche, me despertó prácticamente al alba. No había donde lavarse y se meaba afuera, y los prados que no tenían nada que envidiarle a los de Barcelona eran un árbol plantado sabe Dios por quién y cuándo, a unos quinientos metros del pueblo, al pie del arroyo adonde iban por agua. Ahí nos refrescamos un poco la cara, sin hablarnos. Poco rato después apareció la prima Isabel, sonriente y comunicativa. Inés le pidió que nos acompañara a ver al hermano de su padre. No sólo quería verlo por aquel recuerdo de infancia (alguna historia que le contaría su padre), sino también porque sabía que una hija de ese tío trabajaba de obrera en el norte de Francia. Inés deseaba establecer contacto con ella. Pero ahí creo que se pegó el encontronazo final. Digo creo, porque en ese momento no hizo comentario alguno y pareció aceptar la realidad tal cual era. Pero, en el fondo, a pesar de que salió del pueblo despidiéndose sonriente de todos, y respetando el mismo orden jerárquico de la noche anterior, hoy, a pesar también de la indiferencia ante lo visto y oído con la que siguió viviendo conmigo, estoy seguro de que la escena vivida con el más pobre de sus tíos tuvo mucho que ver con aquel secreto que, sobre sí misma, descubrió en Cabreada.

No, el tío hermano de su padre no tenía ninguna hija trabajando en Francia. No la tenía por la sencilla razón de que nunca había tenido hijos. Inés estaba equivocada, me deben estar confundiendo con otro de los hermanos ya fallecidos, Inés, aunque yo ignoro la existencia de esa muchacha, y tampoco creo que haya nadie del pueblo trabajando en Francia, Inés, concluyó el tío en su sillón de paralítico, y mientras nos ofrecía la poca miel de sus panales. Pero la prima Isabel, que nos esperaba con su manadita de ovejas en las afueras del pueblo, fue la encargada de informarnos que sí, que el tío sí tenía una hija en Francia, y que la hija de Francia había venido cada año a visitarlo trayéndole muchos regalos. Lo que pasa, Inés, es que un día se presentó con un esposo moro y con un hijo medio moro y tu tío los corrió del pueblo a los tres; y ahora, hasta se lo cree que jamás tuvo una hija.

Volvimos a ver al primo obrero Jaime en la caldera del diablo, volvimos a tomar unas cervezas con él, volvió a insistir orgullosamente en pagar la cuenta, y yo en el fondo feliz de que fuera tan pelotudo porque me había bebido la mayor parte de las botellas, para que me potencializaran los traguitos de valium que acababa de soplarme. Y así, a trancas y barrancas, logré llegar a París, donde nos esperaba el otoño, los estudios de Inés, lo que quedara del Grupo, el monstruo y sus monstruosidades, el trabajo en el colejucho, y tantas cosas más de las que quisiera hablar ahora. Cosas que también le conté a Octavia, a quien recuerdo haberle tratado de explicar que tal vez la ceguera de una enfermedad ya asumida me impidió comprender lo mal que también las estaba pasando Inés. Pero en aquella oportunidad, Octavia no quiso intervenir. Temió, sin duda, agravar la tristeza de aquellos días míos. O le faltó confianza, porque no hacía mucho que nos habíamos conocido ni que yo le estaba contando todas estas cosas. Recuerdo, eso sí, que pronunció una frase para mí totalmente enigmática por aquel entonces.

—Martín —dijo—, algún día comprenderás que Inés fue la última muchacha que emigró de Cabreada.

## ALGUN DIA COMPRENDERAS, MARTIN ROMAÑA

Comprenderás, entre muchas cosas más, que hay gente como tu portera de aquel entonces, gente que no bien se da cuenta de que Inés y tú están regresando de vacaciones, abre su puerta con la felicidad de poderles dar una atroz bienvenida: hace un par de semanas que Bibí, el perro de madame Labru, mató de un último mordisco a Bettí, la perrita de los señores Delvaux. Y que éstos no salen desde entonces de su departamento y que madame Labru ha enviado todo tipo de disculpas y explicaciones pero que sus ojos irradian alegría y satisfacción. La portera, en realidad, quiere conocer nuestra opinión. Vive muy consciente de sus posibilidades de crear conflictos entre los vecinos de un mismo edificio, y no pierde oportunidad de contarle a uno detalles sórdidos y malvados sobre el señor X o la señora Y. Lo hace con estúpida sabiduría, y uno, con estúpido terror, expresa su opinión sobre esto o aquello, y esa opinión engorda el todo sórdido y malvado que transmitirá a otro vecino y que algún día puede volverse estúpida y peligrosamente en contra de uno. Pero yo, aquella mañana de mediados de septiembre, me negué a aceptar que la maldad de madame Labru pudiese llegar a tanto, no sé, tal vez el verano en España y mis problemas personales me habían alejado algo de aquel crimen perfecto al que un año atrás le presté tanta atención. No opiné, no hice comentario alguno, y en lo que a Inés se refiere, una de sus valientes e indescifrables sonrisas fue suficiente. Tenía un cuello largo y demasiado hermoso como para detenerse ante una portera o ante algún perverso pliegue de la inmensa maldad general de madame Labru. Con unos pasos más, que revelaban que había ignorado por completo las novedades del edificio, llegó al ascensor, abrió la puerta, y me preguntó ¿subes o no

477

subes, Martín? Yo casi le explico a la portera que tenía que subir
con mi esposa, porque era mi esposa, pero que allá arriba iba a
pensar en mi opinión más sincera, para luego bajar a parlamen-
tar importantemente con ella. Inés lo captó. Eran los momentos
en que me convertía para ella en el ser más estrangulable del
mundo. Octavia de Cádiz, se me escapó, y aunque nadie me
entendió, quedé pésimo con todo el mundo, lo cual no es poca
cosa cuando uno se está sintiendo pésimo. Ya en el ascensor, y
más o menos al pasar por el tercer piso, para que la portera no
fuera a escucharme, traté de hablarle a Inés de lo del crimen
perfecto. Pero Inés no hablaba con enanos sin pantalones.

Noveno piso ascensor. Hogar, dulce hogar. Subimos los escalones de la montañita que ocultaba el motor del ascensor,
bajamos, abrimos nuestra primera puerta, madame Labru nos
dio la segunda bienvenida del día con un ojo perverso en su
mirador descorchado, Inés la ignoró olímpicamente, yo traté de
hacer lo mismo pero terminé con un adiosito sonriente, y subí
estrangulabilísimo la escalerita que llevaba hasta la segunda
puerta de nuestro hogar, dulce hogar. Abrí, sentí terror, recordé a Inés diciéndome, el día de nuestro reencuentro, Martín, yo
creo que nunca te abandonaré, y sentí verdadero pavor. Y detrás de ese pavor sentí que la quería y que la necesitaba más que
nunca. ¿Por qué más que nunca? La intuición me fallaba, el
humor no me decía nada, el amor me daba tanto tanto miedo,
¿qué pasa?, ¿qué me pasa?, ¿qué nos está pasando? No comprendía nada.

El 15 de octubre hubo funeral por la mañana y exposición
por la tarde. Y mientras sacaban los ataúdes de los friolentos y
pacíficos viejos Delvaux, suicidio, comentaron muchos, suicidio provocado por madame Labru, odió la portera, crimen perfecto, insistía en pensar yo, y mientras otros viejitos lloraban
confundidos y algún perrito compañero de soledades se meaba
en la escalera porque era su hora, madame Labru abría su puerta
y empezaba a colgar cuadros para la tarde, enormes, feísimos,
obscenos, sobre todo. A Inés le bastó con la belleza larga de su
cuello para no enterarse de nada. Recuerdo ese día y los siguien-

tes como los de una nueva obsesión: el cuello de Inés. Lograba aislarlo, separarlo de su cuerpo, verle sólo el cuello. Y a veces, armándome de coraje, juntaba el cuello a su cara y les sonreía desde el fondo de la más profunda tristeza. Pero ni siquiera así lograba captar la atención que yo ansiaba del cuello de Inés.

Volvió al Grupo, y a sus estudios. Eso último lo hizo para justificar en algo su beca, pero sobre todo para no defraudar al profesor que año tras año había logrado que se la renovaran. Era más que evidente que a ese señor, de grande y merecida reputación internacional en asuntos de cooperativismo, se le caía la baba por Inés. Ella lo había admirado y respetado, al comienzo, pero luego vino la desilusión porque el gran maestro no era marxista, e Inés empezó a dejarlo bastante de lado, como hizo con sus estudios. Frecuentaba sus cursos casi al final del año universitario, y sólo para obtener su recomendación para que le renovaran nuevamente la beca. Sin embargo, ese año empezó a frecuentar sus cursos desde que éstos empezaron. Teóricamente, yo debí sentir celos o algo así, porque el asunto estaba muy cerca de la franca y abierta coquetería, por parte de Inés. Pero, cosa extraña, cada vez que ella me decía que se iba a clases, yo la besaba y le decía chau con bastante alegría. Resulta algo difícil de explicar, lo sé, pero es que en el fondo realmente me alegraba que Inés fuera aún capaz de recordar que a alguien le encantaba verla, siendo ese alguien, además, un hombre cuyas ideas no compartía. Sí, era eso lo que me gustaba, y nunca olvidaré la tarde en que la seguí sin que me viera, entré a su clase sin que se diera cuenta, y me senté a observarla desde un ángulo estratégico.

Con el pretexto de obtener alguna información sobre el Perú, el profesor se pasó casi media clase conversando con ella. Gozaba, realmente se le caía la baba por Inés y hasta se le acercó para encenderle un cigarrillo. Ella respondió muy cordialmente a todas las preguntas que le hizo y hasta aceptó continuar la conversación después de la clase. Pasaron a la cafetería de la Facultad, y nuevamente volví a seguirla sin que me viera y a instalarme en un ángulo estratégico. Gocé con su cuello, con la forma en que también al profesor le aplicaba su cuello, aunque no severamente como a mí, gocé con unas sonrisas y unos gestos que hacía tiempo que no existían entre nosotros. Y gocé enormemente cuando le dijo al profesor, tras haberle preguntado la hora, que tenía que volver a su casa porque le había prometido a su esposo acompañarlo al cine. Salí disparado, llegué a casa antes que ella, a pesar de que el profesor la llevó en su automóvil, y cuando subió me encontró esperándola tirado en la cama, proponiéndole ir al cine más tarde, invitándola a venir a mis brazos, y dándola palmaditas a la hondonada.

—Martín —me dijo—, hace meses que me dijiste que ibas a botar la cama nueva, pero sigues aterrado ante la idea de que Madame Labru se entere. No podemos seguir durmiendo sobre dos camas superpuestas. Vamos al cine, Martín.

Le respondí que mejor se hubiera ido al cine con su profesor y ella lo tomó a ataque de celos. Se puso furiosa, cómo te atreves, Martín, y todo eso, con qué derecho, Martín, y todo eso, qué tal raza, Martín, y por último, vete a la mierda, Martín. Le dije que tenía toda la razón del mundo, que me perdonara, que yo era un cretino, que en los años de matrimonio que teníamos me había dado muestras de la más profunda fidelidad. Qué otra cosa le iba a decir, aparte de eso, que además era también verdad. Porque lo cierto es que si le contaba que la había seguido, que la había visto linda y alegre con otro hombre, que la había visto natural, que me había alegrado tanto contemplarla actuar con esa dulce sencillez que había desaparecido de nuestras relaciones, sin el cuello aislado y sordo con el que vivía conmigo, Inés habría quedado completamente convencida de que a un tipo como yo era urgente encerrarlo de una vez por todas.

La guerra de nervios cesó, por fin, y la pipa de la paz consistió en llegar al silencio, en comprobar que si no salíamos en el acto no alcanzábamos la película, en caminar mudos hasta la puerta del cine, y en sentarnos luego a esperar que apagaran la luz para cogerle yo la mano como cuando éramos enamorados en Lima. Ultimamente, esta antigua costumbre se había alterado un poco: yo le cogía la mano desde antes que apagaran las luces, por terror a la oscuridad y al encierro, y luego, cuando éstas se apagaban, le apretaba muy fuerte la mano. ¿Por qué tiemblas?, me preguntaba, a menudo. Nunca le respondía. Era también la época en que siempre tomaba la precaución de sentarme a su derecha. Para de comerte las uñas, me decía a menudo. Tampoco le respondía nunca. Prefería cualquier cosa a que se enterara de que cada mordida de uña era en realidad uno de los valiums que llevaba en el bolsillo derecho del saco. Otra cosa que la desesperaba era que yo a cada rato volteara a mirarle el cuello.

Tuve suerte en el colejucho, porque el profesor de italiano había abandonado su puesto y la directora aceptó que yo lo reemplazara. Eran unas cuantas horas más de clases y algunos francos más también. Las dos cosas me cayeron del cielo porque madame Labru nos volvió a aumentar el alquiler y porque así yo estaba menos rato en casa durante el día. La noche no era tan importante, ya que Inés iba a reunirse con sus camaradas del Grupo y generalmente no regresaba hasta muy tarde. Podía, pues, morirme de tristeza, de angustia, de terror, o de lo que fuera, tranquilamente. Tranquilamente quiere decir sin molestarla y sin ser observado. Pero de día ella estaba casi siempre trabajando o leyendo en el departamento, y yo prefería ausentarme lo más a menudo posible. No deseaba que me viera así, perdido en un asunto nuevo contra el que, cada día más, ni el humor, ni el amor, ni el valium podían nada. Notaba, sentía que Inés deseaba estrangularme cien veces por minuto a lo largo de esas tardes interminables que pasaba sentado en un sillón, entregado de lleno al ser y la nada, en compañía de un libro que nunca llegaba a abrir, que a cada rato se me volvía a caer de entre las manos, que luego contemplaba interminablemente sin lograr animarme a recogerlo, hasta que por fin encontraba alguna vaga razón para inclinarme lentamente y así me quedaba horas que eran las horas en que ella me observaba, obligándome a inclinarme más todavía, porque la razón en la vida que me había llevado a recoger el libro era también la de ocultarle aquellas lágrimas por cualquier cosa, que, además, era completamente inútil ocultarle. Necesitaba trabajar, necesitaba estar fuera de casa, de ser posible todo el tiempo que ella pasaba en casa. No comprendía nada entonces, pero el lector sí comprenderá: era la inquisición de su cuello.


## ESA Y OTRAS INQUISICIONES


¡No, no, y no!, ¡he dicho que no y es no!, gritaba Octavia, cuando yo insistía en contarle que también había conocido la indignidad y la esclavitud. Y era tan coqueta que hasta cuando enfurecía no lograba evitar, detrás de sus furibundas reacciones, grandes asomos de rabiosa coquetería. Así, con detalles tan divertidos como ésos, que yo iba descubriendo poco a poco, gracias a la siempre triunfante alegría de su carácter, a aquella inevitable y sonriente coquetería final, vida pura que se derramaba bondadosamente ahí, ante mis tristezas, me enseñó a reír nuevamente. Y así, hoy, como si la literatura tuviera mucha, muchísima relación con la coquetería, aunque furioso por su ausencia, no logro evitar tampoco que todo aquello que viví, primero, y le conté, después, calificándolo de indignidad y esclavitud, se acerque a mi Voltaire, transformado ya en algo sumamente divertido. Gracias, Octavia. Gracias, cuaderno azul, gracias a los dos.

Y aquí acaba tanto agradecimiento y arranca nuevamente aquel otoño del 68, que muy pronto se convirtió en invierno del 69, aunque para mí duró siglos, siglos que lenta y penosamente atravesaron la primavera que llevó al verano en que, por fin, les mandé un SOS a los Feliu, a Barcelona, para que me consiguieran un médico que hablara mi idioma y que con bondadosas pastillas de diversos colores, o a todo color, de preferencia, lograra ayudarme a fondo en aquel proceso de modernización y reconstrucción que con tan buena voluntad había emprendido, y que con tan mala enfermedad se me estaba yendo a la mierda, hundiéndome cada vez más en aquel pozo negro desde el fondo del cual clamaba y volvía a clamar en el desierto, sin que el cuello de la silenciosa Inés encontrara sogas que arrojarme por ninguna parte.

Vivía reducido a mi mínima edad y estatura. Nunca, desde que empecé este cuaderno azul, había estado tan chiquito. Los pantalones me quedaban todos enormes, no encontraba uno solo que me hiciera el favor de quedarme bien. Las correas me daban mil vueltas a la cintura. Opté, pues, por vivir definitivamente sin pantalones, con lo cual creo que asumí definitivamente que estaba jodido, realmente muy enfermo. Inés, mientras tanto, había crecido hasta convertirse en un gigante, y creo que ambos recordábamos habernos amado mucho en un mundo lleno de revoluciones que triunfaban todas. Yo continuaba reconociéndola y amándola, pero ella había empezado a bizquear nuevamente, como si no le bastara con lo chiquitito que estaba yo, para no verme.

Me enviaba al cine por las noches, cuando no tenía reunión con el Grupo. Me tranquilizaba bastante cuando me otorgaba esos permisos, porque así podía perderme por las calles, siempre en busca del hombre con la oreja-hoja de plátano. Lo fregado era cuando tenía reuniones con el Grupo, porque no me daba permiso para ir al cine y yo me quedaba en casa muerto de miedo de dormirme antes de que ella llegara. Me aterraba la idea de que no me viera dormido al fondo de la hondonada, y plaff, me aplastara para siempre. Ese terror a la muerte por aplastón, revelaba en el fondo un deseo de seguir viviendo. Qué bestia, lo masoquista que puede llegar a ser uno, a quién se le ocurre seguir viviendo en ese estado.

Y en esas condiciones de vida. No me ligaba una, todo lo hacía mal. Por ejemplo, cuando una tarde, tras haber potencializado mis valiums con una botella de cognac, consideré que había encontrado, por fin, una solución ecléctica para el problema de la hondonada, que a pesar de todo insistía en conservar, lo cual era sin duda algún otro peligroso signo de desear seguir viviendo, resulta que en el fondo había metido las cuatro una vez más. Inés le bizqueó a su desastre, le probó rotundamente que el verdadero acto de coraje debió consistir en deshacerse de la cama nueva, y le causó una pena profunda más. Pobre desastre, enano y deforme como estaba, había logrado encontrar la siguiente solución: el nuevo somier lo cubrió íntegramente de periódicos, primero, para que no se viera que era el nuevo, lo cubrió íntegramente de plásticos, después, para que no sufriera con la intemperie, y encima puso el colchón viejo cubierto tan sólo con plásticos transparentes, para que madame Labru creyera que era la vieja cama la que había vuelto a reaparecer en la terraza. Para la pregunta de madame Labru, que diariamente subía a Bibí a hacer sus cacas horarias a la terraza, había preparado también una respuesta. La pregunta iba a ser ésta: ¿Cómo, yo creí que por fin habían botado la cama vieja? La respuesta iba a ser ésta: No, madame, se la prestamos a un amigo que estaba de paso y acaba de devolvérnosla. Era una solución bastante ecléctica, lo reconozco, pero no tenía por qué ser tan malamente juzgada por Inés. Y en lo que a madame Labru se refiere, simplemente se cagó en la noticia de que la vieja cama hubiese desaparecido antes del verano y hubiese vuelto a aparecer en el invierno. Fue la única vez en la vida en que le tuve una buena respuesta lista, y la única vez en la vida, también, en que no me atacó con pregunta alguna. Y sin embargo, yo seguía con ganas de desear seguir viviendo.

¿Se debía esto a mi aterrada necesidad de encontrar al hombre con la oreja-hoja de plátano? Visto así, a la distancia, creo que podría responder afirmativamente. E incluso agregar que no hay nada que infunda tantos deseos de vivir como el espanto. Los seres aterrados sueñan siempre con que Drácula desaparezca para poder continuar viviendo tranquilamente. Y yo por entonces iba de terror en terror, de indignidad en indignidad, de esclavitud en esclavitud. Y créanme que estos dos últimos aspectos de mi espantosa vida se fueron agravando muchísimo aquel invierno. Perdóname, Octavia, y que me perdone también el lector por esta incongruente aparición de Octavia en una etapa de mi vida en que aún no había empezado a contarle todas estas cosas, pero la verdad es que no puedo evitar que se me vengan a la memoria, no bien hablo de indignidad y esclavitud, los rabiosos ¡no, no y no!, ¡he dicho que no y es no!, con los que ella protestaba en la época de mi vida en que ya había empezado a contarle todas estas cosas, y muy precisamente a lo largo de estos episodios de indig... Perdóname, Octavia.

Los episodios de indig y esclav, que de ahora en adelante dejaré de calificar, consistieron en una serie de vivencias realmente incalificables. Es cierto, no tiene nombre lo que se me hizo padecer durante aquellos meses que precedieron a mi SOS. El amor, entre Inés y yo, se había convertido en algo que ya ni siquiera hacíamos. Y ella se había convertido en una persona que llegaba muy tarde de sus reuniones con el Grupo, que me descubría aterrado en el fondo de la hondonada, que me preguntaba impaciente por qué no me había dormido todavía, que ipso facto se desnudaba iluminada por una lamparita que me hacía tomar conciencia de que lo estaba perdiendo todo, y de todo lo que me estaba perdiendo, y que un instante después ya me había ocultado la belleza que una vez compartimos, y de la cual yo continuaba aislando el cuello hasta extremos tales que, por ejemplo, una noche lo toqué y sentí que un dedo se me helaba. Me pasé íntegra la noche en vela, atento al cuello, y pensando como un imbécil en los enormes cisnes helados con que adornaban rimbombantes mesas de banquete en Lima, en una casa que mi madre odiaba porque un día, en vez de champán, trajeron una jarra llena de algo azul que resultó siendo el agua azul que esos huachafos le servían a sus invitados, desde que gracias a mi abuelo lograron convertirse en nuevos ricos.

El cuello de Inés dormida me fascinó desde aquella experiencia. Ese mismo cuello que de día me daba órdenes militares, de noche reconfortaba mis terrores, y sin terror alguno a que Inés se despertara y me descubriera merodeando por su cuello, ya que mi enfermedad la había convertido en una dormilona profunda y de arranque instantáneo, además. Claro, la noche era para ella el gran descanso tras un día entero de bizquera y de Martín Romaña. Apagaba la lamparita, dejaba que sus ojos volvieran a su lugar, y para no verme ni siquiera en la oscuridad, se quedaba instantáneamente dormida. Yo inmediatamente le pasaba una mano tembleque por todos los lugares por donde antes le había pasado una mano feliz, y no bien terminaba de constatar, por milésima vez, lo infelices que habíamos llegado a ser, me concentraba en el asunto del cuello. Una noche, logré calentarlo tanto con mis lágrimas, que me estuve ahí horas besándolo muy tiernamente y pidiéndole consejos, sin temor alguno a que se me fueran a helar los labios.

El invierno pasaba entre el colejucho, el departamento, las noches en que Inés me mandaba al cine, las noches en que la esperaba despierto en la hondonada, y las tareas y obligaciones que poco a poco me fue imponiendo madame Labru. Me dejaba a Bibí los fines de semana, y el detestable bicho y yo nos pasábamos horas y horas sentados en la escalerita que subía al departamento y a la terraza, porque eso sí, Martín, si me metes ese bicho al departamento...

—Pero Inés, en esta escalera hace frío, no hay calefacción...

—Eso es problema tuyo por haber aceptado cuidarle el perro a la vieja.

—Pero, Inés, a lo mejor así logro que...

—O sea que tú crees que arrodillándote ante ese monstruo vas a lograr...

—No, Inés, sé que no voy a lograr nada, pero por lo menos se ha largado el fin de semana y podemos recibir gente esta noche.

—Qué idiota eres, Martín; igual se habría largado con el perro.

—No, Inés, me ha explicado claramente que la han invitado a una casa donde la gente no quiere que vaya con Bibí.

—...

El silencio de Inés cerrándonos la puerta dejaba claramente establecido que el monstruo me había mentido una vez más, pedazo de idiota. Ahí quedábamos Bibí y yo, viviendo en común la experiencia de frías horas de escalera, hasta que él, no yo, se arrancaba a ladrar y a gemir y a rascar la puerta de la terraza. Le tocaba su caquita y su pipí. Y a mí me tocaba que terminara con su caquita y su pipí, para luego proceder a la limpieza de la zona, echando primero un poquito de arena, aunque no más de lo estrictamente necesario porque estos sacos de arena son carísimos, *oui madame*, esperando después que se secara un poquito el asunto, *oui madame*, recogiendo luego la cochinada con esta escoba y este pequeño recogedor, *oui madame*, y metiéndola por último en esta bolsa, hasta que se llene para bajarlo todo junto a la basura, *oui madame*. Me preguntarán: ¿cómo te las arreglabas con la pavorosa atracción al vacío de la que hablaste antes? Ahí, sí que me agarraron desprevenido, ahora sí que me han puesto entre la espada y la pared de una confesión. Respondo, pues, confesadamente, que para evitar en lo posible la presencia del vacío, yo salía detrás de Bibí, y también en cuatro patas. Pero juro, por lo más sagrado, que nunca me contagió la levantadita de pata para mear.

Nunca supe a quién odiaba más por aquella época, ya que la nada, que es la nada, no me dejaba sentir nada, pero lo que se dice nada, contra nadie. Curioso fenómeno, la nada, porque en cambio no me impedía adivinar en las miradas ajenas lo que los demás estaban sintiendo hacia mí. Bibí probablemente no llegaba a odiarme, porque yo nunca me animé a pegarle, falta de fuerzas, falta de entusiasmo, vagas reminiscencias de amor por los perros de antaño, y la misma nada, me imagino. Madame Labru, bruja reinante en el noveno piso, tras la muerte de los Delvaux y de mayo del 68, me despreciaba omnipotentemente. Todo el odio que, a lo largo de años, concentró y lanzó contra el hermoso e indescifrable cuello de mi rotunda esposa, rebotó siempre sin hacerse ni siquiera notar, sin dejar huella alguna de preocupación en la vida cotidiana de Inés. Nunca he visto a nadie ignorar tanto a alguien, como Inés a madame Labru. Fue como si jamás le hubiera otorgado el derecho a la existencia, un poder envidiable, una maravilla, algo que siempre admiré en ella, bravo, Inés, bien hecho porque era realmente un ser abominable. Lo fatal, se deduce, es que todos aquellos rebotes de odio fueron uno tras otro a estrellarse contra el rotundo desastre que era yo.

Y ni que decir de estos rebotes durante aquella larga temporada infernal. Hija de la gran puta, me descubrió débil, muy desequilibrado, haciendo equilibrio y medio sobre el borde de la nada, sin fuerza alguna para oponerme a ese inmenso todo que por entonces (tenía que estar realmente mal para incluir a las dos en él), eran en mi vida ese ser malvado y ese otro ser, Inés, preocupado por algo que sin duda no sólo trataba de ocultarse a sí mismo, sino también a mí. Aunque esto último debió resultarle bastante más fácil, porque yo seguía sin comprender nada.

Claro, y ahora que me toca escribir lo que sigue, quién sabe por dónde andarás, Octavia adorada. ¡Por qué demonios no estás ahora aquí para defenderme!, para gritar ¡no, no y no!, cuando digan eso sí que fue ya cobardía de tu parte, Martín Romaña, ¡por qué mierda no estás aquí ahora para explicarles, con gritos plagados de la más enorme y desarmante coquetería, que estaba muy enfermo, demasiado enfermo, que navegaba ya a la deriva por un mundo plagado de monstruosas fobias, más aquella tristeza sin límites! ¡Al carajo contigo!, adorada Octavia. ¡Al carajo con tu abolengo de Petronila medieval!, mi adorada y rebautizada Octavia, voy a defenderme solo, porque solo me he mandado ya casi todo este cuaderno, y porque bien metido en él, aquí, hoy, en mi sillón Voltaire, me veo completamente personaje, y a punto de entrar en un episodio que se me acerca literario y divertido. Adivinen quién puede más, ¿el tiempo o la ficción?

Y aquí está aquel otro episodio, aquella nueva inquisición

que llamaré la atroz, la vergonzosa, la cobarde, la miserable historia de la escalera, el ascensor, y el motor del ascensor. Yo la viví en la nada, horror éste muy similar a los grandes fracasos que se viven pero no se explican, horror al que es imposible aplicarle adjetivo alguno, porque nada le va a la nada, salvo que uno le grite ¡nada hija de la gran puta! o ¡nada concha de tu madre! o ¡la puta que te parió nada! Pero el Martín Romaña de la escalera, el ascensor, y el motor del ascensor, era totalmente incapaz de esfuerzos de este tamaño. Subía por la escalera y bajaba por la escalera, eso es todo.

Y subía y bajaba por la escalera, porque madame Labru, quién más podía ser, entonces, reinaba más que nunca sobre mis precarios equilibrios, desde que me descubrió idiotizado por algo que a ella qué le importó. La culpa fue, sin duda alguna, de aquel maldito fin de semana en que regresó del campo, no me encontró cuidándole a Bibí en la escalera, tocó la puerta del departamento pero la que estaba adentro era Inés, y por consiguiente sólo escuchó grandeza y silencio en ese allá adentro en el que, bravo, Inés, bien hecho, la esposa del pelotudo del señor Romaña volvía a cagarse tradicionalmente en ella. Rebotó, pues, su odio, y fue a dar a la terraza, donde también, aunque dentro de un contexto muy diferente, Bibí acababa de terminar un ritual cagatorio más, y con tan mala suerte para mí, que cuando el monstruo abrió la puerta, nos descubrió ya de regreso y sumando entre los dos nada menos que ocho patas. Traté de bipedearme en menos de lo que canta un gallo, pero la atracción al vacío me volvió a hundir en la indig, posición ésta en la que llegué a la puerta, pasé delante de ella, *bonsoir madame,* incorporándome sólo al llegar a esa tierra firme que era el descanso de la escalera. Estaba, por fin, de pie, aunque muy tristemente de pie: mi cara daba a la puerta del departamento, adentro leía la Inés que acabo de describir ignorando gloriosamente a la más perversa de las brujas, bravo, Inés, pero esa puerta que nos separaba era un mundo entre los dos.

—*Monsieur Romañá* —arrancó el monstruo, acentuando como siempre la á final de mi apellido.

—*Oui madame* —pronuncié ya en tono afirmativo, como diciéndole sí a cualquier cosa, cuando en estos casos se suelta más bien un ¿qué se le ofrece, señora?, o algo por el estilo.

A la señora se le ofrecía lo siguiente: A menudo, usted y su esposa, o usted o su esposa, regresan al departamento pasadas las diez de la noche. *Oui madame.* Usted sabe, señor Romañá... *Oui madame.* Usted sabe que yo me acuesto a esa hora y que tengo un sueño muy frágil. *Oui madame.* Bien, lo que yo quiero que hagan, usted y su esposa, de ahora en adelante... *Oui madame.* Lo que quiero que hagan es que a partir de la diez de la noche... *Oui madame.* A partir de las diez de la noche suban por la escalera... *Oui madame.* Yo no tengo por qué soportar el ruido del motor del ascensor. *Oui madame...* eehh... *non madame.* Ustedes saben muy bien que el montículo que cubre el motor está pegado a mi pared y precisamente a la altura del lugar en que está mi cama... (Eso era mentira, porque su cama se hallaba en el extremo opuesto, en el lugar más alejado del motor. Me consta haberla visto ahí cada vez que entré a pagarle la renta o a escuchar las instrucciones sobre comidas, pipís y caquitas de Bibí, pero confieso que igualmente dije *oui madame,* y así, sin coma entre el *oui* y el *madame,* como siempre, como lo dijo siempre el entristecido robot que era yo por entonces.) Ustedes saben que el ascensor hace ruido y que yo no puedo seguir tolerando que me despierten cada vez que llegan tarde. *Oui madame.* Además... *Oui madame.* Además el médico me ha recomendado que haga siesta entre las 2 y las 4 de la tarde, o sea que no quiero que ni usted ni su esposa usen el ascensor a esas horas tampoco. *Oui madame.* Que quede bien claro, señor... *Oui madame.* Y dígaselo a su esposa que debe estar escuchando todo ahí adentro. Solté mi último *oui madame* del día, le entregué a Bibí bien comido, mejor cagado, y bañadito, atravesé el mundo que me separaba de Inés, una puerta, una bizquera, un cuello antaño hermoso también para mí, y me presenté ante ella con cara de te-juro-que-no-te-lo-voy-a-repetir.

A mí, en cambio, me repitieron el muy frecuente y merecido pedazo de idiota, dicho sin levantar la bizquera de algún clásico del marxismo. Sí, hay que ser justo, lo de pedazo de idiota me lo tenía bien merecido, aparte de que Inés lo soltaba por tensión, por desesperación, no por verdadero desprecio; fui, en efecto, lo suficientemente idiota como para no asesinar al monstruo, pude aprovechar mi enfermedad, lo patológico que andaba, habría tenido más atenuantes que años de condena, me habrían dejado libre, y a lo mejor hasta llego a sanar de tanto placer.

Pero la vida siguió su curso tal y como me la imaginé en aquel momento. Regresábamos del restaurant universitario, a las dos de la tarde, o del cine, a las doce de la noche, por ejemplo, llegábamos a la puerta del edificio, yo soltaba mi habitual, por favor, Inés, ella dejaba escuchar su silencio habitual, se metía al ascensor, apretaba el botón del noveno piso, empezaba a subir mientras yo la iba admirando desde abajo y desde la nada, bravo, Inés, qué valiente eres. Arriba, malvadísima, madame Labru esperaba despierta la oportunidad de una granputeada más. Todo estaba perfectamente bien preparado. Excitaba primero a Bibí para que ladrara, luego ladraba ella en el momento en que Inés abría la puerta, pero eso sí, sin asomar siquiera la punta malvada de la nariz, todo en ella fue malvado, porque el que se iba a llevar la gran requintada era yo, y yo recién andaba por el quinto piso y en puntitas de pie, porque, a lo mejor, si llego despacito todavía, va a pensar que Inés ha llegado sola y por una vez me libro del monstruo. Nunca me libré del monstruo. Un monstruo espera feliz, es una hiena agazapada, sabe perfectamente que su víctima ya va por el séptimo piso y en puntitas de pie, se le hace agua la boca cuando uno continúa en puntitas de pie, por el octavo, y no bien ha llegado a la mitad de los escalones que llevan al noveno, ya está ahí en lo alto de la escalera, horrorosa con ese gorro de dormir, horrorosa con esa bata horrorosa, y pega el salto que es el primer grito y así continúa hasta que uno vuelve a sentir lo mismo que sintió cuando lo descubrieron regresando en ocho patas con Bibí de la terraza. Arriba me esperaban todavía la bizquera y el cuello de Inés.

Fueron meses de vida muy tristemente exagerada. Y el día en que Inés decidió, por fin, hablar, hablarme y ponerle punto final a todo eso, ponerme punto final incluso a mí, justo ese día, y justo cuando ella, tras una incómoda dureza inicial, empezaba a soltar, una tras otra, ya más serenamente, aunque siempre algo bizquita la pobre, es verdad, palabras tiernas y hasta cariñosas, frases que por haber caído en desuso me sorprendieron mucho, al comienzo, pero que me conmovieron más, no bien me di cuenta de que esa maravillosa altura de su voz se dirigía a mí, así, con el cuerpo pegado al cuello nuevamente hermoso para su desastre, sí, así, aunque no fuera en el fondo más que para decirme por qué y cómo esto se acabó, Martín, o no soporto más, Martín, mientras yo como que empezaba a instalarme a vivir en el tono inesperadamente dulce de su voz, en el sonido tan agradable de sus palabras de otros tiempos, conmovidísimo hasta el punto de desear proponerle un nuevo matrimonio, aun contando con la nada, porque siempre me gustó jugar limpio, pues fue justo en ese instante cuando se le ocurrió tocar la puerta al escritor Bryce Echenique, el más detestado de sus mediotínticos. Sucedieron entonces muchas cosas, y entre ellas, una que parecía increíble: el que esta llegada resultara realmente providencial. No tanto por los efectos que tuvo sobre la continuidad, siempre precaria, de nuestra vida conyugal, como por los rayos y truenos que desencadenó y que dieron conmigo esa tarde en el correo, enviándoles un SOS a los Feliu, tras haber batido mi propio record mundial de valium.

## ALGUIEN TOCA LA PUERTA
## MIENTRAS INES Y YO ESTAMOS
## HABLANDO TODO ESO Y MUCHO MAS

Fue una de las primeras tardes calurosas de aquel mes de julio. Me había enterado de la llegada del verano, de casualidad, un día en que Inés encendió la radio. Para mí no existían las estaciones, aunque no por las mismas razones que hoy me permiten afirmar, mitad en broma, porque hace reír a la gente que anda furiosa con el clima, y mitad en serio, porque a menudo es verdad que en París, tras la definitiva extinción de la primavera, el verano suele caer en lunes. Por entonces la primavera y el verano sí existían, al menos creo, pero para los demás. Yo llevaba muy adentro aquel gris eterno que era también el color de todo lo que veía y que incluso escuchaba cuando alguien me dirigía la palabra. Sólo ese gris oscuro existía. Y recuerdo lo mucho que me estaba pesando la tarde aquella en que Inés empezó a hablarme.

Recuerdo que al principio me pareció que empezaba a recitar de memoria una lección. Recuerdo que luego hizo un esfuerzo por ponerse muy didáctica y darme una buena lección. Pero todo eso la llevaba a bizquear demasiado y seguro que al final no soportó tanta incomodidad y bajó un poquito la guardia, ante un inexistente adversario, lo cual le permitió verme mejor y tal vez fue esa la razón por la que a mitad de camino empezó a escapársele cariño y ternura, digamos que entre líneas. Recuerdo que entonces yo, tan necesitado como andaba de ese cariño suyo, de esa ternura suya, supe leer entre sus palabras, y en vez de tomarlas en el sentido que ella quería darles, las fui desmenuzando en el sentido que yo adivinaba que también tenían, y a ese sentido me aferré. Recuerdo por último

493

haber dicho muchas tonterías y que ella me las reprochaba, pero no como me había reprochado siempre el pedazo de infancia que aún llevaba a cuestas y que tanta gracia nos había hecho en algún momento pasado mucho mejor. No, aquella vez como que miró muy atrás, como que logró ver algo que había sido hermoso y entre los dos, en ese pasado, y yo adiviné, vi que le había gustado, que le estaba gustando, y le toqué el cuello y le pedí que nos sentáramos, el uno al lado del otro, ahí sobre nuestra vieja cama, y que conversáramos en paz y que me contara todo de una vez, agregando luego que era lógico que ella se quisiera ir, si pensaba de esa manera, aunque con gran pena de mi parte, y que también era lógico que yo hiciera todo lo posible por retenerla, y que eso a ella le iba a causar mucha pena y dificultad. Yo no sé a dónde habríamos llegado con lo bien que estábamos ahí los dos, yo sobre todo, porque hay que decir la verdad, y la verdad es que a ella le quedaba siempre tanta reticencia como cariño. Ya dije que nos interrumpió alguien que tocó la puerta, y también he contado varias veces que yo un día acompañé a un aeropuerto a una Inés que se fue bizqueando y sin verme. Pero hay mucho más antes de eso, hay, para empezar, lo que nos dijimos desde que ella comenzó, hablando como de memoria, luego como quien le enseña una lección a alguien, y luego aquello que también nos dijimos cuando ya estaba yo conmovidísimo y ella bastante enternecida con su desastre.

—Francamente, Martín, no creo tener nada que ver en lo que tú llamas *tu* enfermedad. No creo que se trate ni siquiera de una enfermedad. Para mí, eso que tú llamas una enfermedad no es más que una tara hereditaria. Admito que no eres culpable de ella, pero qué quieres, pues, Martín, con el pasado familiar que te traes por detrás. Existe la sangre nueva y positiva y la sangre vieja, como la tuya, que ya no sirve para mucho. Y eso que todos consideran inmadurez en ti, esas locuras que no cesas de cometer, y que en otros tiempos hacían reír a unos cuantos amigos ante los cuales te gustaba incluso posar de niño, de irresponsable, todo eso es para mí chochera, mucho más que inmadurez. Estás gastado, qué más prueba quieres de ello

494

que tu total incapacidad para mirar el porvenir con optimismo. El Grupo fue demasiado para ti y eso era el porvenir...

—¿Mocasines era el porvenir?

—Mira, Martín, confiesa que el Grupo fue tu única oportunidad de escapar a esa especie de maldición decadente que llevas contigo...

—Pero Moca...

—Déjame hablar, Martín. Para empezar, Mocasines no es más que una excepción.

—¿Y Lagrimón y...?

—Martín, si no quieres que hablemos...

—Hablemos, Inés, hablemos de todo menos de las numerosas excepciones.

—Ya basta, Martín.

—Ah, Inés, si supieras cuánto daría por poner en la puerta del mundo un enorme letrero que dijera: YA BASTA.

—Martín, por favor, no te pongas así. Ya sé que estás muy triste desde hace tiempo. Pero ahora pregúntate a qué se debe esa tristeza...

—A una enfermedad, a una depresión muy fuerte.

—Déjate de enfermedades y de tonterías, Martín, qué depresión ni qué ocho cuartos...

—Claro, para ti la única depresión verdadera que ha existido es la de Wall Street en 1929.

—Vete a la mierda, Martín.

—Perdón, Inés, se me escapó, no pude evitarlo. Y voy a tratar de ser muy honesto contigo, en vista de que tú lo estás siendo conmigo.

—Entonces déjate de tonterías.

—Para mí no son tonterías, mi a... Para mí esa frase sobre Wall Street ha sido toda una revelación. Déjame que sea honesto, déjame que te explique por qué.

—¿Por qué?

—Inés, partamos del principio, muy honesto, de que aquí están dialogando dos personas. Una que no cree en la depresión como enfermedad, y otra que la está viviendo, o mejor dicho sobreviviendo, para expresarme con toda precisión y honestidad. Esto equivale más o menos a que cada uno hable un idioma que el otro no logra entender. En mi idioma, lo de Wall Street, en 1929, ha sido sobre todo una gran revelación. Me explico: se me ha escapado un chiste...

—Una estupidez es lo que se te ha escapado.

—Es el turno de mi idioma, Inés. Déjame terminar, por favor, porque creo que esta conversación empieza a producirme efectos muy positivos. No sé si te has dado cuenta de que este es el primer chiste que se me escapa desde que cambié de idioma. ¿Sabes lo que eso quiere decir?

—¿Qué?

—Realmente tenemos que estar hablando dos idiomas muy distintos, para que no te hayas dado cuenta de que eso quiere decir que mientras hay vida hay esperanza.

—¿Terminaste ya, Martín?

—Sí, perdón. Ha sido una frase muy larga, y como demasiado optimista. Necesito descansar un rato. Habla tú, ahora.

—A ver si me dejas... Bueno, voy a retomar el hilo. Tu tristeza, tu desencanto actual, el que vienes arrastrando desde hace meses, es producto de aquello que tú creías ser una intuición privilegiada. Realmente no sé qué tuvo de privilegiada esa intuición...

—¿Tuvo?

—Cállate, por favor.

—Es que en mi idioma...

—Ya basta con lo de los idiomas, por favor, Martín.

—Inés, créeme, créeme, por favor: las imágenes, las connotaciones ayudan. Te juro que he tratado honestamente de...

—¿De qué?

—De acercarnos...

—Martín, date cuenta de una vez por todas de que esta conversación no está destinada a acercarnos. Yo lo que quiero es terminar, Martín... yo...

—¿Qué le pasaba a mi intuición, mi a...?

—Mocasines, Lagrimón, el globo que nunca logramos

arrojar... ¿No te das cuenta de que eran intuiciones negras las tuyas? ¿No te das cuenta de que sólo viste el lado peor de la realidad, siempre? Eso es lo que yo llamo una sangre podrida, Martín. Y eso es lo que te ha llevado adonde estás ahora.

—No lo creo, Inés; además, me parece bastante injusto de tu parte que por un par de...

—¡Un par!

—De acuerdo, cien mil. Pero hubo un millón de ocasiones en que fuimos felices, en que te hice reír en privado y en público. Y entre un público que se reía más que tú, incluso. Eres tú la que sólo ves el lado negativo de mi vida.

—¿Y crees que hay muchos otros *lados*, ahora?

—A mala hora te dije que iba a ser honesto. No, no hay nada positivo en mi vida en este momento.

—Es un momento demasiado largo, ¿no te parece?

—Hay enfermedades así.

—No, Martín. No hay enfermedades así y no quiero volver sobre ese tema. Tuviste la oportunidad de cambiar; la de lanzar el globo, por ejemplo, pudo ser una oportunidad muy positiva para ti.

—Por el fondo, tal vez, lo reconozco, pero no por la forma; no por la forma en que se hicieron las cosas, sirviéndose de... Recuerda un poco, Inés. No puedo creer que con el tiempo...

—Con el tiempo todo sigue igual.

—Yo no, y nosotros tampoco. Ahí te agarré.

—Idiota.

—No te lo niego; me siento totalmente idiotizado, pero creo que con un buen médico...

—Déjate de médicos y de tonterías, Martín. Si hubieses cedido un poco en lo del globo estarías muy sano hoy.

—¡Ah!, entonces reconoces que estoy enfermo.

—Sólo he querido decir que el globo fue tu gran oportunidad.

—No te falta algo de razón; nos habrían largado del departamento y así habría evitado mis últimas relaciones con el monstruo.

—Eso ni lo menciones en mi presencia, Martín; es todo problema tuyo.

—Dos preguntas, Inés. La primera: ¿qué harías tú si la maldad del monstruo te importara? Segunda pregunta: ¿Por qué en el globo iba a decir VIVA LA LUCHA DEL PUEBLO VENEZOLANO? ¿Por qué no el peruano?

—Era un acuerdo con un partido político venezolano. No te puedo decir el nombre, Martín. Es un secreto, perdóname.

—Maldito globo, ni siquiera se llegó a lanzar y por él empezó todo esto.

—Debiste quedarte en el Grupo, Martín.

—Pero yo vine a París para ser escritor, Inés.

—Te dimos una gran oportunidad de serlo.

—No, Inés; te toca a ti seguir siendo muy honesta ahora... Tras la cagada que me obligaron a escribir...

—¿Y sobre qué otra cosa te habría gustado escribir? ¿Sobre tus podridos antepasados?

—Bueno, bueno, Inés; ya sabemos de sobra que para ti, yo desciendo, a pasos agigantados de putrefacción, de algún gran señorón, y que nuestro diccionario dice: SEÑORÓN: todo lo que insulta a un pobre. Tú, en cambio, asciendes sana y revolucionariamente de peluquero en Cabreada. De acuerdo, si quieres, pero no seas tan demagoga, por favor, y dejemos eso de lado por ahora. Además, no creo que tenga la importancia que tú le das. Yo sólo sé que vine a París para ser escritor y que entré al Grupo porque...

—Entraste porque lo deseabas, como todos nosotros. Entraste por las mismas razones por las que yo entré. Sólo que tú no pudiste soportar que el porvenir no se pareciera eternamente a ese ambiente de porquería que te formó.

—¿Por qué no usas *de*formó, mejor?

—Como quieras, Martín, pero lo cierto es que no tuviste fuerzas para escaparte de él. Dime que no es tu culpa y te lo creeré, Martín. Además, no necesitas decírmelo. Creo sinceramente que no eres culpable de nada. Y ahora perdóname, Martín, pero pienso que la pareja que formamos ya no vale un real.

—No sé, no puedo creerlo. A mí me parece imposible que no puedas aceptar que estoy enfermo y que puedo sanar.

—¿Sanar para qué?

—¡Ah caracho! Para sentirme bien, ¿para qué va a ser, si no? ¿Acaso antes era así?

—No... No siempre has sido así, Mar... Perdóname, me revienta hablar del pasado... Martín, yo estoy aquí para hablar del futuro.

—¿De un futuro sin un tipo que en el pasado...?

—Tienes que dejar de quererme, Martín.

—¿Tú cuándo dejaste de quererme, Inés?

—Yo no he dicho eso.

—¿No has dicho qué?

—Martín...

—Hablando con connotaciones e imágenes que tanto te irritan, te diré que tengo la impresión de que estamos demasiado lejos y que no nos oímos bien. No podemos seguir parados cada uno en un extremo opuesto del cuarto. Ven, siéntate, Inés. Sentémonos los dos y cuéntamelo todo. Lo del pasado y lo del futuro. Dejemos el presente de lado, mientras no logremos un idioma común para referirnos a él.

—Sí...

—Se está mejor sin tensión, ¿no?

—...

—Se está mejor cuando nos sonreímos, ¿no?

—...

—Yo estaría mucho mejor si no hubieses decidido romper.

—...

—En fin, ya puedes contármelo todo.

—Martín, no me habría enamorado de ti... Jamás me habría casado contigo si hubieses sido siempre así. Me acuerdo de haberte tenido a mi lado... de haberte sentido tan optimista. Y me acuerdo de habernos reído tanto juntos y de que tu presencia alegraba a veces muchísimo nuestras reuniones. Me acuerdo...

—Te acuerdas exactamente de las mismas cosas...

—Tienes que dejar de quererme, Martín.

—¿Tú cuándo dejaste de...? Perdón, sigue, Inés.

—Martín, tengo que confesarte que no es sólo por ti que quiero regresar al Perú. En realidad no es por ti... Bueno, es y no es por ti. Hace algún tiempo que eres como un obstáculo en mi vida. Francamente no creo que seas culpable de eso, tampoco. Lo que pasa es que el Grupo ya no me llena... Ya he aprendido en París todo lo que podía aprender y ahora necesito urgentemente ponerlo en práctica en el Perú. Voy a ponerlo en práctica. Es algo importantísimo, para mí, Martín. Y contigo al lado...

—Conmigo al lado es imposible.

—...

—¿Conmigo enfermo y conmigo sano?

—Martín, no me toques, por favor.

—Sólo el cuello, Inés, sólo el cuello...

—Es que me da pena, Martín...

—Te juro que no paso del cuello, Inés.

—...

Pensé: ¡Mierda, la puerta! Ella debía estar pensando algo muy semejante, también, porque los dos permanecimos inmóviles. Sí, los dos esperábamos que allá abajo se cansaran de tocar y se fueran. Pero insistían y eran las tres de la tarde, hora de la siesta del monstruo, y ya los ladridos de Bibí empezaban a joderlo todo. Era, sin duda, alguien que nunca nos visitaba, una persona que ignoraba que no recibíamos visitas entre las dos y las cuatro de la tarde, y pasadas las diez de la noche. El monstruo iba a matar a esa persona.

Yo iré, le dije a Inés. Bajé, abrí, y la cagada: Bryce Echenique, sonriente, sereno, e ignorante al máximo de que Inés era capaz de escupirle en la cara. Muy capaz: lo había hecho sin estar él presente, cómo sería teniéndolo al alcance. No, definitivamente este tipo no sube.

—¿Qué milagro, Alfredo? —le dije, con una hipocresía realmente esperanzadora en un tipo tan deprimido como yo.

—Hace meses que estoy por venir a verlos, Martín. Quería

obsequiarles un ejemplar de *Huerto cerrado*, mi primer libro, pero recién hoy...

—¿Y *Un mundo para Julius*? —le pregunté, fingiendo sumo interés, pensando ¿cómo hago para que no suba?, y odiándolo luego porque seguro que este hipócrita de mierda a quien realmente quiere ver es a Inés, ya me han contado por ahí que anda diciendo que la esposa de Martín Romaña está cada día más guapa, desgraciado, ojalá te viera Inés, te escupiría en el acto. Pero demonios, ¿cómo hago para que no suba?

Y él seguía contándome feliz que acababa de terminar el manuscrito de *Un mundo para Julius*, y que sus amigos escritores le habían dicho luz verde, viejo, y que pensaba enviarlo a una editorial de Barcelona pero que iba a esperar el fin del verano, porque antes quería olvidar tanta literatura y largarse a pasar unas buenas vacaciones en Italia... Mierda, ¿cómo hago para que no suba? Y Bibí empezó a ladrar de nuevo con tanta conversación y no tardaba en salir el monstruo gritando que le habíamos cagado la siesta, tras haberle cagado ayer mi esposa la noche, habiendo sido yo quien recibió la consiguiente gran puteada, por supuesto.

—Espérate, Alfredo. Subo y bajo. Creo que Inés está muy ocupada, y tal vez sea mejor que nos vayamos un rato a un café. Voy a ver.

Subí tropezándome, subí como si nunca quisiera llegar arriba, ¿qué le podía decir a Inés? No era culpa mía. Además el pobre tipo había tenido la gentileza de venir a regalarnos un libro. Inés, le dije, no puedo seguírtelo ocultando: el que está abajo es Bryce Echenique. Viene a regalarnos el libro que ha publicado en Cuba.

—¿Y qué esperas para hacerlo subir?

—Pero, Inés, si tú lo odias. Eres capaz de escupirlo. ¿Te acuerdas que lo odiabas más que a mí? ¿Te acuerdas que se pasó todo mayo del 68 escribiendo? Yo, por lo menos...

—Tú por lo menos *qué*. Tú te fuiste con una gringa mientras que él publicaba un libro en *Cu-ba*.

Comprendí. Por primera vez en mucho tiempo lograba

comprender algo: Bryce Echenique había sido absuelto por decisión unánime del Grupo, la disciplinada Inés había acatado satisfecha la decisión, y ahora el único latinoamericano escupible que quedaba en París era yo. No me era fácil correr en esos tiempos, la angustia como que me descompaginaba toda posibilidad de buen equilibrio y coordinación, pero igual puse una impresionante cara de a-sus-marcas-listos-ya, en vista de que Inés acababa de poner una insistente cara de ¿y-qué-esperas-para-hacer-subir-al-cubano-Bryce-Echenique?

Pero, maldita sea, pensé entonces, y bendita sea, pienso hoy, en ese instante la malvada madame Labru había hecho su aparición, allá abajo: una visita irrespetuosa de sus horarios, una conversación cerca a su cama, y una vez más los ladridos de Bibí, provocados por nosotros y nuestras amistades, habían profanado la tumba que debía ser su siesta. Era una gran oportunidad para gritar, una excelente ocasión para controlar el acceso a nuestro departamento, no, no podía dejarla pasar. Chilló la bruja, y Bryce Echenique, que resultó ser diestro en monstruos y porteras, le pegó tal grito, tal mentada de madre, y en francés, además, que al monstruo no le quedó más remedio que pedir que le cambiaran de interlocutor, lo cual en resumidas cuentas quería decir que baje el señor Romaña porque ése sí se deja gritar.

No fue la mirada de Inés, excepcionalmente, la que me puso entre la espada y la pared. Fue la angustia tan temida, la atroz angustia que empezó a rebalsarse tras la oportunísima constatación olvidada, sin duda desde mi inmersión en la nada, de que esta hija de puta no expulsaba a nadie en verano, porque en verano medio mundo se va de París y es prácticamente imposible alquilarle un departamento a dos extranjeros controlables. Allá abajo, la cosa seguía igual: Bryce Echenique le gritaba ¡ya vaya a guardarse, vieja loca!, y ella continuaba llamando al cretino del señor Romaña, tan indefenso y tan fácilmente gritable.

—¡Monsieur Romañá! —aullaba, ¡y que bajara inmediatamente! ¡Inmediatamente!

No supo que acá arriba, las cosas habían cambiado. No supo de mi angustia mil años contenida y de pronto desbordante. No supe yo de mis valiums. No supe de mí. No supe de Inés. No supe de Bryce Echenique. Sí supe de esa vieja perra. Supe también de mi abandonada máquina de escribir y de mis frustraciones. Y de los cambios de parecer de Inés. Y de que Inés, a pesar de todo el amor que habíamos estado sintiendo momentos antes, cuando tocaron la puerta y empezó lo que ahora, inesperadamente, iba a continuar, estaba dispuesta a abandonarme. Lo había perdido todo. No, no tenía ya nada que perder y la angustia la angustia la angustia... No logró controlarme Inés cuando me vio pasar a la otra habitación, tampoco cuando me vio salir corriendo con la máquina de escribir asesinante y empezó a seguirme. Y nada pudo tampoco el sorprendidísimo Bryce Echenique cuando empecé a matar al monstruo a maquinazos de escribir.

Todo esto se lo que conté también a Octavia, por supuesto, pero mucho tiempo después. En cambio, a los pocos días, se lo estaba contando ya, entre mil cosas más, al inolvidable José Luis Llobera, a ese gran médico a cuyo consultorio llegué tras haber sido *ego vox clamantis in desertum,* y gracias a las gestiones de aquellos extraordinarios amigos, los Feliu. Y en cuanto al incidente con el monstruo, que terminó cuando Bryce Echenique le pidió permiso a Inés para noquearme, y me noqueó, es poco y muy lógico lo que queda por decir. Tal vez al lector no le parezca tan lógico (en ese caso puede siempre atribuirlo a la vida exagerada de Martín Romaña), pero tras habernos expulsado esa misma tarde, madame Labru se presentó a la mañana siguiente, con un buen parche en la cabeza, a decirnos que iba a esperar a que pasara el verano para expulsarnos, ella no podía perderse así no más tres meses de alquiler. No nos expulsó, tampoco, pasado el verano,[1] y además nunca volví a subir por la

1. Lo de la expulsión quedó olvidado para siempre, en realidad, y yo me fui solito del departamento. Solito en el doble sentido de la palabra solito: 1) porque quise, porque encontré un departamento mejor; 2) sin Inés, que acababa de irse al Perú, dejándome un departamento demasiado triste para mis fuerzas.

escalera, ni a cuidarle a Bibí, ni me volvió a gritar ni nada. Esta última parte se la debo ya al doctor Llobera, que con gran habilidad y no menos humor, me aconsejó entrar y salir, tres veces por semana, con la máquina de escribir en la mano.

El doctor Llobera era un hombre de mundo. Me caló de entrada, y como también había vivido en París, no le fue nada difícil imaginar situaciones y encontrar soluciones. Sí, tres veces por semana y que ella lo vea, un excelente recordaris, una excelente solución para este aspecto del problema. Lo otro, claro, será largo, Martín, porque usted debió venir mucho antes, aunque esa pregunta que me acaba de hacer revela enormes deseos de vivir, y muchos recursos para lograrlo. Hizo bien Bryce Echenique en noquearlo a usted. Hizo usted bien en tomarse todos esos valiums, no bien despertó. Y realmente fue una gran idea la de aquel SOS, como le gusta a usted llamarlo. Su caso me interesa. Se trata, si desea usted saber el nombre, de una depresión neurótica muy fuerte, agravada por una falta total de agresividad ante el mundo. Pero, no se asuste, esto va a caminar, ya lo verá usted (inútil decir que ya yo andaba bañado en lágrimas y encontrándole un enorme parecido con mi padre y mi abuelo y deseando quedarme a comer en su casa o algo así). Y en cuanto a esa mujer, se lo repito, y por favor créame: *basta* con que usted pase tres veces a la semana delante de ella con la máquina de escribir. Procure que sea la misma, incluso, salvo que la haya destrozado usted.

No, por desgracia no había logrado destrozarla, no me dieron tiempo, pero me hizo tanta gracia la receta del doctor Llobera, que no pude evitar soltarle, algo irrespetuosamente, creí, porque acababa de conocerlo, la primera idea que asaltó mi mente.

—Sí, doctor: tres veces a la semana. Pero normalmente hay horarios: ¿antes del desayuno, del almuerzo, o de la comida?

Mi pregunta revelaba enormes deseos de vivir.

# ENORMES DESEOS DE VIVIR

Sí, eran realmente enormes, según el doctor Llobera. Aunque lo malo es que a veces los deseos resultan tan difíciles de realizar. Ello, en mi caso, se debió en parte a la impaciencia de Inés, a la irritabilidad que le causaba tener que convivir con un hombre en cuya enfermedad no podía creer, soplándose encima de todos los efectos secundarios de un tratamiento en el que tampoco creía, y a cuyo médico odiaba a muerte, a pesar de que ella mil veces le juré que había sido republicano durante la guerra civil. Inútil, su reacción fue siempre la misma: una cara de cuatro metros, más la dolorosa aplicación del cuello aislado del cuerpo, algo contraindicadísimo con las pastillas que me habían recetado. Pobre Inés, me cansé de rogarle, me cansé de decirle que yo sin ella, en fin, que nunca la había necesitado tanto en mi vida, pero ya estaba escrito que regresar cuanto antes al Perú era lo que ella más necesitaba en su vida, y que yo, enfermo imaginario y heredero real de fatídicas taras trascendentales, era por aquellos días lo que menos necesitaba en la vida. Pero todo aquello lo comprendí mucho tiempo después, al adivinar por fin cuál era su secreto profundo, y cuáles los insoportables demonios que combatían en su mente y en su alma mientras me acompañaba incrédula e impaciente por los desfiladeros gris oscuro de mi espanto. Sólo entonces se me aclaró todo. *Incluso* la enigmática frase que Octavia había pronunciado cuando le conté la visita al pueblo de Inés.

—Martín, algún día comprenderás que Inés fue la última muchacha que emigró de Cabreada.

Pobre Inés, tuvo que esperar mucho todavía antes de emigrar de Cabreada, de París, y de mí. Y pobre yo, también: mucho, muchísimo tendría que esperar antes de ver realizados mis enormes deseos. Ello se debió, en gran parte, a la forma tan exagerada en que se fueron alargando y complicando las cosas. Es lo lógico, pensarán muchos, claro, pero la verdad es que, por aquellos días, ni la pobre Inés, aguanta y aguanta, ni el doctor Llobera, cada día más noble y generoso, ni los Feliu, extraordinarios como siempre, ni yo mismo, tan curtido y experto, ni nadie, habría podido remotamente imaginar los abracadabrantes caminos que me llevarían hasta las situaciones más exageradas del mundo. Pero vamos por partes. Esta, es la puramente depresiva y neurótica. También la de total ausencia de agresividad contra el mundo y la de mis esfuerzos por aprender a conservar mi edad y estatura en todas las circunstancias, un aprendizaje de la agresividad, digamos. La parte que sigue, la del culo, la rectal, la demencial, la exageradísima, es y no es otra historia, porque, como han escrito los autores, nada tiene que ver el culo con las témporas. Y sin embargo... Sin embargo el lector comprenderá que, por una vez, sí tuvo que ver, y mucho, el culo con las témporas. Pero avancemos con orden, pues sólo de esta manera podrá ser detenidamente observado y verificado el *crescendo* que me llevó a las más increíbles situaciones, alteraciones, y posiciones. Cómo, por ejemplo, el culo se me subió a la cabeza, y en lenguaje muy poco figurado.

Por ahora, acabo de llegar a Barcelona, de presentarle a Inés a los Feliu, y de establecer los primeros contactos con el doctor Llobera. Estado de ánimo: gris oscuro. Salud: dentro del gris oscuro, la más espantosa angustia, controlada a menudo con sucesivos traguitos de valium que no impiden, sin embargo, que encuentre en mis insomnios al hombre con la oreja-hoja de plátano, en vista de que aún no me topo con él por la calle, y que hombre o mujer que cruzo en cualquier lugar y circunstancia, Inés y los Feliu incluidos, me conviertan súbitamente y sin resistencia alguna de mi parte, en una especie de eficacísimo aparato de rayos X: a toditos les veo el esqueleto, de un gris algo menos oscuro que el de mi estado de ánimo. Esta es la última novedad en materia de horrores, y tiende, en los últimos días, a desplazarse hacia las caderas de los esqueletos, de preferencia. Ando viendo caderas de color gris, aunque con mucho esfuerzo logro todavía ver uno que otro esqueleto completo. Sigue fallando, sin embargo, todo intento con el cuello de Inés. Este mantiene, desde el comienzo, es decir, desde antes de la tendencia descendente en dirección a las caderas, su habitual y espeluznante impenetrabilidad. Sufrimiento: atroz. Una sola razón me impide entrar de lleno en crisis de alaridos con los rayos X clavados en el cuello de Inés: Inés.

Y es que, en efecto, Inés como que anda encantada con el refinado lujo del departamento Wall Street de los Feliu. Mejor todavía: está encantada con los Feliu y se está portando encantadoramente con ellos. Mi primera deducción ha sido bastante lógica: lo hace todo por mí, se está sacrificando, está soportando a esta gente cuya gentileza conmigo no tiene límites. Instante de felicidad en pleno corazón del sufrimiento, porque no tardo en notar que no bien voltea hacia mí, bizquea como nunca, y me aplica cuello impenetrable. No logro por consiguiente llegar a una segunda deducción, y tanta amabilidad para con los sanos, seguida de muy agudas bizqueras hacia el enfermo, me obligan a perderme en la oscuridad de un misterio. Llevamos dos días en casa de los Feliu sin que Inés haya citado para nada a Marx, y esta mañana ha estado contemplando, alabando, y preguntando por el origen de un precioso escritorio inglés, joya de anticuario. Ha aceptado también una invitación para el restaurant más elegante de Barcelona, y le ha pedido a Josefa que le preste un traje más elegante que el restaurant. Y ahora acaban de regresar: Inés es un solo de sonrisas, y ahí están los tres en la terraza, tomando copa tras copa mientras yo sigo escribiendo en mi habitación. Josefa y Mario han entrado a ver qué tal me va con la redacción de la historia de mi vida en unas diez páginas (voy por la ochenta y cuatro), que me ha pedido el doctor Llobera, en vista de que pronto partirá de vacaciones veraniegas, de que no dispone de muchas horas para mí, y de que quiere ganar tiempo leyendo ese documento, este fin de semana. Detengo mi redacción, volteo a mirar las caderas de Josefa y Mario, logro con gran esfuerzo no ver el cráneo de Josefa y contemplar así la dulzura de su sonrisa, le sonrío, a mi vez, y me soplo la más injusta aunque nada mal intencionada frase de los Feliu.

—Nos habías pintado a una Inés completamente distinta. Hombre, te sacaste la suerte: fina, distinguida, monísima, suave, y seria en el mejor sentido de la palabra. Además, ni una pizca de fanatismo. Modestia aparte, está encantada con nosotros, con el departamento y hasta con el perro. Y nosotros estamos encantados con ella. Bueno, Martín, te dejamos en paz para que sigas con tu redacción.

Pasé las cien páginas, y al día siguiente partí avergonzadísimo a mi primera cita con el doctor Llobera. Ya le jodí su fin de semana, me dije, de golpe, ante la puerta del edificio en que tenía su consultorio. Me venció el terror a molestar, no lograba dar un paso, y jamás hubiese llegado a su consultorio, en el quinto piso, si no es porque en el preciso instante en que me estaba yendo Dios sabe a dónde con la historia de mi vida, el hombre con la oreja-hoja-de-plátano empezó a acercárseme peligrosamente. Hoy sé además que no era a mí a quien buscaba, que era un tipo con una descomunal oreja izquierda, caminando como cualquiera puede hacerlo por el Paseo de Gracia, pero entonces. Entonces partí la carrera, apreté el botón del ascensor, lo mandé a la mierda porque tardaba siglos en llegar, y me lancé a saltar por la escalera hasta el quinto piso. Eché la puerta abajo, atropellé la bondadosa sonrisa con la que me recibió la enfermera, y no paré hasta quedar bien instalado en una hermosa sala de espera, sin lograr enterarme a quién pertenecían unas caderas que aguardaban su turno cómodamente instaladas en un hermoso sofá gris que debía ser de otro color. Pensé que, sin duda, aquel esqueleto me había saludado al verme entrar, pero, en fin, los seres que esperan en los consultorios de los psiquiatras suelen ser comprensivos y no tienen tampoco por qué asustarse cuando uno hace un esfuerzo sobrehumano y tardío y les responde al saludo un cuarto de hora después. Me jodió un poco, eso sí, darme cuenta de que jamás me enteraría a quién pertenecían las caderas y esqueletos que iría encontrando en esa sala, o a lo largo de mis sucesivas visitas de julio. El doctor Llobera practicaba una psiquiatría abierta, muy poco tabú, y en su sala de espera aguardaban personajes importantes que no habría estado nada mal conocer. Un famoso banquero que no soportaba un instante más la existencia de dinero en el mundo, por ejemplo. En fin, casos y cosas por el estilo, que mi tendencia a transformarme en aparato de rayos X me impidió disfrutar en ese elegante *open house* destinado a que la gente asumiera su condición de quien te ha visto y quien te ve, sin temor alguno al perverso qué dirán del infierno son los demás.

El doctor Llobera se mató de risa no bien entré diciéndole, antes de saludarlo, son más de cien páginas, doctor, no se sienta obligado, doctor, si quiere se las resumo, doctor, me va usted a odiar todo el fin de semana, doctor...

—Tranquilo, señor Romaña —me interrumpió, invitándome a tomar asiento, y sin la más mínima gota de odio en su inolvidable sonrisa. Sí, de entrada era imprescindible que su sonrisa fuera inolvidable. Luego, añadió—: Relájese usted. Piense, por ejemplo, en la tranquilidad del portero del equipo rojo, mientras se está jugando cerca a la portería del ya dominado equipo azul.

Este hombre habla mi idioma, estamos hechos para entendernos. Fútbol, además, este psiquiatra es un genio.

—Y ahora olvide por completo que yo le pedí diez páginas y que usted me ha traído ciento y pico...

—Ciento diecisiete, exactamente, doctor.

—Bueno, ya me habían dicho que vino a Europa para ser escritor. Mire, yo le he pedido este recuento de su vida porque es poco el tiempo que tengo para verlo antes de mis vacaciones...

—Lo comprendo, doctor, es *todo* culpa mía por haber recurrido a usted tan tarde.

—Basta ya de culpabilizarse. Piense en cambio que con el talento que usted seguro posee, no sólo la puedo pasar muy bien, sino que además este texto debe estar lleno de imágenes y metáforas que pueden resultarnos muy útiles a los dos para el tratamiento. En fin, lo voy a leer con gran atención, y ya el lunes veremos qué decisiones podemos tomar inicialmente. Siga entonce soportando todo, pero añádale ahora a los valiums la tranquilidad de esta primera cita. Voy a tratarlo con el interés y el afecto que usted se merece. Los Feliu me han hablado mucho de usted, o sea que estoy al corriente de ciertas cosas y hasta tengo ya algunas ideas acerca de su caso.

—Doctor, no quisiera molestarlo más...

—Esto es una consulta, Martín, no una molestia...

—No quisiera molestarlo más, pero yo desería, aparte de sanar, que me sometiera usted a un tratamiento que... que...

—Dígalo, Martín.

—Quisiera lograr... en fin, que usted lograra, algo así como... una especie de... de reconstrucción y modernización completa de mi persona.

Le dio mucha risa. Este hombre habla mi idioma, estamos hechos para entendernos. Este hombre se va a pasar un fin de semana entero leyéndose mis ciento diecisiete páginas. Este hombre es capaz de convertirme en escritor. De hacerme llegar nuevamente a París. De que Inés... Bueno, mejor no pensemos en Inés. Ha quedado en venir a esperarme después de la cita y ya con eso es suficiente.

—Lo espero el lunes a las cinco, Martín. Pero antes de que se vaya, quiero responder a la pregunta que usted no se ha atrevido a hacerme.

Sentí terror, todo se me volvió esqueleto, y estábamos ya de pie, despidiéndonos. Con gran esfuerzo logré vestir nuevamente de un marrón grisáceo al doctor Llobera, y ello me permitió ver incluso lo sonriente que andaba cuando me dijo: Tranquilícese, Martín: usted no se va a suicidar; no tiene usted el menor deseo de suicidarse.

Inés me esperaba afuera, cubriendo su esqueleto con un hermoso traje verde grisáceo, regalo de Josefa. Había estado de compras con ella, y su rostro irradiaba alegría y satisfacción. Pero no bien me vio, zas, la bizquera. Y qué tal bizquerota en catalanas tierras de celebérrimos oftalmólogos. La agarra Barraquer y de frente cuchucientos mil anteojos y sala de operaciones. Y la enorme sorpresa que se llevaría al descubrir que su

510

paciente ha llegado al consultorio completamente desbizcada. Ni la Virgen de Lourdes, se diría feliz, el gran profesional: se curan con sólo entrar a mi consultorio... Pobre doctor Barraquer, me habría tocado a mí desengañarlo, qué horror, qué pena, por Dios, tener que desengañar tanto a un gran médico, verse en la obligación de explicarle que esa bizquera sólo funciona cuando yo ingreso en el campo visual de Inés. En ese instante tendría usted que operar, doctor, en el acto, aunque yo empiezo a creer que su paciente está más para el doctor Llobera, doctor. Vea usted, doctor Barraquer, mire, fíjese bien y verá. En París escupía a Bryce Echenique por mediotíntico y odiaba a los Feliu por capitalistas. En París, cubanizó de golpe a Bryce Echenique y hasta le permitió noquearme, cosa que no logro olvidar. Ahora, en Barcelona, está feliz de la vida con los Feliu, no cita ni a Marx, ni a Lenin, tras haberse negado durante años a conocer a esta gente, siguiendo los consejos de los padres de la revolución. Pero en París, en Barcelona, e incluso en su consultorio, donde a usted le consta que se desbizcó con tan sólo entrar, yo le apuesto lo que quiera que vuelve a bizquear no bien entro en su campo visual. ¿POR QUÉ? Me mandé un traguito de valium mientras unas oftalmológicas e imaginarias caderas aceptaban resignadas la verdad gris que revelaban mis palabras.

Besé a Inés, la tomé del brazo, y le pedí por favor que me consiguiera rápido un taxi, perdóname, Inés, pero estoy muy nervioso. Fue una idea genial, porque cada vez que ella miraba hacia otra parte, en busca del carro, yo lograba volver a contemplar la hermosura de sus ojos cuando no me miraban a mí. Y así logré realmente salvarme de un inesperado y feroz contraataque del equipo azul grisáceo que, tras haber descontado en el marcador, avanzaba rabioso y dejando fuera de acción a todos mis defensas, y yo ahí desamparado portero del equipo rojo grisáceo. Fue un verdadero milagro que no me metieran con pelota y todo al fondo del arco, y ya en el taxi, con la mirada de Inés bella y encantada con Barcelona, pude tranquilizarme un poco e incluso responder debidamente a cada una de sus preguntas.

—Bueno, Martín, ¿qué te ha dicho, por fin?

—Es un hombre encantador, me ha dicho que se va a leer íntegra la historia de mi vida, este fin de semana. Me hizo *sentir,* incluso, que no era molestia alguna para él tenerse que leer ciento...

—Bueno, pero ¿qué te ha dicho?

—*Eso.* Me ha dicho *eso.*

—¿Qué más?

—Que lo voy a volver a ver de nuevo el lunes a las cinco, cuando ya haya leído la historia de mi vida, las ciento diecisiete páginas...

—Y para eso te he tenido que esperar más de...

—¿Por qué no subiste y preguntaste por mí? El consultorio tiene una linda sala de espera.

—Estaba muy bien en la calle, gracias.

—Yo arriba también estuve muy bien. Sin embargo ahora...

—Bueno, pero cuéntame de una vez por todas qué te ha dicho. ¿No dicen que es un sabio?

—Es un sabio muy bueno, además.

—La verdad es que hasta ahora no veo por qué.

—Bueno, le pregunté que si me iba a... En fin, él me respondió, porque yo no me atrevía a preguntárselo, que no me voy a suicidar.

—Linda tu broma, Martín.

—Te juro que me ha dicho eso, Inés. Pero, en fin, no te preocupes, todavía hay esperanza: no me ha dicho cuánto tiempo de vida me queda.

—Idiota.

—Déjame tocarte el cuello, Inés.

—Otra vez con lo del cuello, ¡qué pesado te pones a veces, Martín!

—Sólo quería tocarlo una vez más, Inés.

—Bueno, Martín, bueno... Perdóname... me pongo tan impaciente, a veces... Pero es que pienso que en ese plan te vas a pasar la vida entera de paciente.

—Inés, no toquemos ese tema por ahora. Comprendo, por

favor, que hace un buen tiempo que más que paciente me siento muriente.

—Bueno, Martín, bueno...

Pasamos el fin de semana en Cadaqués, una playa llena de esqueletos, donde nadie disfrutó tanto como Inés con el mismo mar en el que yo me iba a ahogar, con los restaurants que la claustrofobia me obligó a abandonar corriendo, y con los mariscos que siempre me encantaron pero que ahí, de golpe, eran unos bichos horrorosos y todos de un mismo color gris aterrador. Hasta con el valium pasé atroces tormentos, se me atracaban como espinas de pescado los traguitos de pastillas en la garganta. Pero los enormes deseos de vivir tienen, aun en sus más espantosos momentos, esa increíble capacidad de sorpresa. El domingo por la noche, Inés apagó la luz, y yo me sentí tan tranquilo como el arquero del equipo rojo, en la versión del doctor Llobera. Así me dormí. Desperté tras haber regresado no sé cuántas veces de Cadaqués a Barcelona, ni tampoco sé cuántas veces fueron las cinco de la tarde de ese lunes en que no cesaba de llegar al consultorio lleno de optimismo.

En la realidad, subí saltando despavorido por la escalera, tras haber mandado a la mierda al ascensor porque nuevamente tardaba en llegar, y estuve dando porrazos en la puerta del consultorio hasta que logré entrar sin responder al saludo de la enfermera y prácticamente exigiéndole al doctor Llobera, que también salió a ver qué pasaba, que se mudara de consultorio porque esto no puede seguir así. Me pusieron una inyección, me hicieron esperar un momentito, me sonrieron mucho, y por fin logré explicarle que el tipo ese de la oreja... Para qué continuar: el doctor Llobera se había leído íntegras las ciento diecisiete páginas de la historia de mi vida y hasta había subrayado algunas frases o párrafos particularmente importantes. Se estaba matando de risa, y no pude evitar acompañarlo en tanta alegría, porque con la inyección que me acababan de poner era puro terno marrón, corbata muy bonita, camisa de seda color marfil, y no tenía caderas ni esqueleto por ninguna parte. Estaba impecable el doctor Llobera.

—Doctor, le ruego que me permita salir un instante a pedirle disculpas a la enfermera, no llego a saludarla nunca...

—Ya habrá tiempo hasta para que se vayan a tomar una copa juntos, Martín. Por ahora, estése tranquilo porque tenemos mucho que hablar. Para empezar, le diré que he leído su texto y que es una joya de sinceridad y de sensibilidad a todo nivel...

—Hipersensibilidad, doctor.

—Sí, ya lo creo, pero yo me estaba refiriendo primero al aspecto literario. Es una lástima que no se pueda publicar...

—¿Demasiado confidencial?

—No, eso no sería problema mío; lo que pasa es que tengo que conservarlo con su ficha médica y sus controles. Créame que me ha servido enormemente, y que gracias a él, por ejemplo, supe que se había usted cruzado con el señor Quinteros, cuando lo escuché llegar en ese estado. Y es cierto que tiene usted una real predisposición para las situaciones exageradas, como le gusta a usted llamarlas. Desmitifíquelas, hombre. En este caso, ya lo verá, ha sido una pura coincidencia: Quinteros es uno de los abogados más famosos de Barcelona, y tiene su despacho en el edificio de al lado. Atiende todos los días a partir de las cinco, y lo más lógico es que se haya topado usted con su enorme oreja...

—Doctor, pero la cita del viernes fue a las siete; además, yo no me he topado, como usted dice, con el señor Quinteros, yo he detectado la oreja a cien metros de distancia.

Pobre doctor Llobera, esta vez sí que no pude acompañarlo en su alegría. No, no lograba convencerme de que dos citas + la oreja a cien metros + las 5 y las 7 p.m. = coincidencia. Ni hablar, y el mundo en su consultorio empezó a ponérseme nuevamente gris. No tuve que decírselo, lo había detectado tan bien como yo detectaba la oreja del señor Quinteros. Además, para algo acababa de leerse de cabo a rabo mis ciento diecisiete páginas plagadas de profundos y oscuros desmoronamientos. Hablamos horas, hablamos de mi depresión neurótica (por fin podía decirle a Inés que no sólo era una enfermedad real, sino que además tenía nombre y todo), de mi infancia, mi adolescencia, de mi vida en París, de un matrimonio que yo insistía en recordar como feliz y que él insistía en hacerme recordar sin adjetivos, hablamos del Grupo, de mi fracaso en el Grupo, que él insistía en considerar como un fracaso del Grupo, y esa fatal costumbre suya, Martín, de quererse culpabilizar siempre, hablamos de los hijos que Inés nunca había querido tener porque sus deberes de revolucionaria se lo impedían, y que según él, yo, con un poco más de agresividad debí haberla empujado a aceptar. Y hablamos desde entonces del problema de mi falta de agresividad, que en muchos casos me había impedido defenderme del mundo, o hacer que se aceptara una de mis desperdiciadas intuiciones. Depresión neurótica y falta de agresividad, esos eran mis grandes males para el doctor Llobera, y había llegado el momento de combatirlos. El camino sería largo pero yo terminaría por salir de ese pozo tan oscuro. Sí, saldría de él aunque me esperaban malos momentos todavía, mi texto estaba lleno de frases tan típicas de la nada del gran deprimido, abundaban los *qué importa, y en el fondo qué importa pero qué importancia puede tener*. Además, el doctor Llobera no se sentía tan optimista con respecto al futuro de mi matrimonio...

—No puede ser, doctor.

—Me gustaría hablar con Inés, Martín.

—Inútil, doctor...

—Hummm...

—No puede ser, doctor.

—Martín, sí puede ser: no se olvide que he leído...

—Ella necesita partir, sus ideales...

—Martín, a lo largo de todo su texto, usted afirma que ella lo quiere muchísimo. Pues que se aguante un poco, ahora; una separación inmediata le produciría a usted un enorme desgajamiento. Sí, ella también tiene sus problemas, lo sé, usted no hace más que referirse a ellos constantemente. Y sin embargo, nunca llega a quedar claro en qué consisten esos problemas. Y yo no le puedo asegurar tampoco hasta cuándo va a soportar esa bizquera. Lo que sí le puedo asegurar, Martín, es que usted volverá a enamorarse. Todo ese asunto de Octavia de Cádiz, la obsesionante repetición de ese nombre cada vez que se topa usted con un problema... Ahí hay algo muy simbólico, algo que revela una enorme carencia, usted mismo lo llega a decir, algo que revela que no debe usted tomar su hipersensibilidad como un defecto sino como una virtud, como un poder, como una fuerza muy personal... Creo que no lo podré ver hasta septiembre, Martín, y después todos nuestros contactos serán por correspondencia. Tengo ya pensado el tratamiento, y sé que lo va a ayudar. Pero usted necesitará mucho coraje para enfrentar los meses que vienen. Cualquier cosa, llámeme, y véngase inmediatamente. No tenga temor alguno de recurrir a los Feliu. Ellos tienen tantos deseos de verlo sano como yo. Pero trate de trabajar, combata con ese monstruo de madame Labru en la forma en que le he indicado. Parece cosa de broma, pero ya verá que no lo es y que le va a dar muy buenos resultados. No puede usted seguir viviendo dentro de una tolerancia masoquista, hasta que le estallen de nuevo los nervios. Use la máquina de escribir, pero no para matar sino para vivir bien. Hay una frase en su texto que me ha gustado mucho, y que me ha hecho comprender perfectamente la cantidad de recursos de que dispone usted...

—¿Recursos?

—Sí, enormes. Una persona que escribe tiene muchísimos recursos, créame.

—Doctor, ¿y las ideas de Inés acerca de mí, acerca de mi familia y de todo esto?

—Frases de libros citadas fuera de contexto; ideas recién asimiladas y muy mal aplicadas. ¿Por qué cree usted que bizquea tanto? Inés es una muchacha inteligente pero hay algo que la obnubila, eso se desprende de todo lo que usted ha escrito sobre ella. Se trata, sin duda, de una muchacha noble, sincera, que lo ha querido y lo quiere todavía mucho, probablemente. No puedo afirmar nada más, puesto que sólo la conozco a través de usted, aunque intuyo que también ella tiene un problema muy gordo con el cual no logra enfrentarse cara a cara. Por ahora, piensa que usted es ese problema y por eso bizquea, por eso no lo quiere ver, por eso no desea que esté usted ahí. Y se marchará, creo, porque usted no está dispuesto a moverse de su lado.

—Pero regresó después de mayo del 68.

—Martín, ¿quiere que le lea las últimas páginas de su texto?

—...

—Calma, muchacho. Las cosas van a ir sucediendo poco a poco, y usted va a tener cada vez más fuerzas para enfrentarse a ellas. No se haga un mundo de todo. Enfréntese a los problemas cuando éstos lleguen, y no empiece a combatirlos ni se angustie antes de que se concreten. Y no se crea ni una de las frases hechas de Inés. ¿Cómo es posible que usted sufra con esas cosas? Agreda, defiéndase. Nadie ha explicado mejor que usted su infancia y adolescencia. Nadie ha juzgado a su padre, por ejemplo, con tanto afecto y precisión como usted. Para qué dejarse oprimir por las generalizaciones de Inés. Claro, como usted la admira y admira sus ideales, esas frases lo hunden. Agréguele a eso su depresión actual y comprenderá que es lógico el daño que le hacen. No, Martín, sólo un hombre como usted, que intuye, que afirma, incluso, que en la vida hay más excepciones que reglas, que cada caso es un caso particular, y que además logra expresarlo con frases certeras, agudas, y hasta con sentido del humor... Un hombre así no puede abrumarse cuando alguien le dice que es una especie de gatopardo sudamericano atrapado entre las garras de todas las porteras y viejas brujas de París. Hay más que eso en París, hombre. Y hay mucho más que eso en usted. Que Inés hable de su familia, de lo que vio en su pueblo, de si le gustó o no le gustó... ¿Quiere que le cite la frase con que concluye usted el capítulo sobre su padre?

—¿Mi padre?

—Tenga, lea, aquí está: "Es más difícil cumplir con los deberes de padre que con los deberes de papá". ¿Qué más quiere usted? Que no le vengan a decir a quien ha escrito una frase así que no ha tomado sus distancias frente a su familia. Y que tampoco se la insulten, porque precisamente usted ha establecido un equilibrio ante ella que no excluye un afecto natural.

517

—¿Y los jebecitos constantes, doctor?

El doctor Llobera sonrió, para que yo pudiera llegar solo a la conclusión de que no habían sido más que el primer síntoma. Más de un año perdido... Bueno, tampoco podía negar que en ese año hubo una muchacha llamada Sandra, aquellos días con Carlos Salaverry, aquella tardía y fatal visita a Oviedo, risas y lágrimas, fraternidad y desconsuelos, Inés... vida. Pero tampoco podía negar que tanta espera, tantos temores vividos a ocultas, tantas cosas que no me atrevía a decir, me habían traído con mucho atraso ante ese hombre noble y sonriente, dispuesto, eso sí, a cantarme todas las verdades.

Un breve test, bastante convencional, según él, y casi innecesario tras haber leído mi texto y conversado conmigo, lo convenció de que había acertado en sus recetas. Me hizo mirar, una tras otra, una serie de láminas como pinturas abstractas, y me pidió que le fuera contando qué me sugerían y cuáles eran los colores que más habían atraído mi atención. Todas mis respuestas fueron iguales.

—Las caderas de un esqueleto, doctor.

—Hummm... ¿Color?

—Gris, doctor.

—Estoy muy fregado, ¿no?

—Hum... humm... hummm...

No paró con sus hummm, hasta que no estuvieron listas todas las recetas para largos meses de sufrimiento dentro de una segura, franca, y prometida mejoría.

—Agresividad ante todo, Martín. Agreda usted, hombre, no tenga miedo. No bien salga de aquí y encuentre una oportunidad, agreda usted. Busque las oportunidades, responda, diga lo que siente, anticípese a las palabras de los demás.

—Bryce Echenique, doctor, ¿usted cree que me haría bien noquearlo?

—Olvide eso, Martín. El lo hizo por su bien, no le quedaba más remedio. Además, recuerde que antes le pidió autorización a Inés. Usted mismo me lo ha contado.

—No sé, pero...

—No va usted a ir a París a buscarse pleitos inútiles, Martín. Yo me refiero a una actitud...

—Sí, doctor, claro que le entiendo, pero...

—Olvídese de Bryce Echenique. Usted no vive con él, usted no tiene nada que ver con él. El pobre hombre apareció en su casa con un regalo y tuvo la mala suerte de...

—Lo que pasa es que...

—Bueno, Martín, ya encontrará usted alguna oportunidad de gastarle una buena broma.

—Ojalá, doctor. Detesto molestar pero también detesto que me vean tan fregado. Y más un escritor.

Se mataba de risa el doctor Llobera mientras me iba explicando que el Anafranil era un antidepresivo bastante fuerte, que debía tomarlo antes de cada comida, escribirle contándole cómo iban las cosas, a ver si podemos ir reduciendo la dosis, y que, eso sí, ni una gota de licor porque está contraindicado y las consecuencias son imprevisibles. Ni una gota de licor, Martín, y además tendrá que soportar algunos efectos secundarios bastante molestos, aunque controlables: Estreñimiento, pero basta con que se tome usted este laxante. Gran dificultad para orinar, qué le vamos a hacer, ya le he dicho que no todo va a ser color de rosas... Fuerte baja de la presión, para lo cual se tiene usted que tomar estas gotas... Fortísima baja de la presión al ponerse de pie y al agacharse, por lo cual es preciso que se ponga usted de pie muy lentamente y que se agache con mucho cuidado... Súbitos e incontrolables impulsos en las extremidades, sobre todo mientras duerme, cosa para la cual tendrá que preparar a Inés, porque puede suceder que de noche le dé usted un manazo, un codazo o...

—O un rodillazo en la barriga o una patada que la haga salir volando de la cama. El que va a salir volando de la casa soy yo, doctor.

—Cómo, ¿y la agresividad? ¿Ya se olvidó de todo lo que le he dicho?

—No me diga usted, doctor, que esos porrazos que le voy a pegar a la pobre Inés son como clases de judo o algo así.

—Martín, acabo de explicárselo, y ahora usted tiene que explicárselo a ella: se trata únicamente de un efecto secundario del Anafranil, y no tiene nada que ver con la agresividad de la que hemos hablado. Además, es algo que no sucede tan a menudo, y que sólo en muy contados casos llega a tener la fuerza de una verdadera patada o de un buen codazo.

—...

—Prohibidos los quesos, las habas, los embutidos, y sobre todo, no lo olvide usted, Martín, ni una gota de licor.

Creí que había terminado, porque llamó a la enfermera y le preguntó si disponía de otra hora libre para mí. Pero no, no había terminado y tampoco quedaban horas libres hasta septiembre. En fin, eso tenía arreglo porque yo iba a pasar nuevamente por Barcelona, antes de regresar a París. Los Feliu nos habían invitado a visitar algunos lugares de España durante el mes de agosto, e Inés, ante mi asombro, había aceptado encantada. El doctor Llobera le dijo a la enfermera que me anotara cuatro citas para septiempre, a ver cómo van las cosas al cabo de un mes de tratamiento, y me soltó el último efecto secundario del Anafranil: impotencia sexual, Martín.

—Pero doctor, eso es lo más deprimente que hay en el mundo.

—Vamos, Martín, tómelo con calma. Aquí le he anotado una inyección para que se la haga usted poner cada vez que la necesite, y ya está. ¿Inés sabe poner inyecciones?

—Inés *no* sabe poner inyecciones, doctor —lo agredí, causándole primero mucha risa, y luego una breve serie de hummms...

—...Una muchacha que pretende tomar las armas y que no sabe poner una inyección...

—Perdone, doctor, pero lo importante en *este* momento no es la revolución peruana. Soy yo. Soy yo, porque los acontecimientos van a tener lugar *en* París y en *nuestra* hondonada... Era mi última esperanza, doctor.

Hubiera querido poder odiarlo pero era imposible. Imposible a pesar de que me acababa de joder mi más ansiado proyecto: mejorar, olvidarlo todo durante el verano con los Feliu, regresar a París alegre y optimista, luchar por una gran reconciliación con Inés, y volver a encontrar nuestro perfecto equilibrio en el fondo mismo de la hondonada. Pero no. Ahora tendría prácticamente que tomar cita con Inés, decirle a las cinco vengo listo, correr a que me pusieran la inyección a las cuatro y media, regresar al departamento, y esperar muerto de vergüenza a que la inyección empezara a hacerme efecto. Y claro, de noche, tenerme bien aprendida la lista de las farmacias de turno.

—Doctor, comprenda usted...

—No, Martín, es *usted* el que tiene que comprender que si Inés no acepta todas las consecuencias e incomodidades del tratamiento, no merece ser su compañera.

Ahí sí que me agarró. Era una verdad como una catedral. Cuánto hubiera dado yo por soltar verdades de ese tamaño. ¡Cuánto! Bah, yo no era más que pura duda y depresión, puro tal-vez-quizá-qué-importa, aun cuando estaba convencido de tener mucha razón. Pero ahora era el doctor Llobera el que tenía toda la razón, y su idea de la agresividad era mucho más amplia y profunda que la mía. Recién entonces lo entendí a fondo. Yo me había quedado en lo de la noqueada de Bryce Echenique, que tampoco excluía en ese momento, claro está, humano muy humano, pero él iba mucho mucho más allá. Sentí una gran admiración por el doctor Llobera, ese hombre que sabía reír, pero que también, llegado el momento... Casi le suelto mi famosa frase: "Es más difícil cumplir con los deberes de padre que con los de papá", pero para qué, si me había estado leyendo el pensamiento todo el tiempo.

—Bueno, Martín, yo parto este fin de semana y desgraciadamente no me quedan más horas libres. Pero hagamos una cosa, porque quiero ver cómo le va a usted con el Anafranil, al cabo de dos o tres días. Véngase a cenar con mi esposa y conmigo, el jueves.

—Tendrá que ser sin Inés, doctor.

—Peor para ella; se perderá el placer de conocer a mi esposa.

—Vendré encantado, doctor.

No sé por qué, pero desde que lo vi deseé esa invitación. Definitivamente, leía mis pensamientos.

—Y ahora, Martín, a comprarse estos remedios y a agredir. Unos meses de Anafranil, unos meses saliendo del departamento con la máquina de escribir, y volverá usted a ser feliz en París. Venga, despídase de la enfermera, que yo lo voy a acompañar hasta la puerta.

Me despedí, jurándole con lágrimas en los ojos que iba a agredir. Y así salí a la vida en el Paseo de Gracia, ignorando al señor Quinteros y su oreja, aunque debo confesar que miré un poquito hacia ambos lados de la calle, antes de ignorarlo por completo: paso libre, y adelante hacia la primera farmacia, recetas al viento, casado con una mujer que no merecía ser mi compañera si no aceptaba los efectos secundarios del tratamiento, aunque debo confesar que pegué un par de saltitos espantados ante dos jebecitos constantes, feliz ante la perspectiva de una comida con ese gran hombre y su encantadora esposa, aunque el lector deducirá muy fácilmente que aún no la conocía, y superfeliz porque acababa de entrar a una farmacia con mis recetas en estandarte y ahí tenía, en mis narices, la primera gran oportunidad de mi vida de poner en práctica mi terrible agresividad. Siempre amé a España, siempre me dio todo lo que le pedí, siempre fue el país de mis vacaciones más logradas, bueno, también hubo de las otras, pero eso no había sido culpa de España y ahora esta farmacéutica catalana me estaba dando la primera gran oportunidad de segregar mi tan contenida pero feroz agresividad. Le había entregado una receta en la que estaba claramente escrito, con la endemoniada y agresiva escritura de un gran médico, que debía venderme cuatro cajas de Anafranil. Qué pasa, se ha ido a la trastienda, tarda en regresar, qué es esto... Salió, por fin, la farmacéutica... Vamos a ver, señora...

—Mire, señor, lo siento mucho, pero sólo me quedan tres cajas de Anafranil. Puede usted pasar mañana por la mañana, si lo desea, y le tendré la cuarta. Ahora mismo voy a pedirla por teléfono.

...Eso sí que no, señora, se jodió usted, usted no sabe quién soy yo ni de dónde vengo ni adónde voy en la vida ni con quién voy a cenar el jueves... Arráncate, Martín.

—¡Esto es un escándalo! ¡Sólo en España se ve una cosa así! ¡Soy un hombre gravemente enfermo! ¡Una farmacéutica debe saber lo que es el Anafranil y quiénes pueden necesitarlo! ¡Y que un extranjero puede necesitar cuatro cajas de Anafranil con urgencia!

—Pero, señor, mañana...

—¿*Mañana*, señora? ¡Mañana tengo que estar yo en otro país y sin receta que me valga! ¡Mi avión sale dentro de dos horas! ¡Dentro de una hora tengo que estar en el aeropuerto! ¡Sí, dentro de una hora! ¡Son más de las siete y mi avión sale a las nueve de la noche! ¡No puede ser! ¡Increíble! ¡Me ha reventado usted! ¡Esto sólo puede suceder en un país como España!

Iba a seguir gritando, pero me di cuenta de que la señora se dirigía nuevamente a la trastienda, ¿qué pasaba?, que no venga ahora con que yo tengo la culpa por haber gritado tanto, ésta es capaz de haberse largado y de dejarme aquí sin saber qué hacer. Pero ahí estaba nuevamente y con una amplia sonrisa en los labios... Segundo round, Martín Romaña.

—Mire, señor, ésta es una muestra médica gratuita. La venta al público está prohibida, pero yo se la voy a obsequiar en vista de que usted tiene que llegar a tiempo al aeropuerto.

—¡Tengo que pagar! ¡Yo necesito pagar!

—Imposible, señor, es una muestra gratuita, sólo se la puedo obsequiar, acéptela, por favor...

No pude pagar rapidísimo los otros remedios y largarme en el acto porque pagué temblando y todo se me caía y las monedas rodaban por los rincones, no tardaba en verme llorando de emoción, la señora, el abrazo que quería darle era algo incontenible, pude haberle gritado hasta ¡mamá!, pero felizmente ya la billetera estaba en el bolsillo, también las monedas, el paquete listo. Salí disparado y jurándome que nadie en Barcelona diría de mí: Vimos un señor con cara de sudamericano llorando en el Paseo de Gracia. No, nunca, ni hablar.

Un taxi, ¡taxi taxi taxi!, yo era un sudamericano que necesitaba urgentemente un taxi porque por culpa de una farmacéutica estaba a punto de perder mi avión en España, habráse visto cosa igual, ¡taxi taxi taxi! Toditos ocupados, ¡qué es esto! ¡qué es esto, carajo! ¡toditos ocupados!, ¡taxi taxi taxi! Ni la huella de un taxi libre en todo Barcelona, y el feroz agresor que había en mí acababa de encontrar su verdadera oportunidad: ahí estaba parado como un imbécil en la esquina el policía y yo como un imbécil iba a perder mi avión porque en España todos los taxis están ocupados, un país sin taxis vacíos, un escándalo, habráse visto cosa igual, ¡oiga usted! ¡en qué país estamos! ¡qué es esto! ¡no se da cuenta de que tengo que alcanzar un avión que ya prácticamente se ha ido y usted ahí parado en la esquina! ¡haga algo, hombre! ¡para qué le pagan entonces! ¡muévase! ¡qué policía la de este país! ¡qué país éste! ¡lleno de taxis llenos y de policías con la cabeza vacía!

Minutos después decidí no agredir al taxista, por temor a que no me cobrara o algo por el estilo. El policía se me había acercado, me había llevado con él hasta la esquina y no hasta la comisaría, en la esquina detuvo un taxi ocupado, le explicó al chofer que el señor necesitaba urgentemente llegar al aeropuerto, les explicó luego lo mismo a los ocupantes del auto, le agregó al taxista que dejara primero a sus clientes y de inmediato me llevara al aeropuerto, me explicó que esas eran horas difíciles para los taxis en Barcelona, me deseó buen viaje a Sudamérica, y me dejó en compañía de unos pasajeros conversadores, encantadores, y que a su vez le explicaron al taxista que en esa calle los podía dejar, ellos caminarían unas cuadras, qué importa, pero por aquí puede usted torcer a la derecha y llegar más rápido a la carretera que lleva al aeropuerto...

Inútil, pues, agredir, al taxista, ya para qué. E imposible en semejantes circunstancias intentar explicarle quién era, por qué había armado tanto lío, por qué no era al aeropuerto que deseaba ir sino a la calle Bertrán, número 129, y que en el fondo todo se debía a una fuerte depresión neurótica agravada por una gran falta de agresividad que España entera me impedía combatir. Y así, dispuesto a esperar mejores oportunidades, y países que se adaptaran más a mis necesidades agresivas, llegué al aeropuerto fumando el tercer cigarrillo que el taxista me invitó durante el trayecto, debió notarme muy nervioso, usted disculpará, señor, son Celtas baratitos, la intención es lo que vale, más la historia de su hija mayor que acababa de casarse y la del menorcillo que ése sí que les daba algún disgusto todavía... Le agradecí a mares su veloz amabilidad automotriz, estuve horas explicándole que nadie sino él al volante me habría permitido alcanzar de sobra mi avión, empecé a incurrir en todo tipo de contradicciones al tratar de explicarle cómo y por qué mi equipaje ya estaba en la consigna, ME DESPEDÍ POR FIN, ingresé al aeropuerto con las cuatro cajas de Anafranil, el laxante para el estreñimiento, las gotas para las bajas de presión, las inyecciones para el asunto de la impotencia, todo en una bolsita con el nombre de la farmacia, y no encontré nada mejor para justificarme ante el mundo que meterme a orinar al baño, tenía ganas, además, y a lo mejor así lograba autoengañarme, justificarme un poquito, ante mí mismo por lo menos, pero no, no lo logré. O sea que alcé con mi meada a cuestas y después el asunto se puso más triste todavía al recordar lo de los efectos secundarios, gran dificultad para orinar, Martín, había dicho el doctor Llobera, ésa era pues una de las últimas meadas fáciles hasta sabe Dios cuándo, y mira tú adónde, Martín, y mírate de paso en el espejo a ver qué cara te ha quedado después de todo esto: Madrepatria de mierda, cómo jodes a los aprendices de brujo, y ya estuvo bien por hoy, huevonazo, fueron más o menos las palabras que pronunció el espejo, ahí en el baño de caballeros del aeropuerto de Barcelona.

Agosto lo pasé íntegro bajo los efectos de los efectos secundarios del Anafranil, de los efectos de aquellos efectos en mis relaciones con Inés, de la angustiosa impaciencia que me causaban la paciencia y la generosidad con que los Feliu paseaban a un idiota por diversas ciudades de España, y del recuerdo de mi última y fallida tentativa de agresividad, durante la cena en casa del doctor Llobera. Por imbécil me quedé sin probar siquiera los platos típicos catalanes que tanto me provocaba comer.

Por imbécil y por mentiroso. Porque de entrada, y sin que

el doctor me lo preguntara, empecé a comentar lo extraordinariamente bien que me iba con el tratamiento, tres días bastaban para que uno ya sólo deseara suicidarse en broma o morirse un poquito, ideas tan divertidas como ésa, doctor, más lo del lunes después de la consulta, yo mismo no lograba reconocerme, de dónde había sacado tanto y tan valiente ingenio como para poner entre la espada y la pared a una farmacéutica, a un taxista cuyo automóvil ocupado invadí, hasta a un policía, doctor. Y después, doctor, en fin, tal vez esto no le guste tanto, pero para despedirme en gran forma y mejor estilo del trago, me pegué la tranca del siglo con un gran amigo, fue genial, realmente genial... Se me estaba acabando por completo la cuerda cuando apareció la esposa del doctor Llobera.

—Martín, María Teresa...

—He oído hablar mucho de ti, Martín, ya era hora de que te conociera.

Busqué con lupa algo que no fuera su esqueleto, y ahí estaba María Teresa, sonriente, amable, afectuosa, pero el traje sólo lograba verlo gris. Demonios, me dije, pudiste entrar con menos bríos, pudiste esforzarte menos y decir menos cojudeces, a quién vas a engañar con tus emotivos excesos de cordialidad, te la has querido dar de agresivo ante el mundo y ahora mira, estás que te caes, calma, Martín, calma. Pero no seguí mis consejos y quise aprovechar el último poquito de cuerda que me quedaba para arrancar otra vez con la divertidísima historia de mi despedida del licor, ya estaba empezando de nuevo cuando María Teresa me invitó a tomar asiento, y yo, siempre tan deseoso de complacer a mi doctor, y ahora también a su encantadora esposa, yo, emocionado de estar ahí, tan protegido y con la deuda eterna del bien que me iba a hacer ese tratamiento, me dejé caer campechanamente sobre un sillón, quise probarles que ya ni efectos secundarios me quedaban, y en el fondo del sillón estuve muriéndome con la presión a cero por no haberme sentado lentamente, por no haber ido descendiendo de a poquitos... Las gotas, rápido, las gotas, dijo José Luis Llobera. Y con las gotas reviví, aunque tan sólo para convertirme en un ser que se debatía entre las lágrimas y la ausencia, en la caricatura del falso Martín Romaña que había hecho su triunfal ingreso minutos antes.

A la voz de ya pueden pasar a la mesa, señores, María Teresa respondió diciendo gracias, Carmen, luego me sonrió, me dijo basta ya de proezas, Martín, tómate todo el tiempo que necesitas para levantarte, a Carmen le encanta servir la comida demasiado caliente. Me incorporé centenario, me quedé parado un ratito en espera del mareo, le sonreí en señal de que ya podíamos avanzar, y a paso de procesión llegamos al comedor, donde los tuve horas esperando para sentarse, mientras yo me sentaba obedientísimo. Le sonreí nuevamente a María Teresa, porque esta vez tampoco había mareo, y entonces ella empezó a contarme en qué consistían los provocativos platos típicos que habían preparado en mi honor. Mi comentario fue un par de lagrimones en honor a ellos y a sus platos.

Y el de ellos fue que no tenía por qué preocuparme si no me gustaba la cocina catalana. Mi comentario fue nuevamente un par de lagrimones, y el de ellos agregar que lo tenían todo previsto, porque a menudo sucede que a la gente no le gusta un determinado tipo de cocina, lo habíamos previsto, no te preocupes por favor, Martín. Dos lagrimones más mientras llamaban a Carmen para que trajera la entrada, el plato de fondo, y el postre especiales para mí, ya ves lo fácilmente que se arreglan las cosas, no sé por qué te preocupas tanto, Martín. El último par de lagrimones lo solté cuando me dejaron donde los Feliu. Intenté por última vez decirles que habría dado la vida por quedarme para siempre deprimido y neurótico a cambio de... a cambio de... No tenía mucha vida que dar, me imagino.

La primera visita del viaje de agosto fue Santillana del Mar, donde soñé que devoraba platos típicos catalanes donde los Llobera; la segunda, Santander, donde soñé que un guardia civil me perseguía a balazos por robar comida en Cataluña; y la tercera, León, donde en el maravilloso Hostal de San Marcos vi a Sandra pasándose al andén de enfrente para regresar a Madrid y de ahí a París, cosa que me importó un repepino porque acababa de tragarme hasta lo de los Llobera, donde los Llobera, y había quedado con la barriga llena, el corazón contento, y agresivísimo. Lo malo, claro, fue que me desperté pensando en Enrique. Y lo bueno, que se mencionó Oviedo en las conversaciones sobre el itinerario, que los Feliu e Inés cesaron de exigirme presencia alguna en los paseos por las ciudades, y que a partir de ese día ni siquiera volvieron a preguntarme si prefería comer en este o en aquel restaurant.

Me dejaban vivir contando los días y esperando que llegaran, por fin, los primeros efectos positivos del tratamiento. Con Inés, la relación era cada vez más distante. Dormíamos en camas separadas desde que una noche, en Soria, le metí tal patada que casi la mato del susto. Los dos ignorábamos por completo que esos súbitos e incontenibles impulsos podían producirse sin la menor perturbación del sueño, y la noche aquella, que fue la de la primera patada, ella simplemente no lo pudo creer. Pensó que me estaba haciendo el dormido y también ella casi me mata del susto con una soberana bofetada. Recién entonces se dio cuenta de que, en efecto, dormía, y muy profundamente. Se echó a mi lado, me pidió perdón, me llenó de antiguas caricias, y se puso a llorar. Miré el reloj: las tres de la mañana, las tres de la mañana en Soria y con Inés que nunca lloraba llorando entre mis brazos. Era como para matar al doctor Llobera: quién iba a encontrar una farmacia abierta a esa hora, quién conocía una enfermera en Soria, quién conocía Soria y punto. Hice lo que pude, pero no pude hacer nada.

—Perdóname tú ahora, Inés.

Y de esta manera, hacia mediados de agosto, vivía prácticamente entregado al efecto secundario que consistía en orinar con gran dificultad. Me pasaba horas intentándolo, y la verdad es que resultaba dificilísimo. Lo convertí en mi gran excusa: cada vez que había que visitar una iglesia o un monumento antiguos, yo anunciaba que necesitaba orinar, les decía que fueran ellos por delante, y me quedaba leyendo tranquilamente los prospectos de Anafranil, que tanto prometían, o contemplando la cajita color naranja, que tanto sabor podía darle a la vida, o esperando que llegara la hora de tomar la capsulita blanca, con su rayita anaranjada al medio, que tan alegremente me adornaba la palma de la mano. Y por las noches, cuando Inés llegaba a la habitación, le daba un beso lejos de los labios, del cuello, y de la bizquera, le preguntaba qué tal te había ido, bien, siempre le había ido bien, luego entraba al baño fingiendo ganas de orinar, y ahí me quedaba esperando hasta que ella apagaba su luz. Pero Inés nunca supo de la cantidad de veces que la besé dormida, antes de meterme a mi cama separada. Ni supo tampoco que durante los últimos días del viaje noté una ligera mejoría, que muchas veces esperé que me enviara a ponerme una inyección, que más de una vez traté de decírselo con una mirada sonriente, y que siempre me respondió con una bizquera. Me prefería así, lejano, evitando el diálogo mediante largas tentativas urinarias, durmiendo en una cama separada, y sin recurrir para nada a las inyecciones. Y al regresar a Barcelona, me di cuenta de que los falsos pretextos que utilicé a menudo para ocultarme en un baño, o las exageradas claustrofobias que me permitieron huir de la insoportable alegría de algún restaurant, por ejemplo, no habían sido más que momentáneas y ridículas tentativas de alejamiento, evasiones inútiles, fugas por completo desprovistas de sentido, agosto entero me lo había pasado tratando de esconderme como un idiota de alguien que realmente deseaba alejarse de mí. Y claro, tuvo que ser Inés quien mayor provecho sacó de todo aquello. Sin embargo, la idea no me resultó tan insoportable como lo pensé en un primer momento. ¿Señal de una franca mejoría? ¿O es que también los efectos de aquel triste descubrimiento formaban parte del inmenso *qué importa* de una gran depresión?

Esas fueron mis grandes preguntas, al cabo de las cuatro citas del mes de septiembre. El doctor Llobera me había escuchado contarle paso a paso todo lo ocurrido, pensado, imaginado, y temido, durante las primeras semanas del tratamiento. Anotaba, me interrumpía con preguntas, comentaba, sonreía, me miraba, escuchaba atentamente. ¡Coño!, exclamó la última tarde, ¡si se pudiera hablar con Inés! Después empezó a escribir una receta, pero la rompió, y se impacientó al decir que me iba a costar una fortuna la cantidad de remedios que necesitaba. Hay una ligera mejoría, Martín, agregó, pero no tanta como los dos hubiéramos deseado. Esa fue la respuesta a mi primera gran pregunta. Y el inmenso *qué importa* que viví al escucharla, bastó y sobró para responder a la segunda.

—Habrá que seguir con el tratamiento por lo menos hasta abril, Martín.

—¿Con todo?

—En fin, tal vez se pueda empezar a reducir la dosis un poco antes, pero eso dependerá de lo que me vayas contando en tus cartas.

—Sí, claro; y también de cómo me vaya en París este otoño y este invierno.

—Sí, claro... ¿Cuándo es la partida?

—Dentro de tres días.

—¿Quieres cenar con nosotros mañana? María Teresa estaría feliz...

—Yo... también —dije, recordando la cena anterior.

—Bien, te vienes a eso de las nueve. Te tendré listos todos los medicamentos que necesitas.

Nos tuteábamos desde nuestra despedida, en julio, y mientras él me iba diciendo que tenía bastantes muestras gratis, pero que iba a necesitar más y que las conseguiría a tiempo, yo iba recordando demasiadas cosas. No, esta vez no haría el ridículo, esta vez entraría sin tratar de engañar a nadie, llegaría tan mal como me estaba sintiendo, en el fondo qué importa, para eso está él, para curarme, para enseñarme aunque sea a sonreír de nuevo; no, ni siquiera intentaré decirle que la comida típica catalana me gusta, bah, será una cena aburridísima para ellos y triste para mí, en el fondo qué importa.

Pero los enormes deseos de vivir esconden infinitas posibilidades de sorpresa, y hasta hoy me río al recordar cómo gocé aquella noche. Nunca sentí tanto cariño y emoción en presencia de esa pareja tan divertida, inteligente, y encantadora. Desde julio los llamaba por sus nombres, porque así me lo habían pedido ellos, pero fue durante esa despedida de septiembre que para mí empezaron a ser realmente increíbles. Para empezar, él me recibió con una tonelada de remedios y muy preocupado ante la perspectiva de que los fuese a perder.

—Pero, ¿por qué los voy a perder, José Luis?

—Es que te van a costar carísimos, Martín.

—Te aseguro que no los voy a perder, José Luis.

—Hazme caso, muchacho...

Y no paraba de incrustarme cajitas y más cajitas en los bolsillos, deformándomelos todos, casi desgarrándolos en su afán de que nada sobresaliera, de que nada se me fuera a caer por la calle, eres muy distraído, Martín.

—Tú tambien, José Luis —apareció María Teresa—; te has olvidado de estos frascos de valium... ¡Martín, qué gusto de verte!

Y mientras yo la saludaba, él le iba quitando nervioso las cajitas de valium, para acuñármelas en los bolsillos, te doy todo el que tengo, Martín, guárdalo para los momentos de gran ansiedad. A la sala llegué con el terno completamente deformado, y me encontré con tal cantidad de bocaditos que no tuve más remedio que preguntar si había otros invitados. No, Martín, pero como la vez pasada quedamos tan mal contigo, esta noche te hemos preparado bocaditos muy variados para que los pruebes, primero, y luego comas sólo los que más te gusten. El lío, claro, fue que todos me gustaron. Entonces José Luis dijo que un buen bocadito exigía siempre un buen trago, y mientras iba repitiendo eso sí, de licor ni una gota, Martín, empezó a servirme un whisky tan enorme que María Teresa tuvo que intervenir.

—Va a pensar que estamos locos, José Luis.

—Es cierto, me distraje; no debes tomar ni una sola gota de licor, Martín.

Y me echó un poquito más, todavía, ofreciéndome luego tal cantidad de embutidos, contraindicadísimos todos, que llegué a la conclusión de que aquel asombroso comportamiento sólo podía deberse al gran afecto que sentía por mí, y a su enorme afán de verme sano algún día. Entre ambas cosas, se le había dislocado por completo el tiempo, y el Martín Romaña que tenía ahí, comiendo contraindicaciones y bebiéndose un vasote de whisky, era el que deseaba invitar cuando lo de esa noche fuera ya cosa del pasado.

En la mesa, por supuesto, brilló por su ausencia la cocina catalana. No toqué el tema, en aquella oportunidad, por temor a angustiarlos más todavía, pero tampoco he querido tocarlo en las invitaciones que me han hecho desde entonces: me encanta y me siento sanísimo y lleno de una alegre y emotiva sonrisa interior cuando evocamos nuestra primera comida juntos, qué horror, Martín, ¿te acuerdas?, todos esos platos típicos que te hicieron llorar de depresión, y en plena depresión, qué bárbaros, por Dios, siempre nos arrepentimos, Martín. Yo entonnces interrumpo y les pregunto por los pijamas de José Luis. Porque con lo de los pijamas empezó el bochinche que me hizo saber, sentir, creer profundamente que sólo un hombre como él podía llevarme a buen puerto. Fue un breve y delicioso incidente familiar. María Teresa aprovechó mi presencia, el whisky, y el buen humor de su esposo, para anunciarle que le tenía una mala noticia. ¿Cuál?, preguntó José Luis, sin darle mayor importancia al asunto, pero casi se atraganta cuando ella le soltó que había encontrado la lavandería cerrada y que sólo le quedaba un pijama limpio para esa noche, el que tú odias porque las mangas te quedan ligeramente cortas. Me miró, y mientras él estallaba, me explicó que sería cosa de dos milímetros más o menos.

—Perdónenme, por favor, por haberles arruinado la cena —agregó, muerta de risa—, pero realmente deseaba que Martín supiera en manos de quién está.

Una de las sensaciones más extraordinarias que puede experimentar un ser humano es la de volverse a reír después de tanto tiempo. Aún la recuerdo, aún revive en mí cada vez que entro a casa de los Llobera. Tuve, también, aquella noche, la certeza de que con José Luis lograría curarme, de que a mí sólo podía entenderme y curarme un hombre que primero te escuchaba hablar de fobias, terrores, y angustias, después te aconsejaba y recetaba, y todo para acabar temblando él de nervios porque las mangas de su único pijama limpio eran dos milímetros más cortas que las de todos los inalcanzables pijamas que habían quedado cautivos en una maldita lavandería cerrada. Y que a lo mejor mañana no abría, además. Esto fue lo último que se le ocurrió al pobre José Luis, aquella noche. Y mientras me despedía de María Teresa en la puerta del departamento, él me iba sacando de un bolsillo una cajita de valium, porque lo que es esta noche, Martín...

Seguía contento cuando llegué a casa de los Feliu. Y durante la noche me puse a contemplar el sueño de Inés, preguntándome por qué no le había contado todas esas cosas antes de acostarnos, y respondiéndome que jamás las habría comprendido, Inés habría enmudecido, habría hecho una mueca antes de bizquear, a lo mejor hasta habría pensado que no sólo el paciente era un hombre podrido, también el médico. Sin embargo, la idea no me resultó tan insoportable en un primer momento. Pero no se trataba esta vez del inmenso *qué importa* de una gran depresión. Era otra cosa. Era la confianza, la seguridad que me iba invadiendo. Podía sanar. Con un médico como José Luis, con una persona como María Teresa, no se podía no sanar. Yo necesitaba estar sentado en su casa, bebiendo y comiendo con ellos, y completamente sano. Ellos no me habían fallado, yo no podía fallarles. Ellos me habían hecho reír. Ellos deseaban verme sano, yo soñaba con regresar sano a Barcelona... Iba pensando y sintiendo estas cosas mientras contemplaba a Inés dormir, y por eso al cabo de un rato la idea empezó a volvérseme bastante insoportable. Una pieza no encajaba, una frase del hombre en quien había puesto toda mi confianza empezaba a convertir aquella noche en una nueva pesadilla insomne. José Luis no creía demasiado en un futuro con Inés a mi lado. En una oportunidad me había dicho que volvería a amar, en otra me habló del enorme poder regenerador del amor, en otra del extraño simbolismo que se ocultaba en aquellas palabras que inevitablemente se me escapaban al tropezar con algún obstáculo: Octavia de Cádiz. Hoy, hace años que lo entendí todo, claro, y hace años que entendí también la frase que tiempo después pronunciaría la Octavia que me tocó conocer y amar.

—Martín, algún día comprenderás que Inés fue la última muchacha que emigró de Cabreada.

Me tomé un buen somnífero, me entregué por completo a la idea de una recuperación más rápida que la que el propio José Luis imaginaba, lo recordé extrayendo impaciente una cajita de valium de mi bolsillo, pensé que un sabio que no es humano, muy humano, ni es sabio ni es humano ni me cura a mí, y me quedé dormido jurándome que regresaría a Barcelona sano y en tiempo récord.

Y soñando con estas cosas logré reincorporarme más o menos a la vida cotidiana en París, volver por necesidad al trabajo, conversar con Inés, hablar de sus deseos de partir, convencerla de que esperara un poco todavía, de que lo pensara más, e incluso ubicar a una monjita muy cerca de casa para lo de las inyecciones. Inés bizqueaba pero se iba quedando, y hasta aceptó varias veces que regresara al departamento con mi inyección recién puesta.

—Si la monjita supiera el favor que me hace con cada ampolleta —le dije, una vez—, si supiera para qué me sirven y lo que estamos haciendo... Pobre monjita, ni se lo imagina, seguro, pero yo siento que me inyecta un poco de fe cada vez que voy al dispensario.

Inés no se inmutó. Parecía haber perdido toda posibilidad de sonreír, y llegó a bizquear hasta cuando hacíamos el amor. Frecuentaba siempre las reuniones del Grupo, pero creo que hasta al Grupo le bizqueaba ya. Digo esto, porque lo soñé una noche, y porque recién ahora que lo rememoro y escribo me doy cuenta de que fue un sueño premonitorio. ¡Increíble!, recién hoy comprendo hasta qué punto ese sueño pudo haberme ayudado a penetrar, a descubrir el secreto profundo de Inés, y también a hacer algo por comprenderla mejor.

Pero entonces lo importante era soñar despierto, escribirle a José Luis, y esperar aquella carta que me permitiría reducir la dosis. Celebramos el Año Nuevo, me tomé varias copas, y agarré a patadas a medio mundo. Recuerdo haberle ocultado eso a José Luis, y el espantoso estallido de rabia que le produjo a Inés verme tan grotesco. Logré hacer las paces con ella hablándole una vez más de su partida.

Pero nos besamos, y me dejó ponerme una inyección. Le juré y me juré que batiría todos los récords, que muy pronto llegaría sano a Barcelona. Pero fue entonces cuando empezó a picarme el culo: abril de 1970.

Sí, fue entonces: abril de 1970, y justo cuando acababa de recibir la carta de José Luis, diciéndome que podía reducir la dosis de tres a dos Anafraniles. En un par de meses estaré sano, me decía, en junio todo esto pertenecerá al pasado, me repetía, sin darle mayor importancia a lo del culo. Qué tenía que ver el culo con el cerebro, qué tiene que ver el culo con las témporas. Pero maldita sea, tuvieron mucho que ver, tuvieron demasiado que ver, se confundieron, se convirtieron en la misma cosa, en algo que Octavia, cuando se lo conté, rechazaba y rechazaba: no, no podía haber pasado por situaciones tan asquerosas, tan horribles, tan horripilantes, no, no me hables de eso, Martín. Pero yo insistí en contarle hasta el último detalle porque deseaba que supiera a fondo de Inés, de mí, y de mi mala suerte. De cómo unas estúpidas hemorroides pudieron convertirse en lo que ella, con gran acierto, muchísima pena, enorme crispación, y no digamos nada del asco, llamó vía crucis rectal. Y de cómo aquel vía crucis me hizo llegar por fin a Barcelona, pero más jodido que nunca, para variar.

## EL VIA CRUCIS RECTAL
## DE MARTIN ROMAÑA

Lo he pensado mucho, y la verdad es que no encuentro mejor definición: esta fue, por donde se la tome, culo y cabeza sobre todo, una historia de mierda, y por consiguiente no me será nada fácil contarla desde adentro, como se suele decir. Empiezan a terminárseme además las páginas de mi querido cuaderno azul. Increíble. Con lo grueso que es pensé que me cabrían algunos años más de vida exagerada, pero acabo de darme cuenta de que voy a tener que correr, incluso, para llegar con Inés al aeropuerto y la escena todo-lo-contrario-de-un-final-feliz que le tengo prometida, sabe Dios desde cuándo, al pobre lector. Luego añadiré unas cositas más, un epílogo, por ejemplo, para atar algunos cabos, descansaré un tiempo porque empiezo a sentir ya los primeros efectos de un largo y minucioso trabajo literario, y después saldré en busca de un cuaderno rojo, porque sobre Octavia sólo se puede escribir en un cuaderno rojo. Nuestra relación, tan candente como exagerada, justifica esta elección. Y también el nivel de intimidad que me gustaría crear con ella a lo largo de todo mi trabajo. Sería muy agradable, porque Octavia fue la encarnación de la ternura y de la coquetería. El lector se preguntará por qué digo *fue* y no *es* la encarnación. Yo mismo no lo sé aún. Resulta en efecto imposible averiguar estas cosas antes de haberse metido cuerpo y alma en el alma de una novela (será la segunda que escribo), porque la ficción le sale a uno de pronto con leyes tan sorprendentes como variables, y porque en algunos casos la novela se anticipa a la vida y en otros sucede todo lo contrario. Escribir es llegar a saber, o por lo menos tratar de. En fin, no quiero insistir más en estas verdades de perogrullo.

La verdad de mierda, ahora. A principios de abril Inés logra sonreír cuando le cuento que José Luis acaba de autorizarme a reducir la dosis, ya que mis cartas revelan mejoría. Nos sentamos a conversar un buen rato, como viejos amigos, y mientras le voy contando que para junio seré un hombre nuevo, un hombre modernizado y reconstruido, ella vuelve a sonreír, y yo empiezo a pensar si esta sonrisa se debe a

1. Mi mejoría.
2. Inés pensando : Martín está mejor = pronto podré irme.

Le otorgo el beneficio de la duda, porque si no la vida en ese momento de paz y contento sería en realidad una mierda, y seguimos conversando como viejos amigos mientras yo me veo constantemente obligado a apoyarme sobre un brazo del sillón, de tal manera que más de medio culo pueda quedar en el aire porque otra vez me está picando y necesito rascarme. Hace unos días también que me va ardiendo cada vez un poquito más. La conversación de los viejos amigos sigue y yo estoy esperando que Inés termine de contarme que Mocasines se fue a Lima hace dos meses, que de allá han llegado noticias de que ha cambiado mucho y de que hasta ha entrado a trabajar a un ministerio. No suelto sarcasmo alguno porque aún atravieso un período en que este tipo de asuntos qué importan, allá ellos, y en cambio aprovecho la confianza de la que me ha dado prueba mi vieja amiga al contarme estas cosas, para decirle me jodí, Inés, tengo hemorroides, con lo cual rompo por completo el encanto de una larga amistad: en cosa de segundos, Inés se vuelve a casar conmigo, recorre uno por uno los mil episodios de nuestra vida conyugal, y llega por fin al presente, acompañada de una impresionante bizquera.

—¡Eso sí que no, Martín! ¡No te me vas a enfermar de nuevo! ¡Estoy harta de tus enfermedades! ¡Cada una es más ridícula que la otra!

Semejante explosión, en pleno remanso de paz, revela en Inés una profunda tensión subyacente. Me apoyo sobre el brazo del sillón, levanto más de medio culo, me vuelvo a rascar porque me pica de nuevo, y comprendo hasta qué punto me he equivocado por no aplicar aquello de que en la duda abstente, y

537

por no confiar en mi vieja y maldita intuición de mierda.

Digamos que esos fueron los preámbulos. Y que ahora estoy viviendo nuevamente con mi esposa Inés, con dos Anafraniles al día, algunos efectos secundarios, pastillas, gotas, e inyecciones, para controlarlos, y unas flamantes hemorroides a las que no debo otorgarles el derecho a la existencia. Sobran las razones:

1) Conseguí ser viejo amigo de Inés desde que el monstruo empezó a tenerme tanto respeto como a ella y pude utilizar normalmente el ascensor. A este nivel, debo agregar que las tres salidas semanales con la máquina de escribir en la mano fueron de asombrosa eficacia, aunque confieso que nunca me atreví a contarle a Inés por qué a menudo partía, máquina de escribir en mano: era capaz de decirme tarado el paciente y tarado el médico, algo así.

2) Es macanudo correr donde una monjita, dejarse inyectar una buena dosis de fe, y regresar corriendo al departamento para hacer el amor con una vieja amiga.

3) Perdidas estas conquistas vitales, que son algo realmente vital para mí, la tendencia es a la tristeza suma y a la depresión con cara de recaída.

4) Ocultándole a Inés las hemorroides, y saliendo, por ejemplo, a rascarme en la terraza cuando ya no doy más, puedo recuperar a mi vieja amiga, gozar de esa liberalidad tan suya que le permite hacer el amor con tipos como yo, y de esta manera recuperar también posibilidades de paz y contento, evitando al mismo tiempo que se repitan los efectos señalados en el punto 3.

Esta fue la primera etapa, y antes que rectal o anal, debería llamarla asnal. Asnal de asno, de burro. Porque hay que ser muy burro, porque hay que ser realmente una bestia para andar rascándose a escondidas por los rincones, UN MES ENTERO, en vez de pensar que, si bien podía ocultarle mi nueva ridiculez a Inés, no tenía por qué ocultarme una nueva enfermedad a mí mismo, ni mucho menos por qué ocultarle mis flamantes hemorroides a un médico especializado. Aquí, la única circunstancia atenuante es mi vieja y maldita intuición de mierda. No sé por qué demonios tenía tanto miedo de que me tocaran el culo. Pronto lo sabremos todos.

El primer médico que me examinó, sin que lo hubiese buscado ni nada, merece párrafo aparte. Con las hemorroides no tenía nada que ver, no eran su especialidad ni mucho menos. Con la medicina tampoco tenía mucho que ver, en vista de que durante los últimos años la había abandonado por completo en el Brasil, su tierra natal, para consagrarse de lleno a la política. A París había llegado tras una espantosa odisea de izquierda, lo cual no le había quitado ni su excesiva vitalidad, ni una gran persistencia en el optimismo y la generosidad. Exagerada, eso sí, y bastante, cuando bebía, porque en los restaurants acariciaba las nalgas a las espantadas muchachas que lo atendían, en las fiestas buscaba una mujer que midiera el doble que él, algo muy fácil de encontrar en su caso, se le colgaba de los hombros, sacaba al máximo una lengua enorme, y se perdía en delicias por el escote hasta que la muchacha lograba arrojarlo de espaldas contra un sofá. Permanecía allí un buen rato con los ojos cerrados, lamiendo despatarrado el escote que acababa de expulsarlo, y después se te acercaba a mostrarte una lengua aún llena de los más sabrosos recuerdos del último saltito.

Luego, como quien pega un nuevo saltito, pero éste en el tiempo, pasaba a narrar el horror de una tortura en su país, el infierno de un amigo asesinado ante sus ojos por la policía, y la buena y mala suerte que significó para él refugiarse en Lima. Allá lo habían acogido muy, muy bien unos poetas completamente locos, unos tipos geniales, excelentes para el trago y los chistes, y siempre rodeados de unos escotazos... Lo alojaron, lo alimentaron, lo ayudaron incluso a ganarse unos cobres. Esa fue la parte buena, gente muy generosa. La parte horrible fue que eran unos monstruos del humor negro, unos compadres tan alegres como sádicos, unos dráculas de la broma que se metían a cada rato a su cuarto, él dormía aún, y de pronto el grito ¡la policía!, seguido por la feroz carcajada que ahogaba su alarido, que ridiculizaba el espantoso salto en busca de la pistola. Los peruanos son unos jodidos y los poetas peruanos más jodidos todavía, se dijo un día, y tras una buena borrachera de despedida, se vino a París... Nunca pude saber si reía o lloraba mientras contaba estas cosas. Para mí fue el hombre que lloró riéndose siempre, y que lloraba a mares sobre todo cuando reía a carcajadas. Y su manera de estar tranquilo era mirar con cara de risa y de llanto, de súplica y de entrega.

Alguien lo conectó con el Grupo, y por ahí encontró el camino a casa, Chico Pinheiro. O, mejor dicho, lo había encontrado ya gracias a la seguidilla de bofetadas que le pegó Inés tras uno de sus famosos saltitos. Chico se enteró que había ido a dar en el escote de una camarada, casada con un ex-camarada cuya depresión tarahereditaria lo obligaba a abstenerse a menudo de las fiestas, y soltó el más arrepentido de sus llantos carcajadas. Fue perdonado, pegó varios saltitos más durante la noche, Inés encontró el asunto divertidísimo siempre y cuando se tratara de otros escotes, y le dijo que pasara un día por casa a tomarse un café.

Inés había salido aquella tarde en que apareció por casa el heraldo de mi vía crucis rectal. Yo andaba en plena secuencia hemorroidal, nada horrible por el momento, y en el fondo tal vez sólo un desahogo, aprovechando la ausencia de mi vieja amiga, cuya presencia en el departamento toda la mañana me había obligado a practicar durante horas los más profundos y masoquistas ejercicios de autosugestión, no me pica-no me arde-no me pica-no me arde, en fin, una de esas interminables cadenas mentales a las que a menudo me sometía con una abierta sonrisa en los labios y un dedo escondido en el culo, en mi afán de obtener permiso para correr donde la monjita en busca de un poco de fe. No, Inés nunca sabrá lo que hice por retenerla. Debía estarme repitiendo una frase como ésta, aunque en presente del indicativo, claro, porque a Chico Pinheiro lo recibí con lágrimas en los ojos. Nada en comparación a lo suyo, sin embargo, porque a él le bastó con verme para alegrarse tanto que, de golpe, nuestra mutua presentación se convirtió en una inexplicable escena de sonrisas y lágrimas. Una hora más tarde terminó con la historia que Inés ya me había contado, la de su horrible vía crucis político, como puedo llamarla hoy, agregando con increíble optimismo y generosidad que había entrado a trabajar a un gran hospital parisino, pues deseaba recuperar su destreza de traumatólogo para luego ponerse al servicio del pueblo vietnamita en su lucha contra el imperialismo yanqui. Tenía ya iniciadas las gestiones y soñaba con enrolarse y partir al Vietnam. Lo escuché con toda la atención que exigía la intensidad de sus músculos faciales, me conmoví profundamente, y pensando si Inés se entera no va a decir nada porque este es un médico de izquierda, le hablé de mis hemorroides con la intuición completamente apagada por tanto optimismo y generosidad.

—Quítate el pantalón y ponte boca abajo sobre la cama —me dijo.

Obedecí a ciegas. A ciegas también acababa de dar el primer paso realmente grave de mi vía crucis rectal.

—¿Qué ves? —le pregunté.

—Hemorroides.

—Bueno, eso ya lo sé, pero ¿qué más ves?

—Bastante irritadas porque no te las has tratado, y porque te has rascado con demasiada violencia.

—Es que cuando Inés no está, aprovecho para rascarme de una vez pa' todo un año...

La puerta de abajo, los pasos de Inés en la escalera, nada que hacer.

—Dile por favor, Chico, que tengo hemorroides.

Nunca supe si se lo dijo riendo o llorando, pero Inés suspiró como quien se resigna a postergar la fecha de un viaje, aunque luego declaró enfáticamente que las hemorroides eran mías y que no estaba dispuesta a alterar sus planes por culpa de una nueva enfermedad. Esta última palabra la pronunció con pinzas y entre comillas, por supuesto.

—Esto lo curan en un instante en el hospital donde yo trabajo —dijo Chico, riendo o llorando, nunca supe.

—¿Me puedes recomendar algún médico?

—Pero claro, un gran especialista. Ahora mismo llamamos y todo se arregla.

Inés nos miró con ojos de permiso, y Chico y yo salimos corriendo en busca de un teléfono. Pésimas noticias: el médico sólo podía recibirme dentro de quince días. Mierda, habrá que esperar hasta el primero de junio, Chico.

—No te preocupes, Martín. Vamos a una farmacia: conozco una pomada excelente. Después buscamos una juguetería...

—¡Una juguetería!

—Mi hermano, tenga confianza en la vida, por favor, mi hermano. Lo que tenemos que comprar es una de esas llantitas que usan los niños para flotar en el mar. La inflas sin que quede muy dura, y puedes vivir sentado tranquilamente encima de ella. No hay nada más práctico, el recto se queda en el aire y no toca nunca una superficie dura.

La llantita fue un éxito, la pomada otro, y el primero de junio llegué aterrado donde el famoso especialista, era capaz de darme de gritos porque mis hemorroides habían desaparecido por completo. Pero, en fin, Chico me había recomendado tanto, no tenía por qué alarmarme, qué más quiere un médico que el enfermo le llegue ya sano al consultorio. No estaba tan sano, sin embargo. Era un caso benigno de hemorroides, y lo mejor era aplicarle su inyección a cada venita inflamada, para irlas esclerotizando poco a poco.

—¿Serán varias inyecciones, doctor?

—Sólo una en junio, porque mañana parto de vacaciones.

—Yo parto de vacaciones en julio, doctor...

—Entonces esperamos hasta agosto para la segunda inyección. Ya le digo, no es nada grave, y le voy a recetar una pomada para evitar cualquier peligro de inflamación. Bien, la inyección, ahora.

Lo que normalmente se llama jeringa era un aparato que parecía remontarse a la Edad Media, como el hospital, el médico, y el consultorio. Pero un hospital tan famoso, un especialista tan célebre, qué sabía yo acerca de la esclerotización de hemorroides, además. Ha sido un momento desagradable y punto, me dije, mientras iba poniéndome el pantalón, aunque pensando siempre en la pieza de anticuario que se utilizaba para esclerotizar hemorroides. Bah, olvídate del asunto hasta agosto. Me despedí del doctor, fui a buscar un rato a Chico para darle las gracias, y no sé por qué empecé otra vez a sentirme intranquilo. Pero al llegar al departamento todo quedó en olvido. Me esperaba una carta de José Luis: Bravo, muchacho, las noticias que me das son muy buenas, aunque ya déjate de jugar con las hemorroides y anda a ver a un médico. Te noto mucho más animado, y con el coraje suficiente para enfrentarte al problema de Inés. Me parece, incluso, que estás llevando las cosas con verdadera calma. Puedes reducir la dosis a una sola pastilla para consolidar un poco el tratamiento, y creo que con ello desaparecerán por completo los efectos secundarios...

Mi vieja amiga estaba en casa o sea que le conté todo menos lo referente *al problema de Inés,* recalcándole al mismo tiempo que había cumplido con mi juramento de estar sano en junio, que la pastilla que aún tenía que tomar estaba destinada únicamente a consolidar el tratamiento, y que de hemorroides ni una palabra más hasta el mes de agosto, mi pomadita cada mañana y ya está... Puse cara de tarea-cumplida, y ella suspiró como alguien que finalmente no ha tenido que postergar la fecha de un viaje. Pero, lo que dijo fue: Martín, ¿no te provoca regresar a España este verano? Le solté un ¡qué! y un ¡repite!, tan asombrados y sinceros, que no tuvo más remedio que repetir su increíble frase, sí, tengo ganas de volver a España y qué.

—Yo más bien creí que íbamos a festejar la fecha de tu partida —me atreví a bromearle, de puro sano y feliz que andaba.

Su mirada de odio fue una delicia. Me obligó a salir disparado en busca de la monjita, nunca se sabe, a lo mejor no le funciono tampoco con una pastilla, no es el momento para andar experimentando. Y mientras corría iba pensando en esa mujer de firmes convicciones e implacables decisiones que ahora, de pronto, empezaba a suspirar en un sentido y a soltarle a uno luego todo lo contrario... La segunda inyección de esta mañana... hummm... Volví a pensar en la extraña pieza de anticuario que me habían clavado un rato antes. No, ni hablar, estaba feliz. Y a mi famosa intuición qué se le iba a ocurrir que en el culo empezaba ya a juguetearme el diablo.

No se interrumpe a un hombre feliz, era mi divisa en los primeros días de junio. No se interrumpe a un hombre cuya vieja amiga le ha pedido partir de vacaciones conyugales, a un hombre en pleno período de consolidación, a un ex-enfermo que con unas cuantas pastillitas más habrá logrado ponerle punto final a un largo período de reconstrucción y modernización, asentado sobre sólidas bases morales y una sana y optimista mirada al mundo en que vivimos. E incluso, a un nivel más bajo, el de las hemorroides, a ese hombre podrá vérsele sentado y asentado sobre sólidas sillas y sillones como los de todo el mundo, una pomadita antiinflamatoria bastará y sobrará, adiós boyita de mierda, adiós llantita de niño que me mantenías el recto en el aire y la moral por los suelos, jamás se interrumpe a un hombre feliz.

Desgraciadamente, hacia el diez de junio tuve que asumir, en secreto y con gran pena, que era un hombre interrumpido. Me ponía la pomadita, y en vez de desinflamarme me dolía. Cagaba y me dolía mucho más que cuando me aplicaba la pomadita. Me ponía la pomadita después de cagar y resultaba doliéndome más que cuando cagaba. Y ahí, en ese cuartucho de la terraza, en cuclillas sobre el hueco que era mi wáter, mi excusado, mi retrete, y mi última esperanza, meditaba perdido entre dolientes soledades: No podía hacerle eso a Inés, qué iba a pensar de mí, le había jurado estar sano para junio, junio lo había empezado sano, España nos esperaba conyugalmente, allá podría salvarse un matrimonio, allá, años atrás, Inés había reflexionado, había puesto en la misma balanza a un pretendiente brasileño y a mí. Yo pesé más, fue un triunfo del amor, y allá en España este verano podía volver a reflexionar junto a su Martín sano, sereno, serio, allá podría decirse más vale malo conocido y mirarme y besarme y volver a triunfar el amor. No, definitivamente yo no tenía hemorroides para Inés, y además, en España todo se arregla siempre, bueno, claro, recuerda aquella vez...

Al diablo con aquella vez, dos voluntades unidas por un solo deseo lograrían arreglarlo todo en España, bastaría con cruzar la frontera, el amor conyugal renacería, y en estrecha colaboración con la Madrepatria me dejaría para siempre con un recto totalmente sano, sereno, y serio.

Desgraciadamente, hacia el doce de junio, tuve que asumir que si las cosas seguían por ese camino, podía incluso morir de dolor antes de haber emprendido el camino de España. Cagué con dolor, aprovechando que Inés se hallaba ausente, me eché la pomadita, me dolió más que el cagar, y al cabo de un momento empecé a dar alaridos de dolor. Fue una media hora espantosa y al día siguiente fueron tres cuartos de hora espantosos y con las justas no me pesca Inés en plena crisis. No podía fallarle, habíamos incluso hablado de itinerarios, de unos amigos de los Feliu que vivían en Laguardia, un maravilloso pueblecito cercano a Logroño, estaban locos por conocernos y por llevarnos a recorrer la Rioja alavesa, tierra de excelentes vinos. No le voy a fallar a Inés, sería como fallarme a mí mismo, además. Una solución, no me quedaba más que una solución. ¿Sería capaz de ponerla en práctica?

Fui capaz de todo y partí feliz a España tras haber cumplido veinticinco días sin cagar. La crisis del 13 de junio me había convencido plenamente de que era lo único que me quedaba por hacer. Me di de cabezazos contra las paredes, en presencia de Chico Pinheiro, que sufría atrozmente a mi lado, que repetía incluso los mismos gestos desesperados de dolor, aunque como siempre, con una impresionante cara de estar matándose de risa. No lograba creerlo, Chico: yo hablaba de dolor, las hemorroides pican, arden, y hasta le incendian a uno el culo, pero eso de doler, Martín.

—No sé, viejo, pero lo cierto es que a mí me han picado, ardido, incendiado, y que últimamente sólo me duelen, después de cagar. Acabas de comprobarlo. Chico: estoy bien, voy al baño, me duele mucho, y cuando salgo del baño el asunto se vuelve insoportable. Dura como una hora.

—¿Qué hacemos? Tu médico vuelve a fin de mes.

—Y yo parto, Chico, parto y no vuelvo a cagar más hasta agosto. No es el momento apropiado para contarte la historia de mi vida, pero créeme que tengo razones muy profundas para dejar *por completo* de cagar.

Chico se me puso a llorar a carcajadas, no lograba hablar, no podía controlar sus nervios, y su extrema bondad lo obligaba a sufrir tanto como yo. Parecía esos selváticos que se meten a dar de alaridos en una hamaca mientras su mujer va dando a luz, se había revolcado de pena y dolor mientras yo me daba de cabezazos contra las paredes y se había dado de cabezazos contra las paredes mientras yo me revolcaba en la cama. Y cuando le anuncié que era mi última cagada hasta agosto, por lo menos, se dio tal trompada en el mentón que casi se noquea solito: no podía soportarlo, él era culpable, él me había llevado donde un médico que me dejó por partir de vacaciones, sin tomar precaución alguna.

—No te preocupes, Chico —le dije una vez más, al despedirnos—, mientras no cague no pasa nada y no pienso cagar por lo menos hasta agosto. Además es inútil acudir donde otro médico, no hay tiempo, imagínate si quiere operarme o algo así.

Al cabo de dos meses tenía una impresionante barriga y la piel como que se me iba poniendo marrón, hasta la cara la tenía medio marrón, aunque siempre me repetía que eso era efecto del sol, de las horas que habíamos pasado en la playa. La verdad es que no habían sido tantas y que Inés no estaba tan marrón como yo, pero no, no iba a ser lo otro, no puede ser, sería demasiado ya. Me consolaba pensando que cada día me era más fácil no cagar, el terror al dolor me estreñía, más la costumbre, claro, el hombre es un animal de costumbres. Y me consolaba también orinando. Desaparecidos casi por completo los efectos secundarios del tratamiento, lograba mear muy fácilmente y era una delicia redescubrir ese viejo placer que en los últimos tiempos se había convertido para mí en fuente de mil incomodidades y en uno de los medios más logrados para perder o matar el tiempo, según el caso, o para llegar tarde a todas partes. Pensándolo bien, al cabo de unas semanas en España, recorriendo primero la Costa Brava con los Feliu, y bañándonos luego Inés y yo solos en San Sebastián, era un hombre nuevo, feliz, y secretamente heroico. Me lo debía todo a mí, al coraje con que había asumido mis decisiones, a mi creciente barriga, al colorcito ese medio marrón, en fin, a todas aquellas ligeras molestias que una mañana, en San Sebastián, me dieron el valor y el derecho de preguntarle a Inés en qué etapa de nuestras relaciones andábamos. Porque la verdad es que hacía tiempo que no nos llevábamos tan bien.

—No sé, Martín —me dijo—; para mí, más que una etapa, es una sensación extraña. Vivo como si ya no viviera contigo, y sin embargo me da mucha alegría descubrirte a mi lado a cada rato.

Jamás me he sentido tan incapaz de comentar una frase, como aquella mañana en San Sebastián. O no la entendía, no la quería entender, o simple y llanamente no había nada que entender. Y existía además la posibilidad de que estuviese cargada de contenido y de que fuese facilísima de entender. Pero, en fin, los hombres que no han cagado en dos meses son hombres felices y no se interrumpe a un hombre feliz. Olvidados los dolores de junio, desde el catorce de ese mes, había vuelto a hacer mía aquella divisa, aunque no sin darme cuenta de alguna oscura manera de que los hombres barrigonamente felices prefieren la ignorancia a la felicidad. Bah, Inés estaba reflexionando, sus reflexiones la mantenían contenta, mi presencia la alegraba en vez de molestarla, no tenía por qué preocuparme tanto: España estaba operando el milagro, y los amigos que nos esperaban en aquel hermoso pueblo de la Rioja alavesa servirían para consolidar el tratamiento reflexivo al que se había sometido Inés este verano.

Llegó guapísima a Laguardia. Qué lindo pueblo, fue lo primero que dijo, explicándole luego a nuestros simpatiquísimos anfitriones que no sabía qué demonios me estaba ocurriendo a mí en las últimas semanas, Martín era un hombre flaco, ahora cualquiera diría que está a punto de dar a luz, mírenle esa barriga. Hubo risa general, y felizmente ningún comentario acerca del color de mi piel. Pasamos, nos mostraron nuestra habitación, nos dijeron que ya acomodaríamos las cosas más tarde, y que viniéramos rápido a picar algo al salón, debíamos estar muertos de hambre después del viaje. Qué maravilla, pensé al entrar y ver todo lo que había estado contraindicado durante meses, quesos, embutidos, deliciosas botellas de jerez, whisky, ginebra y, en un rincón, una maravillosa discoteca llena de música latinoamericana, los mismos tangos que a mí me gustaban, el gran Carlitos Gardel, boleros de Los Panchos, toneladas de rancheras. No esperaba encontrar esas cosas en casa de un notario, pero ahí estaban, y ellos, Rafael y Nena, felices de compartir sus gustos con nosotros y yo más feliz que nadie porque la pastilla la tomaba por la mañana y por las noches podía tomar licor sin peligro alguno.

Al día siguiente, nadie pudo recordar a qué horas nos habíamos acostado. Ni mucho menos cómo. Fue una borrachera genial, con una pareja tan encantadora como los Feliu, con los más deliciosos vinos, con los cuatro malcantando tangos y rancheras en coro, y conmigo recordando al despertarme que me había acostado con ganas de cagar. Ahí estaban las mismas ganas, cuando abrí los ojos y empecé a desperezarme. Y ahí estaba también la vieja idea de que España me solucionaba todos los problemas. Más el hecho de que seguía un poquito borracho todavía. Más el hecho de haber pensado que con tanto licor todo debía habérseme licuificado adentro y que cagar, esta vez, cagar en España esta vez, podía resultarme tan fácil y agradable como mear.

Fui. El espejo del baño me mostraba sonriente y optimista. Me acerqué. Miré sonriente y optimista el primer wáter de taza en el que iba a cagar en siglos. Procedí muy de a pocos, unito primero, no vaya a ser que. Y una feroz punzada rayo y relámpago que partió del recto y terminó en el cerebro fue el principio del fin, pero si apenas he... Dicen que nunca se han escuchado alaridos tan espantosos en ese pueblo. Yo, en todo caso, jamás había visto a Inés bizquear de esa manera.

La distancia más larga que he recorrido en mi vida son los

quince kilómetros de alaridos que pegué entre Laguardia y Logroño, rumbo al consultorio del único médico que Nena y Rafael conocían por esos pagos. Nada menos que un urólogo ahora que ya orinaba con gran placer y tanta facilidad, pero qué se iba a hacer, cualquier cosa con tal de que me calmen las molestias que estoy ocasionando donde una gente que acabo de conocer. Había dicho perdonen, por favor perdónenme, detesto molestar, de saber que me iba a pasar esto no vengo, ha sido un exceso de optimismo, y como quien termina de pronunciar sus últimas palabras había insistido en que realmente detestaba molestar. En seguida decidí volverme loco un rato, a ver si lograba hacérmele el loco al dolor entre esa gente hasta llegar al consultorio, más que nada por no molestar.

A Culo, por lo pronto, le expliqué por qué me había arrodillado en el asiento delantero (sabía tan bien como yo por qué no me senté), y de espaldas a Logroño, ciudad a la que Rafael nos estaba llevando fierro a fondo. A Culo le hice saber que eso me permitía contarle cómo íbamos dejando atrás la dolorosa Laguardia, mientras él, animado por tan buenas noticias, podía ir calculando cuánto faltaba para llegar, basta con que le preguntes de rato en rato a Rafael en qué kilómetro estamos, qué velocidad llevamos, luego haces las divisiones, sumas, o restas que sean necesarias, porque es imprescindible mantener la mente ocupadísima en estos casos, Culo. A su vez, puesto que viajaba mirando hacia adelante, él sería el que gritaría ¡tierra!, y que era América, me avisas, por favor, Culo, fíjate que te he cedido el mejor lugar y que las estoy pasando pésimo por culpa de Inés que va sentada ahí atrás, que se me mete un dedo a la boca o se come una uña, no llego a distinguir bien por el dolor, y mira por la ventana o voltea a responderle algo a Nena y cuando lo hace pega la bizqueada padre en el instante en que sus ojos pasan por la zona que ocupo en el auto, ay Culo, si supieras que viajo aferrado de dolor al espaldar del asiento porque aferrarse de dolor a Inés es imposible y por más que hago no logro crear ni sentir ni imaginar siquiera que este espaldar es Inés, nada es Inés, Culo, lo peor de todo es que por más que te hablo hace horas que todavía recién estamos saliendo de Laguardia... Dicen que nunca se han escuchado alaridos tan espantosos entre Laguardia y Logroño.

Un urólogo y su enfermera, un notario y su esposa, y la bizquera de Inés, no podían creerlo: era una infección tan espantosa como mis alaridos, y poco o nada tenía que ver con las hemorroides. Chico Pinheiro, pensé, bastante aliviado por la inyección con que me habían dado la bienvenida en el consultorio, me jodiste, Chico Pinheiro, algo muy malo presentí en tu hospital cuando me clavaron aquella pieza de anticuario, ya ves, estaba sucia, hace más de dos meses que se me está pudriendo el mundo entero ese del aparato digestivo, intestinos, tubos, recto, ano, culo, qué sé yo, y ahora quién me opera, quién me desinfecta, quién acaba de una vez por todas con todo.

—Doctor —dije, recordando lo bien que iban las cosas con Inés hasta el alarido de Laguardia—, póngame por favor en manos de alguien que acabe de una vez por todas con todo.

—Lo de las hemorroides puede esperar un poco, señor Romaña.

—No, doctor, hoy mismo.

—Yo sería más bien partidario de unos antibióticos fuertes. La infección...

—Hoy mismo, doctor: antibióticos, infección, hemorroides y todo. Hoy mismo. Deme, por favor, la dirección y el teléfono del mejor especialista en hemorroides. Y el más limpio también, por supuesto.

—En todo Logroño sólo hay un proctólogo, señor Romaña.

—¿Sólo hay un qué? —intervino Inés, mirando preciosa al doctor. La gente nunca sabrá hasta qué punto se descomponía al mirarme a mí.

—Un proctólogo, señora.

—Un urólogo del culo, Inés —le expliqué, sonriendo optimista bajo los efectos de su belleza y bajo los efectos de la inyección calmante.

—Ya lo sé —cortó ella, despertándome a la realidad con la

550

mirada descompuesta que nuevamente me respondía—; lo que pasa es que no oí bien.

Luego se puso linda otra vez, para preguntarle al de las vías urinarias en cuánto tiempo podría ese proctólogo acabar con todos mis problemas, qué horror, por un instante temí que se le escapara que en cuánto tiempo podría acabar conmigo. Por favor, Martín, me dije, cuidado con los delirios, no es para tanto, un poco de escepticismo, si quieres, sí. Y hasta mucho, también, porque mira lo linda que se pone Inés al hablar con el médico, pero después te mira a ti y todo se vuelve qué fue de tu belleza, mujer, qué fue de tu hermosura. Sí, enorme escepticismo sí, Martín Romaña, te pasas la vida contemplando instantáneos desembellecimientos. Y sin embargo... Y sin embargo siente, siente cómo la adoras, Martín Romaña... En fin, ya estaba a punto de pensar, como Quevedo, polvo seré pero polvo enamorado, cuando escuché que el urólogo prefería no recomendarnos al proctólogo y decidí intervenir enfático, optimista, agresivo, y hasta oftalmólogo, porque si impongo mi opinión, a lo mejor a Inés se le serena la bizquera, a lo mejor me repite incluso la frase aquella de la playa en San Sebastián: Vivo como si ya no viviera contigo, Martín, y sin embargo me da mucha alegría descubrirte a mi lado a cada rato. Que ella viva sin mí, por qué no, pobrecita, su desastre la molesta tanto, mírenme nomás ahora tirado, podrido sobre esta especie de cama en Logroño, lindas vacaciones, pobrecita, y todavía tiene la bondad de decirme que le da mucha alegría descubrirme a su lado. ¡Demonios!, ¡qué importa que ella no viva ya conmigo!, ¡mucho peor sería que yo viviera sin ella! Pacta, Martín, lucha, júrate que esta misma noche estarás tirado en otra cama, en la del proctólogo, operado y hasta sin culo si es necesario, convence, Martín, agrede dentro del mejor estilo de ese gran psiquiatra que es José Luis Llobera, hazlo por él, sí, claro, pero a él le encantaría que lo hicieras también por su esposa, hazlo pues por María Teresa, por José Luis y por Inés... No, tal vez por Inés antes que por nadie, en fin, Martín, habla, basta con que alteres el orden, las mujeres primero, y a Inés le podrás siempre explicar que pusiste a María Teresa antes por una simple cuestión de edad, de cortesía, Inés, ¡habla, mierda!, estás temblando de nervios y no te vas a quedar toda la vida tirado bajo los efectos de una inyección...

—Doctor, no tiene usted por qué recomendarnos a nadie. Díganos a qué hospital dirigirnos y yo asumo todas las responsabilidades del caso. No quiero seguirle arruinando este verano a nuestros amigos y a mi esposa. Ni quiero tampoco arruinármelo yo. Para mí no hay otra alternativa, doctor: proctólogo en Logroño y hoy mismo.

Esa, ni el más grande de los oftalmólogos. Automáticamente en su sitio, perfectos, al mismo tiempo y con precisión de cronómetro suizo, los ojos con que me miró y me seguía admirando mi bellísima, mi otrora, y a lo mejor... Doña Inés del alma mía, luz de donde el sol la toma, dulcísima paloma... Resultado: la primera gran erección espontánea desde el Anafranil, la primera sin monjita, sin inyección, sin ayuda de nadie. Era feliz, por fin era feliz, ahí estaban juntas y revueltas la mirada de Inés y la serpiente encantada...

Nuestra civilización me impidió sin embargo dar rienda suelta a tanta felicidad en el consultorio de un urólogo. No podía pedirle a gente tan buena que se fuera, que me dejara solo con Inés, por favor, no podía decir tú quédate, Inés, ven y ven y ven, Inés, no, no podía. Pero sí podía postergar esa felicidad por unos días, dejar el culo en manos de un proctólogo en Logroño para que acabara de una vez por todas con todo, y por primera vez en mi vida serle a Inés lo que siempre quise serle a Inés: moderno, reconstruido, y suyo.

Seamos breves. Dijo la filosofía popular del tango, que no sé si es más popular por acertada o por popular, CONTRA EL DESTINO NADIE LA TALLA. O sea, pues, que la última vez en mi vida que vi a Inés mirarme sin bizquear, fue ésa. Y ésa fue también la última vez en mi vida que tuve una erección, con o sin monja, delante de Inés.

El hospital del proctólogo logroñés Fermín Garmendia no era hospital sino algo que no había oído mencionar aún en mi vida: un operatorio. Un camal es lo que era, en realidad, y a él ingresé en el excelente estado anímico que describo hasta llegar a lo del tango y su filosofía. ¿Cómo salí? Todos los tangos del mundo juntos no lograrían decir cómo salí. Pero vamos por partes. El carnicero de Logroño, hasta entonces doctor Fermín Garmendia, se daba el lujo de tener consultorio además de operatorio. En el consultorio se lo palabreaba a uno, y nadie más palabreable que yo, en ese momento, le probaba a uno lo urgente que era pasar ipso facto al operatorio, y nadie más operable que yo, en ese momento, porque.

Porque ¡aaaaaaaaayyyyyyyyyyyyyyyyyy!, a las seis y cinco estaba fatal. Porque ¡aaaaaaayyyyyyyyyy!, a las ocho y diez también estaba fatal. Porque ¡aaaaaaayyyyyyyyyyyyy!, a las nueve y cuarenta cinco no podía estar peor. Y así sucesivamente mientras yo iba dando alarido tras alarido, hasta que las cosas quedaron por fin bien claras. Sí, así fue. Había entrado al consultorio con Inés, Nena y Rafael, y el doctor Fermín Garmendia nos había recibido amabilísimo, asiento, asiento, por favor, señores. Y después, que me desnudara, que me preparara, por favor, y que sólo mi esposa podía acompañarme, en la salita de espera estarán cómodos, por favor, señores, sólo la esposa en estos casos, por favor. Porque el doctor Fermín Garmendia empleaba, para examinar las hemorroides en Logroño, la postura de ponerlo a uno calato y en cuatro patas sobre una mesa, delante de su esposa y en Logroño, alce y saque lo más que pueda el culo, por favor, con las piernas bien separadas, por favor, que se vea bien claramente la esfera, por favor, mientras la esposa de uno debía estar bizqueando como nunca. Porque el doctor Fermín Garmendia ponía en práctica, en Logroño, la proctológica teoría del reloj, mantenga el culo bien levantado, por favor, que consistía en detectar los puntos más delicados de unas hemorroides hundiéndole a uno el dedo en las horas y minutos más atroces de la esfera anal. Se me había pasado ya el efecto de la inyección del urólogo, y di de alaridos a las seis y cinco, a las ocho y diez, y a las nueve y cuarenta y cinco. Con el ¡aaaaaaaaaayyyyyyyyyyyyyyy! de medianoche, Nena y Rafael entraron despavoridos, y a nadie le cupo la menor duda: de cabeza al operatorio. Miré a Inés: estaba también como para operatorio, y sentí que me hubiera gustado aprender a bizquear. A bizquearme a mí mismo, si eso existe.

—El operatorio queda aquí nomás en la esquina —dijo el doctor Fermín Garmendia.

Lo tenía previsto todo, podía haber casos tan urgentes como el mío, para qué tenerse que atravesar media ciudad, aquí basta con caminar un minuto. Y en un cuarto de hora, la operación, ya verán, y en media hora estaría saliendo como nuevo del quirófano. Que fuéramos, que lo esperáramos allá un ratito mientras las enfermeras lo iban preparando todo, él iba a darles instrucciones por teléfono porque aún tenía un caso rápido que atender.

—Doctor —dije, asumiendo mis heroicas responsabilidades—, hace más de dos meses que no voy al baño; el dolor...

—¡Qué bien que me lo haya dicho usted! ¡Le daremos una habitación con baño! Y ya verá usted cómo mañana o pasado ni dolor, ni miedo, ni nada. Voy a dar instrucciones: habitación con baño para el amigo del señor notario don Rafael.

Cómo no ibas a estar así de barrigón, me dijo Inés, no bien salimos a la calle y empezamos a caminar con Nena y Rafael hacia el operatorio. Traté de explicarle por qué me había abstenido tanto tiempo, pero la acusación tan severa que me hizo, minutos antes de la operación, de seguir tomando siempre las decisiones más infantiles, me desconcertó lo suficiente como para dejarme sin tener nada que decir. Y al entrar al operatorio no me quedó más remedio que reírme con todos cuando Inés, cambiando súbitamente de tono, dijo que hacía tiempo que le venían preocupando las dimensiones de mi barriga, qué horror, qué tal tonto, Martín, cuándo dejarás... Mírenlo, cualquiera diría que está embarazado.

Maldita premonición la de Inés al decir esas cosas. Maldita operación la del carnicero de Logroño. Y maldita la mala suerte que, en efecto, me llevó más tarde a una especie de cesárea en el culo para extraerme una monstruosidad de caca y de dolor. Todo empezó, o siguió, mejor dicho, esa misma noche, en el preciso instante en que me durmieron y me hicieron sabe Dios qué, para sacarme el dinero de turista despistado que el carnicero de Logroño imaginaba en manos del amigo de un notario. La bestia esa tenía realmente la manía del reloj: prometió que dentro de un cuarto de hora me operaba, que dentro de media hora ya estaría operado, y treinta minutos después fui transportado profundamente dormido a mi habitación con baño.

Desperté a la mañana siguiente, y empecé a notar cosas de lo más extrañas en mi habitación con baño. A cada rato un tipo en pijama o en camisón de enfermo golpeaba suavemente a mi puerta, entraba, me sonreía, como quien dice permiso, giraba a la derecha y se instalaba a cagar en mi baño. Cerraban, por lo menos, pero la mitad superior de la puerta era de vidrio, y la vista desde mi cama era la de caras satisfechas, caras atentas a la lectura de un periódico, o las que pone la gente que tiene la costumbre de fumarse el primer cigarrillo del día cagando. Y yo ahí viendo todo eso, qué hacer, por qué se metían a mi baño. El doctor no tenía cuándo visitar a su operado de anoche, Inés, Rafael y Nena, habían regresado a dormir a Laguardia y no vendrían antes del mediodía. Estaba a punto de tocar el timbre, cuando apareció amabilísimo el hijo de puta de Fermín Garmendia.

Me encontró perfecto, no podía estar mejor, ahora un buen régimen de pura fruta y legumbres para que se le afloje el estómago, un laxante incluso, y con sólo ver a la gente que entra a su baño empezará usted a sentir ganas...

—Doctor, pero yo no quiero que cada cinco minutos...
—El reglamento, mi querido amigo...
—¿Qué reglamento, doctor?
—El reglamento, mi querido amigo: el único que hay. Ya pasaré más tarde a ver cómo sigue esto.

Me enteré por la señorita que vino trayéndome un desayuno helado, sucio, y pésimo: mi habitación no era *una* habitación con baño, era *la* habitación con baño, la única habitación con baño de todo el *operatorio*. Y eso era lo que el carnicero de

Logroño llamaba el reglamento, claro, el *único* reglamento que hay. Desde mi cama, según ese sinvergüenza, tenía que irme animando a cagar, a punta de ver a los demás meterse a mi cuarto y a mi baño. Inés, Nena y Rafael vinieron a acompañarme a almorzar. La comida les dio asco, lo del baño lo encontraron infame, nos habían hecho creer todo lo contrario, no sabían qué hacer, con razón que el urólogo...

—Es el tipo de cosas que le suceden *siempre* a Martín y *sólo* a Martín —soltó de golpe Inés, desconcertándome hasta a mí, porque era la primera vez que le bizqueaba también el tono de voz: se le quedó a medio camino, y completamente indeciso entre el odio por el médico que me había puesto en semejante situación, y aquel otro odio mucho más complejo que sentía contra el odio y el hartazgo que algún día fueron ternura, y que hoy era lo que brotaba en ella al no poder ni siquiera echarme la culpa de estar ahí y así.

—Me van a dar laxantes, además de estas frutas y verduras medio podridas, Inés. Ten la seguridad de que mañana voy al baño y de que muy pronto nos largamos de aquí.

Pero al día siguiente me encontraron dormido. Y desde entonces casi siempre me encontraban dormido, me imagino, porque en todo caso yo nunca los veía o a veces a duras penas lograba intuirlos entre el placentero sueño que me producían las inyecciones. Pedía unas doce al día. Sí, más o menos, cada dos horas me despertaba el dolor, y mañana, tarde, y noche, llamaba a la monjita para que me pusiera otra de las inyecciones que le había indicado el médico. O sea que eran unas doce cada día. Empecé a ponérmelas la segunda mañana después de la operación. Me había despertado al amanecer, dispuesto a cagar y a largarme de ahí. El recuerdo de los dolores pesaba mucho y también el hecho de estar recién operado. Sabía lo que podía llegar a ser ese dolor, y ahora con la operación, a lo mejor... Pero triunfaron el deseo de salir de ahí lo antes posible, y la convicción cada vez más profunda de que Inés había venido una vez más a reflexionar en España. Odiaba al médico, pero más me odiaba a mí porque metiéndome siempre en esos líos la hacía sentir odio por sí misma. Vamos, Martín, me dije, apúrate, no tarda en entrar alguien y te gana el baño. No te vas a pasar la vida tirado en una cama y viendo a los demás cagar... El alarido más fuerte que se había escuchado jamás en ese operatorio empezó pero no acabó: me recogieron desmayado y con el culo bañado en sangre.

Desperté con el carnicero al lado diciéndome que no tenía por qué preocuparme, todo iba muy bien, pronto, muy pronto, defecaría, había quedado por ahí un poquito de infección y nada más, habría que ponerme un pequeño dren y nada más. Y en cambio tenía las inyecciones: ahora mismo la madre le va a poner una, y cada vez que sienta usted la menor molestia, pida otra y se la traen inmediatamente... La menor molestia de la que hablaba la bestia ésa era un espantoso dolor que me despertaba aterrado cada dos horas. Pegaba un grito, y la monja llegaba corriendo con la inyección lista. Desde el principio fue igual: un hincón bastaba para que el dolor ya se hubiera ido, un sueño delicioso se me venía encima, una sensación muy agradable me envolvía mientras empezaba a adormecerme, no debía durar más de algunos instantes pero yo sentía que duraba horas y horas.

Catorce días después los Feliu aparecieron en Laguardia, dijeron que a ellos la cosa les parecía un poco extraña, bastante larga, en todo caso, y antes de juntarse al trío que me visitaba mientras dormía o dormitaba, cada día, esperando que las cosas vuelvan solas a su cauce normal, según palabras del doctor Fermín Garmendia, pidieron cita para hablar con él. Se la dio a la una en punto, en mi habitación, y ahí me encontraron todos sentado, sonriente, inmundo, y jurando que no volvía a cagar en el resto de los días de mi vida.

—Fue sólo una ligerísima complicación —dijo el carnicero de Logroño.

—¿Cuánto tiempo más se tiene que quedar? —preguntaron impacientes Mario y Josefa Feliu.

—Una semana. Es sólo una cuestión de seguridad e higiene; basta con que cada día desinfecte un poco...

—¿Y entonces por qué no va al baño? —preguntó Inés.

—Eso pregúnteselo a él, señora. No defeca porque el otro día se asustó...

—No, doctor —intervine—; no se trata del otro día, sino de que el otro día *además* de bañarme en sangre, me desmayé de dolor...

—Se lo he repetido mil veces, señor Romaña, fue un pequeño accidente y ya pasó.

—Yo estoy seguro de que no ha pasado.

—Señor Romaña, usted mismo me ha dicho que cada día le duele menos, cuando han transcurrido las dos horas de la inyección.

—Doctor —intervino Josefa—, si usted dice que no necesita más que una ligera desinfección, cada mañana, ¿no piensa que podríamos llevarlo a Laguardia y traerlo cada día para que lo examine?

—Como ustedes deseen, señora.

—Nos lo llevamos —dijo Inés.

—Bueno —dije—, pero que primero me pongan una inyección. Tengo miedo de que duela con el movimiento del carro.

—Madre —llamó el carnicero de Logroño.

Me estaba quedando dormido cuando le escuché decir que les iba a entregar la cuenta, también los calmantes y las medicinas que podrían hacerme falta, y que viajaría más tranquilo a Laguardia bajo los efectos de esa inyección. Me despertaban a medias, al vestirme, y hubo un momento en que escuché a los Feliu dar de gritos porque al fin habían aparecido mis zapatos, ¡olvidados dos semanas en el quirófano!, ¡quién limpia esto!, ¡por eso hemos decidido sacarlo!, ¡la calidad de la comida!, ¡la inmundicia del lugar! Y en algún momento Inés les estuvo explicando que las cosas habían ocurrido demasiado rápido, era cierto que el urólogo lo había desaconsejado, pero ahí quién entendía nada de nada y yo había insistido tanto, no hubo más remedio. Me despertaba a cada rato en el camino a Laguardia, y era muy extraña la sensación aquella de escucharlos hablar de mí como si no estuviera en el auto, la mala suerte que tenía, qué me habían hecho esta vez, me pasaba cada cosa... Inés me cogió la mano y yo sentí el efecto de una inyección bajo el efecto de otra inyección, por nada del mundo abrí los ojos, ¿y si la encontraba bizqueándome al haberme tomado la mano? Fue una delicia quedarse dormido así.

Y una gran tranquilidad despertarse llamando a la monjita. Pero entró Inés y me confundí mucho con eso de estamos en Laguardia y debes haber estado soñando con la monja, Martín, ¿te duele?

—No, no me duele, pero *por favor* dile a la madre que venga rápido.

—Pero si no te duele, Martín...

—No te metas en lo que no te importa, Inés. Llama a la madre y dile que me ponga mi inyección en el acto.

—¿Estás bromeando o qué, Martín?

Entonces yo le dije que por favor no bromeara porque me estaba poniendo muy nervioso y le mostré mis manos temblando peor que mi cuerpo.

—Apúrate, Inés, porque si sigues en ese plan voy a tener que llamar a Josefa para que le avise a la madre.

Total que llamé a Josefa y nada de monjita porque, al igual que Inés, estamos en Laguardia, Martín, pero dinos qué quieres y te lo traemos inmediatamente. Pedí que llamaran a Nena para que ella me llamara a la monjita.

—Pero si aquí estoy, Martín —dijo de pronto, Nena—: aquí estoy y no hay ninguna monjita ni ninguna enfermera. Estamos en mi casa, muchacho.

Y entonces aparecieron Rafael y Mario también con cara de estar ocultándome a la monjita y también la puerta de la habitación, como si quisieran encerrarme, y no tuve más remedio que decirles nerviosísimo y ya sollozando, porque detesto molestar, más la pena horrible que aumentaba la angustia y el frío espantoso, miren, o me llaman a la monja en el acto o voy a buscarla yo.

En realidad, esta última parte fue una sarta de alaridos que di al pasar incontenible entre el grupo aterrado, ya ni buscaba a la monjita, buscaba los muebles que encontraba a mi paso para irlos destrozando y destrocé el vidrio de una enorme ventana y había un ómnibus abajo, rugiendo en el camino que entraba en subida al pueblo, no me dolió caer contra el ómnibus y seguí buscando a gritos por los campos de la Rioja alavesa que atravesaba en pijama, gateando como loco a cada rato porque se me caían los pantalones y me enredaba y rasgaba la tierra con mis manos cuando me revolcaba semidesnudo. Comí barro. Salí disparado a comer barro más lejos porque tirado en los campos, vi que me seguía la pareja de guardias civiles del pueblo. Y por otro lado venía mucha más gente que también decidí matar a punta de unos alaridos muy profundos y negros en cuyo fondo relampagueaba a veces una monjita poniéndome una inyección imposible en París y otra monjita poniéndome una inyección imposible en Logroño y otra monjita poniéndome una inyección imposible en Laguardia y como todo era imposible yo iba a matar y ellos se acercaban porque yo continuaba tropezándome por culpa del pantalón y por eso me lo quité, así desnudo se lucha mejor, aunque se me caían una tras otra las piedras que trataba de arrojar. En cambio la palabra cacanacas era enorme y tenía toda la fuerza del mundo. Jamás me agarrarán, el alarido cacanacas no se me cae por nada del mundo y tiene toda la fuerza del mundo.

—¡Cacanacas! ¡Cacanacas!

Me despertaba sobre un sofá. Lo que estaban haciendo Rafael y Mario eran mil llamadas telefónicas. Hablaban de mí en voz baja. Era la sala, en la casa de Laguardia. Me despertaba sobre un sofá y estaba viendo a la tristeza primero sobre una alfombra, en unas copitas de cognac más arriba, después en dos sillas y un sillón a mi lado, con mucho silencio y miradas. Estaba viendo a la tristeza en unos zapatotes de guardia civil sobre una alfombra. Subí por las piernas sucias de tierra de los campos de la Rioja alavesa en los dos uniformes y llegué hasta los brazos. Me detuve en la fuerza con que golpeaban unos puños que descansaban ahora en unas copitas de cognac. De qué me valía entender. Detuve mi mirada en la tristeza de la silla de enfrente, una punzada antigua y misma bizquera de Inés siempre.

—No te abandonaremos nunca, Martín —dijo, de pronto, Nena, tan triste en su sillón.

Fue espantosa la pena que me causó. Pero para llorar, ese día, para el balance de lo de Inés, de lo que me estaba ocurriendo y de lo que me iba a ocurrir, pues ya sabía lo que me iba a ocurrir, cualquier cosa, escogí la tristeza que había en la ternura que había en la mirada que había en el silencio de Josefa. Siempre sentí predilección por su alegría y la dulzura de su voz. Hoy me tocaba, pues, sentir predilección por su tristeza y su silencio. Los guardias civiles se retiraron, y cosas como saber si se han ido con las copitas de coñac en la mano, o no, no se imaginan la fuerza con que ahondaban el infinito estar llorando en ese sofá, en ese salón. Por fin me habían capturado, no me mataron por ser amigo del notario, no me maté al saltar por una ventana del segundo piso porque la casa de Nena y Rafael daba al camino que subía al pueblo y yo caí sobre un ómnibus que llegaba y en el techo reboté, amortiguando así el golpe. La versión oficial, anunciada por el alcalde, el cura, y la pareja de guardias civiles, fue la que el mismo pueblo inventó: el extranjero había bebido mucho, a lo cual no tiene costumbre, porque en estas tierras el vino es muy bueno, y resulta que después enloqueció porque su señora esposa se negó a acostarse con él en ese estado. Todo se iba cocinando en Laguardia mientras tú me acariciabas la cabeza, Josefa, y Rafael por fin había encontrado un psiquiatra en Logroño y yo te lloraba infinitamente porque me había despertado viendo a la tristeza, yo que siempre sentí predilección por tu voz, por tu alegría...

En Logroño me tendrán que perdonar, pero aparte de aquel caballeroso urólogo, que debió de ser un poco menos caballero y decirme bien claro que el proctólogo de Logroño, de carnicero todo pero de proctólogo nada, no logré conocer un solo graduado de Facultad de Medicina que la acertara conmigo. Y en cambio cuando fallaban, por poco no me fallaba la vida.

Yo seguía llenando los mares con mi llanto cuando llegó un psiquiatra que dicen que era el mejor psiquiatra de Logroño,

561

cosa que él dejaba decir mejor que nadie. Llegó vestido dentro de la elegancia que él creía que era la mejor, y yo la peor, algo con mucho fondo azul tipo cielo de película de Vincent Minelli, al atardecer. Llegó al atardecer y con muchas sienes plateadas, un poco porque eso le gustaba y otro poco porque aunque seguía creyéndose el mejor buenmozo de Logroño, también él entraba al atardecer de la vida. Pero él sentía que entraba mejor de azul.

Ustedes se preguntarán: ¿Pero cómo hace Martín Romaña, que anda tirado ahí tan mal, para fijarse en todo esto? ¿Y cómo hace para contárnoslo de pronto así? Es que ustedes no saben hasta qué punto este personaje interrumpió mi llanto infinito. Nadie mejor que él para secarle a uno regiones enteras de pantanos interiores, de tristeza y ríos profundos. Se descuida uno y le enjutan, de enjuto, el alma. Verlo nomás era una ofensa contra mi venerado José Luis Ílobera. Era un tipo con feroz tendencia al fondo azul, ropa azul por todas partes, y exceso de equipaje en los zapatos blancos. El se sentía no sólo bien sino mejor así, pero mejor no se hubiera vestido. Y mejor no hubiese venido tampoco. Verlo entrar era una ofensa contra mi venerada María Teresa, esposa de ese gran psiquiatra José Luis venerado. María Teresa jamás le hubiera perdonado tanta falta azul de elegancia. Era un cretino *blue dipinto di blue* y nunca se había sentido mejor siempre.

—Ha llegado el psiquiatra —bizqueó Inés, anunciosa, y como si a mí el llanto me impidiera enterarme de ciertas cosas que años más tarde podrían serme útiles para escribir un libro así.

Más azul no podía estar que había llegado el psiquiatra. Pero ustedes saben también hasta qué punto detesto molestar. Además, afuera estaba bien instalada la pareja de guardias civiles, con tendencia a golpear en campos de la Rioja alavesa. Me era pues imprescindible aceptar los cuidados de Mejor. El empezó tocándome una muñeca y yo recibiendo tremenda descarga eléctrica con muchísimos nervios, secreción en chorro de adrenalina, y renovada tendencia a salto por la ventana, según pude observar, en el interior de mi angustia. Era como entrenarse en el inconsciente, inconscientemente, porque detesto molestar.

—Detesto molestar —me dije, en voz alta, pero para mis adentros.

—¿Cómo? —preguntó Mejor, interesadísimo por las buenas reacciones que su buenmozía operaba en sus pacientes.

—Siga azul —le dije, en voz alta, para mis adentros, en los que acababa de instalar una silla de director de cine de tela roja y madera color madera.

El me seguía explicando muchísimas cosas, pero yo era Vincent Minelli, porque Vincent Minelli era la última novedad en materia de no molestar a nadie y de soportar tanta tortura echado en un sofá bajo una mirada que sale de entre un montón de sienes plateadas. Lo malo es que el ecrán como que empezaba a crecer, se me acercaba, y de pronto hasta me estaba tocando. Vincent Minelli abandonó angustiosamente su silla roja y yo me quedé sin fondo azul, luna de plata, música de fondo, Edward G. Robinson, y un montón de efectos secundarios de primerísima necesidad. Empecé a temblar, a pensar mucho en la monjita, y a no creer en la existencia de la Guardia Civil. Hice lo posible, para mis adentros. Me concentré incluso a fondo en la monjita de París y en una inyección para erecciones, pero otra vez se me metió por los palos la angustia ventanal.

—Ya no aguanto más otra vez —dije, tratando de explicitar la mayor cantidad de angustia sin monja posible.

Jalisco nunca pierde, debió pensar el Danubio azul de Logroño, porque ipso facto anunció un tratamiento Mejor que estar preguntándome cojudeces al atardecer. Hipnosis. Anunció nada menos que hipnosis. Pidió que se me quitaran zapatos y calcetines de reojo, para que la angustia no se fuera a dar cuenta, y le explicó a Inés lo Mejor que pudo cómo debería ir frotando en rodajitas el maléolo derecho y el maléolo izquierdo de su respectivo esposo, que resultaron ser unos huesitos que me enseñaron en tercero de secundaria, pero no le explicó a la señora tan guapa y tan sudamericana cómo se sucumbía por él en Logroño, porque eso la joven señora ya lo tenía que haber notado y azul. Las rodajitas frotativas sudamericanas instaurarían en mis pies una paz complementaria a la que él, rodajeándome los párpados cerrados, iría conquistando en la región más elevada del ser humano, sudamericanos incluidos, en este caso más bien el culo que el cerebro, perdón colores patrios, con bandera de expedición española en nevada cumbre andina y todo. Cerré los ojos, pero sólo para mis adentros. Y para los efectos de este libro ahí están un psiquiatra huevón y la bizquera de Inés frota que te frota. Hasta que lograron ponerle los nervios de punta a la angustia.

—¡Barcelona! ¡José Luis! ¡En el acto! —aullé, arrasando en mi autopista a la ventana íntegro el azul de Mejor, que después cobró un ojo de la cara por el daño que *yo* le hice a él. ¡Qué tal concha!, yo que tan sólo había logrado ponerle un ojo azul con una noqueada que ni siquiera me desahogó de la que me infringiera Bryce Echenique.

Rumbo a la ventana, aterré también a Inés. La aterré con bizquera y todo, fíjense ustedes jamás se me habría ocurrido, jamás me habría sentido capaz de algo semejante, y a estas alturas de la vida, Martín Romaña. Pero no la toqué. Que conste que no la toqué. Que me perdone el Movimiento de Liberación de la Mujer, pero no la toqué porque yo a las mujeres no les pego ni con una flor. Es parte de mi conducta general en este mundo que es así. Detesto molestar, y pegarle a una mujer, en el supuesto caso de que tuviera una flor y una mujer, sería como molestarme yo mismo a mí mismo, o sea varias veces molestar. No, eso jamás. E incluso, en los peores momentos de nuestra crisis conyugal, que fueron todos, yo más bien sentí toneladas de instinto paternal procreador.

—Inés, tengamos un bebe —le decía, lleno de pasión, le rogaba llenecito incluso de inyección erectiva—. Nadie más maternal que tú, Inés.

Y pensaba, pero claro que no se lo decía: ¿Qué mejor ejemplo quieres que yo, mi amor? Ni pantalones logro llevar. Sigo en pañales.

Y nunca sentí celos de que otro niño pudiera ocupar el lugar preferencial donde tan mal pasaba las crisis que eran todas. Ya ven, mejor esposo no se podía ser en un caso como éste de fracaso total, pero Inés erre con erre de Cabreada en Castilla la Vieja terca.

—Déjate de sentimentalismos, Martín. Un bebe no cabe en una mochila en ningún tipo de lucha marxista-leninista por el poder.

Esto último es tan sólo una manera de contar las cosas, pero de gran utilidad si se desea ser muy breve, por la gran cantidad de connotaciones que trae. Lo explica todo. En fin, el bebe nunca llegó a París, y yo me he quedado pensando para siempre, cuando bebo —de bebe— el quinto whisky de la tarde, en punto, que juntando todas, todas las cualidades mil de Inés, con mis innumerables defectos incorregibles, habríamos logrado tener un bebe incluso más hermoso que ella, de ser verdad tanta belleza, y no digo más porque detesto las generalizaciones y aquí no estamos en la página 565 de un tratado de marxismo.

Pero volviendo al Movimiento de Liberación de la Mujer y de las flores, yo siempre que puedo le regalo un clavel a una mujer, lo cual es una de las cosas más difíciles que hay, porque en los restaurants siempre le cae a uno una florista llena de rosas y sin ningún clavel. Y las mujeres no me entienden cuando les explico que en la familia Romaña tiene que ser un clavel, en memoria de un ingrato recuerdo muy elegante. Me miran como si fuera un avaro, lo que es peor, y como si fuera poco romántico, lo que es mucho peor, cuando yo lo único que trato es de mantener despierto el espíritu de familia para tener una bonita anécdota que contar.

Cuento, pues. Yo a las mujeres les regalo siempre que puedo un clavel (sonrisa de la chica aunque algo forzada porque la florista sigue esperando con la mirada llena de rosas). Les regalo siempre que puedo un clavel en el ojal porque tuve un abuelo, de aquellos que usaron mis abuelos, pero que se arruinó de presidente de país latinoamericano (incredulidad histórica de la chica). Tan tremenda excepción a la regla, siempre lo he pensado, merecería ser bajada del árbol genealógico y más bien colocada en el árbol que le corresponde, por animal. (Aquí se sonríe hasta la florista llena de rosas impacientes.) Entre otras cosas inútiles para la economía del país, el elegante abuelo mandó traer, no se de dónde, los primeros claveles que se usaron en las historias latinoamericanas de cuando no había Movimiento de Liberación de la Mujer, historias en las que se podía ser valiente, cortés, y quitado (muchas floristas se van, a estas alturas, pensando que he bebido demasiado y pobre chica). Por eso yo, siempre que obsequio un clavel, derramo una lágrima al pagarlo, y me aterro al imaginar que terminaré tan en ruina que me declararán patrimonio nacional en el Perú.

Bueno, me fui un poco por las ramas, entre claveles y abuelo, pero esto ha dado tiempo para que Mario se comunique con José Luis Llobera y le cuente que yo acabo de arrojarme por segunda vez a la Rioja alavesa, aunque ahora con un pijama nuevecito, prestado, limpio, de pantalones muy bien amarrados, y por una ventana en la que me esperaban ansiosos con tendencia represiva, cuatro brazos beneméritos y ninguna copita de cognac, ante la sorprendida mirada de los bueyes que andaban de paso por aquellos campos.

Me asfixiaron a muerte y me colocaron en el mismo sofá de siempre, no sin antes haber desalojado a Mejor, azul y algo noqueado aún, que se estaba quejando bastante poco para lo que me hubiera gustado, de un hematoma *blue* entre muchísimas sienes plateadas con un whisky en la mano.

—Quédese callado que están hablando por su bien con un médico de Barcelona —me explicó un benemérito, desasfixiándome un poco, y metiendo las cuatro en lo que se refiere a Mejor de Logroño, porque el pobre no había logrado hacerme bien alguno, y sí mucho daño, pero tampoco había por qué decírselo tan delante de su hematoma y en pleno whisky con hielo y sin agua.

Mario habló:

—Pregunta José Luis que si al salir del operatorio le han entregado las inyecciones que lo calmaban...

—Sí —contestó el coro femenino de la tristeza.

—Sí, se las han entregado con el resto de los medicamentos

—confirmó Rafael, por la larga distancia médica que tanto conmovía a uno de los beneméritos. Escuchó un instante más, y dijo que fueran a ver qué inyecciones eran.

Las tres mujeres se pelearon por ir a ver con gran cariño. Tanto, que tuve que rogarle a Josefa que se quedara para acariciarme la cabeza porque temía quedarme sin tristeza, ya que la angustia corría a manos de la Benemérita, como hemos visto.

—Dolantina. Se llaman Dolantina —dijo Inés, de regreso, bizqueándole a una cajita blanca y roja como la bandera del Perú, que traía en la mano.

Rafael repitió Dolantina y José Luis empezó a dar de gritos en Barcelona. Se le oía clarito en Laguardia. Estaba furioso, pero uno es tan egoísta que aun así era un verdadero placer escucharlo al cabo de tanto tiempo. Escuchaba palabras como ¡Estupefacientes! ¡Drogado! ¡Morfina! Algunas me han resultado de gran utilidad para este libro. Recuerdo, por ejemplo, ¡Carnicero!, y ¡de Logroño!

Se requiere de poca imaginación, en las vidas exageradas. Incluso a veces ambas cosas son una sola, casi, y la gente las confunde y después lo confunde a uno toditito con las cosas que uno imagina durante su vida, y entonces lo difícil que resulta vivir en un mundo con una falta de imaginación tan exagerada.

Los teléfonos colgaron, los beneméritos ya no me asfixiaban pero ni un poquito siquiera, y Mejor de Logroño se me acercaba con la cajita rojiblanca como la bandera del Perú emocionante. Yo continuaba echado en el sofá al que solía traerme la Guardia Civil, pero con la facilidad de los viejos tiempos había decidido volverme loco un rato para calmar la angustia anterior al efecto de la Dolantina, linda palabra que merecía figurar en la poesía al lado de otras como clementina, que no me suena a nada pero me gusta, argentina, que con minúscula es una forma muy rubendarío de tener la voz, entre las mujeres, y con mayúscula es sinónimo de che, palabra ésta tan útil, cuando uno no sabe qué decirle a un argentino y quiere caer bien. Dolantina, analgésica y espasmolítica, con receta especial de estupefacientes, en doce ampolletas al día, cuando a uno le quedan míni-

567

mo doce para el día siguiente, cada día, debería, creo, en la lengua española, reemplazar a la horrorosa palabra brillantina, de la que se abusó en una cierta Argentina, en la que Libertad Lamarque cantaba en el cine, bueno, yo sólo la vi en el cine, con voz argentina. Existe también Armandina, pero no. No hay voz armandina ni quiere decir tampoco mujer de Armando, puesto que el mundo no ha llegado a esos extremos de falocracia masculina. Perdonen, pero en la vida exagerada de Martín Romaña todo será posible y hace rato que decidí volverme loco un rato y por algo será que he hablado de falocracia masculina como si existiera una falocracia femenina. Recuerde el lector dormido, avive el seso y despierte, que por ahí se descolgó ya Inés con algo de eso y mucha premonición cuando habló de mi barriga, que sigue llena de cacanaca, parece de 9 meses de embarazo 9. *Because baby is coming.* Existe, pues, Armandina, y debe figurar en todo viejo álbum familiar con cara de tía bisabuela y pelo alto recogido en moño enternecedor. Entre mi familia, sin embargo, hay una tía llamada solamente Armand*ita,* lo cual no hace efecto con Dolant*ina,* o sea que hay que descartarla, y en cambio la pobre Armandina no figura en álbum familiar alguno y siempre está en la cocina aguantándole capricho y medio a mi madre y preparando los mejores tomates rellenos del mundo y unos biftecs apanados al máximo arte de ahorrar para el whisky de la señora.

Me hincaron y le saqué la lengua al hematoma azul, para mis adentros, porque andaba muy feliz y cada vez me sentía más hincado, rápidamente. José Luis había gritado que a mí con doce inyecciones al día, a lo largo de dos semanas, me habían puesto el brazo de oro, y que me trajeran en el primer avión que saliera de donde fuera a Barcelona, y que mientras tanto me pusieran tantas inyecciones cuantas ventanas había en la casa. Ya en el Frenopático de Barcelona él se encargaría del resto. Me hincaron varias veces más, porque no había avión hasta el día siguiente a las doce meridiano. Fue así como volé hasta esa palabra tan frenopática y tan increíble que quiere decir un manicomio enorme en Barcelona.

Inés me miraba aterrada, durante el vuelo, por la cantidad de ventanas que había en el avión. Ya nadie confiaba en mí. Puede ser tan agradable el que nadie confíe en uno. Me acariciaban Inés, Nena y Josefa, cada una un ratito, para que no me fuera a hartar de tanta caricia con solista, era muy capaz de concentrarme nuevamente en las ventanas, qué nervios, por Dios. Inés había venido a acompañarme aterrada, porque antes de partir le pedí llorando que se pusiera anteojos negros, tan negros que no pueda verte la bizquera más que por los costados o haciéndolos trizas, mi amor. Nena y Josefa habían venido aterradas para acompañar a Inés y para acariciarme cuando me cansaba del turno anterior. Mario era el hombre fuerte. Nos llevábamos perfecto. Me había explicado durante el largo camino al aeropuerto que tenía que portarme muy bien si quería llegar a Barcelona. Me habían hincado lo suficiente. Tenía que poder disimular. Fuerza, muchacho, me decía, yo le respondía con un llanto bajito, lento e intenso, en forma de resaca de todo lo vivido. Rafael se había quedado en Laguardia, cubriendo la retaguardia. A él le tocaba ver que sólo circulara la versión oficial del incidente. Gracias a Dios que los notarios dan y reciben fé, porque en el pueblo no faltó un envidioso para exclamar en plena plaza ¡qué amigos los que se gasta el señor notario!

La aeromoza se me acercó a ofrecerme un trago, e Inés me acarició la cabeza como loca. No había manera de mantenerse bien peinado con tanta mujer acariciándole a uno la raya un poco a la izquierda delante de una señorita de Iberia con su bandeja. Me acordé de cuando nada de esto me iba a suceder nunca, en mi temprana adolescencia: cada vez que sacaba a una muchacha a bailar, literalmente imaginaba una vida entera con ella. Por eso, cuando la aeromoza me invitó a bailar, leí con profunda emoción en su mirada su incontenible deseo de vivir toda una vida conmigo. Entera. Porque la pobre no sabía en lo que se metía con un tipo como yo, era mi obligación decírselo, terminaría destrozada. No encontré mejor manera que arrancarle los anteojos negros a Inés.

—Mire, mire señorita cómo la he puesto. Cuánto me gustaría poderla complacer cuando Inés me abandone, pero mire esa bizquera, a usted no le gustaría, a quién le puede gustar. Gracias, gracias sin embargo...

La abracé por las caderas con profundo llanto porque el cinturón de seguridad no me dejaba llegar más arriba. Creo que pude haber llegado un poquito más arriba, pero tres pares de caricias me cayeron en la cabeza hundiéndome en una tristeza infinita por esa especie de ensayo general de Octavia de Cádiz, que hace tiempo que no se me aparecía.

Me dio una pena sin nombre que Octavia de Cádiz no estuviera en su playa ahí en el avión con sus piernas que a mí me divertían tanto, pero quise portarme lo mejor posible con mis amigos y opté por preguntarles a qué hora llegamos, por favor, porque ya está empezando otra vez la cosa esta que no es la emoción más triste.

—Ahora mismo, Martín —dijo Mario.

Y ahora mismo habíamos llegado, yo llorando, pero buenísimo, a un pabellón muy blanco, con muchas monjitas muy blancas, en lo que parecía ser un Frenopático muy blanco. Tuve sed y me la adivinaron, pero no me adivinaron el color. El amarillo del jugo de naranja iba pésimo con el color blanco Frenopático. El amarillo en el Frenopático era blanco de todas mis angustias, y de pronto tuvo una mosca que, pataleando negrita entre las olas tembleques, se burlaba como loca de mí en pleno color amarillo.

Empotré a una monja en un armario, hice desaparecer a Inés, Nena, Mario y Josefa, e hice aparecer a los mastodontes que se encargan de los locos furiosos en las bocas de lobo sin monjitas de todos los Frenopáticos. Eran un poco como los de la Benemérita, pero el uniforme tiraba más a carnicero y estaban mucho mejor equipados. La fuerza bruta era más o menos la misma, aunque aquí con más judo, y además con unas camisas de fuerza marca Houdini que lo anulaban a uno por completo con dolor. A su lado uno no era más que un bulto por el camino con Inés mordiéndose todas las manos llenas de dedos y horrible espanto. Aterrada en un rincón Inés bizqueaba cada vez más lejos y yo aullaba cada vez más fuerte, como si eso nos acercara...

—¡Culo culo culo!, aullaba, pensando que nada ni nadie podía seguirse portando de esa manera conmigo. ¡Silencio silencio silencio!, le aullaba al terror que vi en Inés de abandonar a un muerto en vez de abandonar a un vivo. ¡Culo culo culo!, le aullaba a que hubiese venido conmigo porque ella habría preferido irse sin mí. ¡Silencio silencio silencio!, le aullaba al terror que se me venía encima con Inés, porque a punta de no querer verme se le habían dado vuelta los ojos. Aullaba, aullaba mientras me ataban de pies y manos en un calabozo al que nadie que llega sabe nunca por dónde llegó, quién lo trajo, por qué, en qué momento. No se sabe, Culo, no lo sabía bien ni al cabo de tres días, cuando me soltaron la primera mano y le pedí un cigarrillo a la confianza de un carcelero que me había oído gritar contra España, contra Franco, creyendo que me iban a soltar, a favor de Franco, a favor de España, creyendo que me iban a soltar.

En nuestro mundo, Culo, no sueltan a nadie. Y cuando te traen el cigarrillo de la confianza te están sometiendo a una prueba, y uno se reencuentra en hebras de recuerdos de viajes de locura en vida exagerada: a mí se me ha confundido el culo con las témporas, Culo, y es increíble lo humano muy humano que puede ser uno hasta cuando sufre como un animal, Culo: odiarte por el horror que me haces vivir, por todo lo que aún tendrá que venir, porque nunca más volveré a cagar, Culo, y agradecerte al mismo tiempo porque me has ayudado a aterrar a Inés siquiera una vez en la vida, Culo, porque me has prestado un poco de esa agresividad de la que tanto está hablando José Luis Llobera...

...No. No es que José Luis esté hablando de agresividad. Es uno. Es uno que ha estado tres días atado en un calabozo, es decir tres días tratando de desatarse en un calabozo, y de pronto le han soltado también las piernas y el otro brazo y cómo duele todo ahora que uno ya podría incorporarse, imposible además traer el cigarrillo hasta los labios. Entonces uno sigue ahí tirado sin saber muy bien si está viendo cosas y personas y nuevamente dormita de agotamiento total pero de pronto vislumbra y empieza a ver y está viendo la figura de José Luis Llobera y con él a un hombre rubio.

José Luis habló, con voz muy baja.

—No sé si aún tendrás confianza en mí, Martín. Pero muchacho... Muchacho, créeme que no había otra solución. Y ésta no ha sido más que la primera parte, además.

José Luis habló, con su voz de siempre.

—Yo nunca te he mentido. Hay que desintoxicarte por completo y eso puede durar algún tiempo. Pero antes tiene que examinarte el proctólogo.

Dije que no. Lenta y rotundamente fui diciendo que no con la cabeza porque había comprendido que el hombre rubio que lo acompañaba era otro proctólogo.

José Luis habló, alzando el tono de voz.

—No puedes seguir sin cagar, Martín. Llevas meses sin cagar. He hablado con Inés y me lo ha contado todo.

—¿Adónde te vamos a encontrar la agresividad a ti?

Le pregunté entonces:

—¿Lograste hablar con Inés? ¿Cómo está?

José Luis habló, alzando mucho el tono de voz.

—Nunca te he mentido, Martín. Tú decías que bizqueada... Pues yo te anuncio que está completamente ciega.

Después volvió a hablar con su tono normal de voz, me tocó la frente, y me dejó con el doctor Raset.

—Es mi gran amigo, Martín. Desconfiar del doctor Raset es desconfiar de María Teresa y de mí juntos.

José Luis desapareció y el doctor Raset se quedó mirándome encantado de la vida con el piropo que le acababan de soltar en un calabozo. Era una especie de Frankenstein rubio, de tamaño natural, pero sin duda alguna con una historia personal bastante lograda, no sólo en lo profesional sino también en lo personal, a diferencia del otro. A éste se le habían cumplido todos sus deseos, lo cual le había permitido incluso desarrollar un agudo sentido del humor negro. Y así, lo primero que hizo, al ver que yo estaba a punto de matarlo con dolor, porque me dolía íntegro el cuerpo, fue sorprenderme con un agudo hincón a través del pijama y en pleno culo confundido con las témporas.

—Parece Dolantina pero no lo es —me anunció, mirándome todavía encantado de la vida con el piropo.

Extrajo tanta agudeza, mirándome para siempre encantado de la vida, por las mismas razones, lo guardó todo en un maletín que me había pescado desprevenido, y procedió a mostrarme la más sincera predisposición al diálogo muy bien intencionado. No siendo psiquiatra, como José Luis Llobera, el doctor Raset no tenía por qué darse cuenta de que a mí se me habían logroñizado el cuerpo médico y el mundo, y que en ese calabozo se había topado con un caso en el que ni las paredes oyen.

—Esta inyección me permitirá examinarlo sin que usted se dé cuenta, siquiera.

Yo seguía con cara de caso omiso.

—Pálpese usted mismo. Ya verá cómo no siente nada.

No siendo psiquiatra, como José Luis Llobera, el doctor Raset no tenía por qué darse cuenta del tipo de metamorfosis que yo venía viviendo, del lugar diferente que en mi cuerpo ocupaba el culo, y continuaba convencido de que me había anestesiado el cerebro.

—Va usted a sentirse muy tranquilo —me decía el muy bruto—. Recuperará la confianza en la Medicina —decía el muy bruto.

No siendo psiquiatra, como José Luis Llobera, el doctor Raset no tenía por qué haber leído a Franz, no tenía por qué saber lo que era Praga, ni mucho menos Logroño. No siendo psiquiatra, como José Luis Llobera, el doctor Raset simplemente no tenía por qué inspirarme la más mínima predisposición al diálogo. Y el muy bruto trataba además de ganarse mi confianza en pleno calabozo.

—Esta inyección me permitirá examinarlo sin que usted se dé cuenta, siquiera.

Me pareció haber escuchado esa misma frase antes en algún

573

lugar, mientras él seguía bastante Frankenstein, rubio, logrado en la historia del cine y en la vida privada, mirándome encantado de la vida para siempre por las mismas razones, y examinándome por completo.

No siendo psiquiatra, como José Luis Llobera, el doctor Raset no entendió nada cuando yo dije en voz alta, para mis adentros, burocracia, totalitarismo, pesadilla, proceso, y no sabes cuánto te entiendo, Franz. Cerró en cambio el maletín que me había vuelto a pescar desprevenido, y me pescó completamente desprevenido con la palabra *Fe-ca-lo-ma*, dicha en voz alta, para mis adentros. Repitió *Fecaloma* siempre para mis adentros, y yo lo miré haciéndole caso omiso porque no era psiquiatra como José Luis Llobera, y lo más probable era que estuviese completamente equivocado. Sí, tenía que estarlo. Kafka no era el autor. ¿*Fecaloma*? Frankenstein se ha equivocado.

—Habrá que operar.

Me pareció haber escuchado esa misma frase antes en algún lugar.

—Enfermera —me pareció haber escuchado.

Después vi cómo el doctor Raset, desplegando todo su agudo humor negro, disponía las cosas de tal manera que su maletín me volviera a pescar desprevenido. Repitió para ello el cuadro en que el último Inca del Perú le está enseñando a medir oro a Francisco Pizarro, en casos de suma urgencia. Pizarro contempla asombrado lo alto que llega el brazo de Atahualpa, pero como es analfabeto, Marqués de la Conquista, una de las varias calaveras de Pizarro que se han encontrado en la catedral de Lima, y antes criaba cerdos en Extremadura, grita, por medio de intérprete:

—¡Cojones! ¡Que se deje de falsas modestias! ¡Esto es un rescate! ¡Grítale que se empine!

El doctor Raset hacía de último Inca, la enfermera de Pizarro, y yo iba interpretando las oscuras palabras que pronunciaba con el brazo empinado.

—Señorita, ¿hay un cuarto en el Frenopático que no sirva para nada?

—En estos edificios tan grandes y viejos nunca falta un cuarto abandonado.

—Pues bien. Que lo preparen en el acto. Lo voy a llenar hasta aquí de caca.

—¿Fecaloma, doctor?

—El más importante de mi carrera, señorita. Mírele la barriga. Son como nueve meses de embarazo.

Me pareció haber oído esa frase antes en algún lugar, mientras el doctor levantaba la sábana y Francisco Pizarro observaba con maternal ternura.

—*Baby is coming* —dije en voz alta, para mis adentros.

—¿Cómo? —preguntó Francisco, como desconcertado.

—La anestesia que le está haciendo efecto —dijo Atahualpa. Pensé que me había vuelto a coger desprevenido con su maletín de mierda.

—Al tercer día despertó de entre los locos pero seguía en el manicomio —dije, en voz alta, para que me oyeran.

—¿Cómo? —preguntó el doctor Raset.

—La anestesia del cía crucis que me está haciendo efecto —le respondí, viendo pasar paredes y ventanas que me iban dejando atrás en su camino hacia la improvisada sala de operaciones.

—No tiene nombre lo que le han hecho —dijo el doctor Raset, bajando el brazo del rescate, bajo el efecto de la anestesia.

A quién se le habría ocurrido pensar en el Perú que nuestro último Inca y Frankenstein se parecían tanto.

—La vida... —empecé a decir, pero no acabé y por eso nadie me entendió, entre paredes y ventanas que seguían pasando.

Desperté por segunda vez, al tercer día, en un cuarto muy amplio, muy blanco, de paredes y ventanas ampliamente blancas, y que por fin se estaban quietas. Grande fue mi desconsuelo al comprobar que aquella habitacioncita dentro de mi habitación de recién operado, en manicomio, había sido concebida nada menos que para cagar.

Pero creo que antes de proseguir debo explicarles qué demonios es un fecaloma. Nadie más empapado que yo en esta materia, puesto que *fui* el fecaloma más importante en la carrera del doctor Raset (véase más arriba). Las vidas exageradas son pocas, sobran los dedos de una mano para contarlas, y por ello creo que muchos de ustedes no saben qué quiere decir esta palabra. Hasta los diccionarios se han olvidado de ella. Consulten, si lo desean. Sus autores simplemente no se pusieron en mi caso. Claro, ellos se disculparán diciendo que en toda la lengua de Cervantes, Cervantes tampoco se puso en mi caso. Fecaloma. Busqué la palabra en cuanto diccionario pude mirar. Nada. La encontró, por fin, un amigo chino que miró por mí en un diccionario llenecito de ideogramas. Me tradujo, mientras yo pensaba en cosas como tortura china o que tras la gran muralla hay tantos centenares de millones que las posibilidades de casos excepcionales exageradísimos aumentan, facilitando así la existencia de una palabra tan escasa en nuestros diccionarios que sólo llega hasta fecal, salvo excepciones que yo no he encontrado. Mi amigo agarró la palabra con pinzas, sonrió con la sonrisa oficial del cuerpo diplomático chino, parapetándose más todavía tras unos lentes tan culo de botella que lo dejaban a uno completamente miope cuando trataba de adivinar qué se piensa al otro lado de la gran muralla, todo en vista de que yo había sido el fecaloma más importante de una vida profesional en Occidente, y tradujo:

—Nudo o bloque de excrementos, je...

Se me hizo un nudo en la garganta al pensar que había sido el bloque de excrementos más importante en la carrera de Frankenstein. Era natural, creo, que tanta y tamaña importancia se me hubiese subido a la cabeza, como sucede con las copas. Fui, pues, literalmente el as de copas de la vida profesional del doctor Raset.

Volvamos ahora a mi habitación. Por más que abro y cierro los ojos, creo que me voy a volver loco, porque ahí sigue la habitacioncita concebida nada menos que para cagar, como si uno fuera a volver a cagar en la vida, cuando resulta tan fácil que cada nueve meses el doctor Raset, que para eso sí está bien que sea proctólogo y no psiquiatra como José Luis Llobera, venga con su señorita enfermera, observe lo importante que soy en su historial médico, y me traslade de fecaloma entre anestesias, paredes y ventanas que me van dejando atrás. Inútil. Vuelvo a abrir los ojos y la habitacioncita sigue en su lugar. No tengo más remedio que empezar con mi vida de loco.

Era una vida conmovedora, profundamente conmovedora, y ni que decir de lo aleccionadora que era. Esto último suena casi a lugar común, pero eso a los locos qué les importa. Tienen cosas mucho más interesantes en que pensar y por eso siempre están como idos y como pensando en otra cosa. Uno cree incluso que los va a sorprender siempre así, pero a la larga son ellos los que teminan haciéndonos pensar que ahí nadie está en el manicomio salvo a las horas en que llegan las visitas. Y así vivía yo, sonriente, bastante ido, y sumamente conmovido, en un pabellón sin el lujo de aquel otro lleno de monjitas, en el que sólo hice un breve debut con jugo de naranjas, pero con un confort y una libertad enormes si lo comparamos con el lugar ya descrito, en el que a uno lo amarraban vivo.

Hasta que un día me tropecé con un jebecito constante. Me dirigía al comedor para locos que había en el manicomio y ahí estaba en mi camino, estiradísimo. Y por más que me aguanté, para no estallar en un período tan conmovedor de mi vida, uno de los locos que servía la mesa porque era loco de condición humilde, es decir igual nomás que diferente, un poco como en el pueblo de Inés todos eran pobres pero le tenían un respeto loco ya no sé a qué, bueno, o mejor dicho malo para mí: el loco que vino a servirme el desayuno ese día era nada menos que el famoso abogado Quinteros, el de la descomunal oreja, el de mi peor espanto durante el período más anafranil de mi vida. Me controlé temblando, dije que no tenía hambre, tartamudeé que prefería regresar muy rápido a mi cuarto, y partí la carrera en punta de pies y muy despacito para no ofender al señor Quinteros, que felizmente servía la mesa pensando en otra cosa.

Cuando quiero llorar siempre puedo. Así me encontró José Luis Llobera, presa del gran desconsuelo que me causaban tanta desintoxicación y el tener en plena habitación de paredes y ventanas ampliamente blancas y quietas, una habitacioncita concebida nada menos que para cagar. Más el loco humilde de condición que era el famoso abogado Quinteros, ahora. José Luis me lo había advertido, pero como muy pronto empezó a gustarme tanto el Frenopático, hasta me agradó la noticia de que una recaída de la enfermedad anterior era prácticamente inevitable y podía prolongar las cosas. Me equivoqué. Jamás pensé que llegaría al extremo de la descomunal-oreja y en un lugar tan seguro como es un manicomio. Habían vuelto las oscuras golondrinas. Habían vuelto hasta las no previstas en el poema de Bécquer, las increíbles, las imposibles, todas las oscuras golondrinas.

—¿Anafranil, José Luis? —le pregunté.

—Anafranil.

—¿La misma dosis?

—La misma dosis.

—¿Y otra vez la monjita y sus inyecciones en París?

—Otra vez, Martín, pero para eso falta mucho todavía. Habrán aumentado enormemente tus defensas cuando llegue ese momento.

—¿Y detrás de quién voy a correr con la inyección puesta cuando Inés me haya abandonado?

Volví a bañarme en lágrimas, con renovados bríos, pero ni por ésas se me apareció Octavia de Cádiz con su playa llena de Barojas y Hemingways y con sus piernas tan divertidas ahí en el manicomio.

—Cada cosa en su momento, muchacho, por favor. Por ahora lo importante es continuar con la desintoxicación. Además, tienes que volver a cagar. De ello te va a hablar más extensamente el amigo Raset.

—¿Otra vez Raset? —protesté.

—A partir de mañana podrás recibir visitas —me interrumpió José Luis, agregando que tenía que marcharse corriendo porque cada día había más locos fuera del manicomio.

Lo acompañé hasta la puerta de mi habitación. Allí nos

abrazábamos conmovedoramente cada mañana, desde que Culo me permitió caminar. Pero ese día la escena fue un poco más desgarradora que de costumbre, debido al pésimo efecto que había tenido en mí la descomunal oreja en el comedor. Tras haberme explicado que no se trataba de la descomunal oreja del abogado Quinteros, que seguía ejerciendo serenamente en Barcelona, sino de la de un loco de condición humilde, es decir igual nomás que diferente, José Luis me juró que no la volvería a encontrar. Había tres turnos para cada comida, y bastaba con cambiar al loco de turno para que yo recuperase esa sensación de seguridad, esa serenidad que tan bien me hacía dormir en el manicomio.

Recuperé el hambre. Volvería al comedor como todos los días. Abracé como nunca a José Luis, y gocé nuevamente con mi secreto: basta con negarme a cagar para siempre y nadie me saca jamás de aquí porque qué mejor lugar que éste para que me agarre el abandono de Inés... Jamás había abrazado tanto a José Luis. Jamás me había conmovido tanto verlo partir, me parecía increíble que se atreviese a correr el riesgo de salir de un lugar tan seguro. Porque aparte de esa oreja que me iban a cambiar de turno, quién podía hacerle daño a uno ahí. Sólo gente como el doctor Raset, claro.

No siendo psiquiatra, como José Luis Llobera, el doctor Raset no pudo escoger peor momento para aparecer en mi habitación. Por tercera vez, venía a hablarme de lo mismo. Era imprescindible operarme nuevamente. En Logroño me habían masacrado. El no me aseguraba nada, desde el punto de vista estético, de cualquier manera eso no es lo más importante en estos casos, je je, pero sí me aseguraba que una nueva operación dejaría bastante restaurada aquella zona, y sería el primer paso para que yo volviera a defecar con amplitud, comodidad, y olvido.

—Se lo digo de todo corazón, señor Romaña. A usted este asunto se le ha convertido en un verdadero problema mental.

No siendo psiquiatra, como José Luis Llobera, el doctor Raset no tenía por qué imaginar hasta qué punto me estaba cagando en su presencia. Ni mucho menos lo que gozaba imaginándome para el resto de la vida en esa cama, en esa habitación, en ese pabellón, en ese manicomio.

No siendo psiquiatra, como José Luis Llobera, el doctor Raset se comportó cobardemente. Como un traidor, como un hijo de puta. Aunque a la larga resultó ser un santo, y bastante psicólogo, además, porque todo formaba parte de un complot organizado a medias con José Luis. Pero por ahora andamos en la cronología. El doctor Raset se retiró consternado, y yo logré pasar el resto del día bastante tranquilo, tratando como siempre de molestar lo menos posible a los demás locos, de acuerdo con las características generales de mi carácter, que son las mismas dentro y fuera de los manicomios. Me dieron los siete mil remedios contra la intoxicación, para desintoxicarme, y los dejé actuar llevado como siempre de mi terror a los estados de carencia, que después se vuelven de emergencia, y lo amarran vivo a uno. Me dieron también los diarios laxantes antifecalómicos, pero a éstos en cambio no los dejé actuar, porque para eso había proctólogos en el mundo. Nunca los dejaba actuar. Ejercía sobre ellos un implacable control psicológico, base y fundamento de mi secreto: vivir para siempre en un lugar tan seguro, que a lo mejor soportaba hasta el apagón que iba a significar en mi vida la partida de Inés, luz de donde el sol la toma.

Por eso lo que me hizo el doctor Raset fue indigno hasta de un proctólogo. Dormía tras haber tomado todas las pastillas del día, que es cuando les llega la noche a todos los enfermos del mundo, y empecé a soñar... Era un sueño basado sin duda alguna en la seguridad que me inspiraba estar ahí. Hasta el inconsciente se sentía protegido en ese pabellón de gente buena y se atrevía a dar sus pasitos tranquilo. En efecto, yo iba caminando con Inés que había traído el aeropuerto de París hasta el Frenopático, para evitarme gastos inútiles de energías y de lágrimas. La pobrecita no quería irse por nada de este mundo, en el aeropuerto y en mi sueño, y yo le acababa de decir que se esperara, o mejor dicho que no se desesperara, porque mi mente llena del amor que me había rebalsado del corazón estaba concibiendo un plan para que el vuelo París-Lima se detuviera en el aeropuerto de Barcelona, que ella, con gran bondad, había instalado en el jardín lateral del Frenopático.

—Y así, Inés, tú podrás trabajar por la revolución peruana y yo podré no perderte nunca por la revolución peruana.

Pero entonces ella insistió en que yo jamás cambiaría y le entró mucho mal humor y me gritó que deseaba pasar por Río de Janeiro, donde tengo un amigo que me gustaría ver. Yo no encontré a nadie que ver en Río de Janeiro y se lo dije y ella perdió la paciencia y hasta me amenazó con abandonarme en un aeropuerto de París que quedara en París. Por todo lo cual ya no me atreví a agregar que, aparte de Chico Pinheiro, si supieras en la que me has metido con aquella inyección inmunda, Chico, el único brasileño que ella conocía era aquel pretendiente que tuviste antes de casarte conmigo, Inés, aquel economista liberal, el descartado por amor a mí, Inés, ¿te acuerdas?, aquel tan profundamente todo lo contrario de lo que has soñado para América Latina. Decidí en cambio respetar al máximo la posible existencia de otros brasileños, en las relaciones que Inés y el Grupo mantenían con la clandestinidad, bajé la mirada que le iba a pegar, y me quedé calladito, evitando de esta manera que el sueño se me convirtiera en pesadilla, gracias a Dios. Eso a Inés le produjo un gusto enorme y dejó de bizquear tan rápido que parecía un sueño y volvió a entornillarme un aeropuerto en el jardín lateral del Frenopático, como prueba de buen humor y también de amor porque la muy terrible se me empezó a subir a la cama en plena cama y nada menos que en el aeropuerto del jardín lateral del Frenopático y la frazada y la sábana y el pijama... Que fue cuando el hijo de puta del doctor Raset me pegó un hincón que me despertó lo suficiente como para comprobar que Inés era la enfermera y que en un segundo volvió a dormirme lo suficiente como para que paredes y ventanas empezaran a dejarme atrás una vez más.

La enfermera es Inés, ahora, pero sólo porque es hora de visitas y porque recién estoy despertando tras la traición del doctor Raset, quien acaba de confirmarle a mi esposa que el único problema grave que me queda es el mental, más alguno que otro inconvenientillo natural que surgirá cuando defeque, pero que también será corregido en su debido momento, señora, puesto que la operación de esta mañana ha sido todo un éxito, una verdadera reconstrucción zonal, un paso decisivo para que el señor Romaña pueda defecar con amplitud, comodidad, y olvido.

Habrán notado ustedes que sólo los diccionarios y los proctólogos emplean la palabra defecar. La mayor parte de la gente pide permiso y va al baño. De lo contrario, caga, como en este libro, y ustedes comprenderán que no me faltan razones, a pesar de haber sido, o tal vez precisamente por haber sido, demasiado bien educado. En mi casa, de niño, yo pedía permiso para hacer el número uno y el número dos y los baños eran de mármol, y el más bonito hasta salió fotografiado en una revista de arquitectura, en uno de los pocos momentos en que mi padre no estaba usándolo para cantar una ópera en la ducha. Despertaba al barrio entero, y para eso servían los baños en mi casa, según mis recuerdos. Uno estalla, y caga. Sin querer para nada referirme a la literatura y una de sus razones de ser. Tengo, además, un hermano que estalló mucho peor que yo, porque le dio por lo popular e introdujo en casa la expresión *hacer del cuerpo*, un día a la hora del almuerzo. Mi padre estalló en cólera y lo expulsó para siempre del comedor. En fin, que esto quede entre nosotros.

Inés acaba de conversar con el doctor Raset, acaba de instalarse en una silla, al pie de mi cama, y está esperando que despierte. Ha venido sola porque es el primer día en que se me puede visitar, porque quiere hablarme del aeropuerto de París, y porque se siente muy mal con el maldito cariño que siente por esa especie de punchingball, que cuanto más le dan más regresa, como un verdadero punchingball. Ahora, Martín, está pensando, tienes que cagar. Tienes que sacarte eso de la cabeza. No te va a doler, mi amor. No te va a doler más, mi amor. Y el día en que no te duela más, yo podré irme, porque lo otro son tonterías entre tú y el psiquiatra ese que te domina por completo. Yo quiero que se te pase rápido el miedo al dolor, porque mi partida sí que te va a doler, Martín. Pobre, Martín, tener que dejarte, pero es más fuerte que yo... Una fuerte bizquera termina con los últimos efectos de la anestesia y me convence de que no es la enfermera, sólo podías ser tú, Inés.

—¿Cómo te sientes, Martín?

—Cagao.

¡Qué bárbara cómo me odió Inés! Nunca se ha odiado tanto a alguien que acaban de traer de una sala de operaciones, salvo casos excepcionales de herencia, tal vez, que yo desconozco por completo porque en mi familia fueron siempre muy limpios en estos asuntos, según me parece haber contado ya en alguna parte de este libro. Pero como hay odios inconfesables, Inés optó por un montón de caricias en la frente, muy apropiadas en circunstancias en que mi cabeza reposaba sobre una almohada. La adoré, y hubo un ligerísimo amago de erección, que descarté por inoportuno y porque para qué, si después de la desintoxicación viene otra vez el Anafranil. Conservé tan sólo la adoración, y así le hablé.

—Cagao, mi amor. Muy cagao.

Esta vez ya no me odió por haber dicho eso, sino por haberlo dicho con lágrimas en los ojos, cuando lo que ella quería era un diálogo sin bizquera.

—Qué quieres que haga, Inesita. Así me siento cuando imagino que te vas a ir.

Jamás le había dicho Inesita. A ustedes les consta. Al entrar en adoración siempre le decía Doña Inés del alma día, luz de donde el sol la toma, dulcísima paloma, precisamente para evitar que el diminutivo en ita, de Inesita, se me acabara tan rápido, y porque mis adoraciones eran interminables. Debía estarme volviendo loco en el manicomio. Se me acababa de escapar un Inesita con duración de dulcísima paloma. Era horrible pensar que Inés pudiese no estarme entendiendo.

—Inesita. Inesita. Inesita —le repetí, tratando de que durara para toda la vida, en caso de que no me hubiese entendido en ese preciso momento.

Lo malo fue que me entendió y que precisamente insistió, con su bizquera, en que había venido a que tuviésemos un diálogo sin bizquera.

—¿Cuándo piensas ir al baño, Martín?

—Diario, para lavarme, Inesita. Lo demás está descartado, Inesita. Yo me quedo a vivir aquí, Inesita. Aquí quién puede hacerme daño tras tu partida, Inesita. José Luis me cuidará como loco tras tu partida. Lo conozco, Inesita. No parará de cuidarme un instante. Podrás vivir tranquila en el Perú tras tu partida, Inesita.

—¡Basta, Martín! —dijo Inés, cortando de ese modo tan suyo ese diálogo tan mío.

Pero yo vi. Pero yo soy testigo de que en la bizquera se la asomaron lágrimas a los ojos. Por eso fue que metió la mirada en un enorme bolso que había traído de parte de ella y de todos los amigos españoles de Martín Romaña. Me llenaron de regalos españoles. Turrones, perfumes, lavandas, agua de colonia, como tres frascos, jabones, revistas, lapiceros para el escritor, varios ejemplares de *Cien años de soledad,* porque no se pusieron de acuerdo, un cheque de mi familia preguntando por Dios santo qué le pasa a Martín, pregunten en la embajada cómo se repatría, si es necesario, y muchas cosas más que recién en este instante, escribiendo estas líneas, aquí en mi sillón Voltaire, recuerdo haber guardado de recuerdo. Pero entonces era más triste todavía. Porque era como si Inés me estuviese dejando lleno de provisiones para el abandono. Eso parecía tumba de faraón. Y todavía a la pobre se le ocurrió decir una metida de pata.

—Tus amigos españoles realmente te quieren mucho, Martín.

Con lo cual yo escuché una enorme ovación en el Estadio Nacional de Lima, Perú, pero a punta de conmoverme tanto, entré en estado de depresión absoluta y abandono total por parte de la afición tan ingrata con el ídolo caído en neurosis, y llenar otra vez los mares con mi llanto se ha dicho. Y hubo que cortar la primera visita, y que suspender la segunda y la tercera, en fin, hasta nuevo aviso. Transcurrieron varios días de esos con noch.s que llegan cuando uno se ha tomado todos los remedios del día, hasta que una mañana me dijeron que podía salir a pasear un rato, como los demás, y que podía incluso comer en el comedor, si lo deseaba. Sí lo deseaba, y la enfermera que cumplía órdenes de José Luis me miró sonriente porque había reaccionado muy bien a un nuevo tratamiento que yo ignoraba por completo.

—¿Cambiaron de turno al que sirve la mesa en el primer turno? —pregunté, hablando lo más elípticamente que pude, para que no me fuera a hacer daño.

—Vía libre, señor Romaña.

Era un precioso día de sol en pleno otoño. Un precioso día de sol primaveral. O era que el nuevo tratamiento me había sentado realmente de maravilla, no lo sé. El doctor Raset no había vuelto a aparecer, y nadie me hablaba de defecar. Y cuando digo nadie, me estoy refiriendo sobre todo al gran tino con que José Luis evitaba abordar aunque sea de reojo aquel tema tan superado. Ideas como defecar con amplitud, comodidad, y olvido, fueron remplazadas por un nuevo ideal que el Frenopático entero, que era como el mundo entero y mucho más, compartía conmigo. Era un ideal simple, muy lógico, y sumamente humano. Consistía en que Inés me abandonara con madurez y libertad, en que se me permitiera seguir para siempre en ese pabellón lleno de sol, lleno de esa maravillosa luz que se filtraba por los amplios ventanales que daban al hermosísimo jardín lateral, que esa mañana me deleitaba en contemplar. Lo había visto antes y siempre fue bonito pero no sé por qué ahora me parecía hermosísimo. Además, no lograba deshacerme de una extraña y conmovedora sensación de haber estado allí abajo, de haber vivido un acontecimiento importantísimo en mi vida allí abajo, como si se tratara de una reencarnación o de algo por el estilo. Cuanto más miraba, más me atraía el jardín, y desde entonces cada mañana lo primero que hacía al salir de mi habitación era acercarme al ventanal y entrar en contemplación. Un día entré en trance, incluso, y me dije Martín Romaña te estás volviendo loco en el manicomio, y salí disparado porque en efecto era cosa de locos mirar un jardín y *sentir* de golpe, de pronto, y del todo, que allí había habido un aeropuerto triste. Pensé en el adiós de la película *Casablanca*, en Ingrid Bergman y en el impermeable de Humphrey Bogart jodido en el aeropuerto pero ella tenía que irse por una causa noble, por un ideal, para cambiar las cosas de este mundo, y creí que iba a ser ésa la razón de lo que estaba sintiendo, pero resultó que mi aeropuerto era más triste todavía, mi aeropuerto era el aeropuerto más triste de mi vida, el más triste del mundo entero. Tuve que salir disparado por consideración al nuevo tratamiento que me estaba haciendo tanto bien, no soportaba la idea de defraudar a José Luis, y tampoco era el momento de volverse loco, yo quería quedarme en el Frenopático para siempre, quería que Inés pudiera abandonarme tranquila y con madurez, libremente y sin bizqueras, y para eso se necesitaba mucha, muchísima salud y bienestar, ¡oh abandonado!

Perdóneseme el ¡oh abandonado! conmiserativo, pero la verdad es que de vez en cuando hay que hacerse un poco de justicia distributiva. Si supieran ustedes lo mucho que sufrí yo en esos días, lo mucho que temí estarme convirtiendo en el loco del jardín lateral, estar arruinando la única posibilidad que me quedaba de asistir con salud y seguridad al abandono de Inés, estar arruinando mi compartido ideal de permanecer para siempre en un pabellón bañado por el sol. ¡Ah!, cuánto sufrí al pensar que justo en el momento en que ya nadie me hablaba de defecar, yo no iba a estar a la altura de las circunstancias y me les iba a presentar bañado en lágrimas y hablando de cosas tan absurdas como un aeropuerto triste que no era el de *Casablanca*. Podía estarme volviendo loco de verdad, y no ser más aquel hombre sano que, en pleno vía crucis rectal, había optado por convertirse en el fecaloma más importante en la carrera del proctólogo Raset, cada cierto tiempo, a cambio de una vida serena y sin más percances por favor. Lo mío era una verdadera filosofía, una actitud ante el mundo, un ideal.

Sufrí mucho y pasaron muchas cosas e incluso lograron que saliera del Frenopático con Anafranil y sin ideales. Pero siempre lo del aeropuerto triste que no era el de *Casablanca*, sino otro mucho más triste, se me quedó grabado como una palabra en la punta de la lengua y a veces me atacaba en mi nueva vida en París, nueva quiere decir sin Inés, en mi nuevo departamento, en mi nuevo sillón Voltaire, que hoy está tan viejo como mi nueva vida en París, pero aquí me paso la vida, tan escribiendo.

Y es así como puedo contarles que Octavia de Cádiz, sin querer, y con sus piernas tan divertidas, fue quien me ayudó a aclarar el problema tan conmovedor del aeropuerto muy triste que yo como que presentía, con estilo de reencarnación, en el jardín lateral del Frenopático. Ella, nada menos que ella, tan miope y con sus piernas tan divertidas, había detectado desde una prudente distancia los cinco bultitos con que le probé amistad y solidaridad a mi hermano Enrique Alvarez de Manzaneda, y tarada hipersensibilidad decadente a Inés y a los muchachos del Grupo. Me enamoré imprudentemente de lo divertidas que tenía las piernas Octavia de Cádiz, y en vez del desencanto o amargura que pudo producirme saber, por ejemplo, que Alfredo Bryce Echenique, con gran carcajada de más de un hijo de puta, me llamaba Anafranilín, unas veces, y *The anafranil man*, otras, empecé de golpe, de pronto, y del todo, a entrar en unos deliciosos estados de idolatración por Octavia, con sus piernas tan tan divertidas, y la vida se me volvió un sueño hecho realidad, del cual ya se verá cómo despertaré, en el cuaderno rojo sobre mi adorada Octavia candente. De lo que se trata ahora es de recordar su frase aquella que tanto me ayudó el día que logré entenderla.

—Martín, algún día comprenderás que Inés fue la última muchacha que emigró de Cabreada.

No bien la comprendí, comprendí también que lo del aeropuerto triste no era un bultito de locura, en prueba de amistad y de solidaridad para con mis hermanos del Frenopático, como lo había creído siempre, con bastante miedo, mi hipersensibilidad. No. Era nada menos que un producto del sueño de Inés y los aeropuertos, un sueño que se me había borrado por completo, pero que por ahí andaba en algún tomo de Freud, y en el que efectivamente el jardín lateral del manicomio había sido aeropuerto. Recuerden. Inés incluso me había amenazado con abandonarme en un aeropuerto de París que quedara en París, porque yo no había estado muy de acuerdo con sus deseos de hacer una escala en Río de Janeiro (tardé tanto en comprender su vehemencia carioca, como en conocer su secreto profundo). Y sólo cuando no me atreví a sospechar lo insospechable y me quedé calladito, recuerden, ella me volvió a entornillar el aeropuerto de Barcelona en el jardín lateral, para efectos de la diaria escala en su viaje de abandono París-Lima, porque a mí me habían encerrado en el manicomio y ella no veía las horas de sentirse libre de su Martín Romaña tan querido pero tan poco recomendable para la bizquera. Y entonces yo soñé que, gracias al aeropuerto del jardín lateral, Inés lograba abandonarme con mayor facilidad, y que yo lograba seguirla viendo todos los días, aunque fuera abandonándome con mayor facilidad.

Me alejé definitivamente del soleado ventanal, porque no deseaba que se pensara en mí como el loco del jardín lateral, o como el loco que ama tanto a su esposa que siente que en otra reencarnación también fue Martín Romaña, también hubo aeropuertos, y que ella se llamaba también Inés, todo por un sueño que tardé tanto en recordar. Pero lo malo es que mis relaciones con los demás pacientes del pabellón se habían ido deteriorando desde que empezó a circular el chisme de que yo estaba completamente loco. Huía un poco de todo eso consagrándome al ventanal, pero qué hacer ahora que aquella contemplación podía atentar contra mi nuevo tratamiento. Defraudar a José Luis me resultaba imposible. Qué hacer también cuando por otro lado el chisme me iba aislando cada vez más de mis compañeros. Martín Romaña miente, se afirmaba, está completamente loco.

Me miraban con desconfianza, se me alejaban en los pasillos, nadie quería comer en mi mesa. Y todo por mis malditas hemorroides, unidas a la maldita curiosidad que tenían todos de saber por qué estaba yo en el Frenopático. Eso les encantaba. No bien llegaba uno nuevo, todo el mundo se le acercaba con la mano tendida y muchísima amistad que ofrecer. Y con la sana curiosidad de saber de qué enfermedad padecía uno. Era una forma de hacerte sentir en confianza, bien acogido, y de demostrarte que pasara lo que pasara, alaridos una noche, por ejemplo, o estarse todo el día contemplando un ventanal, ellos respetarían siempre tu vida privada. La vida privada era algo sagrado, pero había que decir cuál era la causa, o el nombre, o los síntomas, o las manías, etc. Total que a mí me cayeron de a montón y encantadores, salvo casos excepcionales de postración absoluta o de excesiva vida privada.

Me dio un gusto enorme, por ese lado social tan importante en mi vida, por lo amigo que soy de tener amigos, y por mi propensión a la ternura con lágrimas en los ojos.

—Romaña —les iba diciendo, sonriente—, Martín Romaña, casado y no bien me permitan recibir visitas, Inés, se llama Inés, va a venir a verme. Vivo en París porque leí mucho a Hemingway para ser escritor, y soy peruano.

Les encantaba que viviera en París, como si también ellos hubiesen leído a Hemingway, y yo iba estrechando una tras otra muchas manos y a veces unos me entregaban de entrada todo su afecto y no había manera de que me soltaran la mano. También hubo uno que se distrajo en pleno apretón, y por más que el doctor Raymundo Pericay me dijo jale jale, yo no me atreví a molestarlo. El doctor Raymundo Pericay fue el mejor amigo que tuve en el Frenopático. Nunca me retiró su plena confianza y gracias a él pude saber por qué se había empezado a desconfiar de mí y cómo había surgido el chisme. Todo era fruto de la sana curiosidad general. Malditos locos. Unos por incrédulos, por escépticos, o por desconfiados, y otros porque simplemente carecían de imaginación, lo cierto es que el rumor de que yo estaba completamente loco empezó a circular muy pronto, y al final sólo Juanito-sin-apellido y el doctor me dirigían la palabra. Y el primero no cuenta porque era idiota y hablaba con cualquiera, aunque no hubiera nadie.

Locos de mierda. Ya nadie me apretaba la mano cuando salía de mi habitación, ya nadie se acercaba a preguntarme por qué me habían metido ahí. No lograba entender qué podía estar pasando en torno a mi persona. Les había dicho la verdad desde el primer momento, y con excepción del día en que la descomunal-oreja me obligó a abandonar nerviosísimo el comedor, siempre me comporté como alguien que trata de dejar un buen recuerdo, o en todo caso como uno más y punto. El doctor Raymundo Pericay fue el encargado de aclarármelo todo.

—Ha sido por lo de las hemorroides, señor Romaña. ¿No se dio usted cuenta de que la primera vez que contó que lo habían traído a causa de unas hemorroides, todos empezaron a reír y a disimular? Al principio se lo tomaron a broma, señor Romaña. A mí mismo vinieron a decirme que tenía usted mucho sentido del humor porque andaba contando que le había dolido tanto una operación de hemorroides, que había decidido quedarse para siempre aquí, sin ir al baño. Pero poco a poco empezaron a cansarse, señor Romaña. Para ellos es inaceptable que una persona pueda estar en el manicomio porque ha tenido hemorroides. Creen que usted les miente, o lo que es peor, que se burla usted de ellos. Qué le vamos a hacer, señor Romaña, ha tenido usted mala suerte, parece que a los locos no les gusta nada que se confunda el culo con las témporas. Pero en fin, olvídelos usted, no les haga el menor caso. Cuenta usted con toda mi amistad y confianza.

El doctor Raymundo Pericay era uno de los seres excepcionales cuya vida pasada dice tanto de los manicomios. Lo admiré muchísimo y no lo olvidaré jamás. No sólo por la confianza que siempre depositó en mí, sino también por la manera en que me enseñó a mirar la vida desde un manicomio. Parecía un gran hombre de Estado que lo ha perdido todo voluntariamente, sin golpe de Estado en el Tercer Mundo, en todo caso. O tal vez un filósofo desterrado. O un hombre que ha sido expulsado de su país por haber tratado de cambiar el mundo. Vivía su entierro, perdón, su encierro, que era para siempre, con profunda dignidad y con sólo una pizca de amargura. El día y la noche eran iguales para él, por lo de su insomnio, y pocos eran los momentos en que no estaba sentadito en una mecedora. Lo escuché contar su historia una mañana, en mi habitación. Había entrado a sacar a Juanito-sin-apellido, que se estaba matando de risa de que el cuarto tuviese techo, a juzgar por la dirección en que apuntaba su dedo, cuando divisó al fondo de mi ventana abierta el edificio de la maternidad. Terminó de sacar, con mucho cariño, a Juanito-sin-apellido, y regresó para naufragar del todo en su nostalgia, al pie de mi ventana.

—Mire usted, señor Romaña —me dijo, sin darse cuenta, debido a la nostalgia, de que me acababan de remodelar el culo y no podía moverme de la cama—. Mire, señor Martín Romaña, mire, mire usted lo que es la vida.

Desde mi cama, con gestos, síes, y sonrisas, yo le iba expresando mi más profunda solidaridad con mucha emoción, y eso lo emocionó más todavía, porque primero afirmó haber sido director de esa maternidad, pero después resulta que también la había construido y que además había sido el dueño. Casi le digo no es para tanto, doctor Pericay, pero como Pirandello decía que a cada uno su verdad, y la del doctor era la más conmovedora de todas, permanecí en estado de solidaridad y emoción.

—Esa maternidad fue mi vida, todo lo que tenía en el mundo, e hizo de mí el médico más envidiado de Cataluña. Pero a mí sólo me interesaban las parturientas, señor Romaña, y esa fue mi desgracia. Una cesárea a las cuatro de la madrugada: me despertaban y salía corriendo. Otra cesárea a las ocho de la mañana: me despertaban y salía corriendo. Parto a los siete meses: me despertaban y partía corriendo. Parto a las cuatro de la tarde: me despertaban y partía corriendo. Volvía a casa a descansar corriendo, sonaba otra vez el teléfono, me estaba quedando dormido: me despertaban y parturienta corriendo otra vez. Regresaba por fin a las doce de la noche, a ver si esta noche paso una noche normal: me despertaban a las dos de la madrugada y corriendo. Hasta que un día me di cuenta de que ya nunca dormía y traté de dormir pero fue peor porque no lo logré y me pareció que no volvería a dormir nunca jamás. Pero seguí adelante, señor Romaña. Dos años más seguí de constructor, dueño, y director de esa maternidad, y de médico más envidiado de

Cataluña. Dos años durante los cuales los envidiosos siguieron tratando de encontrarme el defecto en el bisturí. Hasta que un día me lo encontraron en las ojeras, señor Romaña. Yo mismo no me había dado cuenta de que llevaba tanto tiempo sin dormir en las ojeras. Y ahí empezó para mí el ciclo infernal. Los médicos envidiosos de mis parturientas encontraron parientes envidiosos de mi cuenta bancaria y éstos encontraron jueces, señor Romaña... Y hay cada juez, oiga usted... Convirtiéndome en loco, lograron quitármelo todo... Mi maternidad vista desde el Frenopático... Mi maternidad vista desde esta ventana...

Era espantoso no poderse levantar para abrazarlo y cerrarle la ventana. El doctor Raymundo Pericay llevaba catorce años sin dormir en el Frenopático, aunque ya no por las mismas razones, como él mismo solía decir, con profunda sabiduría. Nadie lo había vuelto a envidiar ni a visitar, y vivía sin cuenta bancaria. En el Frenopático se sentía seguro de sí mismo y de los demás y de ahí no lo sacarían jamás. Estaba mirándole sus negras ojeras y pensando en qué estado andaría mi barriga dentro de catorce años a punta de fecalomas, cuando Juanito-sin-apellido reapareció matándose de risa de la profunda nostalgia del doctor, a juzgar por la dirección en que apuntaba su dedo. Según el doctor Raymundo Pericay, si Juanito no tenía apellido era porque además de haber sido un idiota envidiado por su cuenta bancaria, pertenecía a una conocidísima familia real. Nunca supe cuánto había de cierto en esto, pero me pareció natural que una pizca de amargura se hubiese filtrado en el carácter del médico, con todo lo que le había sucedido en el mundanal ruido, antes del Frenopático.

No saben cuánto llegué a querer al doctor Raymundo Pericay. Recuerdo incluso que un día soñé que se había muerto de viejo, teniendo yo la edad que él tenía cuando me contó su historia, y que salí por única vez del Frenopático para comprarle el más grande ramo de claveles de la historia de Barcelona y del Perú. Quería traérselos personalmente, y me dieron permiso porque el director era José Luis Llobera. Don Raymundo me miró muy emocionado desde el fondo de su ataúd, y cuando me retiré me guiñó un ojo en nombre de nuestra vieja y sólida amistad sin una pizca de envidia.

Era un hombre envidiablemente noble, inteligente, y agudo. Las mejores sopas de pescado en lata son las que traen espinas, solía decir, burlándose de la comida raquítica que nos servían a veces. Afirmaba que los borrachos suelen tener un corazón tan grande como sus úlceras, y que una persona inteligente y sensible es necesariamente vanidosa. Me chocaron un poco estas últimas palabras en un hombre tan comedido, pero justo en ese instante apareció Juanito-sin-apellido matándose de risa de una mariposa que se había posado sobre mi ventanal, a juzgar por la dirección en que apuntaba su dedo.

—Mírela usted, señor Romaña —me dijo el doctor Raymundo Pericay, al notar que sus palabras me habían chocado—. Obsérvela: La mariposa es vanidosa... ¿No lo va a ser el elefante, no?

Me pareció natural que una pizca de amargura se hubiese filtrado en el carácter del médico, por las razones anteriormente expuestas. Y hoy que escribo lo encuentro todo muy natural y no logro olvidar que una frase suya me convenció de que terminaría saliendo del Frenopático, a pesar de todo. También hoy su frase me convence. La siento venir. O lo siento venir. No sé bien cómo decirlo, pero sé que habrá mucho más antes de que acabe con mi vida en este sillón Voltaire. Lo escucho hablar sentado en su eterna mecedora.

—Perdóneme que se lo diga, señor Romaña, pero qué poco se conoce usted a sí mismo. Usted es de los que a punta de tener tanta vida por delante, de los que a punta de no saber hacia qué lado mirar, porque todo le atrae y le gusta y siempre ama, terminará con el corazón, la mente, y el alma, llenos de citas y compromisos a los que su cuerpo no podrá ya acudir.

Casi me mata, casi me deja sin el abandono de Inés, siquiera, en la vida que tenía por delante, pero logré defenderme en defensa propia, pensando que era natural que una pizca de amargura se... No siendo psiquiatra, como José Luis Llobera, el doctor Raset no encontró mejor momento que ése, en que estaba pensando autodefensivamente, para aparecer. No sé qué demonios le habían hecho entre el sastre y el peluquero pero nunca estuvo tan parecido a Frankenstein. Y venía a hablarme de hombre a hombre, situación ésta que yo siempre he preferido vivir con una mujer, por mi enorme propensión a la ternura con lágrimas en los ojos.

De más está decir que logró convencerme, tras haberme enternecido con lágrimas en los ojos suyos y míos.

—Mire, usted, señor Romaña.

En efecto, el parecido con Frankenstein era casi de tamaño natural, algo realmente asombroso, y Frankenstein había dicho en el cine que era malo porque era desgraciado. Esas cosas nunca se olvidan, y ahí fue que empecé a conmoverme y a aceptar lo de cara a cara y hombre a hombre.

—Quisiera que me escuche usted bien, señor Romaña. Hay hombres con mucha mala suerte, como hay hombres con mucha buena suerte, y usted parece estar entre los primeros y entre los segundos... En fin, no siendo psiquiatra como José Luis Llobera, no sabría explicárselo tan bien como él, pero quiero decirle que es imprescindible, absolutamente imprescindible, que usted defeque. Se trata de él, nada menos que de él. Usted tiene la gran suerte de que ese hombre sabio y sencillo sienta por usted un afecto que sólo se compara al que su esposa María Teresa siente por usted.

Batió el récord mundial de *ustedes,* y todos se referían tanto a mí que el asunto se tornó en algo realmente conmovedor con lágrimas en los ojos, ¿qué quería, cara a cara? Pensar que había estado a punto de decirle, al verlo aparecer, que un loco era mi médico en ese manicomio, y que si tanto ansiaba un hombre a hombre, pues nadie mejor que el doctor Raymundo Pericay. Pero entre que no quise molestar al doctor Raymundo Pericay, y entre que me acababan de soltar el nombre venerado de José Luis junto al de María Teresa venerada, opté por meterme de una vez por todas en el bolsillo de Frankenstein en cara a cara, suplicándole desde ahí dentro que me dijese por favor qué podía hacer por José Luis.

—Defecar, señor Romaña. Nada más que defecar. José Luis y yo le juramos que el primer día le dolerá un instante, en el primer instante, pero que luego todo pasará inmediatamente. Un instante, señor Romaña, y podrá usted salir de aquí.

—Doctor Raset, pero yo no quisiera salir de aquí.

—Pues es eso precisamente lo que tiene profundamente triste a José Luis.

—¿Profundamente triste, dice usted?

—Profundamente triste. Para él, usted tiene toda la vida por delante...

—A punta de anafraniles.

—No, señor Romaña. Eso será cosa de unos meses más. Mire usted, la desintoxicación ha sido todo un éxito. Mi última operación ha logrado más de lo que yo mismo esperaba de ella. Usted no puede seguir con esa fijación. Defeque y verá. Confiará en la vida. Confiará en sus amigos. José Luis está profundamente triste porque piensa que usted le ha perdido la confianza.

—¿Profundamente triste, dice usted?

—Me lo ha dicho esta mañana María Teresa, con profunda tristeza. Usted ya no tiene nada que hacer aquí. Defeque y verá. De los inconvenientillos que surgirán luego me encargaré yo, pero para eso no necesita usted seguir encerrado aquí. Su problema ahora es mental y nada más.

Habría sido tan fácil soltarle que precisamente por eso estaba en el manicomio, pero cuando uno se mete en el bolsillo de alguien le da ni sé qué ser un individuo más despierto. No siendo psiquiatra como José Luis, el doctor Raset, además.

—¿Defecará usted, señor Romaña?

Con la mirada en lágrimas le hice saber que cagaría cara a cara y de hombre a hombre, por José Luis. No soportaba la idea de que estuviese profundamente entristecido. Tendría que decirle adiós a mi ideal, a la seguridad, al doctor Raymundo Pericay. Pero José Luis estaba profundamente entristecido y uno no puede arrastrar al mundo entero en su rodada. Digo el mundo entero, para que tengan una idea de lo que es un amigo para mí: el mundo entero. Y para que tengan también una idea de lo que yo llamo rodar con elegancia, dentro de una visión estética del mundo.

Mi habitación estaba al fondo de un amplio corredor sobre el cual se abrían las puertas de los demás dormitorios, frente al soleado ventanal. Era la más grande de todas y la única que tenía adentro una habitacioncita especialmente concebida para cagar. Los demás enfermos iban a baños comunes, y la verdad es que yo había andado tan preocupado por otras cosas que nunca me había fijado que era un cuarto mucho más grande, diferente, y mejor. Le pregunté al doctor Raymundo Pericay, que todo lo sabía, porque llevaba catorce años sin dormir y en una mecedora, y me contó que el doctor José Luis Llobera había ordenado que arreglaran ese dormitorio especialmente para mí. Desde que el cura se marchó, sólo lo abrían para limpiarlo.

—Fue la habitación del cura, en otros tiempos, señor Romaña. Pero cada día hay menos fe en el mundo, y los enfermos mentales son siempre los primeros en darse cuenta de los vientos que soplan. Como si estuviesen a la cabeza de todo, señor Romaña.

Me conmovió pensar que José Luis hubiese ordenado un trato privilegiado para mí, y me juré que de mañana por la mañana no pasaba. Comí muchísimas frutas, muchísimas verduras, doblé la dosis de laxantes, y no les apliqué control psicológico alguno. Desperté a las siete, y fui, tras haber abierto la puerta de mi dormitorio para que se escucharan bien mis alaridos, en caso de ser necesario. La puerta de la habitacioncita la dejé también abierta, por las mismas razones. Me parecía increíble haber hecho tal abstracción del wáter, como lugar en el que hasta el papa se sienta y caga, sin gracia alguna. En cambio al nuevo fecaloma me había acostumbrado por completo, y encontraba mi creciente barriga perfectamente natural y sumamente adecuada a mi nueva visión de las cosas de este mundo. No recordaba bien cuánto tiempo había pasado, por la sencilla razón de que jamás imaginé que volvería a defecar, para usar la palabra del doctor Raset. Pensaba en él y pensaba en José Luis y sabía que habían organizado todo el asunto de mi cagada entre los dos, pero ello no me impedía creer que José Luis estaba realmente triste y preocupado por mí. O sea que me mantuve en mis trece, y hasta pensé en pujar.

¡Qué extraña sensación la de estar sentado! Es lógico, pensé, recordando que en París me habían tocado durante años wáters de hueco en el suelo. A la turca se le llama a este sistema tan empleado en Francia y hoy sé incluso que existen varios más y que en los edificios de los grandes organismos internacionales, como las Naciones Unidas, por ejemplo, hay diversos sistemas de wáters, cada uno entra al suyo, y esto es cosa que se respeta tanto como las diversas religiones de los países miembros. Todo lo cual ayuda a explicar la sensación tan extraña que experimentaba aquella mañana, sentado en un wáter, pero sólo parcialmente. Porque la verdadera extrañeza venía más que nada de esa especie de vuelta al ruedo tras años de retiro, llevado por mi afecto a José Luis. ¡Cuánto lo quería!... A la una, a las dos, y a las...

Pero apareció Juanito-sin-apellido matándose de risa de mi estado de ánimo en esa postura, a juzgar por la dirección en que apuntaba su dedo. Me produjo una depresión espantosa y sentí del todo la infinita tristeza y soledad que estaba viviendo a las siete de la mañana, haciendo esas cosas sin que mi esposa sospechara, siquiera, que horas más tarde le iba a decir ya fui al baño, Inés, y que ella lo primero que iba a pensar era en el aeropuerto de París en París. El doctor Raymundo Pericay, como siempre tan comprensivo, porque llevaba catorce años sin dormir y en una mecedora, entró corriendo a librarme de la carcajada y del dedo de Juanito-sin-apellido. Pero lo agarró de golpe y del todo la nostalgia al pobre. No pudo más y abrió la ventana y vio su maternidad, allá al fondo, mientras yo seguía con el pantalón del pijama caído en el suelo y viviendo esa sensación tan extraña entre tanta tristeza y soledad. Me subí él pantalón, y me puse de pie para escucharlo, porque lo respetaba enormemente. Un parto a las diez de la noche y él partía corriendo. Un parto cuando regresaba de ese parto y el partía corriendo y una cesárea cuando pensaba que esa noche no tendría que partir corriendo. Era

de partir el alma cuando lo agarraba la nostalgia, aunque Juanito-sin-apellido parecía pensar todo lo contrario, a juzgar por la
dirección en que apuntaba su dedo.

Una hora más tarde cerré todas las puertas, confié a fondo
en José Luis y en el doctor Raset, y sentí un instante de dolor
que desapareció instantáneamente. Hubiese querido abrazarlos
porque estaba bañado en lágrimas, ya que no me habían mentido ni un solo instante, pero algo raro me ocurría. Era una pita.
Una interminable pita que de seguir así me iba a mantener ocupado para toda la mañana, y mira, por más que hace uno sigue
la pitita.

Le conté a la enfermera que había ido al baño, y a las doce
del día aparecieron Inés, Nena, Josefa, Mario, el doctor Raset,
José Luis, y María Teresa. La reunión se puso un poco tensa
porque los Llobera e Inés no iban muy bien juntos, pero aun
así, pedí que invitaran al doctor Raymundo Pericay. Después se
metió Juanito-sin-apellido y también brindó con champán y fue
el único que derramó por estar apuntando tanto con el dedo.
Brindamos todos, otra vez, porque al día siguiente podría abandonar el Frenopático, y vi a José Luis observar con desagrado la
expresión de alegría en el aeropuerto de París que se reflejó en el
rostro de Inés, muy probablemente porque se sentía ya en el
aeropuerto de París en París. Después supe que le había pedido
que se esperase unos meses más, para que el tratamiento antidepresivo empezara a actuar de nuevo, al haberse terminado casi
por completo con la desintoxicación y con lo otro. La respuesta
de Inés fue tajante: no podía esperar, se quedaría para lo de los
inconvenientitos mencionados por el doctor Raset, pero con
eso basta, por favor. Y cuando José Luis le dijo entonces dale
permiso para que tenga uno que otro flirt, porque se va a morir
de soledad, ella le respondió que yo era un hombre libre y que
él era un burgués podrido, además. Lo de podrido se lo dijo con
el cuello, estoy seguro. Lo que pasa es que José Luis era incapaz
de contarme una cosa así por temor a causarme una gran pena.
Pobre Inés. Quedaba muy mal cuando decía cosas como ésa.
Las decía más que nada por defenderse de inexistentes ataques,

creo, pero como las decía con el cuello, y tenía el cuello tan largo, quedaba realmente pésimo. A veces la gente la encontraba antipatiquísima con tanto cuello. Como Sansón con el pelo, Inés sacaba toda su fuerza del cuello. Pero lo volvía implacable y frío y serio y duro, cuando había sido tan interminablemente lindo y acariciable durante nuestros primeros años, luego en la hondonada, y lo habría sido siempre dentro de una concepción tierna y estética del mundo.

Mi último día en el Frenopático habría querido pasarlo íntegro abrazado al doctor Raymundo Pericay, pero de noche él seguía sentado en su mecedora, igualito que de día, y en cambio a mí me tumbaban con algún asunto de setenta miligramos. Además, el doctor Pericay me aconsejó que hiciese lo posible por dejar una buena impresión de mis últimas horas entre los demás pacientes del pabellón. Hice un gran esfuerzo por lograrlo, y aunque nadie movió el tema de las falsas e inexistentes hemorroides, todo fue nuevamente un desastre porque yo siempre he sido muy poco hábil para cualquier actividad manual. Y a los locos les daban actividades manuales chiquititas, para que no pasaran la vida entera pensando en otra cosa. Los llenaban de hilos, cuentecillas, agujas, alfileres bordados, y zurcidos, que exigían una gran destreza en chiquitito. Les daban también enchufes o lamparines o cualquier artículo de esos llenos de tornillitos y tuerquecitas y alambrecitos, y por supuesto que el entornillador parecía cosa de relojero viejo de los de antes, sin la vieja lupa de antes, eso sí. Mas como ayer, hoy, y siempre, los del Frenopático miraban también con un ojo abierto al máximo, en detrimento del otro cerradísimo, porque sucede en las mejores familias. Los concentraban sentados sobre un taburete, y así se pasaban horas y horas, aunque la verdad es que a menudo noté que mientras atornillaban, bordaban, zurcían, o pasaban cuentecillas superconcentrados, se daban el gran lujo y el gustazo de pensar en otra cosa.

Unos vivos de cuentas es lo que eran, y aquel último día se tomaron la libertad de mirarme constantemente de reojo mientras trabajaban con habilidad de tinta china, pero sin que ello les impidiera en nada, tampoco, la gran concha de estar pensando además de todo en otra cosa. Algunos cayeron en excesiva vida privada, es cierto, y hasta se cayeron de sus taburetes. La gran mayoría, sin embargo, observó con lupa y en cámara lenta mi enorme torpeza manual. No, no era uno de ellos, sería para siempre una persona indigna de su confianza, conque hemorroides, ¿no?, mira cómo se le caen los tornillitos de la mano, está completamente loco. Abandoné la sala de trabajo, le propuse al doctor Raymundo Pericay comer juntos, y después charlamos y charlamos en mi habitación hasta que vinieron a apagar las luces, hora en la que él empezaba con su insomnio oficial de catorce años.

Que alguien pruebe salir alguna vez del manicomio, para que vea las ganas que le entran de regresar inmediatamente. Inés me iba dando de gritos y de valiums por las calles de Barcelona, hasta que de pronto vi algo que me pareció bello y conmovedor, algo que me dio una sobrecogedora sensación de seguridad desde la primera foto que vi afuera: un cine y la película se llamaba *Locos*. Era con Jason Robards leyendo nerviosísimo por los parques y un montón de cositas lo ponen mucho más nervioso todavía y se le desgarra el pantalón por culpa de un alambre. La chica es Katharine Ross con una angustia espantosa y de qué le valía pobrecita ser tan buena con Jason Robards y conmigo, cuando los tres inseparables para siempre andábamos sintiendo la nerviosidad esa con miedo por calles, plazas y parques, cosa que a Inés le importaba un repepino en el cine. Además de la bizquera estaba furiosa porque lo primero que se me había ocurrido al salir del manicomio era ver una película llamada *Locos* y eso podía hacerle mucho daño a nuestra próxima separación pues me estaba sintiendo pésimo tras el desencierro. Ya una hora antes le había dicho que me era absolutamente indispensable volverme loco un rato, a ver si así, Inés, a ver si así logro, y no me había atrevido ni a decir calmarme un poco, y me había toreado cinco automóviles de la ganadería TAXI, hasta que me cogió un policía cuando me iban a soltar el sexto, porque la mía era corrida de beneficencia y tenía que encerrarme con 6 bravísimos toros 6. Ella habló en mi autodefensa y fue generosa con el valium cuando me devolvieron mi pasaporte, pero ahora resulta que sigues ahí parado como un tonto ante el letrero de *Locos*, Martín. Me preguntó si estaba loco, cuando le supliqué que entráramos, pero me aplicó íntegro el cuello antes de que yo pudiera comentar su frase a mi favor. Y además creo que fue sólo por eso que decidió entrar, quería evitarse discusiones con la razón tan en contra.

A Katharine Ross la mataron al terminar la película, e Inés me comentó que habría podido salirse al cuarto de hora. Le repliqué que yo en cambio me había sentido muy seguro y muy feliz, que jamás me había interesado analizar una obra de arte, dame un valium, por favor, Inés, y te ruego por favor Inés que me lleves inmediatamente al Frenopático, todo porque hacía dos minutos que estábamos por calles, plazas y parques. Cáiganse ahora: Inés me agarró por todos lados y me besó con inconfundible pasión y a duras penas a media cuadra del cine. Me soltó tan rápido, eso sí, y con tanta bizquera, que a duras penas pude balbucearle mi inconfundible pasión, no hablemos de tiempo para un amago de erección, siquiera. Realmente creí que se había vuelto loca porque buena no podía dejar de ser y siempre fue sólo terca como una mula.

Dos horas más tarde los Feliu nos habían conseguido una casita al borde del mar, en Cala Salions, en vista de que yo no soportaba las calles ni las plazas ni nada de la ciudad, un instante más, en vista de que sólo pensaba en regresar al Frenopático, y en vista de que insistía en volver a ver a Jason Robards y a Katharine Ross tan nerviosos por calles, plazas y parques. Tres horas más tarde, José Luis manifestó su acuerdo con el proyecto de Cala Salions, me llenó de afecto, y me cargó de Anafranil. Cuatro horas más tarde, estaba saliendo del consultorio del doctor Raset, con Inés y con un pene en la mano. Sí. Abrumado porque llevaba un pene de acero inoxidable en la mano. Seis horas más tarde, estaba nuevamente de regreso en casa de los Feliu, donde no se hablaba más que de nuestra partida a Cala Salions, en vista de que había vuelto a ver a Katharine Ross y a

Jason Robards tan nerviosos por calles, plazas y parques, con el pene en la mano, con Inés furiosa, y realmente abrumado con el pene de acero inoxidable en la mano. José Luis lo había recomendado, incluso: de Cala Salions podría ir viniendo un rato cada semana, luego cada dos días, luego cada tarde, a Barcelona, y de esa manera me iría reacostumbrando poco a poco a vivir en una ciudad.

—Será un proceso de reeducación —dijo Mario, abriendo una botella de jerez por Cala Salions.

Les expresé mi deseo de volver a ver *Locos*, por tercera vez, mientras llegaba la hora de la partida, porque además de todo Katharine Ross es sobrina nieta de Katherine Hepburn, y yo tuve un abuelo, de aquellos que usaron mis abuelos, al que le había encantado la tía abuela en la vida real, porque a cada rato acababa de volverla a ver en el cine. Por eso sin duda sentí también un escalofrío como de reencarnación y estremecimiento supremos, desde que nos volvimos los tres inseparables en los parques del cine y la cosa siguió y seguirá para siempre hasta que a ella la matan al final de la película, las dos veces que la he visto en mi vida, esa tarde. Es lógico, pues, el escalofrío, porque yo a ese abuelo lo quise muchísimo.

Y era lógico, también, que deseara ver *Locos* por tercera vez, salvo que el cuello de Inés me probara lo contrario. Lo cual hizo, aunque sin atreverse esta vez a preguntarme si estaba loco, para no tener que aplicarme cuello tan seguido. Después de todo, el doctor Raset me había explicado esa misma tarde en qué consistía el primero de aquellos famosos inconvenientillos que tanto mencionó al cabo de su segunda operación.

Se trataba de la pita. De la pitita. Se trataba de que yo podía sentarme en un wáter y pensar que había también wáters a la turca y muchos sistemas más en los edificios de los organismos internacionales, y que a lo mejor un día imposible mi suerte mejora hasta lograr que cambie mis costumbres turcas de París por las de los baños de mármol de mi casa de Lima, tan caídas en desuso que acababa de acordarme de que uno se sentaba en el excusado y no en el wáter en mi casa de Lima... Y podía pensar también durante horas y más horas que el doctor Raset era un mago porque había logrado hacerme defecar pititas sin dolor, y así pensar y pensar, cigarrillo tras cigarrillo, pero la pitita seguía saliendo interminablemente y yo tuve que explicárselo cara a cara a Frankenstein.

—Es lo normal, señor Romaña. Lo sabía; lo estaba esperando. Un poco de sentido del humor, por favor, ahora. A usted le ha pasado de todo en la vida, o casi. Me consta por la forma en que le han masacrado el culo. Pues lo siento, señor Romaña, pero con tanta operación es lógico que los músculos se le hayan contraído en esa zona. Eso explica lo de la pitita, como le llama usted. Y eso explica también el que... je je... tenga usted que volverse maricón je je durante unas semanas, je.

Le dejó él ¡QUE! aterrado a Inés, porque recién al día siguiente empezaba un nuevo tratamiento antidepresivo-agresivo con Anafranil. Pobrecita, se le vino el mundo abajo, ahí, en mis narices, y no logré ayudarla ni siquiera haciendo que me cayera a mí encima. Y después lo único que hice fue mirar al doctor Raset con cara de qué importa, y sólo porque me estaba pidiendo que mirara.

—No. No le digo que me mire a mí, señor Romaña. Mire usted a su derecha, sobre aquel mueble. ¿Ve usted?

Era ese sentido del humor negro, tan agudo entre los proctólogos, el que le permitía sonreír cortésmente mientras yo iba contemplando su colección completa de conos de acero inoxidable, homogeneizados, pasteurizados, y exactos a un pene.

—Coja usted el tercero empezando por la izquierda, señor Romaña, je.

Yo hubiera preferido que Inés lo agarrara, puesto que era ella la que lo iba a hacer funcionar, según nos lo estaba explicando el doctor Raset. Pero ustedes ya saben lo que es un cuello largo largo coronado por una bizquera. Además, no saben lo horrible que puede ser un Frankenstein que dice je.

—Diez minutos cada noche, señora. Lo introduce y lo mantiene usted en el recto durante diez minutos cada noche. Empújelo a fondo y sin temor, je, señora, y mantenga luego la presión, pues tiende a escaparse debido a la contracción actual de los músculos.

Me miró adivinando que también yo tendía a escaparme, pero volvió a dirigirse a Inés. Era como si estuvieran hablando de cuello a cuello, ante un inexistente Martín Romaña, y recordé con profunda nostalgia los años en que aún se me permitía conservar un mínimo de edad y estatura. Pero ya ni eso, ahora.

—¿Está todo claro, señora?

—Sí, doctor. De lo contrario perdería horas cada día en la pitita.

—Eso, señora.

—Y ahora, señor Romaña, coja usted el tercero empezando por la izquierda, por favor —insistió el doctor Raset, ante mi falta total de presencia de ánimo, y pensando probablemente que me estaba haciendo el olvidadizo o algo así.

Fui.

—Muy bien, señor Romaña. Ese. El tercero, je. Diez minutos todas las noches durante una semana y luego viene usted por el cuarto. Al llegar al sexto será suficiente. Cada siete días viene usted a cambiarlo por uno de mayor diámetro. Cuatro semanas, señor Romaña, y el asunto habrá quedado atrás. Un caso para los anales de la ciencia proctológica, créame, no le exagero en nada. El fin de una pesadilla, señor Romaña ¿Cómo, no se alegra usted?

No siendo psiquiatra, como José Luis Llobera, el doctor Raset no tenía por qué no decir una que otra tontería de vez en cuando, ni mucho menos por qué entender que la pesadilla continuaba para mí. Una casita al borde del mar, en Cala Salions. Una playa abandonada en esa época del año. Una pareja que parte a una casita al borde del mar, en una playa abandonada, cuatro semanas, porque el doctor Raset acaba de decir cuatro semanas, sin entender para nada que Martín Romaña, ese hombre que acaba de tomar a su esposa del brazo, que le está diciendo vamos, tras haber cogido el cono de acero, piensa en otra cosa. Piensa que esta era la única luna de miel al revés de la que tenía conocimiento. Y para la inmensidad de su tristeza, en ese instante, al revés quiere decir una luna de miel que no es el punto de partida de algo, que sería en cambio el punto final de todo.

En la calle, le pidió a Inés que lo llevara a ver *Locos,* o al Frenopático, y dejó caer sin darse cuenta el cono de acero.

—Te pasas la vida pensando en otra cosa, Martín —le dijo ella—. Toma, llévalo tú, y agárrate bien de mi brazo porque te va a atropellar un carro. Y no sufras más, por Dios. Te voy a cuidar muy bien estas cuatro semanas. Piensa que nuestros amigos han tenido la amabilidad de conseguirte una casa en la playa por todo el tiempo que necesitas. Y ya verás cómo al regresar a Barcelona no sientes angustia alguna.

Inés tenía razón. Regresé a Barcelona sintiendo únicamente los efectos secundarios del Anafranil. Visité a mis doctores, a mis amigos, a sus esposas, todo bajo los efectos secundarios del Anafranil. No siendo psiquiatra, aunque fue un gran tipo conmigo y al final no quería ni cobrarme porque mi caso quedaba para los anales de la proctología, el doctor Raset me habló del último inconvenientillo, ahora que ya podía defecar paquetes con pita y todo, si lo deseaba, je je...

—Lo lamento mucho, señor Romaña, pero usted tiene hemorroides todavía.

Se escuchó un ¡QUE!, que no era el mío, ya por falta de costumbre, sino el de Inés, que no estaba dispuesta a soportar más porque tenía fecha y hora y número de vuelo desde el aeropuerto de París, ciudad que a mí me parecía haber abandonado para siempre, mil años atrás. Curioso. No había logrado creer más en su existencia, desde que Inés empezó a hablar de partir, París se había convertido en una mención literaria, una vaga referencia a la tristeza y al miedo y al amor con demasiadas ilusiones. Y no había vuelto a creer en su existencia hasta entonces, porque jamás logré creer que el día que ahora se acercaba, pudiese existir.

—He dicho que el señor Romaña aún tiene hemorroides, señora.

El otro ¡QUE! de Inés fue con el cuello que había venido

ejercitando durante los últimos tiempos, para el aeropuerto, y el doctor Raset se deshizo en aterradas explicaciones acerca del estado en que me había encontrado esa zona, destrozada, señora. Era imposible extirparle todas las hemorroides, señora. Ya no se podía operar más. Pero mire, no se preocupe, a la primera molestia que se ponga una de estas cápsulas-supositorios. Tenga usted la caja, señora.

Las cápsulas-supositorios eran casi del tamaño de los penes y contenían magia para las hemorroides, según el doctor Raset. Pero Inés estalló en llanto y le arrojó la caja al pobre Raset, que nos siguió hasta la puerta diciendo que comprendía, que lo comprendía todo, ya van a ver, no le pasará nada, siendo algo nervioso el señor Romaña, a lo mejor el mismo miedo se las cura, pero tenga, tenga las cápsulas, señor Romaña, las cápsulas, señora Romaña...


## BREVE PARENTESIS SOBRE LAS CAPSULAS DEL SEÑOR ROMAÑA


Fueron a dar al Sena, por obra y gracia de Octavia de Cádiz, una noche en que se las mostré para probarle que no había un ápice de exageración en mi vida exagerada. Lo demás, o sea ese paseo al borde del Sena con Octavia, no pertenece a este cuaderno azul, sino al rojo candente que ya le tengo comprado a ella. Lo he comprado antes de lo que pensé porque he tenido que salir en busca de hojas para agregarle a mi cuaderno azul. No puedo ocultarles más que hace tiempo que se me acabó, pero no soy profesional en estos asuntos y no puedo calcular el número de páginas desde el comienzo. Además, creo que al empezar conté que el cuaderno azul me lo regalaron, o sea que no pude mirarle el diente. Y aunque era grueso, más grandes fueron mis lamentos, perdón. En fin, todo este rodeo para decirles que no es ni ahora ni aquí que les voy a hablar de Octavia de Cádiz.

Ya conocen la maravillosa sutileza de Octavia. Ya saben cómo me detectó tan conmovedoramente los cinco bultitos en la garganta que ni el mismo Enrique Alvarez de Manzaneda logró ver jamás, como prueba de solidaridad recíproca. Octavia contó uno, dos, tres, cuatro, cinco, con miopía y todo. Y no saben cómo me puse. Pues así igualito detectó que llevaba las cápsulas siempre conmigo, en defensa propia. Las hemorroides podían asaltarme en cualquier circunstancia o lugar. Además, la única frase penetrante que pronunció el doctor Raset, no siendo psiquiatra, fue aquella referente al miedo. Dijo que a lo mejor el mismo miedo me curaba las hemorroides y Octavia me arrancó las cápsulas de las manos y las arrojó al Sena, aprovechando sin duda el estado de idolatración al que había entrado para siempre jamás, porque así era con ella la vida cotidiana y lo que la gente llama el desgaste de la pareja. Casi me arrojo al Sena, pero cómo hacerle eso a Octavia, sabiendo que me acompañaría. El miedo me retuvo, finalmente, y he sobrevivido a pesar de la carencia. Las hemorroides no crean hábito como la morfina ni como Octavia. Y la última vez que las vi, las cápsulas estaban allá abajo en el Sena.

## ALLÁ ABAJO EN EL SENA

—L lévese las cápsulas de cualquier manera, señor Romaña
... —repetía el doctor Raset, en la puerta de su consultorio—. Así estará más tranquilo. A lo mejor el mismo miedo le
cura las hemorroides.

Con las justas logró entregármelas. Y con las justas logré
darle un apretón de manos, antes de que Inés empezara a gritar.

—¡Te van a matar! ¡Estoy harta! ¡Hasta cuándo vas a
aguantar!

Partió sin despedirse nunca del doctor Raset.

Esto último fue más o menos lo que le pasó conmigo en el
aeropuerto de París.

## UNA NOCHE DE INVIERNO
## EN EL AEROPUERTO DE PARIS

T odo un libro preparándolos para esta escena, y ahora resulta que no me atrevo a contársela. Uno se encariña con el
lector, y termina queriendo ahorrarle aeropuertos tan tristes.
Después reflexiona un poco, un poco más, reflexiona mucho, y
piensa que a lo mejor nuestro deber es contar. Y no para terminar un libro. Qué demonios importa un libro que no se termi-

na, si la vida está llena de ejemplos sin principio ni final y de historias que no tienen ni pies ni cabeza. No. Si me cuesta tanto contarles el final de esta historia es porque quisiera ahorrarles la pena de saber que Inés no estuvo a la altura de lo que yo soñé aquella noche en el aeropuerto. Le faltó algo enorme, y no logró comportarse como mi dulcísima paloma. Sé que le sobró bizquera, pero también sé que tres horas después de partido el avión, yo seguía creyendo que nuestro silencioso complot sería un éxito.

Los muchachos del Grupo me dijeron vamos ya, Martín. Pobres ignorantes, qué sabían ellos de lo que esa noche existía, con hondo de hondonada, entre Inés y yo. La complicidad. El amor vivido. Su Martín. Mi dulcísima paloma. Pobres imbéciles: vinieron a decirme que ya el avión se había ido y te acompañamos a tomar un trago, Martín. Comprendemos, hermano, pero hay que inclinarse siempre ante una causa noble, ante un ideal. Ignorantes. Ni siquiera sabían que el licor estaba contraindicado con el Anafranil y me estaban proponiendo un trago. ¿Qué querían? ¿Qué buscaban? ¿Que por una mala reacción al licor destruyera todo lo logrado aquella noche en un aeropuerto tan triste que debieron haberlo cerrado las autoridades? Escribiría en este sentido a las autoridades. Ignorantes. Mi plan no podía fallar. Era tan sincero, tan recordatorio, evocaba hasta tal punto el primer instante de mi dulcísima paloma, que no me podía fallar. Inés recordaría, evocaría, captaría, se quedaría calladita porque me adoraba, se despediría, pasaría con los demás pasajeros por la puerta número 44, desaparecería rumbo a las pistas del aeropuerto, pero como en Lima, Inés, por favor como en el antiguo aeropuerto de Lima, Inés. Y nos volveríamos a encontrar afuera, como sucedió en una época en Lima, cuando la gente ya se había despedido llorando.

La historia del antiguo aeropuerto de Lima me encantó siempre y siempre se la conté y ahora tenía que venirme a la memoria del corazón. Es una historia que todo el mundo encuentra muy divertida y extravagante, por lo cual resulta eficaz contra la tristeza, como todo lo que es divertido y extravagante.

609

Pero, para mí, que viví bajo el terror de lo que me iba a ocurrir una noche de invierno, en un aeropuerto que las autoridades debieron haber cerrado por triste, esa historia era el arma más poderosa que se ha inventado contra la pérdida del ser amado.

A Inés le hacía gracia, pero no tanta como para que se la contara a cada rato, en los últimos tiempos.

—Eso me hace pensar en las despedidas del aeropuerto de Lima, el antiguo, el de Limatambo, cuando llegaron los primeros jets comerciales al Perú, Inés.

Y le soltaba la historia, y la pobrecita una vez bizqueó porque se la acababa de soltar media horas antes. Pensé que podía estar pensando que la memoria empezaba a fallarme prematuramente, por descender de una familia que era puro descendiente, pero aproveché del magnífico humor que siempre me producía su presencia en cualquier circunstancia y lugar, para abusar un poco de su capacidad de asimilación mientras leía a Kautsky.

—Fue genial lo del aeropuerto de Lima, Inés. ¿Te acuerdas? Los jets comerciales llegaban por primera vez al Perú, y no podían aterrizar en ese aeropuerto por el tamaño de las pistas. Había que construir otro, y mientras tanto se utilizaban las pistas de la Base Aérea de Las Palmas. Pero como en la Base no había aduanas, ni terminal, ni nada, porque no había sido prevista para pasajeros, primero acompañaba uno al ser querido que partía a Europa, por ejemplo, al aeropuerto civil, y después, a ese ser querido, y a todos los demás seres queridos que partían ese día se los llevaban en un ómnibus hasta Las Palmas, para que tomaran su jet, tras haber cumplido con todas las formalidades de émbarque y despedida que en Las Palmas resultaban imposibles, porque además ese aeropuerto pertenecía a las Fuerzas Aéreas del Perú con secreto de Estado y Defensa Nacional.

Inés volteó la página de Kautsky, y yo pude seguir.

—Total, Inés, que a cada rato se encontraban, en el semáforo que había a la salida del aeropuerto, un montón de seres queridos que se acababan de despedir llorando a mares. Era una situación de lo más incómoda, porque uno ya había despedido llorando a mares, había puesto el motor de su automóvil en marcha, y estaba regresando a la ciudad, cuando de pronto, juácate; un ómnibus entero de seres queridos esperando en el semáforo. La gente se miraba de ventana a ventana sin saber qué decirse, como si no se hubiese querido jamás. Era una situación de lo más incómoda para los sentimientos, Inés.

Inés volteó la página de Kautsky, me miró ligeramente bizca, y yo aproveché la felicidad que me producía cada vez que me miraba de cualquier manera, para seguir.

—La mejor de todas, luz del alma mía, fue la de la muchacha que empezó a mirar a su marido o a su novio, en fin qué importa, y de repente pegó un grito: ¡Espera, tonto!, y se bajó del ómnibus, y al día siguiente salió retratada en el periódico diciendo que hay momentos culminantes en la vida que son más fuertes que uno, y que hay que estar preparados para darle a esos momentos su debida altura, que es toda, dulcísima paloma.

Inés me sonrió feliz cada vez que terminé de contarle esa historia. Y así la quise yo, y nunca me importó jactarme en calles y plazas de que me hubiese acariciado con diminutivos y de que me hubiese besado con pasión en aumento, a medida que se desarrollaron nuestras infinitas posibilidades de felicidad y de goce en el hondo de la hondonada, porque yo me jactaba de lo mismo al revés hasta cuando la gente me decía ya basta, Martín, te vas a volver loco de amor.

Eso no se olvida. Ni se olvida tampoco que en Lima, conquisté el amor del ser que adoraba recurriendo a un test psicológico, a una pequeña astucia, si se quiere, de la que les he hablado ya en este libro. Sometí a Inés a una prueba, el primer día que fui a verla a su casa de adolescente limeña. La sometí a una prueba perfectamente justificable puesto que mi amor era ya un amor a toda prueba. Me presenté ante ella con el nudo de la corbata caído sobre el pecho. No sé si lo recuerdan. Inés me cerró bien el cuello de la camisa, primero, luego tomó el nudo entre sus manos, y lo puso en su lugar, convirtiéndose ipso facto en mi dulcísima paloma, pues había mostrado cierta debilidad por el estado de mi persona, con tan sólo tocarme la ropa. El hecho contenía un grandioso valor simbólico, y nos casamos en París, literalmente.

O sea que los muchachos del Grupo me dijeron que ya se iban y los dejé irse. Ignorantes. Inés estaba evocando, recordando. Astucia no había esta noche, de mi parte, puesto que mil veces le había contado besándola la escena del nudo de la corbata de su adolescencia, combinándola incluso, con fines perfectamente confesables, con escenas de la historia del antiguo aeropuerto de Lima. Lo que ahora había entre nosotros era la complicidad máxima, el triunfo final del amor, del respeto, de la ternura, de la hondonada, de todas aquellas cosas que iban a hacerle recordar que dos seres se podían encontrar afuera del aeropuerto, aun después de la despedida. Inés no subiría al avión. Ya debía estar escondida por ahí, esperando aque desapareciera el peligro de los muchachos del Grupo merodeando sospechosos de la grandiosa fuerza de nuestro amor en feroz silencio envidiable.

Pero resulta que yo no fui visto en el aeropuerto. La verdad, andaba tan jodido que no logro recordar grandes sectores de detalles de aquella despedida. Veo, por ejemplo, a los muchachos del Grupo, y noto que Inés les bizquea un instante, aunque está sonriendo. ¿Qué era? ¿Bizquera hacia mí, tan enorme, que todavía le quedaba un poco cuando volteó a mirarlos a ellos? Ya antes había visto a Inés bizquear un poco al mirar a los muchachos del Grupo. Sí, tenía que venir de la enorme bizquera a mí. Tan enorme que ni siquiera fui visto en el aeropuerto.

Porque ni exagerando en todo logré comunicarle mi mensaje profundo. Me había sido imposible intentarlo los días anteriores, porque Inés andaba demasiado harta de todo, demasiado impaciente, demasiado irritable conmigo, por el dolor y la incomodidad que le causaba verme así y tener que dejarme así, sin duda. No era el mejor momento pero qué se le iba a hacer, tenía que jugarme el todo por el todo la noche del aeropuerto, y en el taxi en que íbamos con sus maletas no cesaba de contarle lo del antiguo aeropuerto de Lima. Y como no lograba que prestara atención y se fastidiaba tanto y me decía basta, y suéltame, por favor, Martín, cuando trataba de besarla, para poder recordarle luego lo de la corbata tuve que dejar caer también mi orgullo por los suelos en esta escena del aeropuerto.

Maldita noche de invierno. Debieron cerrarla y cerrar el aeropuerto y cerrarme a mí el cuello de la camisa para luego subirme el nudo de la corbata, tras habernos despedido, pero Inés se fue sin verme. No se enteró nunca de que nos habríamos podido fu zar con nuestro amor a cualquier parte, y por más que le hice un verdadero show recordatorio, yendo y viniendo como loco y claramente para ella por todo el aeropuerto con la corbata más roja, más ancha, más larga, y con el nudo rojo más caído del mundo, no me vio. En cambio yo veía un cuello: de pie, ante un mostrador. Está disimulando a causa de los muchachos, me dije un millón de veces, caminando de un lado a otro un millón de veces más. Pero pasaron tres horas y ya no quedaban muchachos del Grupo por ninguna parte y yo seguía con la monumental corbata roja y el nudo y el orgullo navegando a la deriva por mares de llanto mío, una noche de invierno en que debieron cerrar París.

La verdad es que ya les he contado demasiado y no quisiera abatirlos más con lo que vino enseguida en aquel detestable aeropuerto, la detestable y misteriosa noche en que Inés fue la última muchacha que emigró de Cabreada.

# EPILOGO

## LA ULTIMA MUCHACHA QUE EMIGRO DE CABREADA EN EL SILLON VOLTAIRE, O EL CURSO NATURAL DE LAS COSAS

Entonces me habría parecido imposible e Inés me habría aplicado cuello implacable, además. Y recuerden que hasta me fue imposible soñarlo, por temor a que ella se enojara conmigo, y porque entonces qué se me iba a ocurrir que a una muchacha destinada a cambiar el mundo se le pudiera cambiar el mundo de esa manera, ¡carajo! Octavia realmente la acertó al soltar su frase. Y yo que había andado caliente-caliente, como en el juego de la gallina ciega, yo que en mi sueño aquel del Frenopático, aquél de los aeropuertos y de Inés deseando hacer escala en Río de Janeiro, casi le digo que aparte de Chico Pinheiro, en Río de Janeiro ella no conocía a nadie. Claro que conocía al economista ese que trató de robarme su cariño y que hoy es su esposo, pero decirle una cosa así era atreverse a decirle semejante cosa, entonces, y ni soñando me atreví. Y recuerdan que Inés me sonrió satisfecha en el sueño, y que de esta manera logré evitar una pesadilla soñando aquella vez en el Frenopático. De más está agregar ahora que también de esta manera se me escapó de entre las manos el desenlace de mi propia historia.

Felizmente. Hay que pensar qué me habría hecho yo con semejante desenlace en pleno Frenopático, en pleno vía crucis rectal. Demasiado. Habría sido demasiado. Y no exagero al decir que fue mejor que las cosas siguieran su curso natural.

En el curso natural de las cosas, Inés no soportó los efectos de la visita a Cabreada, y decidió probar suerte, con mucha suerte, en Río de Janeiro. Testigos son el lujo, la prodigalidad, Roberto, o sea el economista brasileño, dos preciosos hijitos y, valgan verdades, la amistad bien tirada a lo maternal con que me recibió cuando la visité en Nueva Cabreada. Así fue, y mi espíritu deportivo no encontró mejor nombre que éste de Nueva Cabreada, para bautizar descriptivamente su inmensa mansión carioca, se me escapó, en realidad. Miré a Inés como quien se prepara a perder mucha edad y estatura, pero ella sonrió con franca alegría y con ese sentido del humor tan interesante que había puesto en funcionamiento, en vista de que Roberto carecía por completo de sentido del humor. Y no bizqueó ni una sola vez durante los tres días seguidos en que fui huésped de Nueva Cabreada.

Pero vamos de a pocos. Inés no pudo soportar que la gente muy pobre de su pueblo fuera más rica en contradicciones que yo (digo *yo*, porque mi persona era el mal ejemplo que ella usaba siempre, en París), sufrió muchísimo de procesión por dentro, y yo no me enteré de nada, por andar tan enfermo. En fin, cada uno se defiende como puede, pero Octavia fue testigo del estado en que me puso sólo la idea de que Inés hubiese sufrido, e Inés fue testigo del estado en que me puso sólo la idea de que Octavia pudiese sufrir. Y las dos fueron buenísimas conmigo cuando se trató del sufrimiento de la otra.

—¿Y cuándo se va a tratar de ti? —me preguntó, hace algún tiempo, el pérfido Alfredo Bryce Echenique.

A mala hora creí que la tensión entre él y yo había terminado tras el desquite de Sitges, y le solté esa confidencia. Miren la bajeza con que me respondió. Me dejó enfermo con su frase, porque uno se defiende como puede, y porque yo creía que después de haberlo agredido en Sitges, las cosas entre nosotros seguirían su curso natural. Pero vamos de a pocos. El me había noqueado en París, en uno de los peores momentos de mi vida, y ahí en Sitges, aquella tarde primaveral, al borde del mar, cuando lo divisé escondido detrás de una palmera, me sentía totalmente modernizado y reconstruido. En París me esperaba Octavia, en Barcelona, José Luis Llobera acababa de decirme que ni una sola pastilla más, Octavia por la mañana, Octavia por la tarde, y Octavia por la noche, un hombre sano no podía desear más. Qué mejor momento pues para noquear a Bryce Echenique, tú me noqueaste allá, Alfredo, déjame noquearte aquí, he venido desde París para que me confirmen que estoy sano, conoceré además de mi agresividad, quedaré por fin bien equipado para proteger mi amor por Octavia. Sí, un desquite era lo justo.

Pero al pobre Bryce Echenique lo encontré peor que noqueado. Estaba haciendo el ridículo en Sitges, y no lograba salir de esa situación de puro ridículo. Vi que me hacía señas, que me llamaba, no sé para qué me llamaba tanto si cuanto más me acercaba más se escondía.

—Acércate, Romaña —me dijo, en voz muy baja—, ayúdame que estoy jodido.

Lo estaba, el pobre. Había publicado una novela tan gorda como ésta, pero titulada *Un mundo para Julius,* y lo habían invitado a Barcelona porque se creía que iba a ganar un importante premio. Pero al último minuto resulta que el importante premio lo podían ganar un montón de escritores más, y como que empezó a perder interés su visita. Lo cierto es que el jurado se reunía en Sitges, y que a Sitges lo mandaron solo y de incógnito, a ver qué pasa, nunca se sabe, y él, que no sabía ni cómo era Sitges, llegó, vio, se asustó, y trató ridículamente de esconderse en uno de los bares, en espera del fallo, y si gano aparezco triunfal y de casualidad, vine sólo a darme un remojón en el mar. Pero en cada bar había ya un escritor incógnito esperando darse un remojón de casualidad en el mar. Cada escritor incógnito tenía su propio bar y no quedaban más bares y el pobre Bryce Echenique fue a dar a su palmera. Y juácate, ahí lo divisó nada menos que el reconstruido y modernizado individuo que era yo. Al principio trató de desaparecer, pero tan bruto no era: captó que yo estaba dispuesto a girar mil veces en torno a la palmera, no pararía hasta saber qué mierda le estaba pasando tan escondido. Acércate Romaña, me dijo, al sentirse descubierto por un hombre sano. Y me lo confesó todo.

—Conque de incógnito, ¿no?

—Ayúdame, hermano.

—¿Cómo? —le preguntó el campeón mundial de los pesos pesados.

Mi ayuda consistía en ir al lugar en que se hallaba reunido el jurado, esperar a que se diera el fallo, correr hasta su palmera a comunicárselo, y en el caso de que le fuera negativo, en prestarle mis anteojos de sol, y en ocultarlo al máximo con el cuerpo hasta que lográramos huir.

—No te muevas, Alfredo —le dije—. Voy a ver qué pasa con el jurado, y no bien me entere de algo, regreso corriendo. Quédate tranquilo y bien paradito detrás de tu palmera.

Pero se la olió el muy vivo. Mi sonrisa de entera satisfacción delataba demasiado, sin duda, y él ya había sospechado que yo era muy capaz de no regresar.

—Romaña, si no me fallas te cuento a dónde fue a parar Chico Pinheiro.

—¿A dónde?

—¿Sabes que enloqueció al saber que por su culpa?... Tráeme noticias del jurado y...

—Chico Pinheiro no tuvo la culpa de nada —lo interrumpí—. Al contrario, trató de ayudarme llevándome donde un proctólogo...

—¿Un qué?

—Donde un especialista en enfermedades del recto y del ano. ¡Hasta cuándo voy a tener que explicar lo que es un proctólogo! ¡Parece que viviéramos en un mundo sin hemorroides!

Le solté a bocajarro que qué premio podía merecer un escritor que ignoraba hasta lo que era un proctólogo, y me perdí en mil detalles, como siempre que abordo este tema. Pero Bryce

Echenique parecía obsesionado con la idea de hacer el ridículo sin darse cuenta, que es como mejor se hace el ridículo, y volvió a lo de Chico Pinheiro.

—Lo cierto es que te llevó donde un tipo que te infectó por completo el culo con una inyección sucia. No lo niegues. Y Chico empezó a dar de alaridos por las calles cuando se enteró del lío en que te había metido. Lo sabe todo París. Y también que después desapareció. Yo sé adónde fue a parar, y si regresas...

Pero no regresé. Mejor para él que no regresara, pues mientras me dirigía al local en que se hallaba reunido el jurado, pensé en un desquite magistral. Sí: iba a entrar, iba a salir, al cabo de un rato, iba a correr hasta la palmera a avisarle que había ganado el premio, y Bryce Echenique iba a hacer el ridículo de su vida entrando a abrazar a medio mundo, vine sólo a darme un remojón primaveral, señores, a carcajadas lo iban a sacar a patadas del local, porque el jurado continuaba deliberando. Demasiado, me dije, al llegar a la puerta, basta con dejarlo abandonado tal como está. Volteé a mirar hacia su palmera: me observaba escondidísimo, apenas asomaba un ridículo trocito de cara. Lo mandé a la mierda con un gesto importante, y esperé a que algún día el curso natural de las cosas me revelara el paradero de Chico, en vista de que uno no se entera casi de nada en su debido momento. Es lo que yo llamo el orden cronológico del curso natural de las cosas, para evitar el desorden mental.

Y así resulta que Chico Pinheiro, aterrado ante la inmensidad de mi regreso a París, tras haberme ganado un merecido lugar en los anales de la proctología, se hartó de no lograr enrolarse en las fuerzas antiimperialistas que combatían en Vietnam. Pobre Chico. Cada día se presentaba más ante las autoridades enrolativas, llorando más y riendo más, al mismo tiempo, también, y cada día lo enrolaban menos, con refinamiento oriental, muro de incomprensión, y uno que otro ji achinado. Y Martín Romaña no tardaba en salir del manicomio, Inés había escrito de Barcelona. Hasta que un día le hablaron del Frente de Liberación de Mozambique, y Chico se presentó lleno de requisitos médicos, de idioma común, y de idiosincrasia similar brasileña.

Pero volvamos a ir de a pocos, porque de esto me enteré varios años después, y nada menos que en Río de Janeiro, donde Inés y su esposo mantenían excelentes contactos financieros con un individuo que fue del Grupo, con mocasines, y que ya no lo era, con mocasines siempre.

—No me siento culpable, Inés —le dije, mirando de reojo, gracias a unos enormes anteojos negros que me permitían conmoverme al pensar en Octavia, sin tener que molestar a nadie con mis lágrimas, la inmensidad de los jardines de Nueva Cabreada, que hasta colgantes no paraban—. No, no me siento culpable, Inés; Chico fue siempre así y...

—No seas tonto, por favor, Martín —me dijo Inés, desde el fondo de una perezosa en forma de hondonada, porque yo creo en la parapsicología de la vida cotidiana.

Me atreví a mirarla con cara de sentenciado, gracias a los anteojos negros, pero mi cuello, es decir, su cuello, es decir el cuello de Inés que fue mi obsesión, insistió en permanecer dulce, sereno, acogedor con su huésped, y cómodamente instalado en uno de esos collares que sólo podría describir empleando palabras como *avaluado en.*

Esta gran amistad empezó el día en que me pidió el divorcio. Me emocioné muchísimo porque en París jamás tuvimos teléfono, y resulta que de pronto Inés se atrevía incluso a llamarme en larga distancia, de Lima, Perú, persona a persona con el señor Martín Romaña, carísimo el asunto.

—¡Octavia! —exclamé—, ¡es Inés persona a persona en larga distancia!

—¡Adiós para siempre, Martín! —exclamó Octavia, corriendo hacia la puerta de mi nuevo departamento.

—¡Vas a hablar o no, Martín! —me gritaba Inés, en persona a persona.

—¡Claro, Inés! ¡Lo que pasa es que Octavia es muy joven todavía y no ha entendido lo de la larga distancia! ¡Parece que pronto voy a poder dejar el Anafranil pero Octavia se está rodando la escalera!

—¡Martín, yo te llamo para hablar de nuestro divorcio!

—¡Sí, yo también, Inés!

—¡Mira, Martín, llámame cuando te calmes! ¡A ver si logramos hablar como dos seres civilizados!

Colgó como quien desea romper mi teléfono, también, y yo, que poco a poco parecía ir saliendo adelante en la vida, le respondí en los mismos términos muy fuertes, exclamando:

—¡Yo también, Octavia!

Y es que Octavia había regresado desde la escalera gritando que me adoraba y que por nada de este mundo me abandonaría mientras estuviera bajo tratamiento médico. No he conocido a nadie tan distinto a Inés como Octavia. Pero, en fin, eso no viene al caso aquí. En cambio sí viene al caso la forma en que colgué el teléfono. Si la analizamos, podremos deducir que incluso la suerte como que empezaba a acompañarme, gracias al Anafranil: Inés colgó primero, con violencia, yo después, y aunque lo hice también con violencia, ella no se enteró o sea que en nada la ofendí. Y Octavia, que regresaba adorándome a pesar de haberse sacado el alma en la escalera, me dijo que por fin estaba aprendiendo a defenderme y que así tenía que seguir colgándole al mundo entero menos a ella, realmente había colgado estupendo, según Octavia. Y me besó pésimo y perfecto por andar gritando al mismo tiempo que me adoraba ante el teléfono.

Pero al día siguiente me defendí muy mal, porque me llegó un telegrama de Inés, indicándome que ella pagaría mi llamada, en Lima, y me dio una pena horrible que se limitara tanto a esa única frase, ni una palabra siquiera sobre mi salud. Y abajo decía Inés, con mayúsculas, a pesar de la ausencia total de palabras como *saludos, abrazos, recuerdos, besos, perdóname lo del aeropuerto*, y mil otras que se me estaban ocurriendo, pero llegó Octavia.

Tuve la brillante idea de esconder el telegrama a tiempo, de no pedir la comunicación con el Perú delante de Octavia, y de optar por un apartado postal para divorciarme de Inés. Ella nunca lo comentó, por orgullo, probablemente, y fue así como nos hicimos grandes amigos por correspondencia, aunque a mí lo del apartado me daba a menudo una desagradable sensación de doble vida. No sé, ocultarle eso a Octavia... Claro que me tranquilizaba muchísimo saber que jamás encontraría una carta de Inés en casa, porque una crisis de Octavia nos dejaba a los dos en estado crítico, pero la desagradable sensación de una doble vida continuó asaltándome a menudo, aunque la verdad es que Octavia no vivía conmigo tampoco. Es increíble lo complicada que puede llegar a ser la vida cuando uno vive solo, con tanto amor. En fin.

Cuando Inés me confesó, en carta dirigida a mi apartado postal, que también ella había tenido un apartado para Roberto, el tal economista brasileño, hacia el final de nuestra conyugalidad, mi primera reacción fue pensar que lo había convertido al marxismo implacablemente. Ya después, el curso natural de las cosas me fue permitiendo enterarme de que había sido más bien al revés, y todo por culpa de aquel pueblo de Castilla la Vieja que tanto la hizo sufrir. Y claro, fue por eso que Inés terminó bizqueándole hasta a los muchachos del Grupo, al final de su estadía, en París. Era increíble la madurez de Octavia y lo bien que me lo explicaba todo, siempre de la forma en que ella juzgaba menos dolorosa para mí. La verdad, a veces lo único que me dolía era que siendo tan joven imaginara cosas así de tristes, y que además de todo fuesen ciertas. Nos abrazábamos hasta quedar exhaustos y temblando de miedo ante la vida. A mí, por mí no me importaba, pero ella era tan joven, sólo la idea de que pudiese sufrir me causaba pavor.

Y eso explica en un cien por ciento el deplorable estado en que me encontró Inés, cuando salió a recibirme en Nueva Cabreada. Tuvo la delicadeza de preguntarme si su enorme mastín me había asustado con tanto ladrido, mientras estuve tocando el timbre, pero no era eso. No es eso, Inés, alcancé a decir, y vomité sin lograr explicarle lo que me estaba ocurriendo. Llamó al chofer para que se ocupara de mi maleta, me llevó hacia la piscina, y me dijo que me sentara a descansar un rato, en una perezosa en forma de hondonada verde. Mi estado era realmente deplorable, o sea que la obedecí agradecido. Luego me dio un beso en la frente, me dijo bienvenido, Martín, y se instaló a mi lado, en una perezosa en forma de hondonada amarilla. Increíble.

—Hace años que esperaba esta visita, Martín; hasta pensaba que te habías olvidado de mi invitación. ¿De dónde vienes? ¿De Lima? ¿De París? La verdad es que no he vuelto a tener noticias tuyas desde que me instalé aquí.

—Estoy de paso a Lima. Sigo viviendo en París.

—Me alegra mucho verte, Martín, pero ¿por qué no avisaste que llegabas? Debes haber tardado horas en conseguir un taxi, y para mí habría sido muy fácil ir a esperarte al aeropuerto.

—Detesto molestar, Inés.

—Qué molestia va a ser para mí ir a buscarte a un aeropuerto, Martín, por Dios...

—Detesto los aeropuertos, Inés.

—Por favor, Martín, no has venido hasta Río para hablarme de cosas tristes.

Yo acababa de contar nueve hondonadas, sí, con la azul sumaban nueve, desparramadas alrededor de la piscina, casi como quien no quiere la cosa, acababa de contar nueve hondonadas de diversos colores y estaba a punto de soltar una carcajada con mucha parapsicología, pero Inés lo arruinó todo al mencionar el espantoso asunto del aeropuerto. Y como si fuera poco, me soltó además:

—En las últimas cartas que me escribiste, cuando lo del divorcio, me contabas de una muchacha llamada... ¿Cómo se llamaba, Martín?

Me puse los anteojos negros, decidí no quitármelos más en Río de Janeiro, y le dije que se llamaba Octavia.

—Pero ¿por qué tiemblas así, Martín? No me digas que vas a vomitar de nuevo...

—Te he dicho que detesto los aeropuertos, Inés.

—Martín, por Dios, no seas tan tonto. No puedes seguir siendo tan sentimental toda la vida... Mira, ahí vienen mis hijos. Son lindos, ¿no? Niños, saluden a un compatriota de mamá... así... muy bien. Y ahora váyanse a jugar al jardín de los niños, porque el señor está un poco cansado. ¿Te quieres duchar, o prefieres tomarte una copa primero, Martín?

Era imposible explicarle que prefería las dos cosas al mismo tiempo, más un teléfono para llamar a Octavia y decirle, gracias al coraje de un whisky doble, escucha mi llanto, amor mío, parece una ducha pero soy yo en un teléfono público de Río de Janeiro. Y si Octavia me perdonaba jurándome que me lo creía todo, contárselo todo: Que el nuevo aeropuerto de París era más cruel que el anterior, éste sí que es cruel de a verdad, Octavia, que había hecho lo imposible por escaparme y besarla como loco en el semáforo, en fin, tú me entiendes, Octavia, pero créeme que ahora el que se despide se jodió para siempre, hice lo imposible, amor mío, por más que tú me convenciste, por más que tú me hiciste jurar que no reaparecería, por más que me probaste que también mi madre y mis hermanos tienen derecho a verme algún día, por más que me juraste que yo te llamaría todos los días de Lima, Octavia, pobrecita, Octavia, yo quería probarte que soy capaz de cualquier cosa por ti, pero quién se iba a imaginar que de estos aeropuertos tan modernos no se escapa ni Cristo, me metieron a un tubo que me absorbió con aerodinamismo, mi amor, me fueron encerrando de sala en sala, cosa de locos, tubos invencibles y salas de cristal antiterrorista y la gente te da de empujones si tratas de ir contra el tráfico y yo que detesto molestar y las escaleras suben solas pero no bajan más, yo no sé cuándo bajan esas escaleras, amor mío, pero lo cierto es que aquí estoy en Río, yo que ni siquiera le avisé a Inés, ¿te acuerdas de que tú misma me dijiste aprovecha, Martín, conoce un poco Río, ahí te relajarás antes de llegar a Lima, creo en tu amor porque lo estoy viviendo, Martín, y es natural que algún día tú e Inés se vuelvan a ver, te acuerdas, Octavia? Claro que no pudiste con tu genio y me pegaste esa cachetada tan llena de orgullo, de amor, de dolor previo a una partida que, en ese instante, para mis adentros, dejó de existir: a ti te daría el amor del antiguo aeropuerto de Lima, a ti te daría el amor a toda prueba, pero quién se iba a imaginar que esos tubos de mierda me iban a despachar prácticamente hasta Río de Janeiro,

Octavia, quién, sólo te ruego recordar que ni siquiera le avisé a Inés, qué más pruebas quieres de que nunca pensé llegar aquí, y ya verás también cuando regrese de Lima, te traeré de regalo todas las cartas en que le decía a mi madre, no se ilusionen demasiado con mi llegada, puede depender de detalles de último momento... Octavia, llevo puestos los anteojos negros, ¿tú?... No, tú no por favor, no soporto la idea de que puedas estar sufriendo...

—¿Qué te pasa, Martín? Estás completamente ido. ¿Te sigues sintiendo mal? Yo creo que a ti lo que te hace falta es una buena copa...

—Detesto los aeropuertos, Inés. Déjame contarte, por favor, necesito desahogarme, Inés...

—Martín, basta, basta ya. Estás en casa de gente que te quiere mucho, pero por eso mismo trata de controlarte, y deja de pensar en cosas que ya pasaron. Voy a pedir que nos preparen unos daiquiris. Es la especialidad de esta casa, y a Roberto le encanta encontrar su copa lista cuando llega por la tarde de la oficina.

Roberto... Me sentía tan mal que me había olvidado de preguntarle a Inés por Roberto. Traté de reaccionar, Octavia me había hecho olvidar por completo a Roberto.

—¿Qué es de Roberto, Inés? ¿A qué hora llega? Siempre quise conocerlo personalmente, desde que lo conocí en París. ¿A qué se dedica Roberto?

—Veamos... ¿Cómo lo explicarías tú, Martín? Sí, ya sé. Tú dirías que Roberto es propietario de una vastísima red de inversiones totalmente lucrativas, ja ja...

—Ja ja ja...

—Trabaja como un loco. Esto no es París, Martín.

—No, ya lo creo que no, Inés. Esto es Nueva Cabreada.

Realmente se me escapó, y era tan buena que se la dediqué a Octavia, aunque la verdad es que casi me muero de miedo y volteé a mirar a Inés, diablos, la que me esperaba. Pero ella me sonrió con franca alegría, a pesar de mi tristeza, y varias veces más volvió a disfrutar con las tonterías que dije, porque detesto

627

molestar y tres días seguidos con anteojos negros por Octavia no es lo correcto en un invitado.

El que no se reía por nada de este mundo era Roberto. El tipo era amabilísimo, mucho más simpático que el economista que conocí en París, pero ni la propia Inés lograba hacerlo reír. Conmigo se comunicó casi siempre por medio de una especie de esclavo del daiquiri, al que llamaban el segundo mayordomo, debido tal vez a la forma en que lo vestían para que sirviera constantemente otro daiquiri, por orden de don Roberto y porque era la especialidad de la casa.

Fue duro pasarse tres días seguidos sin poder hablar de Octavia, sin lograr desahogarse un poco, siquiera, y todo ello a causa de la bondad de Inés, que simple y llanamente no soportaba ver lo mal que me ponía cada vez que intentaba hablarle del aeropuerto. Al tercer día me suprimió los daiquiris, incluso, e insistió más que nunca en sacarme a pasear. Como siempre, me negué rotundamente.

—Te juro que no es ninguna molestia, Martín —insistía Inés, y por ello nunca olvidaré que fue muy buena conmigo, en aquellos días aciagos.

—Hazme caso, por favor, Martín. Déjame que te lleve a dar un paseo. No puedes irte sin haber conocido nada. Río es una ciudad preciosa. Salgamos un rato a recorrerla juntos, y ya verás cómo se te olvida todo lo del aeropuerto.

—Jamás —le dije, y continué negándome rotundamente a visitar Río de Janeiro, porque me conozco, y sé lo horrible que es para mí la contemplación de la belleza, sin la compañía del ser amado. Inés adoraba a Roberto, pero ¿y yo?—. Jamás —le repetí, convencido de que era inútil explicarle lo que estaba sintiendo. Si ella era capaz de contemplar las playas de Río sin Roberto, muy bien, cada uno es como es. Pero a mí me era totalmente imposible ver algo bonito en Río sin Octavia. Sí, cada uno es como Dios lo ha hecho, aunque ése no era el mejor momento para entrar en explicaciones que además podían ser causa de un malentendido—. Jamás, Inés —concluí.

—Está bien, Martín —me dijo—. Te ruego que me perdones por lo del aeropuerto, pero yo prefiero que en esta casa no se toquen ciertos temas. Veo que no has cambiado, y nada me gusta menos que tenerte de invitado y que te pongas mal.

—Sí, Inés. Te comprendo.

—Y ahora, déjame, por favor, que te dé un beso en la frente, Martín.

Por la noche hubo gran cena de despedida, con muchos amigos de Inés y Roberto, y hasta se me permitió tomarme unas copas de más. Pedí que no pusieran música de Vinicius de Moraes, porque es muy hermosa, señores, y me parte el alma, e Inés se mantuvo muy atenta a mi pedido.

Y pasaron los años y aquí estoy muy contento en mi sillón Voltaire, recordando lo amable y simpática que estuvo aquella noche la muchacha por la que casi me quedo sin ser escritor, por la que casi me quedo sin llegar a ser yo. La quise mucho, y este libro es prueba de cualquier cosa, menos de olvido. No puedo hablarles más de Inés, porque la perdí de vista después de aquella visita en Río. Mucho menos puedo imaginar qué habría dicho ella de mí, si alguna vez le hubiese interesado escribir. Me alegra pensar, eso sí, que nuestras páginas acerca de la hondonada podrían coincidir.

He terminado. He cerrado el cuaderno azul. He ordenado las hojas que tuve que agregarle. Un montón de detalles se encienden y se apagan, sin embargo, en mi memoria visual. La inmensidad de aquella casa en Río, un enorme Martín que Inés acariciaba con ternura, una refrigeradora que nos lanzaba solita hielos azules y automáticos, Roberto tratando de explicarme cómo funcionaba aquel artefacto increíble, yo diciéndole que era inútil, que ni lo intentara, soy el tipo menos aerodinámico del mundo, Roberto...

Aquel perro y aquella refrigeradora que se encienden y se apagan, me envían hacia este mismo departamento, hacia este mismo sillón Voltaire, en el que ahora trato de descansar, escuchando un poco de música. Es el curso natural de las cosas. Aquí estaba ya el sillón cuando el departamento era de Carmen y Alberto, aquellos amigos españoles que presenciaron la discusión en que se decidió mi boda con Inés. Yo hice un par de bromas, dije algo así como que no podía casarme sin tener antes un perro y una refrigeradora. Inés lloró. Yo era un imbécil, el fruto de una educación podrida, probablemente. No recuerdo bien ahora y ya para qué abrir el cuaderno y ponerse a buscar. Ahí estaba en el sillón Voltaire. Nos casamos...

Inés me abandonó por irse al Perú y después me enteré de que en realidad me había abandonado por irse al Brasil. En Lima se quedó sólo unos meses. Yo del aeropuerto regresé a mi antiguo departamento, y ahí viví su partida, hecho un desastre. Aquella desaparición era demasiado para un hombre que continuaba incluso merodeando por el dispensario en el que una monjita solía ponerle una inyección que ya no tenía a quién ponerle. Lograba trabajar, lograba comer, lograba tomar muchas pastillas, pero cada uno de esos actos terminaba conmigo tirado en el fondo de la hondonada. No sabía qué hacer sin Inés. No sabía qué hacer con aquel departamento en el que siempre faltaba Inés.

Un día Carmen y Alberto decidieron regresar a España y vinieron a ofrecerme este departamento. Los propietarios deseaban alquilárselo a alguien conocido. Fui presentado, y aquí llegué trayéndome mi vieja hondonada porque a veces la cosa andaba tan mal que era mejor volverse loco un rato y concentrarse con mucha fuerza en el inminente retorno de Inés. Otra cosa que me vencía muy a menudo, era el recuerdo de Enrique Álvarez de Manzaneda. Instintivamente me llevaba la mano hacia los cinco bultitos y me pasaba horas comprobando la existencia de algo que Inés siempre rechazó...

Pero por ahí tengo escrito que los enormes deseos de vivir esconden infinitas posibilidades de sorpresa. Es probable que, de alguna manera, haya sabido esto siempre. Pero sólo cuando Octavia, desde una prudente distancia, me señaló los cinco bultitos, y se mataba de risa y resulta que era bastante miope, algo divertido volvió a presentárseme, algo que un hombre tan enamorado de Inés era totalmente incapaz de definir. Pero Octavia continuaba riéndose conmigo y eso ya era mucho, era algo muy divertido, en realidad, y he vuelto a amar.

# INDICE

## OCTAVIA ME ESCUCHABA ATENTAMENTE

Esta
primera edición
de
LA VIDA EXAGERADA DE MARTIN ROMAÑA
primera parte
de
CUADERNO DE NAVEGACION
EN UN SILLON VOLTAIRE,
libro escrito en
Málaga, París, Théule-sur-mer, Sant Antoni de Calonge,
Saint-Raphaël y Montpellier,
entre julio de 1978 y febrero de 1981,
compuesta con Garamond 10 sobre 11 puntos,
se terminó de imprimir en los talleres de
Gráficas Instar, s/a., Constitución 19, Barcelona
en noviembre de 1981

BARCINONE
IDVS NOV.
MCMLXXXI